経過別成人看護学❷

周術期看護

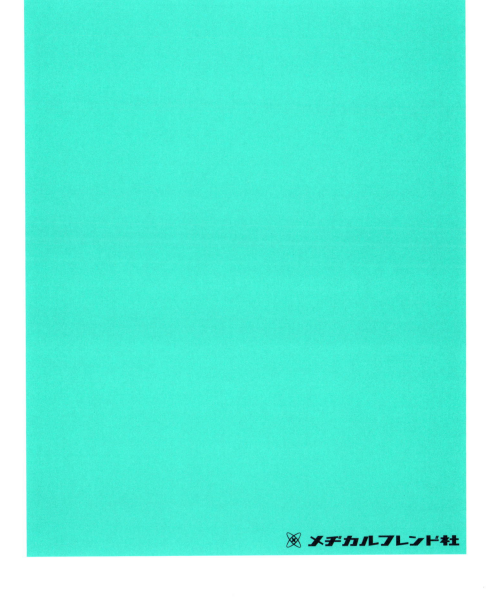

まえがき

今日，多くの治療の最終目標が「QOL の向上」におかれている。手術療法もその例外ではなく，臓器や組織を切除して生命予後を改善させることにとどまらず，その先にある QOL の向上が最大の目標となっている。たとえば，がん患者の長期予後の改善に伴って，がんサバイバーへの支援が社会の大きな関心事となってきたのも，その一例であろう。そこでは，日常をより豊かに送るための生活の質の部分への視点が不可欠となる。周術期看護の対象となる人々の看護も，手術侵襲から生命をまもり，回復を支援することだけを目的とはしていない。手術前後という範疇を超えて，長期にわたる療養生活を視野に入れた生活の再調整を支援し，より高い QOL を目指すものなのである。医療技術の高度化に伴って新たな医療機器を使用した手術やハイリスク患者の手術が増加するなかで，わたしたちは患者・家族が生活者であることを理解し，日常生活を見据えた看護を基礎教育から考える必要がある。

本書はメヂカルフレンド社が発行する新看護体系看護学全書の 1 冊として 2017 年に初版を刊行し，全国の看護教育の場で活用していただいてきた。その後，いくつかの疾患の診療ガイドライン等が改訂され，新たな治療方針や看護の在り方が提唱されてきたこともあり，最新の知識を提供したいという思いから，今回，改訂を行うことになった。

改訂版でも本書の目的を，学習者が，①手術という侵襲的治療法によってもたらされる身体構造や機能の変化を理解すること，②変化に適応して生活を再調整していく患者を支援するために必要となる知識を習得することの 2 点とし，前者を「第 1 編　周術期看護概論」，後者を「第 2 編　周術期にある患者・家族の看護」の 2 部構成とした。

変更点は主に，情報の更新である。診療ガイドライン等が更新された疾患については，新しいガイドラインに基づいて記述を変更した。また，読者の理解をより容易にするための図表の追加も行い，文章で書かれた内容がより理解しやすくなるようにした。これによって，内容はますます充実し，この 1 冊があれば講義・演習・実習のどの場面でも，活用できるものになったと確信している。

第 1 編は，周術期看護の基本と患者の特徴，周術期看護における理論の活用，手術を受ける患者に対する一般的な術前・術中・術後の看護で構成されている。術後の回復過程を支えるための看護に必要な基礎知識を網羅しており，手術療法がどのように生体に影響を与えるのか，そして，回復を支えるには術前から術中・術後を通してどのような看護が必要となるのかを具体的に示した。

第 2 編は，手術療法が適応される疾患のうち，実習で経験することが多い疾患を取り上げ，患者と家族に対する看護を記述している。各章では，冒頭で医学的知識となる手術部位の構造と機能，疫学，術式，術後合併症を解説して，術後の身体機能低下や合併症発生の要因や機序が理解できるようにした。そのうえで，早期回復と合併症予防，生活の再調整を念頭においた術前から術後回復期に至るまでの看護を解説し，各時期における具体的な看護をイメージできるようにした。さらに，最終章では，より個別性のある看護を行うための知識として，生活習慣病や精神疾患などの基礎疾患を有する患者の周術期看護を記述した。

執筆陣は，今回の改訂版でも臨床・教育の第一線で活躍されている中堅からベテランの看護専門職者が担当した。日々の臨床における看護実践や基礎教育の現場で培った経験に基づき，初学者が知りたいことを理解できるように心を込めた本書が，講義や演習，実習で役立ち，看護実践能力修得の一助になれば幸いである。

最後に，改訂の趣旨を理解いただき，今回も快く協力いただいた執筆者の皆様，度重なる編者の要望にていねいに対応いただいたメヂカルフレンド社編集部の皆様に心より感謝申し上げる。

2021 年 12 月

編集を代表して　嶌田理佳

執筆者一覧

編集

蔦田　理佳　京都先端科学大学健康医療学部看護学科教授

明石　恵子　名古屋市立大学大学院看護学研究科教授

執筆（執筆順）

蔦田　理佳　京都先端科学大学健康医療学部看護学科教授

奥村美奈子　岐阜県立看護大学教授

福録　恵子　三重大学大学院医学系研究科教授

吉田　和枝　四日市看護医療大学看護医療学部看護医療学科教授

犬丸　杏里　三重大学大学院医学系研究科助教

吉村弥須子　森ノ宮医療大学看護学部看護学科教授

田中久美子　鈴鹿医療科学大学看護学部看護学科准教授

岡田　悠揮　名古屋市立大学病院看護部看護師長／手術看護認定看護師

中村　美鈴　東京慈恵会医科大学医学部看護学科教授

師岡　友紀　武庫川女子大学看護学部教授

荒尾　晴惠　大阪大学大学院医学系研究科保健学専攻教授

益田美津美　名古屋市立大学大学院看護学研究科准教授

浅田　美也　三重大学医学部附属病院看護部副看護師長

津田　翔司　三重大学医学部附属病院看護部副看護師長

北野ゆかり　名古屋市立大学病院看護部看護師長

井澤　史恵　名古屋市立大学病院看護部

小塚　裕子　名古屋市立大学病院看護部

田所　孝子　三重大学医学部附属病院看護部看護師長

西山　和成　三重大学医学部附属病院看護部副看護師長

松下　綾子　三重大学医学部附属病院看護部副看護師長

土屋　裕美　名古屋女子大学健康科学部看護学科講師

奥村　泉　三重大学医学部附属病院看護部看護師長

神谷　菜月　三重大学医学部附属病院看護部

松田美紗子　神戸大学大学院保健学研究科博士課程後期課程

小森　一人　国立循環器病研究センター副看護師長／感染管理認定看護師

舘　昌美　地域医療機能推進機構中京病院看護部／急性・重症患者看護専門看護師

中神　克之　名古屋市立大学大学院看護学研究科准教授

佐藤　正美　東京慈恵会医科大学医学部看護学科教授

永田　千恵　名古屋市立大学病院看護部看護師長

市原千花子　名古屋市立大学病院看護部

大串　陽子　名古屋市立大学病院看護部
日比美由紀　三重大学医学部附属病院看護部看護師長
稲垣　悦子　三重大学医学部附属病院看護部副看護師長
市川　裕美　三重大学医学部附属病院看護部副看護師長
大石ふみ子　聖隷クリストファー大学看護学部教授
渡辺　美奈　名古屋市立大学病院看護部看護師長
五十嵐真理　名古屋市立大学病院看護部
八代　律子　名古屋市立大学病院看護部
福岡　俊樹　名古屋掖済会病院脳神経外科
吉村　　恵　名古屋掖済会病院看護部
佐藤　崇史　名古屋掖済会病院看護部
足立　珠美　名古屋市立大学病院看護部看護師長
木下　英里　名古屋市立大学病院看護部
土井亜紀子　名古屋市立大学病院看護部
羽田麻梨実　名古屋市立大学病院看護部
山田　真実　名古屋市立大学病院看護部
大川　滋美　東都大学沼津ヒューマンケア学部看護学科講師
平井　元子　JCHO 東京山手メディカルセンター看護部副看護師長／精神看護専門看護師

目次

序章

今日の手術療法と周術期看護の役割

I　手術療法と周術期看護の役割

手術療法は，健康問題を克服するための代表的な手段である。手術療法は生体に対する侵襲（しんしゅう）的な治療法であり，臓器や組織の切除，摘出などによって身体構造や機能の変化を患者にもたらす。その結果,患者は従来の生活習慣や自己像を変化させる必要性に迫られる。

今日，疾患の治療方針の多くは，学会などが作成するガイドラインが示す標準治療を基本として決定される。手術療法についても医学的に評価された成果をエビデンスとして標準治療に反映させているが，手術を受ける患者には個別性があり，手術による生体反応やその後の経過には個人差がある。患者が自己決定により選択した手術療法の成果を感じ新しい生活を送ることができるよう支援することも，周術期看護の役割となる。以下に周術期看護の役割に影響を与える今日的な手術療法のトピックスについて述べる。

1. 手術によるQOLの向上

今日，多くの治療の最終目標が生活の質（quality of life；QOL）の向上に置かれるようになってきた。これには時代背景の変遷が深くかかわっており，特に個（人）を尊重する意識の高まり，患者中心の医療への意識変化，疾病構造の変化と長寿化，健康維持・増進の重要視，医療費の高額化と医療資源の有限性などが影響していると考えられている。このような変化によって,手術療法も臓器や組織を切除して生命予後を改善させるだけでなく,QOL の向上が重要になってきた。手術によって「治す」という疾病（しっぺい）の治癒・克服だけではなく，その後の QOL をどれだけ高めることができるのかが，手術療法を選択する際の大きなポイントになっている。看護師も患者の QOL を意識したケアや意思決定支援，退院支援を行う必要がある。

2. 多様な手術目的

手術のほとんどは病変部位の治癒，つまり根治を目的として実施されるが，時には根治を目的としない姑息（こそく）的手術が行われることもある。たとえば，腫瘍の増大による食道狭窄のため食事摂取が困難になった患者に対するステント挿入術があげられる。経口摂取が可能になれば，栄養状態の改善が期待できるだけでなく，食べることができるという精神面への作用も大きい。こうした手術は，患者の QOL の維持・向上を目指した緩和医療の一環でもある。そのほかにも，検査目的の手術，移植手術，再建手術など，手術の目的は多様である。看護師は患者の手術目的をよく理解して目的に沿った看護を行う。

3. 手術によるからだの構造や機能の変化

手術には，目的の違いにより，健康障害の原因を除去するために臓器や組織を摘出するタイプと，健康障害を克服するために新たな臓器や組織を得るタイプの 2 種類がある。前者のタイプでは臓器や組織の摘出により，それらが備えていた生理的機能を喪失する。後者のタイプでは障害部位に代わる新たな機能や組織を手に入れるため，むしろこれまでより機能が改善する。手術によって機能を失うことと，新たな機能を得ることは相反するようにみえるが，いずれもからだの構造や機能が変化するという点では共通している。患者には，新しい機能に順応し適応するためのリハビリテーションが必要となる。また，自己概念にも影響を及ぼすボディイメージの変化やセクシュアリティの変化にも対応し，新たな自己像を得ることも課題となる。

4. 術前・術後の補助療法や後療法の一般化

良性腫瘍や早期がんでは，手術のみで根治が見込まれることもあるが，手術前後に別の治療を組み合わせて行うケースも多い。たとえば，がんでは，病期によっては術前に腫瘍組織を縮小させる化学放射線療法を行うことがある。術前だけでなく，手術で病巣を取り除いたのち，残存するがん細胞を確実に死滅させるために化学放射線療法などを併用することもある。このような術前・術後の補助療法の普及により，手術を受ける周術期だけでなく，その前後の治療期間も視野に入れた看護が必要となってきた。

たとえば，術前に何らかの治療を受けた患者は，副作用を含めどのような身体的な影響があり，どのような気持ちになったのかなど，看護師はその体験を知り，周術期看護に生かすようにする。また，術後に次の治療がある場合は，手術によって変化した心身の状況に加えて，新たな侵襲が加わることを念頭に置いて，どのような看護が求められるのかを考えていく必要がある。

こうしたことからわかるように，周術期看護は手術前後のみを対象とするだけではなく，長期間にわたる治療歴，回復過程を意識してかかわらなくてはならない。

5. 最先端医療による手術療法の普及

医療は日進月歩であり，周術期に関しても，麻酔方法や手術器械，投与薬剤が次々と開発・改良され，清潔，創傷，疼痛（とうつう），合併疾患などに対する種々の管理方法が日々発展し変化している。手術方法についても，内視鏡下手術に代表される低侵襲手術（minimally invasive surgery：MIS）や，美容上の観点から皮膚への切開を最小限にする方法も普及してきている。また，コンピューター技術を導入した内視鏡下手術支援ロボットによる手術，ハイブリッド手術，移植手術などの最先端医療の発展は目覚ましい。今後さらに適用範囲が拡大し，手術対象となる患者数も増加することが予想される。

新しい治療の場合，看護師は未知の看護を行うことになる。患者がどのように回復し，どのような思いを体験するのかをていねいに観察し，看護方法を確立していくことは，看護師の責務である。

6. 慢性疾患の治療としての手術

慢性的な経過をたどる疾患に対しても手術療法が適応される。たとえば，心筋梗塞や狭心症は生活習慣が大きく関係する慢性疾患であるが，この治療として手術が選択されることがある。しかし，冠動脈バイパス術などによって心筋の血流を確保し，部分的な機能を回復させたとしても，全身性にみられる動脈硬化症や高血圧症を手術で改善することは難しい。このため，冠危険因子とされる生活習慣を改善することなく術前と同じ生活を続けていては，血管は再狭窄を起こし，心筋梗塞や狭心症を再発してしまう。

また，日本人の死因の第1位を占めるがんは，治療方法の発展とともに生存率が向上し，生命予後も改善してきた。がんサバイバーとして社会復帰し，活躍する人は増加しており，周術期を支えるだけでなく，長期的視点で術後の療養生活を支えるかかわりが重要となってきた。運動器系や脳神経系の術後も同様に，後(こう)療法としてリハビリテーションが組み入れられるため，長期的に回復過程を考えていくことになる。

このように，慢性疾患の患者で周術期看護の対象となった人には，慢性期看護の視点をもってかかわることも重要である。慢性疾患としての術後管理が予後やQOLを左右するといっても過言ではない。周術期は慢性疾患の療養生活の一部であり，術後は生活の再調整を行って長期の回復過程を支える看護が求められる。

7.「術後回復能力強化」の普及

術後の回復能力強化を目的とした周術期管理プログラムが，この数年で急速に発展し，多くの施設で導入されるようになってきた。このプログラムでは，術後の早期回復に有用とされる方法を，術前から術後をとおして実施する。これによって患者の回復力を強化し，機能低下からの回復を早めて合併症を予防し，早期の退院や社会復帰につなげるようにする。術後回復能力強化のプログラムには世界各国で様々な名称があり，日本ではERAS(イーラス)（enhanced recovery after surgery）が有名である。こうしたプログラムはエビデンスを基に組み立てられており，導入以降，術前処置や術後管理を含め，様々な周術期看護を劇的に変化させた。患者の負担軽減に寄与するところは大きく，今後も進化し続けると考えられる。看護師も看護の視点で，新しい方法がどのように患者に影響しているのかをみていく。

8. 在院日数の短縮化による周術期看護への影響

国民医療費は年々増加しており，2019（令和元）年度は44兆3895億円となった。年々増加する医療費の抑制策の一環として，手術目的の入院についても入院料の算定方法が改定され，在院日数の短縮化が求められている。こうしたこともあり，多くの施設でクリティカルパスが導入され，計画的に入退院をコントロールするようになってきた。従来は入院後に行っていた術前検査や手術オリエンテーションは，入院前に外来で実施されるようになり，全身麻酔による手術であっても，手術の前日もしくは前々日に入院することが一般的である。術後も，数日後には退院することを想定した計画に則ってケアがなされる。手術が決定した直後から退院後の療養生活を見すえたかかわりを行い，患者が安心して在宅療養に移行できるように療養環境を整えることも看護師の役割である。

9. 生活者である患者と家族

手術のための入院生活は，自宅における生活と比べると非日常的なものとなるが，生活している場所と生活のしかたが変わるだけで，患者が生活者であることに変わりはない。生活する場がどこであっても，患者は呼吸し，食事し，排泄し，眠る。喜怒哀楽など，様々な思いも経験する。病院に入院していても，患者が過ごす所は生活の場であり，そこでの暮らしを支えることが看護師の役割であることを意識しておく。

手術を受ける人は，人生の一部を病院で生活し，回復後に元の生活に戻っていく。入院によってこれまでの生活が途切れることにより，元の生活に戻る際の支障となることがある。運動機能の低下を防ぎ，入院前よりも日常生活動作（activity of daily living：ADL）を低下させないようにすることも，術中に皮膚障害を起こさないようにケアすることも，すべて患者が退院して元の生活に戻ったときの，生活のしやすさを意識してのことである。入院中も可能な範囲で，患者がこれまでどおりの生活を送ることができるように配慮しなくてはならない。

患者の家族は，手術後の療養生活を支える大切な存在である。家族も患者と同じように手術や今後の生活に不安を覚え，生活調整に困難を感じることもあるため，看護の対象として接する。単身世帯の増加とともに，独居や身寄りがない患者が増えており，また，老老介護の状況のなかで患者の健康管理が困難になっている家族もある。家族や重要他者によるサポートを得ることが難しい場合には，行政サービスと連携する。

医療技術の進歩によって，高齢者やハイリスク患者の手術適応が拡大してきた。こうした患者の場合は，術後合併症や2次障害をきたすリスクが高く，諸機能の低下から入院期間が長期化し，元の生活に戻ることが困難となることが予想される。術前からリスク管理を行って，少しでもQOLを高く維持できるように看護していく。

第1章

手術療法と周術期看護の基本

この章では

- 手術による生体反応と各機能への影響を理解する。
- 手術による生体反応からの回復を支える看護を理解する。
- 周術期の範囲と各区分について理解する。
- 術前・術後の患者の身体的特徴・心理社会的特徴を理解する。
- 周術期看護の目的と目標を理解する。
- 周術期における看護師の役割を理解する。

I 手術療法と生体反応の基本

A 手術療法の目的と種類

1. 手術とは

手術（surgery, operation）は，患者の生命予後の改善や生活の質（quality of life；QOL）の向上を最終目標として意図的に生体に侵襲を与える治療法であり，皮膚・粘膜や組織の切開，切除，摘出（てきしゅつ）などによって出血や創傷形成を伴うことに特徴がある。手術療法は**外科的治療法**ともいわれ，薬物や放射線などを用いて治療を行う**内科的治療法**と並ぶ2大治療法の一つである。

2. 手術の目的

手術は病変部位を切除，摘出，修復することによって，低下した機能を回復・再獲得させることを期待して行われる。手術は多くの疾患や外傷において，治癒を図るための標準治療の一つとして選択され，表1-1にあげるように様々な目的をもつ。

3. 手術の種類

1 術式や目的による分類

術式による手術の分類としては，切断術，切除術，摘出術，移植術，再建術，形成術などがある。これらの手術は単独で行われるだけでなく，「食道切除術と食道再建術」，あるいは「乳房全摘術と乳房再建術」のように，病変部位を摘除することによって生じる機能障害や外観の変化に対して，新たな代替機能を得るための手術を組み合わせて実施することも多い。

表1-1 手術の目的と種類

手術の目的	手術の種類
• 病変部位を完全に摘除・修復して治癒させる	根治手術
• 治癒が困難な病態に対して一時的に症状を改善させる • 根治手術を受けるまでの間の病態を安定させる • 根治手術に向けて段階的に行う（先天性疾患など）	緩和手術 （姑息手術）
• 切除，摘出した臓器や組織の機能を再生する（食道切除後の食道再建など） • 切除，摘出による欠損のため外観が変化した部位を補正する（乳房全摘出後の乳房再建など） • 欠損した組織部位を皮弁（皮膚や筋肉）で覆い形成する（移植手術でもある）	再建術
• 機能不全に陥った臓器・組織の代替となる新たな臓器・組織を移植する	移植手術
• 確定診断を得る • 治療方針を決定する	試験開腹術など

手術には，病変部位を完全に摘除して治癒させることを目的とする**根治手術**と，根治を目的としない対症療法としての**緩和手術**（**姑息手術**）がある。

また，がんに対する根治手術のうち，病変部位や進行度に応じて標準化された手術方法を**定型手術**という。これに対して，新しい術式による手術や，進行度に応じて切除範囲やリンパ節郭清範囲を変えて行う手術を**非定型手術**という。

2 切除範囲による分類

❶全摘術，部分切除術

特定の臓器をすべて摘出することを全摘術，一部のみを切除し摘出することを部分切除術という。

❷拡大手術

病期が進行したがんに対して行われる手術で，病変部位の確実な切除を目的とする手術である。原発巣だけでなく，浸潤が疑われる隣接臓器や転移の可能性があるリンパ節などを，定型手術よりも広範囲に切除する。転移や再発を予防することが期待できる一方で，切除範囲が広くなることによる侵襲も大きくなり，機能の低下が問題になりやすい。

❸縮小手術

主に早期がんに対して行われる手術で，定型手術よりも切除範囲を縮小しても根治が期待できる場合に行われる。切除範囲が小さいことから侵襲と機能障害を最小にとどめることができるが，転移や再発の可能性は残る。

3 アプローチ方法による分類

皮膚を大きく切開して操作する**開放手術**（開腹術，開胸術，開心術など）と，内視鏡下に手術を行う**内視鏡下手術**がある。内視鏡下手術は開放手術に比べて創が小さく，術後回復も早いことから，多くの手術で適用されている（第7章「内視鏡下手術を受ける患者の看護」参照）。

近年ではダヴィンチ（da Vinci® サージカルシステム）というロボットを用いたロボット支援下内視鏡手術も広がりをみせている。ダヴィンチは2009年に医療機器としての認可を受け，2012年4月には前立腺がん摘除術が保険適用となった。今日では，肺，縦郭，胸腺，食道，胃，直腸，膵臓，腎臓，子宮，心臓など多くの臓器に対する手術が行われている。ダヴィンチは術者が操作を行う「サージョンコンソール」，4本のロボットアームが付いた「ペイシェントカート」，術野の立体画像を映す「ビジョンカート」の3つの機器で構成されている。術者はサージョンコンソールで術野の画像を見ながら遠隔操作によりロボットアームの鉗子を動かして手術を行う。

ロボット支援下内視鏡手術は，従来の手術に比べて正確かつ緻密な操作が可能であり，創が小さい，出血量が少ない，手術時間が短い，術後の回復が早いなど，患者にとってメリットが大きい。一方で内視鏡下手術と同様，術者が直接臓器に触れないため，鉗子による臓器損傷のリスクがあるとされる。

B 手術侵襲と生体反応

1. 手術侵襲とは

1　侵襲とは

侵襲（しんしゅう）とは，生体の内部環境を乱す可能性のある外部からのストレッサー（刺激）をいう。侵襲を受けると生体はストレス反応として恒常性（ホメオスタシス）を維持させるために，内部環境を一定の状態に保とうとする生体反応（生体防御反応）を起こす（図1-1）。ハンス・セリエ（Selye, H.）は，このようなストレッサーに対するストレス反応を「汎（はん）適応症候群」として説明した。ストレッサーを感知した生体はストレス反応を起こし（警告反応期），恒常性の維持に努める（抵抗期）。その結果，生体が安定を取り戻すことができれば回復につながるが，うまくいかない場合は生命の危機にもつながってしまう（疲憊（ひはい）期）という図1-2のような過程である。

外傷や熱傷などによる皮膚粘膜組織の損傷，細菌やウイルスによる感染，化学薬品や放射線の曝露（ばくろ）など，様々な刺激による侵襲が健康に影響する。また，不安，恐怖，いらだち

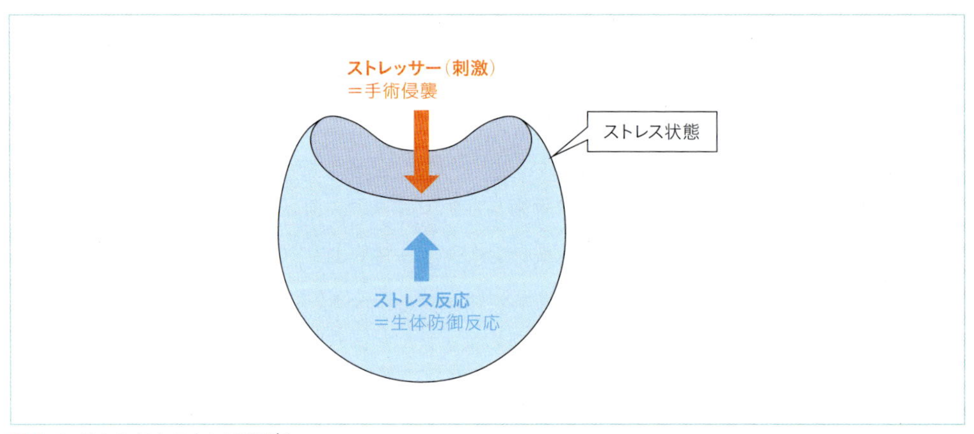

図1-1　ストレスとストレス反応

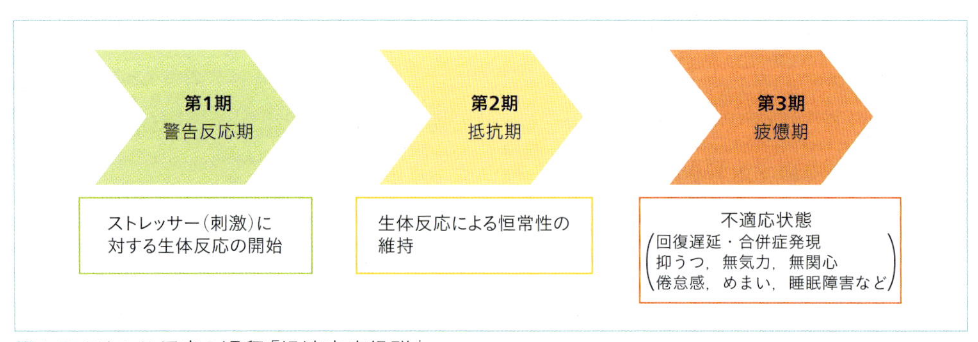

図1-2　ストレス反応の過程「汎適応症候群」

などの感情は，心的外傷という侵襲となって様々な反応を起こす。

2 周術期の侵襲

周術期の患者が受ける様々な医療処置は，すべて侵襲となり得る。最も大きな侵襲は，手術操作に伴う組織の切断，切離，挫滅，焼却といった皮膚・組織への外的な損傷と，これに伴う阻血や出血，炎症反応や疼痛などである。全身麻酔では麻酔ガス，鎮静・鎮痛薬，筋弛緩薬を使用して意識や痛み，筋緊張を消失させ，有害反射を抑制するが，この麻酔や，人工呼吸器の使用に伴う気管挿管や陽圧換気も，侵襲となって様々な生体反応を引き起こす。また，術前検査や絶食などの術前処置や，不安，恐怖などの精神的な苦痛も侵襲となる。このように，周術期における侵襲は単一のストレッサーによる単発的な刺激ではなく，術前から術後をとおして複数のストレッサーが絶えず複合的に患者を刺激しつづけ，持続的に患者の生体反応を惹起させるのである。

2. 手術侵襲に対する生体反応

1 神経内分泌反応

手術による出血や疼痛という刺激は，侵襲となって，視床下部から始まる神経内分泌反応を引き起こす（図1-3）。

自律神経系では交感神経を介して副腎髄質からカテコールアミン（アドレナリン，ノルアドレナリン）が分泌される。カテコールアミンは末梢血管の収縮，心収縮力の増大，心拍数の増加によって循環血液量を維持させ，頻脈や血圧上昇を起こす。カテコールアミンにはインスリン拮抗作用もあり，インスリンの分泌を抑制するとともに肝臓からのグルコース放出を促し，これらによって術後に血中の血糖値は上昇傾向となる。

内分泌系としては下垂体前葉から**副腎皮質刺激ホルモン**（ACTH）が分泌され，副腎皮質を刺激して**副腎皮質ホルモン**である**糖質コルチコイド**（**コルチゾール**）や**鉱質コルチコイド**（**アルドステロン**）が分泌される。また，侵襲によって傷害された細胞から放出されたカリウムも副腎皮質を刺激して，鉱質コルチコイドの分泌に作用する。鉱質コルチコイドは腎臓の遠位尿細管からのナトリウムと水の再吸収を促すとともにカリウムの排泄を促す。水の再吸収によって尿量は減少し，尿中に含まれるナトリウムは減少する一方，カリウムは増加し，血圧上昇が起こる。さらに，下垂体後葉から抗利尿ホルモン（ADH）が分泌されることによって，尿の産生が抑制されることも尿量減少につながる。

出血や血管の透過性亢進による細胞外液の**サードスペース***（非機能相）への移行に伴って，循環血液量は減少する。腎臓を通過する血液量も減少することによって，腎糸球体輸入動脈の傍糸球体細胞からレニンが分泌され，アンジオテンシノーゲンを介して**アンジオテン**

***サードスペース**：血管透過性の亢進によって漏出した血漿成分が移行する先（間質）をいう。非機能的細胞外液の一部と考えられている。

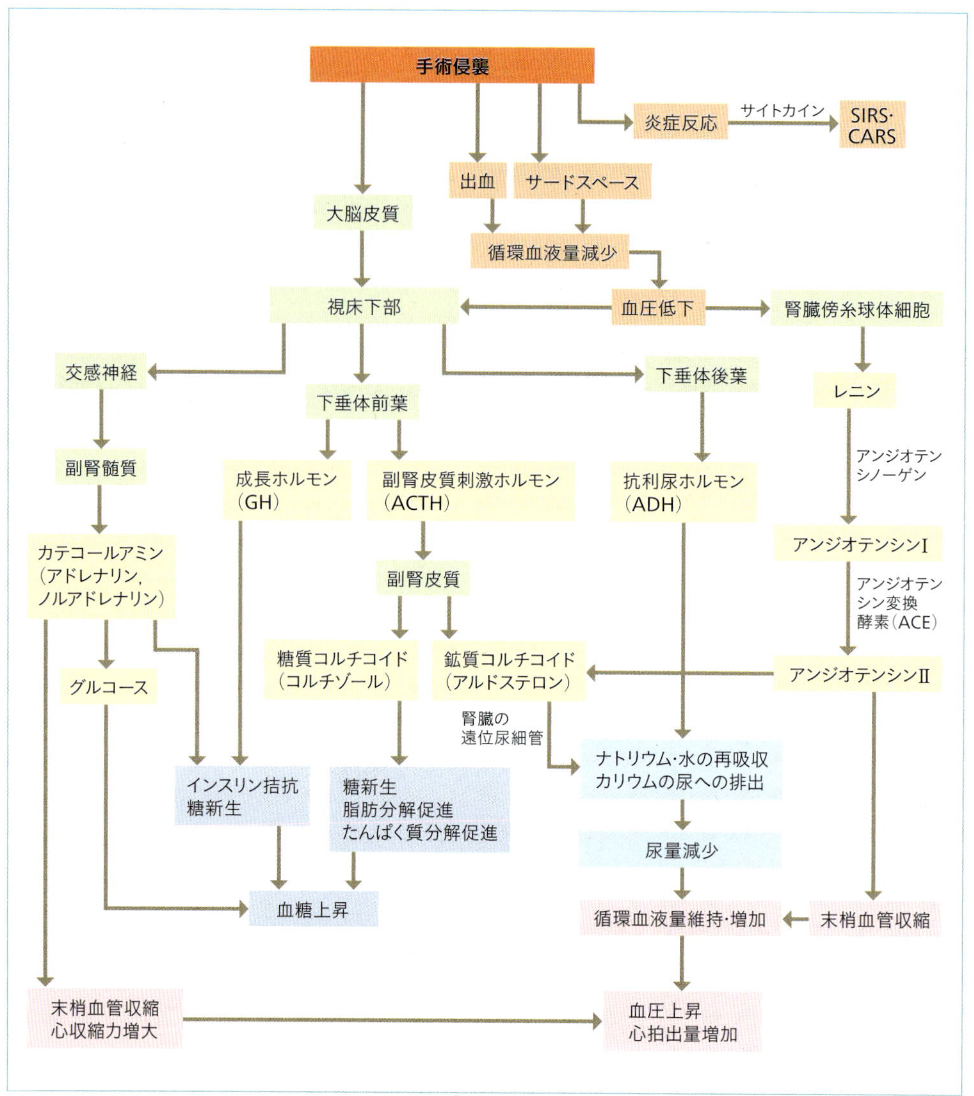

図 1-3 手術侵襲に伴う神経内分泌反応

シン I を生成する。アンジオテンシン I はアンジオテンシン変換酵素（ACE）によって**アンジオテンシンⅡ**に変換され，末梢血管を収縮させるとともに鉱質コルチコイドを分泌させる。これら一連の調節機構は**レニン・アンジオテンシン・アルドステロン系**といわれ，これによる循環血液量の増加に伴い心拍出量は増加し，血圧が上昇する。

2 サイトカイン反応

神経内分泌反応と並んでサイトカイン反応も重要な生体反応であり，両者は図 1-4 のように深く関係する。サイトカインとは，細胞間の情報伝達にかかわるたんぱく質であり，数十種類が存在する。神経内分泌反応として分泌されるホルモンが特定の臓器から分泌されて特定の作用をするのに対して，サイトカインは様々な細胞で産生され，作用は細胞の

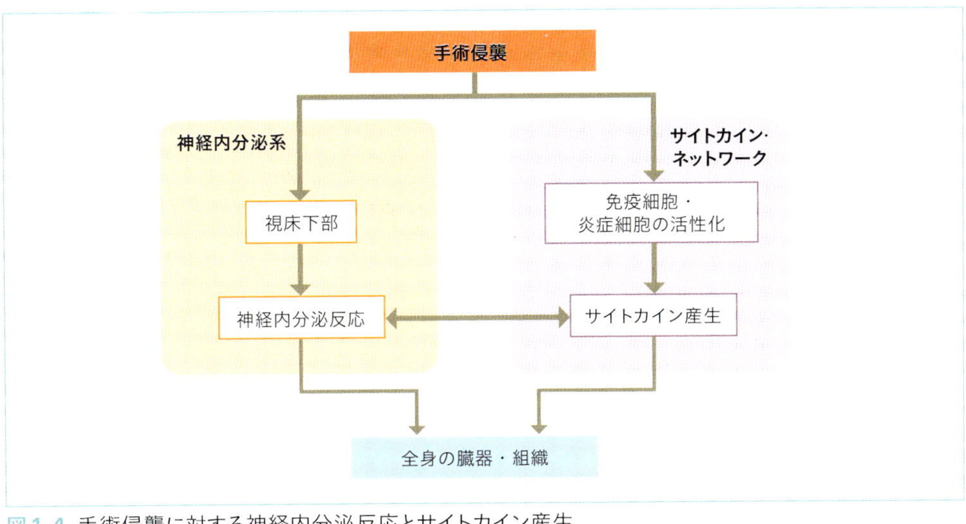

図1-4 手術侵襲に対する神経内分泌反応とサイトカイン産生

分化・増殖，炎症の誘導・抑制など多様である。さらに，1つのサイトカインで複数の作用をもつものもある。

別々のサイトカインが相互に作用することもあり，その複雑な情報網はサイトカイン・ネットワークといわれる。サイトカインは手術の侵襲を感知すると早期に産生され，発熱，頻脈，頻呼吸，白血球増加などの**免疫反応**や**炎症反応**を引き起こす。これにより，臨床的には術後早期の発熱や白血球数（主に好中球）の増加と核の左方移動，急性相反応たんぱくの一つであるCRP（C反応性たんぱく）の上昇がみられる。サイトカインは侵襲が大きいほど強く反応し，生体を傷害して臓器障害を招き，**播種性血管内凝固症候群**（disseminated intravascular coagulation：**DIC**）や**多臓器障害症候群**（multiple organ dysfunction syndrome；**MODS**）を引き起こす。

3 SIRSとCARS

サイトカイン反応は，侵襲を感知した生体が恒常性を維持するための生理的な反応である。**炎症性サイトカイン**が多量に産生され，全身において炎症反応が引き起こされている状態を**全身性炎症反応症候群**（systemic inflammatory response syndrome：**SIRS**）という。SIRSの診断基準を表1-2に示す。手術による侵襲においても炎症性サイトカインが産生さ

表1-2 SIRSの診断基準

- 体温＞38.0℃，または＜36.0℃
- 心拍数＞90回/分
- 呼吸数＞20/分，または $PaCO_2$＜32 mmHg
- 白血球数＞12000/mm^{3}もしくは＜4000/mm^3，あるいは未熟顆粒球＞10%

上記4項目のうち，2項目以上が該当するとSIRSと診断される。

出典／土肥修司，他編：TEXT麻酔・蘇生学，第4版，南山堂，2014，p.460．一部改変．

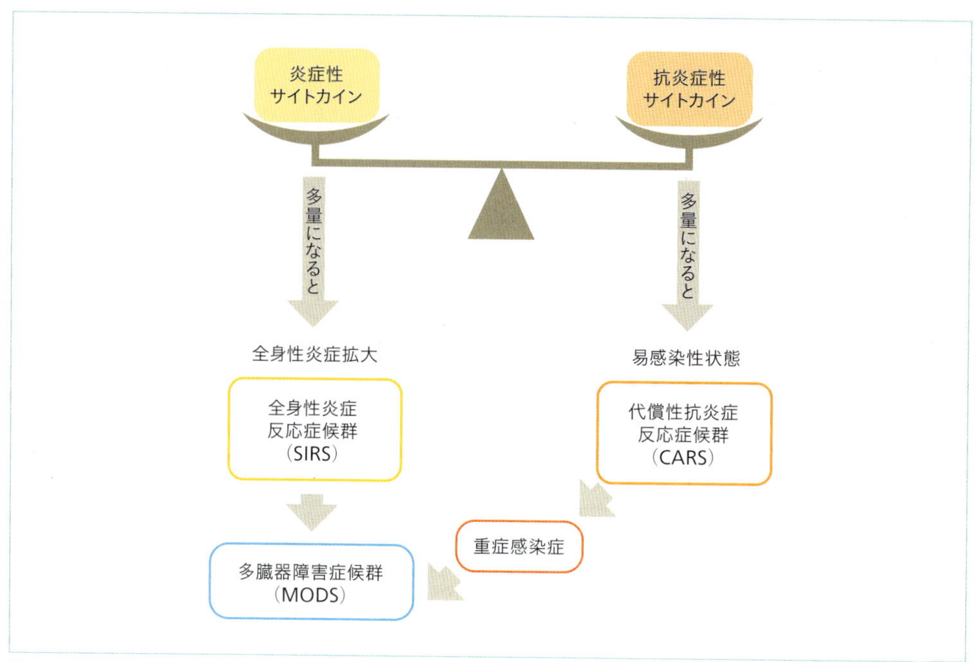

図 1-5　炎症性サイトカインと抗炎症性サイトカイン

れ SIRS を発症する。これ対して，恒常性を維持しようとする**抗炎症性サイトカイン**も産生される。図 1-5 のように，炎症性サイトカインと抗炎症性サイトカインはバランスを保ちつつ炎症を沈静化させ，回復しようと働く。しかし，炎症の持続によって抗炎症性サイトカインが優位になると，易感染性状態を示す**代償性抗炎症反応症候群**（compensatory anti-inflammatory response syndrome；**CARS**）を招く。CARS は術前から感染症，低栄養，放射線療法や化学療法を受けた患者では発症リスクが高いとされ，注意が必要である。

3. 生体反応としての各機能への影響

1　循環・体液

手術操作に伴う創傷部位からの出血や水分の蒸発などによって体液喪失が起こることから，患者の循環血液量は減少する。また，術後は炎症反応によって血管透過性が亢進し，細胞外液が血管内からサードスペースに移行する（図 1-6）ため，循環血液量はさらに減少する。循環血液量の減少は刺激となって神経内分泌反応を惹起（じゃっき）し，血管収縮，心収縮力増大，心拍出量の増加が起きる。

サードスペースに貯留した細胞外液は，炎症反応の消退（しょうたい）に伴って術後約 24 ～ 72 時間で血管内に戻る。これにより，循環血液量が増加する利尿期となり，水分が尿として排泄されることから尿量は増加する。循環血液量が急激に増加することは心臓や腎臓の負担となるため，輸液量の調整が必要となる。特に，心機能や腎機能が低下している場合は腎不全やうっ血性心不全につながることがあるため，注意が必要である。

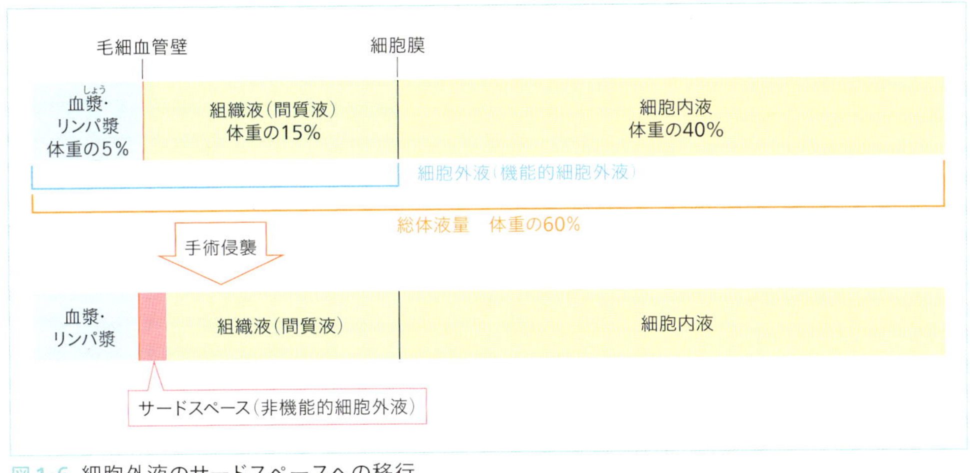

図1-6 細胞外液のサードスペースへの移行

2 呼吸

全身麻酔では麻酔薬によって呼吸抑制が起こり，自発呼吸は消失する。舌根が沈下することによる気道狭窄や，気管支の線毛運動抑制による痰の排出停滞と貯留が起こる。また，筋肉の活動抑制によって呼吸に深くかかわる胸郭や横隔膜も影響を受けるため，肺の拡張が妨げられ，無気肺が生じやすくなる。さらに，麻酔管理下での人工呼吸器による呼吸は非生理的な陽圧換気であることから，肺組織は傷害を受けやすく，挿管チューブの圧迫による気道粘膜や線毛の損傷も，呼吸機能の低下をもたらす。

麻酔薬は，全身麻酔終了後も数時間体内に残存する。痰の増加や喀出(かくしゅつ)困難は術後の呼吸機能の回復の妨げとなる可能性がある。このように，全身麻酔に伴って呼吸機能は大きな影響を受けるが，術後は創傷の修復や体温の回復のために末梢組織の酸素需要が増加することから，全身的には低酸素血症に陥る。

3 代謝

手術侵襲(しんしゅう)から回復するためにエネルギーの消費量は増加するが，患者は術前から絶食状態にあり食事によるエネルギー補給が困難である。エネルギー源を確保するために肝臓と筋肉のグリコーゲン分解を亢進させ，解糖と糖新生が行われる。この糖代謝と生体反応として起こるインスリン感受性の低下によって，術直後は**外科的糖尿病**といわれる高血糖状態となる。また，エネルギーの確保は，骨格筋の筋たんぱくや脂肪の分解（異化）を亢進することによっても行われる。分解されたたんぱく質はアミノ酸として肝臓に運ばれ，創傷治癒や生体防御に大きな働きをもつ**急性相反応たんぱく**の合成に使われる。脂肪も糖新生にかかわるエネルギーとして利用される。このようなたんぱく異化の亢進により，低たんぱく血症や低アルブミン血症が起こり，血管膠質(こうしつ)浸透圧が低下することも，サードスペースへの血漿移行を助長する。

4 血液凝固

手術によって組織が傷害されると，出血を感知した組織は血管を収縮させ，受傷部位に血小板が凝集する。凝集した血小板により血栓が形成され，フィブリノーゲンがフィブリンとなって受傷部位に接着し，止血を図る。全身性炎症が遷延(せんえん)して凝固能が亢進すると，DICを引き起こすことがある。

5 消化管

手術によって消化管の蠕動(ぜんどう)運動は停止し，粘液の分泌も抑制される。腸管には体内のマクロファージやリンパ球などの免疫細胞の約半分が存在しており，これが感染防御に大きな役割を担っている。手術侵襲や絶食によって消化管運動と消化吸収の機能が低下すると，腸管粘膜のバリア機構が破綻し，腸内細菌や真菌が腸管壁を通過して，腸間膜リンパ節炎や血管に侵入する**バクテリアルトランスロケーション**（bacterial translocation；**BT**）を引き起こす。BTは敗血症の原因にもなり，予防には経腸栄養の早期開始が有効とされる。

6 精神機能

手術侵襲(しんしゅう)は，身体機能だけでなく精神機能にも影響を与える。患者は術前から不安，恐怖，抑うつ，悲嘆，怒り，絶望など，様々な感情を抱き，時には緊張，無気力，無表情，いらだちなどの様子が観察される。これは，からだがストレッサーに対してストレス反応を起こし，恒常性を維持しようとするのと同じように，精神もまた，ストレス反応を起こしてストレス・コーピングを行い，心の恒常性を維持しようとしていると考えることができる。前出図1-2で説明した「抵抗期」においては表1-3にあげるような症状が身体的な反応としてみられることがある。これらの症状は術後の回復過程に悪影響を及ぼす可能性もあるため，看護師は患者をよく観察して症状の背景をアセスメントし，精神的なケアを行う必要がある。「抵抗期」のコーピングが有効になされないと，患者は「疲憊(ひはい)期」の状況に陥り，ストレス関連疾患（表1-4）といわれるような健康障害につながることがある。

表1-3 身体面のストレス反応

代謝・内分泌	肥満，やせ，月経異常，更年期障害
消化器	下痢，悪心，腹痛，食欲不振，過食
呼吸器	息切れ，呼吸困難感，咳
循環器	血圧上昇，頻脈，不整脈，動悸，胸痛
神経	頭痛，振戦，しびれ感，倦怠感，肩こり，疲労感，めまい，睡眠障害

出典／布留川貴也，他：ストレス関連疾患の行動医学的病態理解，Mod Physician，36（9）：917，2016．一部改変．

表 1-4 ストレス関連の身体疾患の例

代謝・内分泌	肥満症，糖尿病，甲状腺機能亢進症，更年期障害
消化器	機能性ディスペプシア，過敏性腸症候群，胃・十二指腸潰瘍，潰瘍性大腸炎
呼吸器	気管支喘息，過換気症候群
循環器	本態性高血圧，起立性低血圧，心筋梗塞，狭心症
神経	片頭痛，筋緊張性頭痛，姿勢時振戦
皮膚	アトピー性皮膚炎，蕁麻疹
その他	神経性やせ症，関節リウマチ

出典／布留川貴也，他：ストレス関連疾患の行動医学的病態理解，Mod Physician，36（9）：917，2016.

C 手術に伴う生体反応からの回復

1. 術後の回復を支える看護

1 全身状態の観察

❶生体反応に影響する3要素

全身麻酔下の手術侵襲を受けたのちにどのような生体反応がどの程度観察されるかは，患者の特性と受けた手術の内容により大きく異なる。図 1-7 のように，患者の特性としては年齢，性別，体格，既往歴，現病歴，性格など個別性ともいえる事項があげられる。同様の手術を受けた人でも個人により反応が異なるのは，この個別性の違いによるところが大きい。また，手術の内容も術後の反応を左右する要因であり，術式や手術手技に伴う侵襲の程度によって，術後の反応が異なることを示している。

❷観察する内容

異常を早期に察知し早期に対応することが，患者の回復を支えるうえで重要である。周

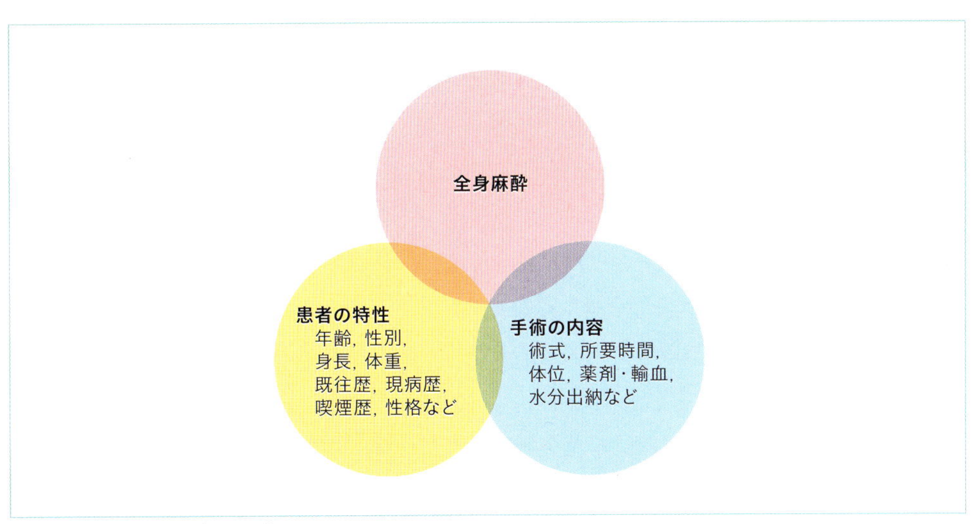

図 1-7 術後生体反応に関連する因子

術期の患者の状態は刻一刻と変化するため，観察すべき項目の優先度や重要度，観察ポイントも，そのつど変化する。次のような視点から観察項目や優先順位をあげる。

❶一般的観察項目
- 今日は全身麻酔による手術後何日目なのか
- 一般的な回復過程ならば各機能はどのような状態にあるのか
- どのような合併症が起こりやすい時期なのか

❷術式別観察項目
- ○○術を受けてから何日目なのか
- ○○術後の回復過程では各機能はどのような状態にあるのか
- ○○術に特徴的な合併症には何があるのか，起こりやすい時期はいつか

❸優先的・重点的に観察する項目
- 今までの経過のなかで，正常範囲から逸脱している情報があるか（例：発熱がある，腹痛の訴えがあるなど）
- 個別的な特性から予測されるリスクがあるか（例：高齢，肥満，糖尿病の既往があるなど）

❹臨時の観察項目
- 突発的に起こった出来事があるか（例：転倒して腰部を強打したなど）

2　術後に起こりやすい症状へのケア

術後は，生体反応として様々な苦痛を伴う症状が現れる。看護師は苦痛の原因とその成り行きを理解し，効果的に苦痛を軽減させる看護を積極的に行う必要がある。症状を緩和することは，早期離床や日常性の回復を支えることとも深く関連する。

2. 早期回復のためのリハビリテーション

1　術後患者のリハビリテーション

❶リハビリテーションとは

リハビリテーション（rehabilitation）は　re + habilis + ation　から成り，「再びふさわしいものにすること」を意味する。その人がその人らしい生活や人生を取り戻して維持していくことを指し，手術を受けた患者が再び日常性を回復して社会に戻ることも該当する。リハビリテーションは，出来事（疾患であれば発症）が起きてから時期ごとに，急性期，回復期，維持期に分類され，各時期の特徴に応じた介入がなされる。

❷リハビリテーションを受ける術後患者の特徴

術後の患者は手術によって全身の機能が低下しており，時に生命が危機的な状況のこともあるため，病態を確認しながらリハビリテーションを進めていく必要がある。また，リハビリテーション前には疼痛や発熱などの症状をコントロールしておき，心身の状態を整えてリハビリテーションに臨(のぞ)むことができるようにしておく。

❸術後リハビリテーションの目的と看護

術後リハビリテーションでは，全身を管理しながら廃用症候群や2次障害を予防し，日常性を回復させていくことを目的として，次のような看護を行う。

- **全身管理**：術後急性期において患者は生命の危機状態にあるため，全身を管理しながら，機能低下の予防や症状増悪（ぞうあく）の予防，合併症の予防に努めるケアを行う。
- **廃用症候群の予防，機能維持・強化・回復**：過度な安静や不動を予防し，活動と休息のバランスをとりながら諸機能の回復を目指すケアを行う。
- **セルフケア・日常生活動作（activity of daily living；ADL）の援助**：活動耐性の低下がある場合や治療として安静が必要な場合は，ケアとしてニードの充足を図りつつセルフケア能力の再獲得を目指すケアを行う。
- **精神的サポート**：からだを動かすことに対する不安や恐怖心を軽減させながら，精神的に安定した状態でリハビリテーションを進めるケアを行う。

❹臥床でも可能な術後リハビリテーションの実施

積極的な離床拡大が困難な全身状態の場合や医療処置として安静が必要な場合でも，良肢位の保持（ポジショニング），体位変換，他動的関節可動域訓練（ROM 訓練）など，床上（しょうじょう）でも可能なリハビリテーションを実施する。

2 術後リハビリテーションにおける看護師の役割

リハビリテーションは意図的に負荷をかける療法であるため，安全に行うことが最重要課題となる。リハビリテーションの実施によって倦怠（けんたい）感が増強したり不整脈が発生したりすると，患者は活動に対して恐怖感を抱き自信を喪失してしまう可能性がある。リハビリテーションは安全に実施して，回復を実感し自信につながるものにする必要がある。これを成功体験とするためにも，医師や理学療法士と相談して，患者の個別性も加味した目標および開始基準や中断基準を準備して実施に臨む。実施中は全身状態を管理しながら進め，常に観察を行い，異常を察知したら中断して回復を図る。また，ドレーンの抜去や転倒など，予想される危険性に対しては，開始前から安全・事故防止対策を考える。術後に患者が前向きに取り組めるように，リハビリテーションの目的と方法について術前から説明しておく。

リハビリテーションが病室ではなく外来のリハビリテーション室において実施される場合には，その様子を観察できないことがある。リハビリテーションは一定の時間内の訓練ではなく，日常生活への応用と習慣化を図ることが重要である。このため，理学療法士，作業療法士，言語聴覚士などの多職種と連携してリハビリテーションの進展状況や病棟でもできるリハビリテーションを確認し，継続性を保つようにする。

リハビリテーション終了後はバイタルサインや自覚症状の変化を観察し，目標が達成できたかを評価する。問題なく終了したときは患者と共に喜び，ポジティブ・フィードバックを行って，患者が自信を得ることができるように心がける。また，患者の一日のスケジュールを管理してエネルギーの配分に配慮し，活動と休息のバランスを保つ。

Ⅱ 周術期にある患者・家族の特徴

A 周術期にある患者の特徴

1. 周術期の範囲

周術期（perioperative phase），および**周術期看護**（perioperative nursing）の概念は1978年の「第1回世界手術室看護婦（師）会議（Association of Operating Room Nurses；AORN）」で示され，以後，この概念が広く用いられるようになった[1]。

周術期とは，**手術前期**（術前：preoperative phase），**手術期**（術中：intraoperative phase），**手術後期**（術後：postoperative phase）の3つの時期をひとまとめにした包括的な意味で使われている。各時期の区分については，患者が手術室で手術療法を受けている期間が手術期，それ以前が手術前期，手術を終え手術室を退出して以降が手術後期である（表1-5）。

また，AORNでは，手術前期は手術の実施が決まったときから始まるとされている。これは，AORNが定めた周術期看護が手術室看護師の役割に基づくためであるが[1)~3)]，実際には，患者は外来を受診し，医師より手術の必要性を提示されてから，手術療法を受けることを決定するまでの間，最善の決断をするために迷い悩む段階があり，この時期の支援は重要である。そのため，手術前期は，医師から手術の必要性を提示されたときから始まるととらえることが適切であろう。一方，緊急手術が適応される場合は，患者が生命の危機状況にあり，救命や病状の改善のために一刻も早く手術を開始しなければならない。そのため，手術前期は非常に短く，その間に患者・家族への迅速かつ的確な支援が必要となる。

2. 周術期にある患者のプロセス

次に，周術期の患者のプロセスについて概観してみよう。

手術前期は，外来で医師から手術の必要性を提示されたときから始まる。患者は病状や手術に関する説明を受け，様々な不安を抱えながらも，手術を受けることを決断する。その後，看護師による術前オリエンテーションや術前教育を受けながら，心身ともに最良の状態で手術が受けられるよう準備をする。また，患者は家庭や職場，地域のなかで様々な役割を担っているため，入院および退院後の療養期間に支障が生じないよう家庭や職場で

表1-5 周術期の各時期の区分

手術前期（術前）	医師から手術の必要性を提示されたときから始まり，手術を受けるために手術室に移送されるまでの期間
手術期（術中）	手術室入室から手術が終了するまでの期間
手術後期（術後）	手術室を退出して以降，心身が回復して社会復帰に至るまでの期間

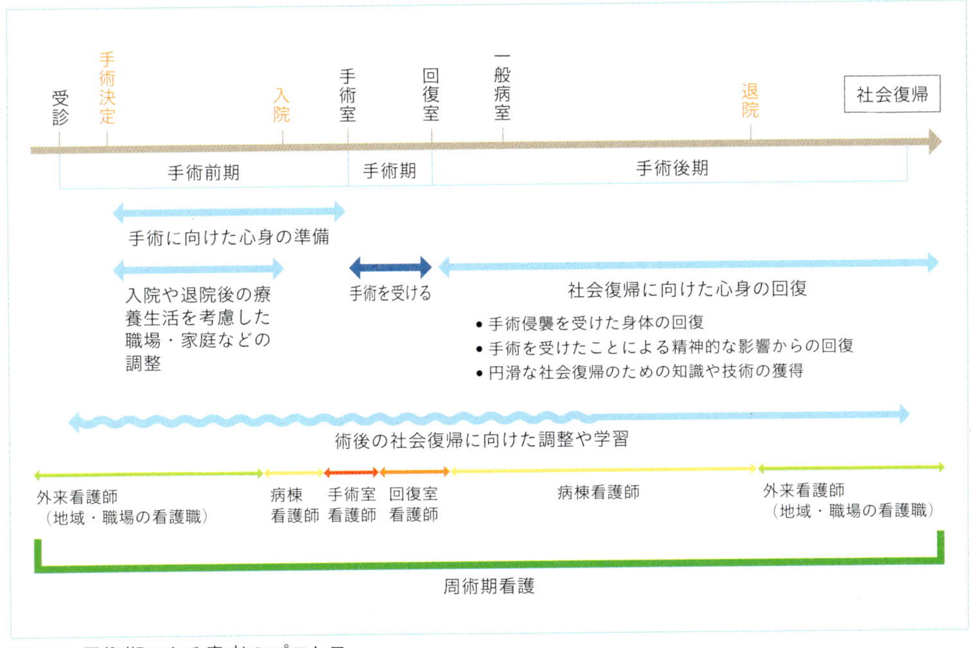

図1-8 周術期にある患者のプロセス

の役割を調整し，状況に応じて，術後の社会復帰を見越した学習なども始める。

手術期は，手術室において治療に専念している時期である。この間，特に全身麻酔下の患者は意識が消失しているため，自分自身で状況を把握することができず，医療者にすべてを託すことになる。

手術後期は，手術という大きな治療を終え，心身の回復とともに，社会復帰を果たしていく時期である。まず患者は，手術によって侵襲（しんしゅう）を受けた身体の回復にエネルギーを注ぎながら，変化した身体に直面することによる精神的な影響などからも回復していく。手術直後は，看護師をはじめ，多くの場面で他者の支援を必要とするが，身体の回復とともに徐々に自立した生活が可能となり活動範囲も拡大していく。同時に，手術に伴う苦痛などによって自らに集中していた関心は，身体の回復とともに他者や外部へも広がり，以前のような状態を取り戻していく。さらに心身の回復が進むなかで，患者は変化した身体機能に対する対応方法や，退院後に安定した生活を送るために必要な知識や，技術の獲得に取り組む（図1-8）。

3. 手術を受ける患者の体験

手術は健康回復を目的として行われるが，意図的に身体に損傷を加える苦痛を伴う治療法である。そのため，患者は手術を受け入れるかどうかの意思決定の場面から手術を終えて社会復帰に至る過程において，様々な苦痛や苦悩を体験する。看護は，患者が体験している苦痛や苦悩を軽減しようとするものであり，手術を受ける患者を支援するためには，周術期の過程において，患者がどのような体験をしているかを知る必要がある。そして，看護師が患者の体験を知ることは，看護を実践するうえで，細やかな観察や深い対象理解を可能とする。

そこで，手術前期と手術後期に分けて，患者がどのような体験をしているかを概観することで，周術期にある患者の理解を進めていく。

1 手術前期の患者の体験

❶受診までの経緯と体験

手術前期は医師が手術の必要性を提示したときから始まるが，患者の受診までの経緯によって受け止め方は異なる。患者が外来を受診する経緯は様々である。自覚症状がなく，健康診断で異常を指摘され受診する場合もあれば，何らかの身体的な不調を抱え，患者によっては，すでに受けている治療では病状の改善が得られず外来を受診する場合もある。たとえば，自覚症状がなく日常生活を問題なく過ごしていた患者にとっては，手術が必要な病気であると告げられることは晴天の霹靂(へきれき)であり，衝撃を受け，否定したい感情を抱えることもある。一方で，からだの不調を抱えていたり，命にかかわる病状と診断された患者は，手術によって命が救われ，今の苦痛から解放されることへの期待感や希望をもつ出来事としてとらえるかもしれない。いずれにせよ，受診に至るまでの患者の身体状況や患者の背景によって，手術の受け止め方は様々であり，このことが周術期看護の展開にも影響する。そのため，看護師は患者の受診動機や経緯，患者の背景について十分に把握する必要がある。

❷手術に関する意思決定

手術を受けるかどうかは，患者自身の生命や生活にかかわる重大問題である。そのため，患者は手術に関する意思決定に際して，自分自身にとって最善の選択は何かを考え，迷い，悩む。

十分な説明がなされたうえで，その内容を理解して同意することを**インフォームドコンセント**（informed consent）という。患者は医師から諸検査の結果に基づいて，自分自身の病名や病態，手術の必要性や術式，手術以外の可能な治療法およびその利点と欠点について，説明を受ける（表 1-6）。

医師から手術の提示を受けるまでの経緯がどのようなものであっても，患者にとって手術は未知の体験であり，そのなかで自らの意思でリスクを伴う治療法を決定することになる。医師からの説明の際，患者は少なからず心理的混乱のなかにあり，状況把握や理解，冷静に思考することの困難さを体験することが多い。また，成人期の患者は家庭や職場の役割も大きく，手術を受けるか，どの術式にするか，いつ・どこで受けるかなどの決定に加え，家庭や職場の状況にどう対応するかという決断も必要となる。これらの決定は複雑に絡み合っており，患者は心理的混乱のなかで，手術に関連した複数の決断を，同時期に行うことを求められる。さらに，病状によっては，限られた時間のなかで決断を求められることもあり，患者が精神的動揺をいっそう強くすることもある。

表1-6 手術に関する情報提供の内容

- 病名，病態
- 手術の目的，必要性，術式，手術時間，治療成績，麻酔法，輸血の有無
- 手術に伴う合併症や危険性と予防法・対処法
- 手術に伴う形態や機能の変化，生活への影響，対処方法
- 一般的な術後経過，目標とする退院時の状態，入院期間
- 手術以外の治療法の利点・欠点，治療を選択しない場合の経過見通し
- 手術日，執刀医
- 手術にかかる費用，医療費負担を軽減する公的制度

手術を受けることを意思決定したのちは，看護師より術前のオリエンテーションがなされ，患者は手術に向けた準備にエネルギーを費やすことになる。最良の状態で手術に臨(のぞ)むための心身の準備だけでなく，成人期の患者は，療養生活に専念できるように家庭や職場において様々な調整を行う。そして，入院によってこれまでの日常生活環境とは異なる，病院という特殊な環境での生活を開始することになる。

手術を決断した患者は，手術の成功を願い，問題なく社会復帰することを期待し，手術に立ち向かう気持ちをもつ一方，未知の体験への不安感や緊張感を抱えながら手術前期を過ごす。

2 手術後期の患者の体験

手術後期の体験は術式によっても異なるため，ここでは一般的なプロセスを記す。

❶術直後から退院まで

手術終了後，患者は回復室へ移送される。患者のからだには，点滴やドレーン，身体状況を観察するために必要な心電図モニター，膀胱留置カテーテルなど，様々な医療器具などが装着されており，常時医療者の観察が可能な環境で過ごす。

術直後から2～3時間は麻酔薬の効果で抑えられていた創部痛が，麻酔薬の排泄などに伴って増強し，加えて長時間の臥床による腰背部痛(ようはいぶ)や口渇(こうかつ)，倦怠感，疲労感などの苦痛を体験する。さらに，身体的苦痛や回復室の環境が影響し，睡眠をとることに困難を感じることも多い。

術後1日目以降，患者は全身状態の安定とともに回復室から一般病室へ移動し，手術という大きな山を越えたことに安堵する。この頃から，患者の状態に応じて段階を踏みながら離床が開始される。離床は患者が術後のからだを自覚する機会ともなり，時には手術による体力低下や創部痛などにより，思うように進まない現実に直面することもある。また，術式によってからだの形態や機能の変化を自覚し始めることで，悲嘆や気持ちの落ち込みを体験する。一方，この頃から手術によって停止していた腸蠕動(ぜんどう)が回復し，それに伴って水分や栄養の経口摂取が開始されることで，回復を実感し始める。

術後1週間前後でバイタルサインは安定し，徐々に食欲や体力の回復を自覚するようになる。また，病態や術式によっては，この頃から退院が可能となり，退院に向けて準備を

開始する。患者は，退院後のセルフケアに向けて必要な支援を受けることを通じて，手術が成功して退院できることに喜びを感じる一方，退院後の生活に不安を抱えることもある。白田ら[4]は，手術を受けたがん患者の退院時の状況について，調査対象者の50％以上が体力の低下，疲労感，からだの痛み，思うように動けないといったことを感じており，退院後に希望する看護支援として，60％近くが「緊急時・困った時などに相談できること」と回答していたと報告している。

手術からどれくらいの時期で退院するかにもよるが，近年の入院期間の短縮化を踏まえると，患者が順調に術後の経過をたどっていたとしても，退院時はまだ回復の途中であり，十分な回復を実感できるまでには至っていないことも多い。そのため，回復半ばの身体状況で，退院後の環境の変化や活動量の増加に対応できるだろうかといった不安を感じることもある。また，手術によって形態や機能の変化が生じている場合は，からだの状態に応じたセルフケアの知識や技術を習得する必要がある。入院期間中は，看護師をはじめ，医療者が身近にいるため必要な支援を即座に受けられるが，退院後は，こうした支援は受けられなくなる。そのため，適切にセルフケアができるか，疑問や困難が生じたときの対応などについて，不安を抱えることもある。

❷退院後

退院後，患者は，自身の体力を推し量りながら徐々に活動の範囲や量を拡大し，入院中に習得した知識や技術を活用しながら必要なセルフケアを行う。そして，家庭や職場において自分自身の役割が果たせるよう，必要な環境調整に取り組む。その過程で，心身が回復していることをいっそう強く実感し，自分に対する自信をもつようになる。

その一方，たとえば復職の過程で配置転換を求められるなど，思いどおりに進まない現実を体験し，周囲の人たちからの気遣い（きづかい）に感謝しながらも，気遣われることに複雑な思いを抱くこともある。また，順調に職場復帰を果たしても，以前のような役割が果たせない状況に直面し，気持ちが沈むこともある。

患者は，手術後期の過程を進むなかでこのように体験を重ね，実生活での変化を受け入れ，適応していく。

4. 周術期にある患者の特徴

前項では周術期にある患者の体験を概観したが，ここでは，手術前期と手術後期の患者の身体的側面と心理社会的側面の特徴をみていく。

1　手術前期の患者の特徴

手術前期は，医師から治療法として手術を提示されたときから始まり，手術室に移送されるまでの時期である。この時期，患者は手術を受けることを決断し，手術に向けた心身の準備や，手術に伴う療養生活が問題なく過ごせるよう，家庭や職場などにおいて必要な調整を行う。

❶身体的側面

手術前期の患者の身体的特徴は，患者がどのような状況で受診したかによって異なる。

まず，自覚症状がない，もしくは軽く，健康診断などで異常を指摘されて医療機関を受診した場合である。患者は外来で検査を受け，病気と診断されて手術に至るが，身体的に日常生活上の支障を感じていないことが多い。また，年齢などにもよるが，手術侵襲に耐え，手術から回復していく体力を十分に有していると評価されることが多い。

次に，何らかの身体的な不調を自覚するなかで，医師から手術療法を提示される場合である。不調の自覚から受診までの期間の違いによっても，身体状況が異なる。たとえば，不調を自覚していても長く放置したり，自己判断で対症療法をしたことで病状が進行していたり，手術を受けるための体力に問題を抱える場合もある。また，患者によっては，手術に至るまでに外来や入院などで何らかの治療を受け，改善が得られず手術療法を選択することもある。

いずれにせよ，術前の身体状況は，手術の安全な遂行（すいこう）や術後の回復に大きな影響を与える（図1-9）。

❷心理社会的側面

(1) 手術前期の患者の心理

患者が，手術という苦痛を伴う治療法を受けることを選択した背景には，手術によって生命の危機が避けられる，日々感じている症状の煩わしさから逃れられる，今よりも生活がしやすくなる，などの期待がある[5]。この期待感が，手術を乗り越えていく患者の原動力となっている。一方，医療の発展によって手術や麻酔の安全性は向上し，手術に伴う苦

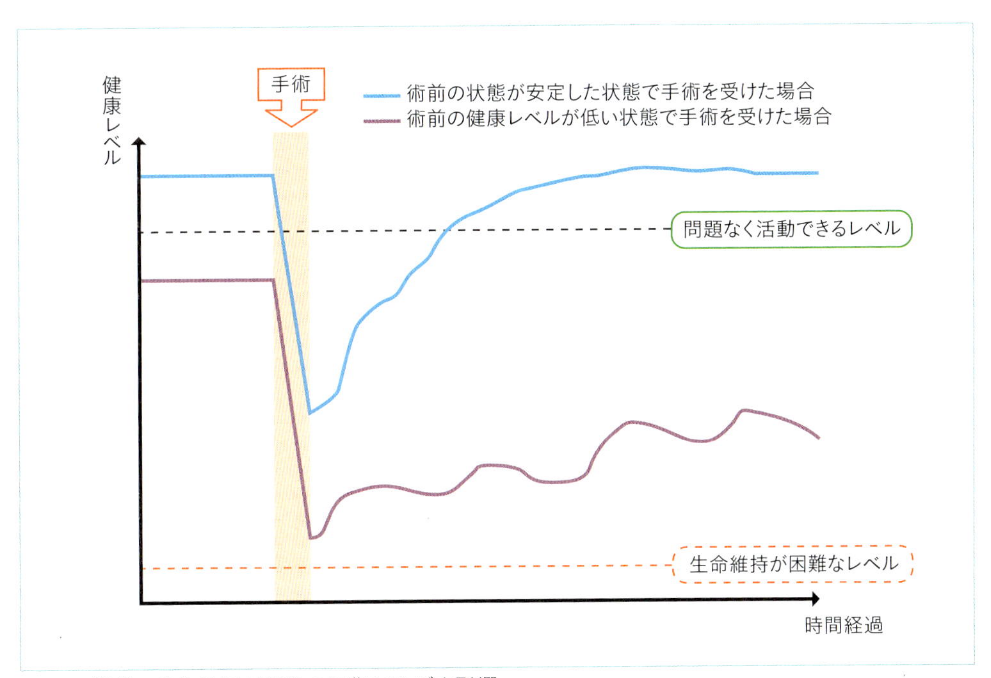

図1-9 術前の身体状況が術後の回復に及ぼす影響

痛緩和の方法が進歩を遂げている現代にあっても，患者は手術に対して不安や恐怖を感じる。手術前期にある患者の心理状態は，期待と不安が入り混じり，また，まわりからの情報や自身の体調などの影響を受けて揺れ動きやすい状態にある。

(2) 手術患者の不安

手術に限らず，人は未知の体験について**不安**を感じる。手術の決定に際して，患者は医師から手術についての安全性を説明され，これまで多くの成功例があることを伝えられるが,患者にとって「自分が手術を受けるとどうなるか」は未知のことである。そのため,「手術に耐えられるだろうか」「麻酔から覚めるだろうか」など，不安が湧き出てくる。

ジークムント・フロイト（Freud, S.）は「不安とは安全な状況下で自然発生的に起こる感情反応である」と考え[6]，ロロ・メイ（May, R.）は「不安とは，その個人が，1個のパーソナリティとして存在するうえで，本質的なものである価値が脅かされるときに醸し出される気がかり」と述べている[7]。また，NANDA- I の看護診断では，不安を「自律神経反応を伴う，漠然として不安定な不快感や恐怖感で，危機の予感によって生じる気がかりな感情。身に降りかかる危険を警告する合図であり，脅威(きょうい)に対処する方策を講じさせる」と定義している[8]。つまり，不安は自分の存在を脅かす出来事に対する本能的で自然な反応であるといえる。また，同じ出来事に対して不安を感じる程度は，個人によって異なる。

▶ 手術に対する不安の要因

❶**コントロール能力の喪失**：人が生きていくうえで，自らを取り巻く環境や出来事に働きかけ，調整や制御をすることができるという**コントロール感覚**をもつことは重要である。しかし，手術を受ける患者は，こうした状況を脅かされやすい。たとえば全身麻酔下では，患者は意識によるコントロールができない状況に置かれるが，これは生命を他者にゆだねることを意味し，自己の実存への最大の脅威となる。

❷**安全についての脅威**：手術や麻酔は，すべての過程において，細心の注意と万全の体制のもとで安全に行われるが，予測を超えた事態や偶発的な事故の発生が，絶対にないとは言い切れない。手術に伴う事故は患者の生命の危機に直結するため，大きな不安要因となる。

❸**疼痛や身体的な苦痛**：手術は身体の損傷を伴う治療である。そのため，患者にとって手術と痛みは一体となって理解されており，不安を呼び起こす。術中は麻酔によって自己コントロールが利かない状況のなかで，痛みの除去を他者にゆだねなければならず，さらに，術後の痛みはどの程度でいつまで続くのか，回復に影響はしないかなど不安を抱く。

❹**身体的な喪失や損傷**：手術によって病巣を取り除き，生命の危険から解放される一方，からだの一部や機能を失うこともある。また，喪失に至らない場合でも，からだに傷跡が残ることが，それまでの**ボディイメージ**に影響する可能性がある。

❺**術後の状態や回復への懸念**：術後，どのような器械や器具が装着され，いつまで続くのか，いつから動けるようになるのか，自分は順調に回復していくのかなど，患者は術後に置かれる状況やどのような経過をたどるのかを気にかけ，その過程を問題なく進んでいくことができるかについて，懸念や不安を感じる。

❻**生活への影響**：患者は健康を獲得するために手術を受けるが，手術を受けることは少なからず患者の生活に影響を及ぼす。たとえば，入院とその後の療養も含めた休職期間がどれくらい必要か，入院中は家庭や職場での役割をだれが代行するか，入院・治療にかかる費用はどれくらいかなどである。

また，手術によって身体の形態や機能の変化が予測される場合は，術後の社会復帰におい

表 1-7 不安の程度と人間の行動・反応

不安の程度	軽度	中等度	高度	非常に高度
知覚 認知 集中力	• 認知・知覚能力が高まる • 注意力が増す	• 知覚領域が狭くなる • 問題状況に対して注意力が高まる • 問題に関連のある情報に対して集中力が高まる	• 知覚領域が狭くなる • 目の前の状況を明確に把握できなくなる	• 現実的な状況把握ができない • ささいなことを誇大化する
行動 生理的反応	• 何度も質問する • 関心を向けてもらいたがる • 緊張緩和の行動をとる	• 震える，困惑する，行ったり来たりする，多弁になる • 心拍数や呼吸数が増加する，筋緊張が増大する	• 強い緊張感，物事に確信がもてなくなる，目的のない行動をとる，言動表現が不適切や困難となる • 過呼吸，頻脈，頻尿，切迫尿，悪心，頭痛，不眠，めまい	• ひどい震え，行動不能，意思の伝達ができない，意思の伝達に知性が欠ける • 呼吸困難，散瞳（さんどう），顔面蒼白，嘔吐，不眠
学習能力	学習能力が高まる	学習能力が高まる	学習ができない	学習ができない

出典／川野雅資：看護診断；恐怖と不安，看研，25（1）：43-44，1992．をもとに作成．

て支障が生じないか，生じる場合の程度や対処は可能なのかという不安が生じる。手術に伴うからだの形態や機能の変化が，患者の経済的な基盤を揺るがしたり，これまで築いてきた人間関係に影響を及ぼす可能性もあり，そのことが患者の不安要因となる。

▶ **不安と人間の反応**　不安の存在は，身体的な反応や行動を引き起こすため，手術前期の患者の心理状態をアセスメントするうえで，患者の言動や身体反応を総合して判断することが重要である（表 1-7）。

2 手術後期の患者の特徴

手術侵襲を受けた身体は，内部環境を回復するために，呼吸，循環，代謝，内分泌，免疫などの機能において種々の反応を起こす。これは生体反応とよばれ，生体が手術侵襲を乗り越え，生き抜くための反応である。

フランシス・ムーア（Moore, F. D.）は，手術を受けた患者の回復過程を，傷害期，転換期，筋力回復期，脂肪蓄積期の４つの相に分類し，手術侵襲からの回復過程を示した（表 1-8）。

❶身体的側面

ムーアの回復過程を参考に，術後の患者の身体面の回復過程をみていく。

(1) 第１相（傷害期）

▶ **術直後～数時間頃**　手術室から回復室へ移送された直後の患者は，麻酔から覚醒していても目を閉じていることが多く，看護師などの周囲からの働きかけに反応しても，表情は乏しい。四肢末端は冷たく，顔面は蒼白のことが多い。術中に低下していた体温は徐々に回復する。体液とナトリウムが体内に貯留するため，尿量は少ない。血漿は血管透過性の亢進によりサードスペースに漏出（ろうしゅつ）するため，循環血液量が減少し，ふだんより血圧

表1-8 術後の生体反応と回復過程（ムーア）

相		時期	主な症状と生体反応	患者の様子・生活の変化
異化期	第1相 （傷害期：injury）	手術による侵襲開始～術後2～4日	• 内分泌系，代謝系の変動大 • 循環器系はやや不安定 • たんぱくの異化亢進，糖新生 • 水・Na貯留，尿量の減少，尿中K・Nの排泄増加 • 高血糖 • 腸蠕動停止，体重減少 • 疼痛，発熱，頻脈	気力の低下，周囲への関心低下
	第2相 （転換期：turning point）	術後2～6日	• 内分泌系，代謝系の変動は正常化 • 循環器系の安定 • たんぱくの異化は軽減 • 水・Naの尿排泄増加，尿量増加 • 血糖もほぼ正常化 • 腸蠕動回復と排ガス • 体温，脈拍の正常化，疼痛の軽減	周囲への関心や活動が徐々に戻るが，体力の回復は不十分
同化期	第3相 （筋力回復期：muscular strength）	術後1～数週間	• たんぱく合成，代謝系変動の消失 • バイタルサインの安定，体動時の苦痛軽減，便通の正常化	食欲の回復，体力の回復，体動も徐々に活発化
	第4相 （脂肪蓄積期：fat again）	第3相後～数か月	• 体脂肪の増加，体重の増加	体力の回復，体重の増加，日常生活に戻る，社会復帰

出典／出月康夫，他編：NEW外科学，改訂第3版，南江堂，2012，p.57．一部改変．

が低くなることもある。血圧はやや不安定で，急激な体動で低下しやすく，脈拍数や呼吸数は帰室して数時間で上昇する。また，腸蠕動（ぜんどう）は低下もしくは停止している。

術直後から2～3時間は麻酔薬の効果で抑えられていた創部痛が，麻酔薬の排泄の促進とサイトカインの産出などにより，増強してくる。また，安静のための臥床による腰背部痛や，口渇（こうかつ），倦怠感（けんたいかん），疲労感などの苦痛を感じている。さらに，術後の身体的苦痛と回復室の環境が影響し，十分な睡眠をとることが困難となり，この状況が継続すると，生体のリズムに変調をきたすことがある。

▶ **術後2～4日**（傷害期1～3日）　全身状態の安定を図りながら離床を始める。身体的には，サードスペースに貯留していた細胞外液が血管内に戻り，尿量も徐々に増加に転じる。一方，血管内容量の増加による不整脈の出現や，離床の開始に伴って起立性低血圧などを起こす危険性がある。腸蠕動も回復し始め，水分摂取から始まり経口からの栄養摂取が可能となる。疼痛は術後12～36時間が最も強く，その後はしびれ感，創傷治癒に伴ってひきつれる感覚などに移行しながら，徐々に軽減する経過をたどる。

(2) 第2相（転換期）

▶ **術後2～6日頃**　生体反応は正常化しバイタルサインも安定してくる。活動の範囲は，ベッド周囲から病棟内へと徐々に拡大していく。消化器系に問題がなければ，経口摂取も進み，食事の形態も日常に戻っていく。疼痛（とうつう）も軽減し，創部の感覚は，ひきつれ感，しびれ感，圧迫感といった感覚に変化していく。

(3) 第3～4相（筋力回復期～脂肪蓄積期）

バイタルサインは安定し，食欲の回復に伴って体力の回復を認め，活動量や活動範囲もより拡大する。また，体動時の苦痛も軽減する。この時期，順調に回復過程をたどれば，退院し，社会生活に復帰していく。

❷心理社会的側面

(1) 第1相（傷害期）

手術侵襲（しんしゅう）を受けた身体は，生き抜くためにすべてのエネルギーを注ぐ時期である。そのため患者の心理的活動は減弱し，気力や周囲への関心は低下している。一方，手術侵襲に伴う痛みや不快感を感じる時期でもあり，苦痛を軽減してほしいという欲求をもつ。また，離床開始時には，手術を受けたからだで安全に動けるのかと不安を感じ，状態によっては，予想以上の体力の低下を自覚することもある。

(2) 第2相（転換期）

身体面の回復や苦痛の低減を自覚し，周囲への関心も戻ってくる。また，無事手術を終えた安堵感や達成感を感じる時期でもある。一方，自らの変化に目を向け始める時期でもあり，手術に伴う形態や機能の変化に直面することで，ボディイメージ（身体像）の混乱が生じ，悲嘆や拒否をはじめ，様々な心理的反応を示すこともある。

(3) 第3～4相（筋力回復期～脂肪蓄積期）

第2相よりもいっそう体力の回復を実感し，退院を経て社会生活へ復帰していく時期である。患者は，手術によって変化しているからだを自覚しながら，今後どのように生活をしていくかを具体的に考える。そして，社会や家庭における役割や必要な環境調整に取り組みながら社会復帰を果たしていく。その過程で，時には希望どおりに進まない現実や，良くも悪くも，自分に対する周囲からの態度の変化を感じ取り，気持ちが沈むこともある。また，病院という限られた環境から日常生活の場へと活動の範囲を広げるなかで，体力の低下を自覚し，不安になることもある。

患者はこのように現実と向き合いながら，体力を回復させ，実生活での変化を受け入れ，適応していく。

❸ボディイメージの変化

手術は生命の危険や現在の不調から解放してくれる一方，その代償として，からだの形態・機能の喪失や変化をもたらすことも多い。そして，このようなからだの変化によってボディイメージの変化が起きる。ボディイメージは，自分自身の認識である**自己概念**を構成する要素の一つで，自分のからだは自分にどのように映っているのか，自分は自分のからだをどのようにとらえているのかということであり，自分のからだに対する知覚，期待，評価，感情などの総体である。ポール・シルダー（Schilder, P.）は，ボディイメージを「過去と現在の知覚の総体であり，外界からの反応を受けて絶えず変化しつづけるものである」と述べている[9]。つまり，ボディイメージは，その人が誕生してから現在に至るまでの，外界と自己とのあらゆる相互作用によって形成されていくものである。そして，成長・発達の過程で形成されたボディイメージは，青年期において自己概念として統合され，その人の生き方に一貫性をもたせる。

このように，ボディイメージは修正・再形成されていくものではあるが，人格の中核を成すものであるため，手術によってからだの変化に直面せざるを得ないときには，ボディイメージの修正に多大なエネルギーを必要とし，時には心理的に混乱をきたす。

B 周術期にある患者の家族の特徴

1. 周術期における家族支援の重要性

家族は，個人にとって最も身近な人々が相互に作用し合う関係である。そのため，家族のなかに健康問題を抱える人がいることは，その家族全体に影響を与える。手術は，治療目的のために患者に苦痛を与える治療法であり，患者は周術期のあらゆる場面で苦痛や苦悩を体験する。周術期にある患者を対象とした研究では，患者は家族の支援を受けて手術を受けることを決定し[10)]，術後は自分を支えてくれる存在として認識しており[11)]，家族は患者にとって身近で重要な支援者となっている。しかし，手術の決断に悩み，術後は痛みや苦しみに耐える患者を家族が目の当たりにすることで，家族は患者と同様に悩み，様々な問題を抱える存在でもある。

看護の対象は患者とその家族である。看護師は，家族を患者の重要な支援者という存在としてだけでなく，周術期の過程を患者と共に乗り越えていく存在としてとらえ，家族が抱える看護ニードに関心を向けていく必要がある。

2. 周術期にある患者の家族の特徴

周術期にある患者の家族がどのような体験をしているかについて，がん患者の家族を対象とした研究からとらえてみる。

森本ら[12)]は，手術を受ける患者の家族を対象に，術前から術後1週間の体験を明らかにしている。そのなかで，術前においては，家族は患者ががんと診断されたことを患者と共有することでつらさが増し，かといって患者の前ではつらい思いを出せないことから「手術までに患者にかかわるつらさ」を感じていた。また，がんを否定したい思いとともに，「患者のつらさを引き受ける」という思いももっていることを報告している。

次に，中村ら[13)]は，老年期のがん患者の家族が，看護師とのコミュニケーションにおいてどのような思いを抱いているかを明らかにしている。そのなかで，術後においては，患者の状態がわからず，「患者の容態を案じることが精一杯である」ことや，苦痛を訴える患者を目の前にして「看護師の専門的な力を借りながら患者の役に立ちたい」と思っていることを明らかにしている。これらの結果から，家族は厳しい現実に向き合っている患者を支援したいと思う一方，自身もつらさや無力感を抱えていることがわかる。

また，重症者の家族のニードを調査したナンシー・モルター（Molter, N. C.）は，「希望があると感じること」や「適切で正直な情報を受けること」「病院スタッフが患者について心配してくれること」が重要なニードであると報告しており[14]，この結果は，周術期にある家族を理解するうえでも参考になる。

術中においては，家族は，患者が手術室に入室してから回復室に戻るまでの間，不安を抱えながら，無事に終了することを一心に願い，術後においては，患者の順調な回復を希求しつつ，現在の生活や今後についても様々な思いを抱いている。家族がどのような思いや問題を抱えるかは，患者の病状や術後の経過，家族と患者との関係や生活状況などによっても異なるため，看護師は患者・家族の背景を理解し，家族の援助ニードをとらえていくことが重要である。

3. 多様な家族の形態

社会の意識が変化していくなかで，家族の形態も多様になってきている。このような背景には，社会が多様化・複雑化していること，つまり多様な価値観や行動，ライフスタイルを社会が許容するようになってきていることがあり[15]，高齢化などによる人口構造の変化も影響を及ぼしている。そのため，実生活では相互に家族と認め合っていても，法制度に基づく婚姻や血縁関係による家族として成立しているとは限らない場合もある。アメリカの経済学者ミルトン・フリードマン（Friedman, M.）は，現代社会の状況をとらえ,「家族とは，絆を共有し，情緒的な親密さによって互いに結びついて，しかも，家族であると自覚している2人以上の成員である」[16]と定義づけている。社会が変化し，家族の形態が変容・多様化していくなかで，看護師は社会の状況を理解し，法制度や居住形態だけで判断することなく,対象者の家族の認識を十分にとらえて支援していくことが重要である。

III 周術期看護の特徴

A 周術期看護とは

1. 周術期看護の目的

今日，多くの治療の最終目標がQOLの向上に置かれている。手術療法もその例外ではなく，病変部位を切除して治療成績を上げることだけでなく，その先にあるQOLの向上に目が向けられている。こうした背景もあり，周術期看護では，患者のQOLを意識しながら手術前後を良好に経過するために支援すること，および長期にわたる療養生活を視野に入れた生活の再調整を支援することを目的とする。

2. 周術期看護の対象となる人の健康課題

手術には様々な術式や方法があり，図1-10に示すように，疾患や外傷による全身状態

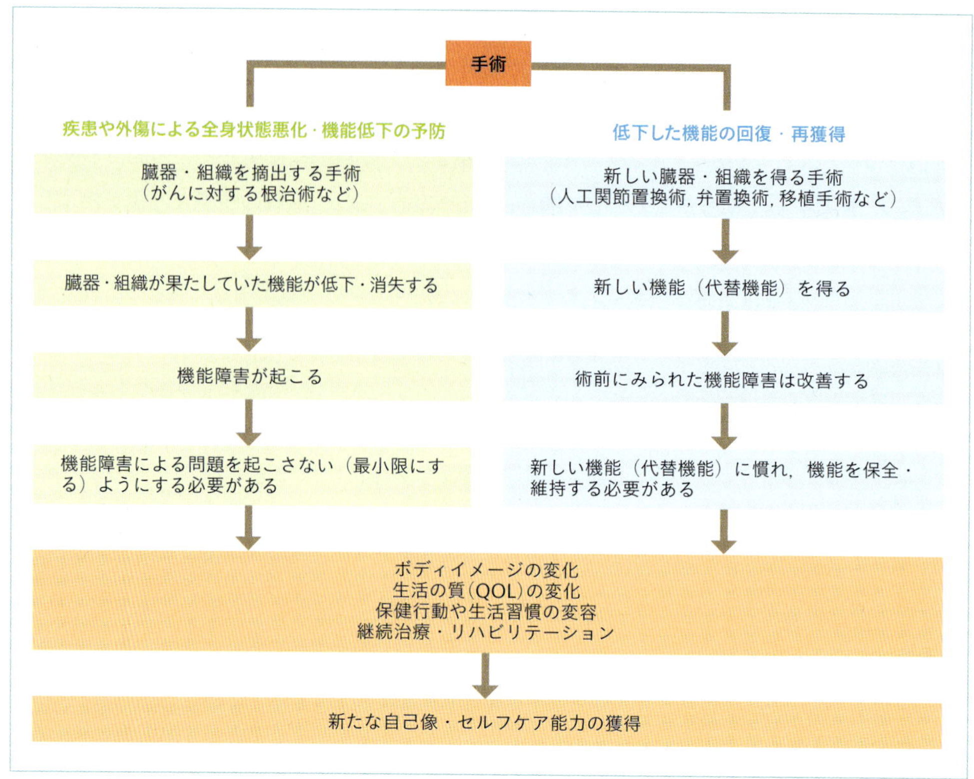

図1-10 手術による変化と変化への対応

悪化・機能低下の予防を図る手術と，低下した機能の回復・再獲得を図る手術に大別できる。

前者はがんに対する根治術など，病変部位である臓器・組織を摘出することによって，今後の健康レベルの低下を予防し，健康レベルの向上を図る手術である。摘出された臓器・組織がこれまで果たしていた機能が低下・消失することによって機能障害が起こる可能性があるため，機能障害による問題を起こさない（最小限にする）ようにすることが課題となる。

後者は人工関節置換（ちかん）術，弁置換術，移植手術などのように，新しい臓器や組織を得ることによって新しい機能（代替機能）を得る手術である。術前にみられた機能障害は改善するが，新しい機能に慣れ，その機能を保全・維持することが課題となる。

いずれの手術でも，患者は術前から不安を抱きながら周術期を過ごし，全身の機能の変化はボディイメージや QOL にも影響を与える。また，保健行動や生活習慣の変容，継続治療やリハビリテーションが必要となることもあり，それらに対応していくことも健康課題となる。

3. 周術期における看護目標

手術侵襲（しんしゅう）は心身に大きな影響を与え，その後の生活に変化をもたらすこともある。これに対応するため，周術期をとおしての看護目標は，「心身ともに安定した状態で手術に臨（のぞ）み，安全・安楽に手術を終えて回復し，機能・形態の変化に適応して新たな生活に向かうことができる」ことが軸になる。

4. 周術期にある患者の看護

1 周術期看護の基本

看護目標の達成に向けて，術前から術後にかけて起こり得る問題を予測し，術後にみられる機能低下への対応と合併症の予防，術後回復を促進するケア，心身の苦痛に対するケア，身体機能の変化を受容し，それに適応するための支援を行っていく。これらは術前・術中・術後と周術期全体をとおして，一連の流れで包括的に取り組むものである。一般病床の平均在院日数は約 16.3 日[17] と年々短縮化しており，手術を受ける患者の入院期間も短い。このため，退院支援の計画立案は術前から行う必要があり，意図的に情報収集して退院後を見すえた看護を行う。各時期における看護を図 1-11 にまとめた。

2 術前の看護

術前は，患者が身体的・精神的に安定した状態で手術を迎えることができるように看護する。患者が手術の目的と必要性を理解したうえで，自らの意思で手術に同意し臨むことができるようにするとともに，手術を受ける準備を進める。手術による影響は個人差が大きく，手術目的，手術内容，患者の特性について総合的にアセスメントし，手術による機能低下と合併症のリスク，起こり得る苦痛などを推測し，必要となる看護を行う。

3 術中の看護

術中は，手術侵襲を最小にとどめ，患者が安全・安楽に手術を受けることができるように看護する。手術室では，看護師は器械出し看護師（直接介助看護師，手洗い看護師）と外回り看護師（間接介助看護師）に分かれて役割を分担し，手術を確実に進行させせつつ，皮膚障害，神経障害，感染などの手術に伴う 2 次障害を予防するためのケアを行う。

4 術後の看護

術後 1 ～ 2 日目にあたる急性期と，その後の回復期に大別される。術直後の急性期は全身の生体反応と機能低下が起こり，合併症が発現するおそれがある。このため，回復過程における経過を予測して系統的な観察を行い，正常範囲で経過しているのか，それとも逸脱して悪化していくおそれがあるのかを判断し，異常を察知すれば早期に対処する。回復期は，機能・形態の変化に適応して日常性を回復し，社会復帰するための看護を行う。

時期	術前	術中	術後（急性期） 術後1～2日目	術後（回復期） 術後3日目～退院
看護目的	• 患者が手術の目的と必要性を理解したうえで，自らの意思で手術に同意し臨むことができるようにする • 患者が確実に手術を受けることができるように心身を整える • 術後の機能低下を最小にする	• 患者が安全・安楽に手術を受けられるようにする • 手術を確実に進行させる • 患者への侵襲を最小にし，手術に伴う2次障害（皮膚障害，神経障害，感染など）を予防する	• 麻酔からの覚醒を促す • 術直後の症状に対処し，苦痛を軽減する • 機能低下からの回復を促進し，合併症を予防する	• 機能・形態の変化に適応できるようにする • 日常性を回復し，社会復帰への準備を進める
看護目標	身体的・精神的に安定した状態で手術を迎える	手術侵襲を最小にとどめ，安全・安楽に手術を受ける	苦痛を緩和し，生理機能を維持回復する	機能・形態変化に適応する。日常性を回復し社会復帰する
看護ケア	• 疾患・症状コントロール • 入院／術前オリエンテーション • 執刀医・手術室看護師・麻酔科医からの説明 • 休薬の管理 • 術前処置 • 手術室への搬送 • 手術室看護師への申し送り	• 患者受け入れの準備 • 患者確認，申し送り内容確認 • モニターの装着と観察 • 血管確保，経鼻胃管・膀胱留置カテーテルなどの挿入 • 麻酔導入の看護 • 体位固定・抑制，安全・安楽な体位の工夫 • 呼吸循環障害，神経麻痺，肺血栓塞栓症などの予防，保温 • 病棟看護師への申し送り	• 全身状態の観察 • 合併症の徴候および症状の発見・対処 • ドレーン管理 • 疼痛管理 • 離床の援助 • セルフケア援助（清潔・更衣・排泄など）	• 機能障害・後遺障害への援助 • 食事再開の援助 • 日常生活援助 • 自己管理能力の強化 • 退院に向けての支援 • 継続看護

図1-11 周術期の各時期における看護

5 周術期に特徴的な看護

周術期の患者は日々状態が変化するため，ていねいで確実な観察と迅速な対応が求められる。患者の術後回復を支援するための創傷ケア，術後疼痛（とうつう）ケア，症状緩和（かんわ）ケア，ドレーン管理，体位変換，離床，機器を活用した患者管理などは，周術期に特徴的な看護技術としてあげられる。

6 生活者である患者への周術期看護

入院中は病院内が生活の場となる。看護師は，患者が生活者として入院生活を送ることを意識してかかわる必要がある。特に術後は，食事，排泄，睡眠などの生活すべてをベッド上で行うこともあるため，ベッド周囲が生活の場となる。したがって，安全で快適な療養生活を送るための環境整備が重要となる。

また，入院前後の生活の継続性を意識したかかわりも重要である。たとえば，入院前から使用していた義歯は入院中もできるだけ使用するように促す。義歯は術前に必ず取りはずさねばならず，術後も絶食や倦怠感などから義歯を装着しないことが多くなる。義歯を装着しない状態が長くなると歯茎の萎縮が生じ，整合や装着感が変化して食事摂取が困難となり，栄養状態の低下にもつながることもあるため，装着の促しが必要となる。

B 周術期看護の場

1. 入院前後における患者の生活の場

厚生労働省が実施した2020（令和2）年の患者調査[18]によると，推計退院患者数134万900人のうち，入院前に家庭で過ごしていた人は87.0%を占め，退院後も82.4%の人が家庭に戻っていた（図1-12）。つまり，患者は居住する地域から病院に入院し，治療後は再びその地域に戻っていくことが示されており，退院後は地域で生活していくことを念頭に置いた看護が求められることがわかる。

2. 手術を受ける患者の看護を展開する場

患者のケアを行う看護の場は，図1-13のように様々である。手術を受ける患者の多くは外来を経て外科病棟に入院し，手術室で手術を受けたのち，病棟に戻り術後看護を受ける。一部の患者は術後に直接病棟に戻らず，全身状態が安定するまでの数日間を集中治療室（intensive care unit；ICU）で過ごし，その後，病棟に移って術後看護を受ける。退院する患者の80%以上は家庭に戻り，それ以外の人々はほかの病院・診療所や介護老人保健施設などに転院する。入院していた病院だけでなく，手術前後に暮らす家庭や施設もすべて周術期看護を展開する場となる。

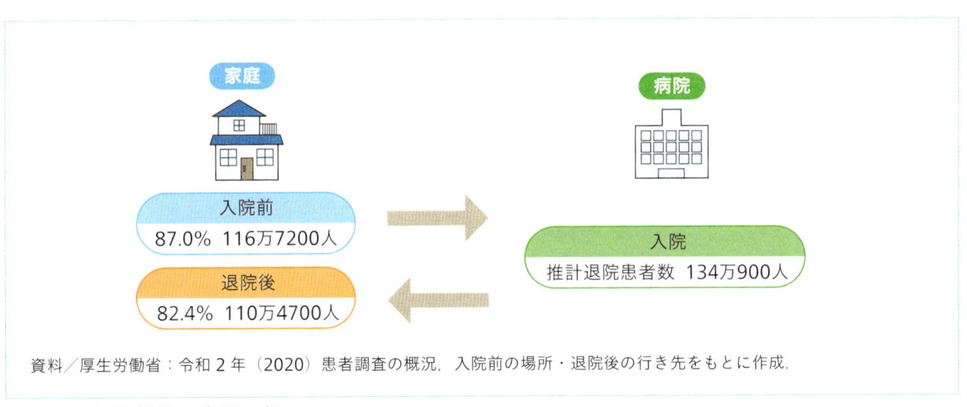

資料／厚生労働省：令和2年（2020）患者調査の概況．入院前の場所・退院後の行き先をもとに作成．

図1-12 入院前後の生活の場

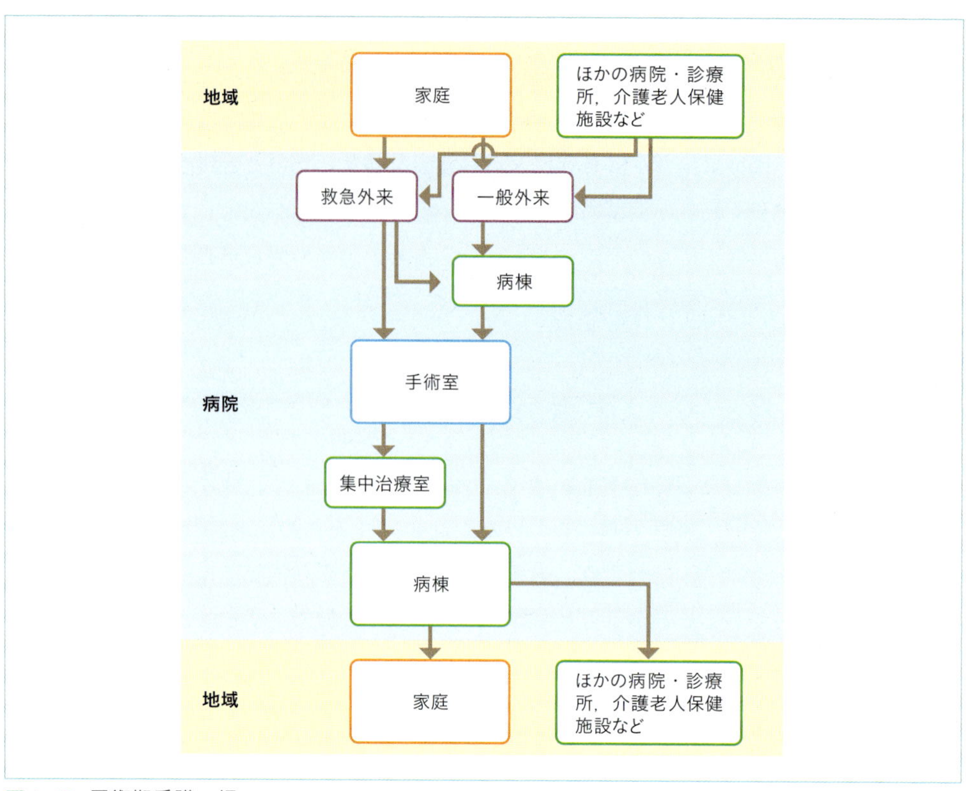

図1-13 周術期看護の場

1 外来

❶一般外来

患者が診察や検査を経て，手術を受けるか否かを決定するときに訪れるのが一般外来である。外来では患者が手術について正しく理解し，自らの意思で手術を受けることを決定し，さらに手術までの期間を自己管理できるように支えていく。手術の準備としては，術前検査，術前処置，禁煙，禁酒，服薬調整などがあり，患者が必要性を理解できるように準備を進め，入院までの期間を心身ともに安定して過ごすことができるように支える。そのほか，口腔外科，麻酔科，基礎疾患の治療を担当する診療科などでリスク評価を受ける。患者は手術後も定期的に受診し，全身管理を継続する。

❷救急外来

急性症状を自覚し，救急外来を受診して，そのまま緊急手術を受けることもある。緊急手術は待機手術と異なり，術前の準備状況に違いがある。手術に向けて計画的に心身を整えることができる待機手術に対して，緊急手術では患者に判断能力がなく，家族などによる代理意思決定で手術が行われることもある。術前の準備期間が短かく，禁煙や休薬，術前訓練など，手術に向けての準備ができないまま手術を行うため，術後合併症のリスクが高まる。患者や家族は突然の状況に動揺し不安が高まっているため，心情を察してわかりやすくていねいに説明するなど落ち着いた態度で対応し，安心感を与えるようにする。

2 病棟

入院後，術前の準備期間から術後に退院するまでの期間は，患者は病棟で看護を受ける。近年の在院日数の短縮化に伴って，患者の術前の入院期間は短縮し，全身麻酔による手術を受ける場合であっても，手術の前日に入院することが一般的である。糖尿病を合併している患者で術前に血糖コントロールが必要な場合や，抗凝固薬を服用しており凝固能コントロールのためヘパリン使用に切り替える場合などは，手術の1週間前から入院してコントロールを図ることもある。

術後は，ほとんどの患者が術直後から退院までの期間を病棟で過ごす。病棟内に，術直後の患者を観察するためのスペースを設けていることが多い。

3 手術室

手術室では，手術を受ける患者が入室してから，手術を受けて退室するまでの間の看護を行う。通常は，病棟看護師や外来看護師とは異なる手術室専属の看護師が配置され，器械出し看護師と外回り看護師に業務を分担して看護を提供する。患者の情報収集と不安軽減を目的として，直接患者に面談する術前訪問を取り入れている施設もある。

4 集中治療室

集中治療室は重症患者を管理する特別な部署である。心臓血管外科，脳神経外科，消化器外科の食道摘出後など，侵襲が大きな手術を受ける患者や，術後合併症のために高度で専門的な治療が必要となった患者は，集中治療室で回復過程を過ごす。表1-9にあげるように，外科系集中治療室，冠疾患集中治療室，脳神経外科集中治療室など，専門性を重視した部署をもつ施設もある。いずれも，高度な管理が必要な術後患者に対して，全身状態が安定するまで短期間収容してケアを行う場である。集中治療室に入室中の患者は生命危

表1-9 術後の患者をケアする集中治療室の例

名称		対象と特徴
高度治療室	HCU (high care unit)	ICUと一般病棟の中間に位置する準集中治療室
外科系集中治療室	SICU (surgical intensive care unit)	全身麻酔による手術直後の患者を対象とした集中治療室
冠疾患集中治療室	CCU (coronary care unit)	心臓血管外科手術後の患者を対象とした集中治療室。そのほか，重症の冠動脈疾患（狭心症，心筋梗塞），心不全，不整脈，急性大動脈解離などの内科的治療を受ける循環器疾患も対象
脳卒中集中治療室	SCU (stroke care unit)	脳卒中患者の管理に特化した集中治療室。NCUが併設されていることもある
脳神経外科集中治療室	NCU (neurosurgical care unit)	脳神経外科手術後の患者を対象とした集中治療室

機の状態にあり，生命を維持するためのケアを受けている。患者の病態生理，苦痛，心理反応，療養環境などの特徴を理解し，患者と家族への支援を考える必要がある。

C 周術期における多職種連携と看護師の役割

1. 看護師間の連携

看護師間では，外来・病棟・検査室・手術室・集中治療室など部署間において連携が行われる。また，特定分野の看護について高度で専門的な知識と技術をもつ専門看護師や認定看護師による介入も，連携の一つである。

2. 多職種間の連携

手術に直接かかわる執刀担当医師，病棟担当医師，麻酔科医師だけでなく，患者の併存疾患を診療する他診療科の医師や，口腔機能の管理*をする歯科医師も加わり，術前からリスク管理を含めた全身管理を行う。また，周術期の薬物療法の管理は薬剤師，リハビリテーションは理学療法士や作業療法士，退院調整には医療ソーシャルワーカー（MSW）や介護支援専門員など，多くの職種が連携して周術期の患者を支える（表 1-10）。

表 1-10　患者の経過と多職種連携

看護の場	外来	病棟	手術室	病棟	
患者の経過	外来受診	入院	手術	回復	退院
患者に提供される医療・看護	診断 手術決定 説明・情報提供 術前検査 入院手続き	入院オリエンテーション 手術オリエンテーション 術前訓練 服薬調整 術前訪問	全身管理 術中ケア 術中迅速診断	回復支援 リハビリテーション 退院支援	継続看護
担当職種	外来看護師 外来担当医師 他診療科医師 臨床検査技師 診療放射線技師 医療ソーシャルワーカー 地域連携室	病棟看護師 手術室看護師 集中治療室看護師 病棟担当医師 執刀担当医師 麻酔科医師 歯科医師 薬剤師	手術室看護師 病棟担当医師 執刀担当医師 麻酔科医師 病理医 臨床検査技師 臨床工学技士 診療放射線技師	病棟看護師 集中治療室看護師 退院調整看護師 外来看護師 訪問看護師 病棟担当医師 外来担当医師 歯科医師 理学療法士 作業療法士 薬剤師 医療ソーシャルワーカー 介護支援専門員・介護職	

＊口腔機能の管理：2012（平成 24）年度の診療報酬改定で「周術期口腔機能管理」が保険適用となった。手術が決定した時点で歯科を受診し，口腔衛生，う歯・歯周病，顎関節病変，義歯などについて点検と処置を受ける。ブラッシング指導や歯石の除去など口腔ケア以外に，術後肺炎の予防を図るための口腔衛生の管理，挿管・抜管時の歯牙脱落・損傷を防ぐための処置，咀嚼・嚥下機能の管理が行われる[19]。

3. チーム医療の推進

1 チーム医療とは

チーム医療とは，「多様な医療スタッフがおのおのの高い専門性を前提に，目的と情報を共有し，業務を分担しつつ互いに連携・補完し合い，患者の状況に的確に対応した医療を提供すること」[20]である。チーム医療には，医療やQOLの向上，医療者の負担軽減，医療安全の向上などの効果があるとされ[20]，推進の動きが活発化している。ここでは，看護師の役割と機能の拡大も期待されている。

2 チーム医療における看護師の役割

看護師は，患者にかかわる時間がほかの医療者に比べて長く，最も患者を理解し共感できる立場にある。患者・家族の状況を的確に把握して他職種に伝えたり，患者・家族の意向に沿った方向性を他職種に示したりすることによって，患者・家族の**アドボケーター**（代弁者）として積極的にかかわる。看護師は，多職種が参加する拡大カンファレンスの開催運営など，専門的知識と経験に基づいて，チーム医療における多職種連携の調整役となることもある。

また，倫理調整も看護師の役割の一つである。2021（令和3）年に日本看護協会が提示した「看護職の倫理綱領」[21]では，看護師が守るべき倫理的な価値と義務，専門職としての研鑽（けんさん），社会正義の考え方に基づく行動，個人の徳性と組織の努力が盛り込まれており，これを指針として行動することが求められている。周術期でも，患者の意向を尊重する方法の選択，患者の安全確保と身体拘束の是非，看護の方向性を巡る看護師間の意見の相違

Column SNSを活用したチーム医療

ソーシャル・ネットワーキング・サービス（social networking service；SNS）を活用したチーム医療も広がりをみせている。ネットワークに参加する病院，診療所，介護施設，調剤薬局などの医療関連施設がモバイル端末を用いて患者の情報を共有するシステムで，リアルタイムの多職種連携が可能になっている。施設単位の参加だけでなく，医師，看護師，薬剤師，介護支援専門員など個人の医療職者が参加するシステムも開発されている。患者や家族もこれに加わることが可能で，こうしたサービスが術後の患者にも広がれば，退院後の異常の早期発見と対処や，セルフケアへの助言など，新たな療養支援ツールとなることが期待される。

オンライン診療は、インターネットのビデオ通話を用いて自宅にいながら医師の診察を受け、処方薬も自宅で受け取ることができるサービスである。患者が体温や血圧値などのバイタルサインのデータを送信するシステムや薬剤師によるオンライン服薬指導もある。

表 1-11 術後回復能力強化プログラム（ERAS）の内容

時期	術前	術中	術後
内容	• 手術に関する説明と不安の軽減 • 貧血の改善，禁煙・禁酒，術前リハビリテーション • 絶飲食期間の短縮 • 水分・炭水化物の摂取 • 必要最低限の腸管の前処置 • 適切な麻酔前投薬の使用	• 低侵襲手術の選択 • 標準的な麻酔方法の選択 • 予防的な抗菌薬の投与 • 効果的な皮膚消毒薬の選択 • 体温管理による低体温の予防 • 過剰投与予防のための輸液管理 • 深部静脈塞栓症の予防 • 術後悪心・嘔吐予防のための薬物投与 • 必要最低限のドレーン留置	• 麻酔覚醒前の経鼻胃管の抜去 • 不要なドレーンの抜去 • 膀胱留置カテーテルの早期抜去 • 消化管蠕動運動の促進 • 適切な疼痛コントロール • 経口摂取の早期再開 • 経口サプリメントによる栄養補給 • 血糖のコントロール • 早期離床の促進 • 退院に向けた調整

など，ジレンマに遭遇することは多い。倫理的課題を見いだし，積極的に解決策を検討することも看護師の役割として重要である。

4. 術後回復能力強化

多職種によるチーム医療により実施されるプログラムとして，術後回復能力強化があげられる[22),23)]。これは患者の術後回復能力を強化し，それによって術後合併症の予防，入院期間の短縮，予後の改善を図るもので，ヨーロッパの学会が提唱したERAS（イーラス）（enhanced recovery after surgery）もそうした周術期管理プログラムの一つである。これらのプログラムでは，術前から術後をとおして，患者の早期回復に有用であることが証明されている方法を用いて計画的に介入することによって，術後の患者の回復力を強化する。それによって機能低下からの回復を早めて合併症を予防し，早期の退院や社会復帰につなげることを目指す。表 1-11 は ERAS の内容である。あげられている項目について，各臓器の手術ごとに具体的な方策がガイドラインとして示され，活用されている。

D 術後の患者の生活の再構築に向けての支援

1. 地域包括ケアにおける退院支援

退院支援を検討するうえで，**地域包括ケアシステム**の考え方を理解しておく必要がある。地域包括ケアシステムでは，疾病（しっぺい）や障害があっても自宅などの住み慣れた生活の場で療養し，自分らしい生活を続けることができるように，住居，医療，介護，予防，生活支援を一体的に提供することを目指している。このために，地域では訪問看護師や保健師，介護支援専門員が中心となる多職種連携による包括的で継続的な在宅医療・介護の提供が重要とされている。術後の患者が退院後に生活する地域でこのシステムによる支援が受けられるように，入院中から地域の担当者と連携していく。

2. 社会保障制度の活用

手術を受けた患者にも，公的医療保険制度（公的医療保険，介護保険，高額療養費制度，傷病手当）や身体障害者福祉法による各種福祉サービスが適用される可能性がある。年齢や収入による制限の設定，自治体独自の制度など，社会保障の適用は個人により異なるため，介護支援専門員やMSWと連携して，どの社会資源が利用可能かをアセスメントし，患者・家族に説明する。申請してから審査，認定，交付に至るまで1か月以上を要する場合も想定されるため，術前から制度を説明し，居住地の役所などで手続きに必要な申請書類を入手するなど，準備をしておくように説明する。

3. 退院支援における看護師の役割

手術を受けた人の多くは，退院後に元の地域へ戻る。このため，術前から術後回復期の生活を見すえて支援の準備を開始する。たとえば術後に食事形態の変更が必要となる患者では，食事に関する指導が必要となる。だれにどのように指導するのが効果的かを判断するために，術前から食事に関する情報を収集して，指導内容と方法をアセスメントしておく。栄養士による栄養指導など，専門職と連携することもある。

退院調整看護師が活躍する施設も多い。退院調整看護師は，スムーズな在宅療養への移行を調整する機能をもつ。社会保障制度や訪問看護などの在宅ケア，地域医療についての知識が豊富で，患者に適用可能なサービスを判断し，患者・家族や院内・院外の関係者と良好なコミュニケーションをとりながら患者支援を調整する役割をもつ。病棟看護師は，効果的な退院支援のために退院調整看護師のサポートを受けることもできる[24]。

4. 退院支援の実際

1 今後に向けての目標設定

退院後の患者の看護計画を立案するために，まず目標を設定する。目標は患者の意向を尊重したもので，かつ現実的で実現可能なものでなくてはならない。患者が自分の健康問題に関心を示し，疾患，現在の状態，今後の見通しなどを理解したうえで，主体的に決定できるように支援する。

2 患者参画型看護計画の活用

患者参画型看護計画は入院時に患者に提示されるものであり，退院支援の際にもこれを活用する。目標設定のときと同様，看護師は患者が治療やケアに関する情報を正しく理解して主体的に自己決定を行いながら，今後の計画を立案できるように支援する。手術によって形態・機能の変化が生じ，生活の変容が必要となった場合は，患者が退院後の生活をイメージできるように説明を行う。また，医師の説明の補足，ほかの患者が行っている工夫の紹介，日常生活への助言などを行い，患者自身で方向性を考えることができるようにする。

3 退院後のケア提供者の確認

2019（令和元）年に厚生労働省が行った国民生活基礎調査[25]によると，一人暮らしの「単独世帯」は全世帯の28.8％を占める1490万7000世帯にのぼっていた。これはつまり，同居人からのサポートを受けることが容易でない可能性がある人が多いことを示す。また，近年話題となっている老老介護の実態もつづいており，同居する主な介護者と要介護者などがいずれも65歳以上の割合が59.7％，75歳以上が33.1％となっており，この割合は年々上昇傾向にある。

患者自身で術後のセルフケアを遂行（すいこう）することが困難な場合は，身近な人からサポートを受けることができるのが望ましい。このため，術前から退院後を見すえて，家族構成やケア提供者（care giver）となり得る人について情報収集を行い，ケア提供者のケア能力を強化しておく。ケア提供者がいない，もしくは家族が高齢でケアが困難な場合も，患者や家族が安心して療養生活を送ることができるように，社会資源を活用することを検討する。

一方，家族がケア提供者となる場合，愛情や絆により患者を献身的に支えている場合でも，家族が疲労感や負担感を覚えることはよくある。家族のがんばりをたたえ，不安や悩みを解決するように働きかけることも看護師の役割である。

災害への備え

近年，災害発生時の疾患管理が重要視されるようになってきた。自然災害の場合，被災地では医療施設の建物や設備の損壊が起こり，医薬品，医療資器材，人材の確保も困難となるため，医療機能は大幅に低下する。電気・ガス・水道などの公共公益設備や，電話，インターネットなどの通信設備などのライフラインが断絶することもある。災害によって，内服薬やストーマ装具の入手困難，停電による電気機器の停止など，療養生活に影響を受ける人は多い。また，避難生活が長期化すれば，食習慣，生活習慣，生活環境の変化から健康管理が難しくなり，ストレス関連疾患や不活動による廃用症候群の発症が懸念される。

被災地への外部からの支援は災害直後に開始されるが，個別の健康問題への対応が可能となるまでには時間を要する。このため，災害発生から数日間の健康管理を維持できるように，患者も意識を高めておく必要がある。処方薬や必要な衛生用品は数日分の予備を確保し，患者カード，お薬手帳，診察券などは常に携行し，災害時も持ち出せるようにしておく。自力での移動が困難な人は，各市町村で準備されている避難行動要支援者の避難支援が活用できる。

出典／内閣府：避難行動要支援者の避難行動支援に関する取組指針（令和3年5月）．http://www.bousai.go.jp/taisaku/hisaisyagyousei/youengosya/r3/pdf/202105shishin.pdf（最終アクセス日：2021/10/9）

5. 退院指導の実施

1 退院指導を始める時期

指導を計画する際には，5W1H（いつ：when，どこで：where，だれが：who，何を：what，なぜ：why，どのように：how）を検討する。入院期間が短縮化している現在，いつ実施するのかは大きなポイントであるが，これを決めるのは患者である。実施は患者のレディネスが高まったときに，タイミングを見計らって行うようにする。

レディネスとは，ある学習を行う際に必要となる学習者の精神的・身体的準備状態を指す。レディネスは現実的な問題解決の必要性があるときに高まることから，周術期でいえば，術後の患者の全身状態が在宅療養を検討できる状態にまで回復し，患者が自身の退院後の生活を意識して考え始める時期に合わせて指導ができるとよい。

また，タイミングも重要である。レディネスが高まったとしても，発熱や倦怠感が強い状況では退院に気持ちは向かない。患者の状態が指導を受けるのに適切な状況かを判断して取り組む必要がある。

2 段階的な実施

説明に対する理解は経験や認知機能により異なる。このため，実施は患者に合わせて段階的に行うことが望ましい。説明の際はマニュアルどおりに進めるのではなく，患者の反応を引き出し，患者の理解や受け止め方を確認しながら進める。説明後も折をみて，正確に理解しているかを確認する。

知識や手技の習得に際しては，目標を設定して段階的に進める。たとえば創傷の自己管理を指導する際，創部を目視することに対して否定的な反応を示すときには無理強いはせず，時間をかけて目視できるように導き，次に触れる，その次に少し自分でも処置をする，と段階を踏み，少しずつ慣れるように働きかける。

3 患者を尊重した態度

患者のこれまでの経験や，生活習慣，価値観，人生観などを尊重しながら指導する。説明は一方的にならないよう，現実的に実践が可能か，最も望ましい方法は何かを，共に考える姿勢が求められる。そのために，指導時は時間に余裕をもち，患者が疑問や不安を含め感情を表出しやすい環境のもとで実施する。

患者の過去の経験を生かすことも，患者を尊重することになる。たとえば，服薬管理や栄養管理の指導を行う際には，すでに知っていること，できていることから改めて指導する必要はない。これまでの取り組みをたたえ，自信をもって継続するように働きかけることで，自己管理への意欲につなげることができる。

文献

1) Pfister J., Kneedler J.A.：手術室における看護とは何か，第1回世界手術室看護婦会議口演集録，1978，p.72-78.
2) Marbach L.：The perioperative role；A practical approach，AORN J，29（4）：639-646，1979.
3) Kneedler J.A.：Perioperative role in three dimensions，AORN J，30（5）：859-879，1979.
4) 白田久美子，他：手術後がん患者の退院時における状況と求める看護支援，日がん看会誌，24（2）：32-40，2010.
5) 数馬恵子，他編：手術患者のQOLと看護，医学書院，1999，p.4.
6) 川野雅資：看護診断；恐怖と不安，看研，25（1）：43，1992.
7) ロロ・メイ著，小野泰博訳：不安の人間学，誠信書房，1963，p.153.
8) Herdman T.H.，上鶴重美原書編集，日本看護診断学会監訳，上鶴重美訳：NANDA-I　看護診断；定義と分類　2021-2023，原書第12版，医学書院，2021，p.395.
9) P. シルダー著，稲永和豊監，秋本辰雄，秋山俊夫編訳，岡元健一郎，他訳：身体の心理学；身体のイメージとその現象，星和書店，1987，p.280.
10) 小西敏子，佐藤禮子：乳がん患者の手術に臨む姿勢とそれに影響を及ぼす要因，千葉看会誌，7（1）：67-73，2001.
11) 福井里美：中年期がん患者のソーシャル・サポート・ネットワーク；手術前後のサポーターの内容と変化，日看科会誌，22（1）：33-43，2002.
12) 森本紗磨美，井上智子：手術を受ける患者に付き添う家族の体験と看護支援の検討，日がん看会誌，20（2）：61-71，2006.
13) 中村英子，他：手術を受ける老年期がん患者の家族員が看護師とコミュニケーションにおいて抱く思い，千葉看会誌，16（1）：27-34，2010.
14) Molter，N.C.，常塚広美訳：重症患者家族のニード，看技，30（8）：137-143，1984.
15) Marilyn M. Friedman 著，野嶋佐由美監訳：家族看護学；理論とアセスメント，へるす出版，1993，p.13.
16) 鈴木和子，渡辺裕子：家族看護学；理論と実践，第4版，日本看護協会出版会，2012，p.29.
17) 厚生労働省：病院報告（令和4年3月分概数）．https://www.mhlw.go.jp/toukei/saikin/hw/byouin/m22/dl/2203kekka.pdf（最終アクセス日：2022/6/20）
18) 厚生労働省：令和2年（2020）患者調査の概況，入院前の場所・退院後の行き先．http://www.mhlw.go.jp/toukei/saikin/hw/kanja/20/dl/toukei.pdf（最終アクセス日：2022/9/30）
19) 日本麻酔科学会・周術期管理チーム委員会編：周術期管理チームテキスト，第4版，日本麻酔科学会，2021，p.63-71.
20) 厚生労働省：チーム医療の推進について．http://www.mhlw.go.jp/stf/shingi/2r9852000001wrcw-att/2r9852000001wri2.pdf（最終アクセス日：2021/10/9）
21) 公益財団法人日本看護協会：看護倫理．https://www.nurse.or.jp/nursing/practice/rinri/index.html（最終アクセス日：2021/10/9）
22) 前掲書20），p.13-16.
23) 前掲書20），p.476-482.
24) 宇都宮宏子監，坂井志麻編：退院支援ガイドブック，学研メディカル秀潤社，2015，p.53-61.
25) 厚生労働省：2019年　国民生活基礎調査の概況．http://www.mhlw.go.jp/toukei/saikin/hw/k-tyosa/k-tyosa19/index.html（最終アクセス日：2021/10/9）

参考文献

・長田博昭編著：コメディカルのための外科学総論，医学出版社，2007.
・三村芳和：生体反応のカラクリとタネ明かし；医学生・コメディカルのための外科侵襲学，永井書店，2011.
・Roger C. Bone, et al.：The ACCP-SCCM consensus conference on sepsis and organ failure, Chest，101（6），1992.
・出月康夫，他編：NEW外科学，改訂第3版，南江堂，2012.
・畠山勝義監，北野正剛，他編：標準外科学，第14版，医学書院，2016.
・磯野可一編著：ナースの外科学，改訂6版，中外医学社，2013.
・S.M. Harmon Hanson, S.T.Boyd 編，村田恵子，他監訳：家族看護学；理論・実践・研究，医学書院，2001.
・竹内登美子編著：高齢者と成人の周術期看護1　外来／病棟における術前看護，第2版，医歯薬出版，2012.
・竹内登美子編著：高齢者と成人の周術期看護2　術中／術後の生体反応と急性期看護，第2版，医歯薬出版，2012.

第2章

周術期看護の基盤となる理論と看護展開

この章では

- ロイ適応看護理論を活用し，適応行動を目指すうえでどこに焦点を当ててケアを進めるかを特定する過程を理解する。
- セルフケア不足理論を活用し，主体性や自立性を確立するためのかかわり方を説明できる。
- 自己効力感を活用し，行動を惹起したり，継続に向けて励ましたりするための対応方法を理解する。
- エンパワメントを活用し，適応的行動の獲得を目指そうとする力を信じ，その力を引き出すための対応方法を理解する。

I 周術期看護における理論の活用

周術期の患者は，傷害期から転換期にかけて心身ともに非常に不安定な状況に置かれ，患者の言動は通常とは異なる表現がなされることが多い。その背景には，心理的不安や，患者自身が回復のための慎重な行動を選択している場合が考えられる。術後のケアにおいて，看護師は患者の回復過程が標準的な過程から逸脱しないことを目標とし，身体観察や診療の補助を行う。複数の患者のケアを抱えながら目まぐるしく対応する状況下では，看護師は患者の言動に対して，断片的な情報を基に問題として解釈することがある。また，患者の主体性を尊重したいという思いを抱きつつも，標準的な回復を促進するために，指示的な対応や過剰な支援を行ってしまうことがある。

こうした周術期のケアにおいて，理論を基に状況を整理すると，一見不安定な状態のなかに，人の強さや緩やかな変化の様相をとらえることができたり，自律性や自主性を高める効果的な対応のヒントを得ることが可能となるだろう。

本章では，周術期における患者へのケアを実施するにあたり，ロイ適応看護理論，セルフケア不足看護理論，自己効力感，エンパワメントを紹介し，事例を基に，複数の理論を用いることで多面的な患者理解ができることを示す。

II 理論の概要

A ロイ適応看護理論

1. 理論形成の背景

シスター・カリスタ・ロイ（Roy, S. C.）が開発した**ロイ適応看護理論**（以下，ロイ理論）は，ハリー・ヘルソン（Helson, H.）の精神心理学が基盤になっている。この理論における中心テーマの「適応」は，ロイが小児看護に従事していたときに観察していた，大きな変化にもかかわらず成長を続けることができる子どもの能力への驚きや，自身も聴力障害を負いながらの心理的過程の振り返りが影響していたと考えられる。そのほか，ロイが理論を発表するまでのアメリカでの情勢も影響している。戦争（第二次世界大戦，ベトナム戦争勃発）や暴動（ロサンゼルスでの黒人住民の暴動）は人々をおびえさせ，アポロ11号の月面着陸成功のニュースは，科学技術が日常生活での思考や理解の範疇（はんちゅう）を超え，驚愕（きょうがく）を与えた。このようななかで，ロイは，人間を取り巻く環境の変化や苦境でも適応的であろうとする人々の様子をとらえ，その成り立ちやしくみを表現した。

2. 理論の特徴

ロイは，人間を，変化する環境のなかで絶えず成長・発達する全体的な**適応システム**としてとらえた。人間とその集団は「生理的-物理的」「自己概念-集団アイデンティティー」「役割機能」「相互依存」の4つの**適応様式**（表2-1）をもち，外的・内的環境の変化である**刺激**がインプットされると，その刺激をコントロールするコーピングプロセスを経て，環境に適応すべく4つの適応様式のいずれかの行動としてアウトプットされる，と説明した（図2-1）。

反応・行動を引き起こす刺激には，「**焦点刺激**」，「**関連刺激**」，「**残存刺激**」がある。

❶**焦点刺激**：直接その人に影響する問題を引き起こしている因子
❷**関連刺激**：現在の状況に影響していると確認できる，ほかのすべての因子
❸**残存刺激**：背景にある過去の経験や信念で，影響を与えている可能性があるもののその時点では不明確で未確認の因子

刺激は，コーピングプロセスを経て行動としてアウトプットされたのち，フィードバックされてまた新たな刺激としてインプットされる。アウトプットされた行動には，適応的行動（適応範囲内にとどまっている行動）と非効果的行動（適応範囲を超えた行動）があり，適応的行動であれば健康は促進される。しかし非効果的行動であれば健康の促進には至らず，その状態が再び刺激としてフィードバックされ，適応状態に向かう行動をとり続けるのである。

ロイは，看護の目標を，4つの適応様式を基に個人・集団の適応を促進し，それによって健康や生活の質（quality of life；QOL），尊厳のある死に貢献することとしている。

このように，ロイ理論では刺激から行動までの一連のしくみが示されている。しくみの

表2-1 適応様式と構成要素

適応様式	構成要素	
生理的-物理的	○5つの基本的ニード • 酸素化 • 栄養 • 排泄 • 活動と休息 • 保護（防衛）	○4つの複雑なプロセス • 感覚 • 体液・電解質 • 神経学的機能 • 内分泌機能
自己概念-集団アイデンティティー	○自己概念 • 身体的自己：身体感覚，ボディイメージ • 個人的自己：自己一貫性，自己理想，道徳的・論理的・スピリチュアルな自己	○集団アイデンティティー • 対人関係 • 集団の自己像 • 社会環境 • 文化
役割機能	• 一次的役割：現在の発達段階において，年齢と性別によって規定されている役割 • 二次的役割：一次的役割と発達段階に応じた課題を達成するために期待される役割で，	社会における集団との関係から生じる一般的役割 • 三次的役割：個人が自由に選択し従事する自主的役割
相互依存	• 人間が重要他者およびサポートシステムとどのような関係にあるかに関連するもの	• 愛情，尊敬，価値を対人関係のなかで与えたり与えられたりすることに焦点を当てる

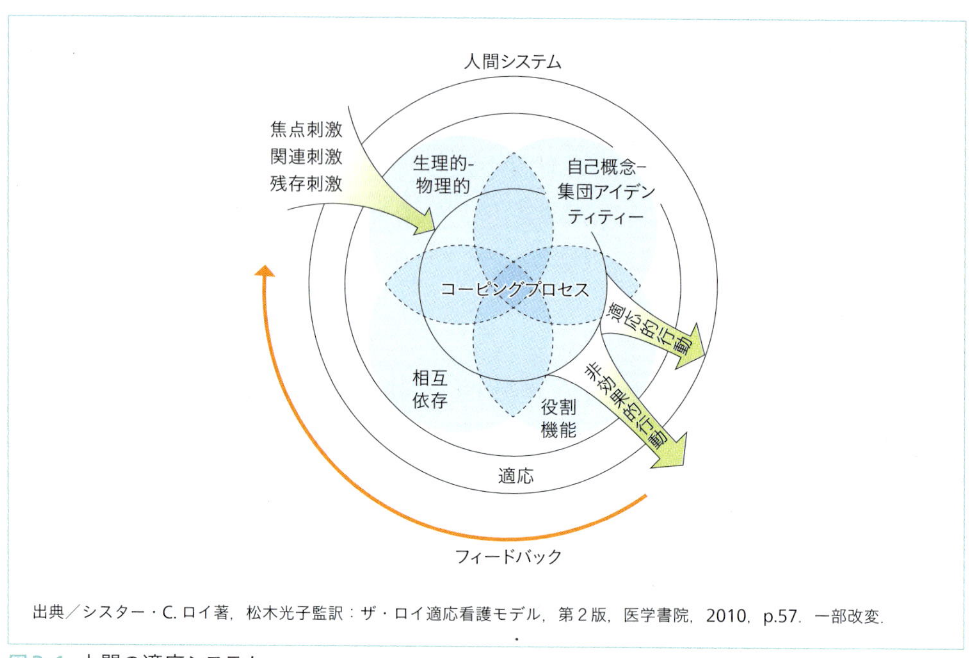

出典／シスター・C.ロイ著，松木光子監訳：ザ・ロイ適応看護モデル，第2版，医学書院，2010，p.57．一部改変．

図2-1　人間の適応システム

核となる刺激，適応様式，行動は構成要素が提示されているため，非効果的行動が生じている場合，どの部分にひずみや不十分さが存在しているかをアセスメントすることができる。非効果的行動を適応的行動に変化させることを目標として，看護を実践するうえで，不十分な箇所を見極める。残存刺激に要因がある場合には，焦点刺激への短絡的なかかわりではなく，過去の経験への向き合い方の調整から始めることも必要となる。つまり，看護を考える際に，ロイ理論を用いることにより，「何をするか」だけでなく，「何を，どのような配慮をもってかかわるか」を考えて目標を設定し，計画することが可能になる。

B セルフケア不足看護理論

1. オレムの看護への疑問

ドロセア・オレム（Orem, D. E.）は，看護師として働くなかで，看護に次のような疑問を抱いた。

- 看護の実践者として，看護師は何をするのか，何をしなければならないのか。
- 看護師は自分たちのしていることを，なぜやっているのか。
- 看護の働きかけの結果とはどのようなことか。

これらの疑問が，オレムのセルフケア不足看護理論の原点となっている。

2. セルフケア不足看護理論の構成

オレムは，**セルフケア**を「人が生命や健康，そして幸福を維持していくうえで自分のために活動を起こし，やり遂げること」と定義し，人間にはセルフケア能力（自分自身の変化や自分を取り巻く環境の変化に適応する大きな力）が備わっているとしている。

セルフケア不足看護理論（the self-care deficit nursing theory）は，①セルフケア理論（the theory of self-care），②セルフケア不足理論（the theory of self-care deficit），③看護システム理論（the theory of nursing system）で構成されている。

図2-2のように，セルフケア不足理論がセルフケア理論を，看護システム理論がセルフケア不足理論を包摂（ほうせつ）し，それぞれが相互に関連し合いながら理論を構築している。

1 セルフケア理論

セルフケア理論には，セルフケア要件（self-care requisites）とセルフケア能力（self-care agency）のバランスが重要であり，人間はセルフケア要件を満たすために，自らが適切なケアを行うことでバランスをとっているとしている。

セルフケア要件には，普遍的セルフケア要件，発達上のセルフケア要件，健康逸脱によるセルフケア要件があり，年齢や健康状態などの基本的条件付け要因によって影響を受ける。

❶普遍的セルフケア要件

普遍的セルフケア要件は，人生のあらゆる段階のすべての人間に共通して存在し，また，生きていくうえで欠かすことができない要件であり，8つの項目からなる（表2-2）。各項目は独立して存在するものではなく，相互に影響し合っている。

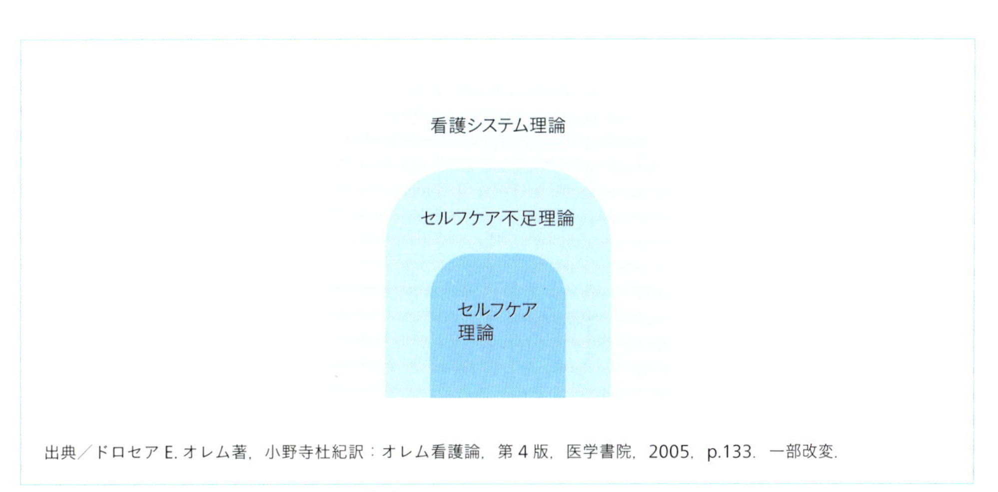

出典／ドロセア E. オレム著，小野寺杜紀訳：オレム看護論，第4版，医学書院，2005，p.133．一部改変．

図2-2 看護のセルフケア不足理論の構成図

表2-2 普遍的セルフケア要件

❶十分な空気の摂取の維持
❷十分な水分の摂取の維持
❸十分な食物の摂取の維持
❹排泄過程と排泄物に関するケアの獲得と維持
❺活動と休息のバランスの維持
❻孤独と社会的相互作用のバランスの維持
❼人間の生命，機能，安寧に対する危険の予防
❽正常でありたいという要件に応じた社会集団のなかでの人間の機能と発達の促進

❷発達上のセルフケア要件

発達上のセルフケア要件は，発達段階やライフイベントに関連して生じる状態や出来事に関連する要件であり，成熟していくための要件（新生児に体温調整が重要であること）や，人間の発達を阻害する可能性のある状態に対する支援（教育を受けることができない，末期状態や死が予測される）などがある。

❸健康逸脱によるセルフケア要件

健康逸脱によるセルフケア要件は，病気やけがなど健康から逸脱した状態のときに必要とされるものであり，治療のために自分でできることを行ったり，悪化しないように支援のもとでコントロールしたりする，自分ではできないことについて援助を求め，現在の状況を認めて生きることを学習する，などがある。

2 セルフケア不足理論

オレムは，本人のセルフケア能力の限界を超えたセルフケアが必要となった（**セルフケア不足**）状態，もしくは，セルフケア不足が予測される状態のときに，看護が必要とされるとした。セルフケア不足は，セルフケア要件がセルフケア能力を上回ったときに起こる。

看護師と患者の関係は補完的であり，患者にセルフケア不足があるとき，看護師はその不足を補うために援助を行う。

3 看護システム理論

患者のセルフケア要件とセルフケア能力をアセスメントした結果，セルフケア不足の程度に応じて，看護を提供するレベルと患者の担う役割が規定され，以下の３つのタイプの看護システムに分類される。

❶支持・教育的システム：セルフケアをよりよく遂行（すいこう）できるように支持・教育する。
❷一部代償的システム：患者のセルフケアを支援する。
❸全代償的システム：患者の代わりにセルフケアを実施する。

そして，１人の患者に用いられる看護システムのタイプは１つとは限らない。看護師には，状況の変化に応じて，計画・実施・評価・アセスメントを繰り返しながら，患者のセルフケア要件を充足する適切なシステムのタイプと，連続的な組み合わせを選択していく

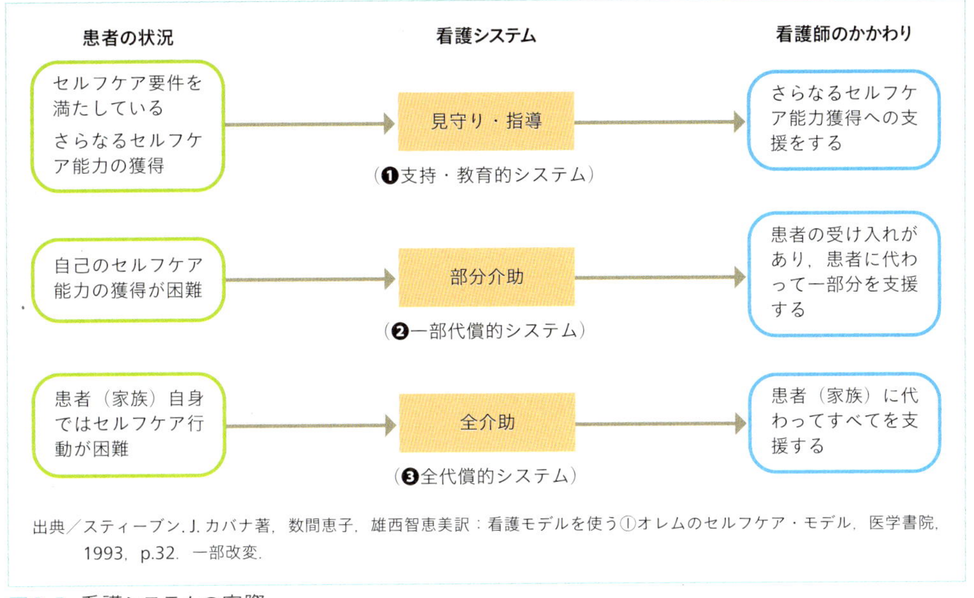

図2-3 看護システムの実際

ことによって，患者に適した看護を提供することが求められる。

さらに，患者がセルフケアを遂行できるようにするための援助方法には，①他者に代わって行為をする，②指導し方向づける，③支持する，④発達を促進する環境を整え，維持する，⑤教育する，の5つの方法がある。したがって，看護師には，患者のセルフケア能力に応じて用いる援助方法を検討し，選択することも求められるのである。実際の看護システムおよび看護師のかかわりは，患者の状況によって変化することを図2-3に示した。

C 自己効力感

アルバート・バンデューラ（Bandura, A.）の社会的学習論は，人間の行動を決定する要因として，先行要因，結果要因，認知的要因，の3つをあげ，それらの要因が複雑に絡み合って，個人（認知的要因）と行動と環境という3者間の相互作用の循環が形成されると説明している。これは3者の影響が常に同等の力をもつのではなく，いずれかが変われば，そのときの状況に応じて，いつでも臨機応変に変化していくことを意味する。

先行要因のなかで特に重要視されるのが**自己効力感**（self-efficacy）である。人はある行動を起こそうとするとき，その行動を「自分がどの程度うまくできそうか」と予測し，その程度によって実際の行動が起こされるかどうかが決まる。人がある行動をとおして期待される結果を得る過程には，「自分にはその行動をする適切な力がある」という確信（効力予期）に加え，「その行動をすれば良い結果（期待される結果）が生じる」という確信（結果予期）の要素が必要となる（図2-4）。つまり「できそう」という感覚と「きっとこうなるだろう」と結果が期待できる，という2種類の組み合わせを予測することで，その人のとる行動が決まるのである。バンデューラは，この効力予期のことを自己効力感とよんで，結

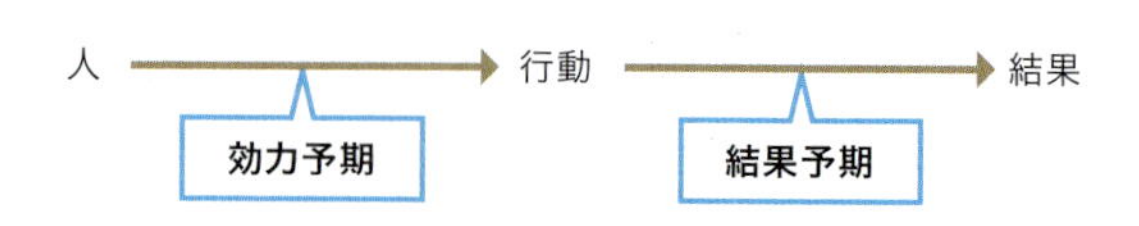

出典／Bandura, A.：Self-efficacy：toward a unifying theory of behavioral change, Psychol Rev, 84（2）：193, 1977．一部改変．

図2-4 効力予期と結果予期の関係

果予期と区別して考えた。効力予期は「大きさ」「強さ」「一般性」の3つの次元に沿って変化し，これらからその程度を知ることができる。

▶ **大きさ** 課題が簡単にできるものからより困難なものまで，難易度に従って並べられたとき，実際に今，どこまで達成できそうかという予期の水準である。

▶ **強さ** あるレベルの行動の可能性について，どの程度強く可能と思うかという確信度に関係している。

▶ **一般性** ある対象との，ある状況での，ある行動項目に関する自己効力感が，どの程度まで，対象・状況・行動を超えて広がりをもつかという特定性と一般性を結ぶ次元である。

効力予期と結果予期の程度によって，それぞれ異なる心理的効果をもたらす。両者が低い場合，無気力・無感動・無関心となったり，あきらめや抑うつ状態に陥ってしまう。

自己効力感を高い状態に保つことは重要であるが，人はどのようにして自己効力感を獲得するのだろうか。バンデューラは，自己効力感が変化する情報源として「遂行（すいこう）行動の達成」「代理的体験」「言語的説得」「情動的喚起（かんき）」の4つをあげている（表2-3）。

1 遂行行動の達成

あることを直接経験することで，これを情報源とする自己効力感は最も強く安定したものとなると考えられる。成功体験の回数を重ねることで強固な効力予期を確立でき，たとえ失敗してもあまり否定的影響を受けなくなる。また，効力予期が確立すれば，同一場面だけでなく，関連する場面においても一般化が可能となる。

2 代理的体験

他人の成功や失敗の行動場面の観察的な学習であり，「自分にもできそう」あるいは「自分もできないだろう」という効力予期への動機付けを喚起する。遂行行動の達成より少し弱いが，人間の経験に占める代理的体験の相対的大きさからみれば，この情報源の影響は極めて大きい。モデルとなる他者が自分と似ているほど，その他者の成功や失敗による影響を受けやすい。

3 言語的説得

他者からの「あなたにはできる」「よくできている」といった言語によって遂行可能性

表2-3 自己効力感の主要な情報源と誘導方法

情報源		誘導方法
遂行行動の達成	成功経験を体験し，達成感をもつことで，「できる」と感じる効力予期を引き起こす。逆に，最初のつまずきや何度も失敗することで，効力予期は弱まる。成功体験の回数を重ねることで強固な効力予期が確立し，失敗してもあまり否定的影響を受けなくなる。確立することで，関連する場面にも一般化できる。自己効力感の情報源として最も強力なものである。	参加モデリング 現実脱感作法 エクスポージャー（遂行行動の表示） 自己教示的遂行
代理的体験	他人の行動を観察し「自分にもできそう」と感じたり，人が失敗する場面を見て「自分もできないだろう」と感じ，自信が弱まること。他者（モデル）と自分との類似性が高いほど，モデルの成功や失敗の影響を受けやすい。	実物モデリング 象徴的モデリング
言語的説得	言語を用いて遂行可能性を高めること。単独で自己効力感を形成することは難しいが，遂行行動の達成や代理的体験を補うように付加することで，自己効力感の変化に影響する。自分自身の行動を認め，評価することも含まれる。	暗示 勧告 自己教示 説明的な介入
情動的喚起	行動する直前にストレスや緊張で胸がドキドキするのを感じて「できないかもしれない」と思ったり，逆に気分が落ち着いていると感じることで「できる」という気持ちが高まる。生理的な反応や感情の受け止め方が自己効力感の変化に影響する。	帰属 リラクセーション バイオフィードバック 象徴的脱感作法 イメージ・エクスポージャー

出典／Bandura, A.：Self-efficacy：toward a unifying theory of behavioral change, Psychol Rev, 84（2）：195, 1977．をもとに作成．

を高めることである。この情報源は単独では自己効力感の変化につながりにくいが，「遂行行動の達成」や「代理的体験」に付加することで，その変化に影響を及ぼす。効力予期に与える影響は単純ではなく，的確にとらえるためには，説得の方式やモデルと観察者との関係などの要因について検討が必要である。そして，ここには自分自身の行動を認め，評価することも含まれる。

4 情動的喚起

生理的反応や感情の受け止め方が自己効力感の変化に影響することであり，効力予期の重要な判断手がかりとなる。たとえば，行動する直前にドキドキするのを感じて「できないかもしれない」と思ったり，逆に気分が落ち着いていると感じることで「できる」という気持ちが高まる。つまり，自己効力と情動的喚起は相互に影響し合う関係にある。

D エンパワメント

1. 定義

エンパワメント（empowerment）とは，人が自分の健康に影響を及ぼす意思決定や行動を，より深くコントロールできるようになるプロセスであると定義されている[1)]。エンパワメントには8つの原則があるといわれている（表2-4）。

エンパワメントを看護に当てはめてみると，「対象が目標を決めてそれを達成できるように，看護師は対象の力を引き出し，環境を整えること」となる。つまり，対象者がもて

表2-4　エンパワメントの8つの原則

❶**目標を対象者が選択する**
目標は最終的に対象者が選択することを医療者は知っておく。
❷**主導権と決定権を対象者がもつ**
目標を達成するための方法について，対象者が希望する方法を優先する。医療者は対象者が様々な選択肢から最適なものを選べるように，十分な情報を提供する必要がある。
❸**問題点と解決策を対象者が考える**
問題を解決するために何が障害となるのかなど，自分で考え，解決策を工夫するように援助する。
❹**新たな学びと，より力をつける機会として，対象者が失敗や成功を分析する**
失敗でも成功でも振り返り，なぜそうなったのかを対象者が自分で考え，次に生かせるようにする。
❺**行動変容のために内的な強化因子を発見し，それを増強する**
自分の意思で求めようとする「内的強化因子」は，医療者など外部からの働きかけによる動機「外的強化因子」より長続きするといわれている。行動変容のための価値（内的な強化因子）を自分で発見し，それを強めることで実現していく。医療者はそのための環境整備を行う。
❻**問題解決の過程に対象者の参加を促進し，個人の責任を高める**
すべての問題解決の過程に対象者が参加し，自分の責任で選択・決定していくことで，個人の責任が高まる。
❼**問題解決の過程を支えるネットワークと資源を充実させる**
問題解決の過程を支えるために，サポートするネットワークと資源を充実させ，適切に活用できるよう環境を整える。
❽**対象者のウェルビーイングに対する意欲を高める**
対象者の意欲が何よりも大事である。

出典／安梅勅江：エンパワメントのケア科学；当事者主体チームワーク・ケアの技法，医歯薬出版，2004，p.4-5.

る力を発揮して，主体的に考え，行動することを促す，認識の変容に焦点を当てた理論といえる[2)]。

看護エンパワメントモデルは，患者領域，看護師領域，患者-看護師の相互作用，環境の4つから構成されており（図2-5），互いに影響し合うといわれている。

2. エンパワメントを用いた実践方法

エンパワメントは，対象の種類により，セルフ・エンパワメント，ピア・エンパワメント，コミュニティ・エンパワメントに分けられる。ここでは個人を対象としたセルフ・エンパワメントに着目する。セルフ・エンパワメントは，主に個人の決定を下し，個人の生活を制御する能力を指す。

次にセルフ・エンパワメントを実践する方法を示す[3)]。

❶アセスメント

図2-5の看護エンパワメントモデルを参考にアセスメントできる。自己決定の方法，対象者の自己効力感，モチベーション，学習方法など，主に患者領域をアセスメントする。また，対象者の力に影響を与える環境などにも注目してアセスメントする。

❷看護計画の立案

信頼関係を築き，対象者が感じている課題について話し合う。その際，エンパワメントの原則を守り，対象者が複数の選択肢から選べるように情報を提供し，対象者が目標を設

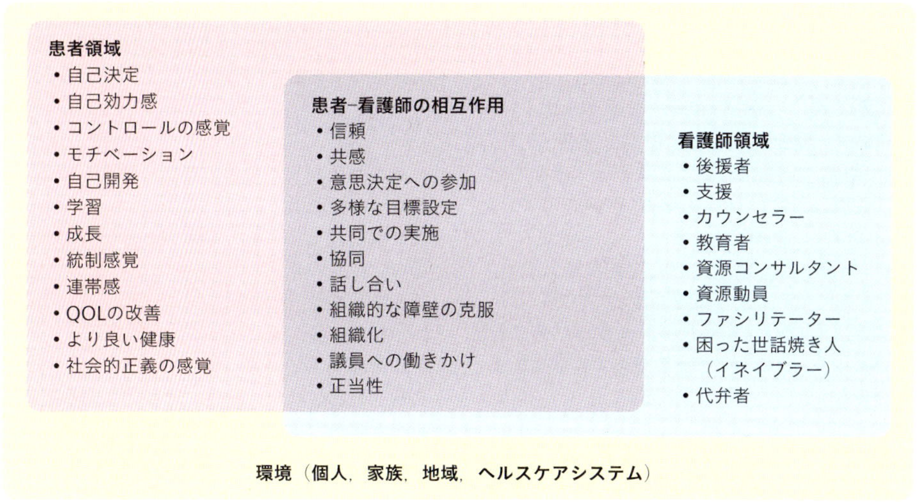

患者領域
- 自己決定
- 自己効力感
- コントロールの感覚
- モチベーション
- 自己開発
- 学習
- 成長
- 統制感覚
- 連帯感
- QOLの改善
- より良い健康
- 社会的正義の感覚

患者−看護師の相互作用
- 信頼
- 共感
- 意思決定への参加
- 多様な目標設定
- 共同での実施
- 協同
- 話し合い
- 組織的な障壁の克服
- 組織化
- 議員への働きかけ
- 正当性

看護師領域
- 後援者
- 支援
- カウンセラー
- 教育者
- 資源コンサルタント
- 資源動員
- ファシリテーター
- 困った世話焼き人（イネイブラー）
- 代弁者

環境（個人，家族，地域，ヘルスケアシステム）

出典／Gibson, C.：A concept analysis of empowerment, J Adv Nurs, 16 (3)：354-361, Figure 1, 1991. をもとに作成.

図2-5　看護エンパワメントモデル

定できるよう支援する。

❸評価

対象者自身が目標に対する評価を行う。失敗でも成功でも，課題に対してどのような行動をしたのか，なぜそうなったのかを考え，次に生かせるようにする。

Ⅲ　患者への理論の適用

手術によって患者の生体の形態や機能は変化し，術後の生活が大きく変化することがある。患者は事前に説明を受けていても術後に現実を目の当たりにして，改めて驚愕（きょうがく）したり，衝撃を受けたりする。術後の看護は，患者のこの驚愕や衝撃を理解しながら，患者が少しずつ現実と向き合い，変化した形態や機能を自身のものとしてとらえ直していく過程を支援することである。看護では，患者自身のもつ「力」をとらえ，この力を「引き出し，高める」対応が重要となる。しかし，入院から手術までの短期間のなかで知り得る患者の情報は限られているため，看護師は「自身の力をどうやって発揮してもらうことができるか」手探りである。それればかりか，患者自身も侵襲（しんしゅう）後の疼痛や苦痛のために，意思が常に変動する不安定な日々を過ごしており，患者自身にも自らの力がいかなるものかはとらえきれないことが多い。

1. 患者プロフィール

Aさん，61歳，男性。元会社役員。

既往歴：なし。身長178cm，体重70kg。

家族構成：妻60歳，長女39歳，長男37歳，次女30歳。現在は，妻と次女と3人で都内在住。住居は，マンションを20年前に購入し，現在はローン返済中である。

食事：1日3食。妻はAさんの健康を気遣(きづか)い，野菜を多く摂(と)れるような献立にしていた。しかしAさんは肉が好きなため，肉料理に偏りがちであった。接待などの外食が多く，飲酒をする機会も多かった。

喫煙：1日20本（20歳から）。

排尿：1日6～7回（洋式トイレを使用）。

朝に経済新聞を読むのが日課であり，5年程前から老眼鏡を使用して新聞を読んでいる。

2. 医師からの病状説明

主治医からは，「直腸に腫瘍があります。肛門を残して直腸を切除し，人工肛門を造ることになります。人工肛門については専門の看護師がケアや指導をしてくれますので安心してください。まずは手術で悪いところを取りましょう。手術は，全身麻酔と背中から細い管を入れる硬膜外麻酔を併用します。目が覚めたら病棟に帰ってきていると思います。私たちも最善を尽くすので一緒にがんばりましょう」と言われた。

術式：直腸切除・S状結腸人工肛門造設術（ハルトマン［Hartmann］手術）

術中所見：直腸がん，肛門から7cmの部位に存在する5cm大の潰瘍限局型の腫瘍を認めた。浸潤の程度は，潰瘍が漿膜表面へ露出するほどであり，3個以上のリンパ節への転移（N1），肝転移（H1），腹膜転移（P3），肺転移（M1）がみられるステージⅣのがんであった。

現在の状態は，肛門内マレコットカテーテル，正中創は開放になっている。右手背点滴ルート20G（ソルデム®3A），人工肛門にはストーマ装具が貼ってある。

3. 術後3日目

腸蠕動(ぜんどう)音が良好であることを確認したのち，朝から常食が出されたが食べられなかった。持続点滴で1日500mLの点滴（ソルデム®3A）が4本。セフメタゾン®静注用1g生食キットが2回。クレキサン®皮下注キット2000IUが2回行われている。術後2日目には膀胱留置カテーテルを抜去し，その2時間後にはトイレにて自尿が確認された。創痛に対しては，硬膜外カテーテル挿入中も1日に2回くらい鎮痛薬（生理食塩水50mL，ロピオン®50mg1A）の点滴を使用している。硬膜外カテーテルは残量がないため，術後2日目午後にクランプしていた。今朝，医師の回診時に，仙骨前面のドレーンと硬膜外カテーテルが抜去された。正中創はドレッシング材がはがされている。創の状態は発赤(ほっせき)，腫脹もなく順調な回復である。

時々，痰(たん)が絡むが「咳払いをすると創に響く」と言って，痰を出すのを控えている。歩行はロビーまで（片道約15m）行くのがやっとである。

人工肛門からは，粘液のようなものが少量出てきている。排ガスがあるので装具が膨らんでいる。今日は初めての装具交換の日であった。Aさんは，交換中「さっき見たんだけど，すごく大きいのでびっくりしてしまって…まぁ今日はもういいです。看護師さんお願いします」と横を向いている。臥床した状態で交換をすることにした。看護師が「きれいな色ですね。形もいいですよ」と言うと，「そうですか」と硬い表情である。看護師が「次回は少しずつ参加できるといいですね」と促すと，「今日は無理だったけど，がんばってみるよ。今はもう一度見る気がなくてね。申し訳ないです」と答える。

ここでは，進行性がんに対して手術を受け，人工肛門を造設した壮年期の男性患者Aさんの事例を基に，患者のもつ力を引き出し，現実に向き合っていくよう支援する看護を，本章－Ⅱ「理論の概要」であげた4つの理論を基に考える。

 ロイ適応看護理論を用いた患者の行動の解釈

1 周術期におけるロイ理論活用の留意点

ロイ理論を実際の看護場面に適用する場合，看護師がまず注目するのは，患者から発せられた行動である（図2-6）。そして，その行動に付随する患者の言動や身体指標，その行動に至るまでの時間軸に存在する出来事から，その行動に包含される患者の意図や行動の理由を知り，患者の行動が適応的行動であるのか，それとも非効果的行動なのかを見きわめる必要がある。

▶ 行動の見きわめのプロセス

- 行動を連続的かつ総合的にとらえ，適応様式を基に多面的に解釈する
- 非効果的行動とアセスメントされた場合，刺激を探索し，介入の糸口を絞り込む

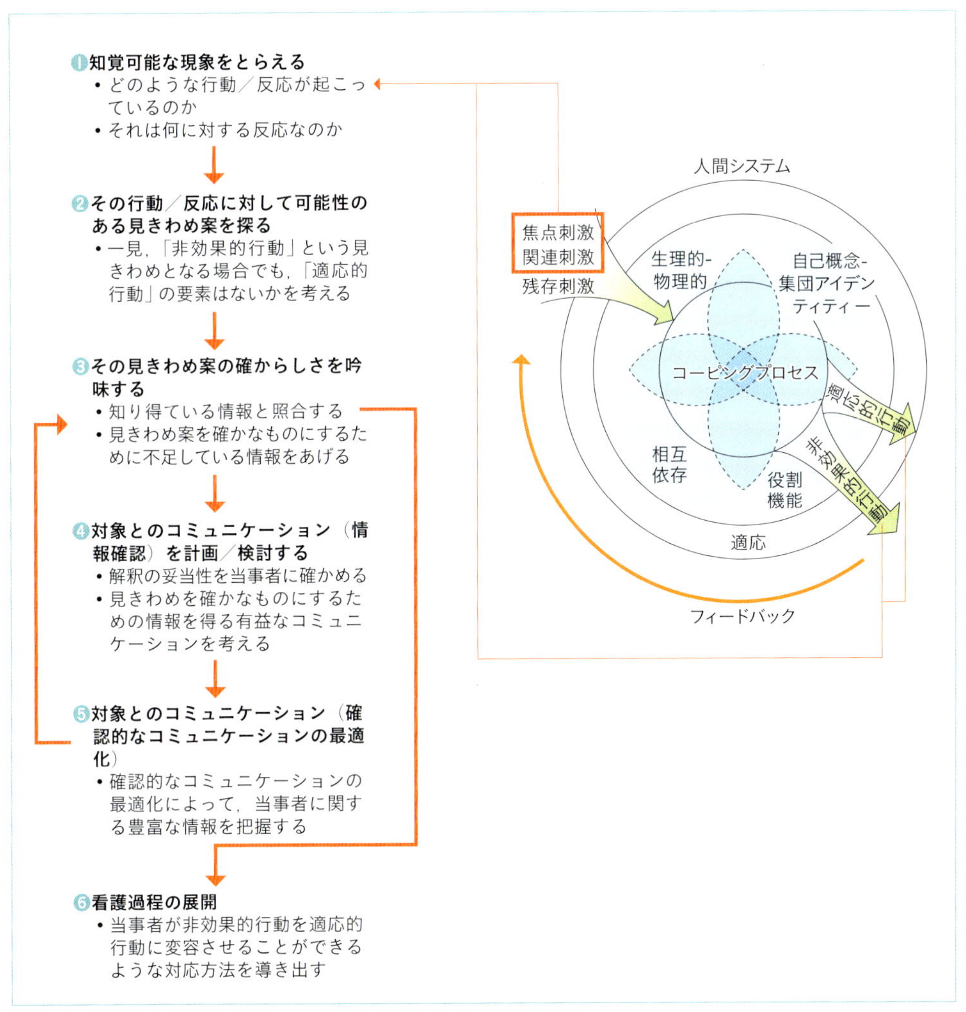

図2-6 周術期の看護の思考にロイ理論を用いる際の思考過程

これらのプロセスにおいて，看護師が情報を断片的にとらえてアセスメントした場合，患者がていねいで慎重に取り組もうとしている行動であっても，作業が遅いとか，行動を起こそうとしないという解釈になる危険性がある。また，苦痛症状のために患者が自ら主体的行動を起こすことが困難な場合，適応的行動をとっている，またはその準備段階であっても，看護師は，非効果的行動ととってしまうかもしれない。行動に包含されている適応様式をアセスメントするときには，断片的な情報のみで非効果的行動と判断しないように注意する。

2 周術期におけるロイ理論活用の実際

患者の情報量に限りがあり，患者が発する行動や反応が低減しやすくなる周術期においては，ロイ理論を 2 つの段階で活用することができる。

1 つ目の段階は，患者の思いや考えをとらえるコミュニケーションを検討するツールとしての活用である。2 つ目の段階は，そのコミュニケーションの結果，とらえることができた内容を基にこの患者に必要な看護目標を設定するツールとしての活用である。

1 つ目の段階の活用について，周術期の患者の示す反応は，一見したところ健康状態の回復を示していないようにみえるかもしれないが，その反応がどのような刺激に対するものなのか，また，コーピングプロセスとしてどのような適応様式によるものかという点について，ロイ理論の枠組みで考えると，多様なとらえ方の可能性が広がる。その思考の可能性を表 2-5 に示す。

1 つの現象が，一見非効果的行動にみえる場合であっても，適応的行動の可能性を探ることができれば，患者に問い直すことが可能となる。たとえば，表 2-5 において，術後 3 日目の自身のストーマが浮腫で赤く大きく見えることに驚きの発言がみられた場合，非効果的行動の解釈を想定すれば「そうですか，ストーマの大きさはあなたが想定していたより大きいと感じますか。この大きさに対して不安を感じていますか」と問い直すことができるだろう。他方，適応的行動の解釈を想定するならば「そうですか，大きく感じますか。私たちは，この時期のストーマの大きさとしては，通常の大きさだと思っています。しかし，ご本人にとっては，なかなか普通だとは思えないかもしれませんね。感じたままをお話しいただき，ありがとうございました。私たちももう少していねいにご説明するようにしますね」という会話に発展するだろう。共感的な対応として，患者の発言にうなずいたり，反復的に問い直すことは有効な手段である。さらに患者の示した反応を非効果的行動と適応的行動の両面で解釈し患者に問い直すことにより，術後，混乱や不安定さのなかで漠然と意思決定している患者自身が思いや意思を改めて確信し語ることが促進される。また，ロイ理論の枠組みを基に患者の反応の両価値性を考えることは，看護師の患者洞察の力を高め，その解釈を踏まえて患者へ問い直すことによって，患者の真の様子をとらえる機会を増やすことができるようになる。

表2-5 ロイ理論を活用して患者の反応に付与できる可能性のある多様な解釈例

情報：「さっき（ストーマ）見たんだけど，すごく大きくてびっくりした。」（術後3日目の反応）

非効果的行動としての解釈

この時期のストーマが浮腫で大きいことは標準的なことである。そのことが看護師から患者に説明されているとすれば，この状況への驚き，驚嘆を示すことは，「自身の疾患が進行がんであることで，回復に異常が生じているのではないか」という過剰な不安が潜在している可能性がある。

関連する適応様式

自己概念 - 集団アイデンティティー

→問い直し（例）

「そうですか，ストーマはあなたが想定していたより大きいと感じますか。この大きさに対して不安を感じていますか」

適応的行動としての解釈

自身の感情を言葉で表現することができている。とまどっている自身を表現し，他者からの支援を受ける準備ができていると解釈できる。

関連する適応様式

相互依存

→問い直し（例）

「そうですか，大きく感じますか。私たちは，この時期のストーマの大きさとしては，通常の大きさだと思っています。しかし，ご本人にとっては，なかなか普通だとは思えないかもしれませんね。感じたままをお話しいただき，ありがとうございました。私たちももう少していねいにご説明するようにしますね」

情報：「今日は，もういいです。看護師さんお願いします。」

非効果的行動としての解釈

ストーマ管理については，術後に自立して対応していく必要があることは説明されている。術後3日目は，通常は回復過程において転換期を迎え，徐々に周囲や自身の今後に関心を寄せる時期である。

→問い直し（例）

「そうですか，術後3日目になり，順調な経過をたどってこられています。少しずつご自身の周辺のことへの関心が高まってきているようでしたので，今回，ストーマの管理に挑戦することをお勧めしたいと思っていました」

にもかかわらずセルフケアを拒絶し，看護師にケアを委譲していることは，

- 転換期の心理的状況の向上を超えて強い衝撃を受けている可能性がある。

  関連する適応様式

  自己概念 - 集団アイデンティティー

→問い直し（例）

「まだ気持ちの準備が整いませんか」

- 自身の身体的なケアの意欲が減退するほど，疲労・倦怠感が増強している可能性がある。

  関連する適応様式

  生理的 - 物理的

→問い直し（例）

「まだ，からだのつらさが大きいですか」

適応的行動としての解釈

自身の行動の方向性を表現し，その行動の支援を求めることができる。相互依存的様式におけるサポートを求める表現ができていると解釈できる。

関連する適応様式

相互依存

→問い直し（例）

「そうですか。まだ本日はご自身でストーマケアをすることに挑戦する準備には達していませんか。しかし，看護師にケアをお任せいただく意思を表現していただき，ありがとうございました。本日は看護師がケアをいたしますが，次回はぜひ一緒に取り組んでいただけることを期待しています」

情報：本日より常食。しかし摂取できない。

非効果的行動としての解釈

排泄物の異様さに拒絶感を抱き，食欲があるにもかかわらず摂取を拒んでいるとすると，非効果的行動といえる。

→問い直し（例）

「食欲がありませんか。もしくは，排泄される便の量を減らしたくて食べるのを控えていらっしゃいますか」

- 理由が自身の排泄物への拒絶であれば，ボディイメージの適応障害の可能性があると考えられる。

  関連する適応様式

  自己概念 - 集団アイデンティティー

表2-5（つづき）

→問い直し（例）
「便が腹部から出ることの気持ちの揺れが大きいですか」

- 拒絶の理由が排泄物を処理する看護師への気兼ねであるとすれば，相互依存的様式で過剰に医療者に遠慮している不均衡な関係にとどまっている可能性が考えられる。
  関連する適応様式
  相互依存

→問い直し（例）
「ストーマの処置の際に，いつも看護師に労いの言葉をかけてくださっていますね。便の量を減らさなければいけないと思っているのではありませんか」

適応的行動としての解釈
術後3日目は経口摂取ができないことは想定内の状況である。無理に食べようとはせず，自身の身体感覚や欲求に基づいて行動できている。無理はせず，着実に回復するのを待つという心理的背景からの行動であれば，自己理解，自己一貫性が維持されている反応といえる。
関連する適応様式
自己概念 - 集団アイデンティティー

→問い直し（例）
「術後3日目で経口摂取の許可が出ましたが，まだ食欲は出ないようですね。ご自身の感覚を注意深く観察されていて，それに従って対応されていることは重要なことです。徐々に食欲が出てくることを期待しています」

情報：咳は創に響くので我慢している。

非効果的行動としての解釈
有益な酸素化のために咳をして分泌物の排出を促進することが重要であるが，咳を抑制していることは有効な気道浄化の支障となる行為となる可能性がある。この時期に咳を我慢することは身体回復上，有益ではないことを理解していないとすれば，看護師からの術前の説明が不足している可能性がある。
関連する適応様式
相互依存

→問い直し（例）
「この時期に咳をして気道をきれいにしておくことは，とても重要です。痛みを和らげながら咳をする方法について，まだ看護師からの説明はなかったですか。（まだ説明を受けていない）では，説明させていただきます」

非効果的行動としての解釈
この時期に咳を我慢することは，身体回復上，有益ではないことを看護師から説明済みである場合，患者役割として，自己解釈や説明の理解不足などが潜在している可能性がある。
関連する適応様式
役割機能

→問い直し（例）
「（説明を受けていた）そうですか。ご存じであったとしても咳を我慢するほど，痛みが強かったのですね」

適応的行動としての解釈
疼痛を増強させずに済む方法として，咳を控えているという行動を自身で工夫して対応しているとすれば，からだの自己管理ができていると解釈できる。
関連する適応様式
役割機能

→問い直し（例）
「痛みを抑えるために咳を控えているのですか。ご自身で工夫されているのですね。しかし，咳も回復を促進させるためには重要なものです。痛みを和らげつつ咳をする方法について，一緒にやってみませんか」

B セルフケア不足看護理論を用いた看護過程

1 周術期におけるセルフケア不足看護理論活用の留意点

周術期においてセルフケア不足看護理論を活用するのは，特に術後が主となる。

患者がどの程度自身のことができるかを踏まえて，できないことをすべて行うのではなく，患者の可能性を考慮したケアの提供が必要となり，そのためにはチーム内で統一されたケアの提供が望まれる。

2 周術期におけるセルフケア不足看護理論活用の実際

セルフケア不足看護理論では，人間は自分自身の変化や環境に適応できる能力を備えていることを前提としている。実際の活用としては，まず，①セルフケアに必要な8つの普遍的セルフケア要件（表2-2参照）についてアセスメントを行い，どの要件が満たされていないかを考え，②発達上のセルフケア要件が満たされていないかどうかをみる。

さらに①②の2つの要件を基に，③健康逸脱によるセルフケア要件は何か，④どんな援助が必要か，⑤必要な援助を患者や家族に対してどのように行うのかを考える必要がある。

たとえば，術直後の離床においては，まず，患者には下記のケアが必要となる。

❶❷8つの普遍的セルフケア要件が満たされていることを確認する（術直後で絶食中の場合は，治療上必要なことなので要件が満たされていないとは判断しない）
❸離床は術後の機能回復を促すうえで有用であるため
❹疼痛（とうつう）が強く動くのが難しい患者の疼痛を緩和して
❺頭側をギャッチアップして動きやすくする，初めてのベッドサイドでの起立時は血圧の低下により気分不快を生じることもあるため，患者の背中に手を添えて支えながら起立させる

術後回復期では，日が経つにつれて患者自身での離床が進むため，普遍的セルフケア要件については確認するが，看護師は見守るだけとなってくる。看護計画上は，問題として立案されているが，直接的介助としてのケアは少なくなるため，看護計画の支援内容の見直しが必要となる。

図2-7に，セルフケア不足看護理論を用いたAさんの看護問題「非効果的自己健康管理」の看護展開を示す。

C 自己効力感を用いた看護過程

1 周術期における自己効力感活用の留意点

周術期における自己効力感の活用では，まず，術前において患者がどの程度の自己効力感があるのかについて，ケアやコミュニケーションをとおして，十分な情報収集とアセスメントを行う必要がある。その際，4つの情報源（遂行（すいこう）行動の達成，代理的体験，言語的説得，情動的喚起）に照らして考えることがポイントとなる。患者の自己効力感を的確に見きわめることが，術前における不安や恐怖といった心理状態，自信の程度を把握することにつながり，また，術後のスムーズな回復を促進する有効な支援を考える基盤となるからである。そして，術後は見きわめた自己効力感と回復状況に合わせながら，患者の自己効力感を高める看護介入を継続する必要がある。これが，患者の行動変容にもつながる点から，日々の変化を評価し，チームでケアの方向性を共有することが重要である。

看護目標〔ストーマケアを習得し，生活の再構築ができる〕，立案日〔受け持ち　　日目，手術/治療 3 日目〕

必要な情報と情報の解釈・分析・統合	看護上の問題／看護課題（PES）	
S-1：さっき（ストーマ）見たんだけど，すごく大きくてびっくりした。今日は，もういいです。看護師さんお願いします。 S-2：今日は無理だったけどがんばってみるよ。 O-1：61 歳，男性，妻と次女と 3 人暮らし O-2：ハルトマン手術・S 状結腸人工肛門造設手術後 3 日目 O-3：RaRs（AV7cm）2 型，5cm sSE sN1 sH1 sP3 cM1（LM3）sStage Ⅳ O-4：本日より常食　しかし，摂取できない O-5：持続点滴中（ソルデム® 3A　500mL × 4 本 / 日） O-6：昨日膀胱留置カテーテル抜去（トイレ歩行） O-7：回診時硬膜外カテーテルおよび仙骨前面ドレーン抜去 O-8：肛門内にマレコットカテーテル挿入中 O-9：人工肛門の装具内に粘液便が認められたため術後初めての装具交換が行われ，硬い表情である O-10：ロビー（片道 15m）までがやっと歩行できる O-11：咳は創に響くので我慢している O-12：妻がキーパーソン O-13：毎日，経済新聞を読む O-14：元会社役員 A さんは，O-2，3 より Stage Ⅳの直腸がんで，すでにリンパ節，肝臓，腹膜，肺に転移がみられ，ハルトマン手術で S 状結腸人工肛門が造設された。 人工肛門から粘液便やガスが排泄され初めて装具交換が行われたときの S-1，2，O-9 から，A さんは装具交換の実施に困難を感じていると考えられ，普遍的セルフケア要件の「排泄過程と排泄物に関するケアの獲得と維持」が満たされていない。O-1，13，14 より発達上のセルフケア要件は，問題ないと考える。また，人工肛門は永久であり，健康逸脱によるセルフケア要件として，A さんは排泄経路の変更を受け入れ，人工肛門の保護や排泄物の処理方法（ストーマケア）と排便コントロールの方法を学習する必要がある。しかし，O-8，11 より創部や肛門部の痛みがあり，O-4，10 より体力も回復していないと考えられる。 以上より，A さんが人工肛門を受け入れ，ストーマケアを獲得できるように援助する必要がある。現時点では全面的に看護師に依存しているため，A さんの心理状態や理解力，意欲にあわせて段階的に指導することと，がんの進行が予測されるためキーパーソンである妻にも協力を求めることが重要である。	P：非効果的健康管理 E：人工肛門からの排泄に対する困惑 ストーマケアについての知識不足 重症感 創部痛・肛門部カテーテルの挿入部痛 S：（装具交換時） 今日はもういいです。 今日は無理だったけど，がんばってみるよ。	

セルフケア理論を活用したアセスメント

セルフケア不足理論を活用したアセスメント

看護システム理論を活用したアセスメント

図 2-7 セルフケア不足看護理論を用いた A さんの看護展開

看護目標〔ストーマケアを習得し，生活の再構築ができる〕，立案日〔受け持ち　　日目，手術/治療 3 日目〕

必要な情報と情報の解釈・分析・統合	看護上の問題／看護課題（PES）	
S-1：さっき（ストーマ）見たんだけど，すごく大きくてびっくりした。今日は，もういいです。看護師さんお願いします。 S-2：今日は無理だったけどがんばってみるよ。 O-1：61 歳，男性，妻と次女と 3 人暮らし O-2：ハルトマン手術・S 状結腸人工肛門造設手術後 3 日目 O-3：RaRs（AV7cm）2 型，5cm sSE sN1 sH1 sP3 cM1（LM3）sStage Ⅳ O-4：本日より常食　しかし，摂取できない O-5：持続点滴中（ソルデム 3A® 500mL × 4 本 / 日） O-6：昨日膀胱留置カテーテル抜去（トイレ歩行） O-7：回診時硬膜外カテーテルおよび仙骨前面ドレーン抜去 O-8：肛門内にマレコットカテーテル挿入中 O-9：人工肛門の装具内に粘液便が認められたため術後初めての装具交換が行われ，硬い表情である O-10：ロビー（片道 15m）までがやっと歩行できる O-11：咳は創に響くので我慢している O-12：妻がキーパーソン O-13：毎日，経済新聞を読む O-14：元会社役員 A さんは，O-2，3 より Stage Ⅳの直腸がんで，すでにリンパ節，肝臓，腹膜，肺に転移がみられ，ハルトマン手術で S 状結腸人工肛門が造設された。A さんの自己効力に関する情報は少ないが，O-13，14 よりこれまでの人生で「遂行行動の達成」や「言語的説得」などを経験していると推測できる。しかし，初めて装具交換が行われたときの反応は S-1，2，O-9 であり，A さんは装具交換に参加できなかった（遂行行動の達成）。その原因は人工肛門からの排泄に対する拒否感（情動的喚起）や，O-4，8，10，11 より体力の回復が不十分であったことが関係し，ストーマケアに対する自己効力感が低下していると考えられる。この状況において看護師による装具交換（代理的体験）と，「次回は少しずつ参加できるといいですね」という促し（言語的説得）によって，A さんは「がんばってみるよ」と発言している。 以上より，自己効力感を変化させる 4 つの情報源を活用して A さんの自己効力感を高め，ストーマケアを習得できるよう支援することができる。	P：非効果的健康管理 E：人工肛門からの排泄に対する拒否感 ストーマケアに対する自己効力感の低下 S：（装具交換時） 今日はもういいです。 今日は無理だったけど，がんばってみるよ。	

図 2-8 自己効力感を用いた A さんの看護展開

P：問題　E：誘因，原因　S：症状，徴候　OP：観察計画　CP：ケア計画　EP：指導計画

	優先順位（○日目）	期待される結果（評価日：○日目）	具体的対策（OP，CP，EP）
		排泄経路の変更を受け入れ，ストーマケアと排便コントロール方法を習得する（評価日：退院時） 1）人工肛門の状態と排泄物を観察することができる（評価日：術後5日目） 2）看護師と共にストーマ装具交換ができる（評価日：術後7日目） 3）一人で装具の交換ができる（評価日：退院時） 4）人工肛門周囲皮膚の保護方法を述べることができる（評価日：退院時） 5）排便コントロールの方法を述べることができる（評価日：退院時）	OP： ①術後の回復状態や人工肛門造設に対する患者の言動，表情 ②ストーマケアに対する関心や気持ち，準備状況 ③装具交換時の患者の言動 ④人工肛門の状態（色，つや，浮腫，出血，壊死，脱落，離開，膿瘍など） ⑤人工肛門からの排泄物の状態（便の性状，ガスの有無，出血など） ⑥装具からの排泄物の漏れ ⑦人工肛門周囲皮膚の状態（排泄物や皮膚保護材，装具による接触性皮膚炎，発赤，発疹，瘙痒感，びらん，潰瘍の有無など） ⑧創部痛の程度，座位が可能な時間 ⑨手の器用さ ⑩家族のサポート状況 CP： ①患者の人工肛門に対する思いを傾聴する ②装具交換時に患者が少しでも装具交換に参加できるような雰囲気づくりをする（肛門部の痛みを考慮した体位，声掛け，個室） ③装具交換についての，患者の準備状況に応じてできるケアは自分で行ってもらって見守り，できないところを説明しながら，以下のことができるように段階的に援助する 人工肛門を見る→装具から便を出す→装具を愛護的にはがす→人工肛門周囲を洗浄する→人工肛門に合わせて装具をカットする→装具を装着する ④患者の状況に合わせた装具を選択する ⑤装具交換は妻にも説明しながら行う EP： ①患者には，肯定的な声掛けを行う ②ストーマケアのリーフレットを作成して，説明する ③装具交換時に，人工肛門と周囲皮膚の評価および保護の方法を説明する ④便の性状に応じて排便コントロールの方法を説明する ⑤退院後の装具の購入先，ストーマ外来を紹介する ⑥MSWに身体障害者申請について説明を依頼する

排泄に関するセルフケアの目標

セルフケア能力の評価

セルフケア能力に合わせた看護システム（一部代償的システムまたは支持・教育システム）の設定

支持・教育システムによる介入

P：問題　E：誘因，原因　S：症状，徴候　OP：観察計画　CP：ケア計画　EP：指導計画

	優先順位（○日目）	期待される結果（評価日：○日目）	具体的対策（OP，CP，EP）
		自分の目標を決めてストーマケアを習得する（評価日：退院時） 1）人工肛門の状態について言葉で表現することができる（評価日：術後5日目） 2）看護師と共にストーマ装具交換ができる（評価日：術後7日目）	OP： ①術後の回復状態や人工肛門造設に対する患者の言動，表情 ②ストーマケアに対する関心や気持ち，準備状況 ③装具交換時の患者の言動 ④人工肛門の状態（色，つや，浮腫，出血，壊死，脱落，離開，膿瘍など） ⑤人工肛門からの排泄物の状態（便の性状，ガスの有無，出血など） ⑥装具からの排泄物の漏れ ⑦人工肛門周囲皮膚の状態（排泄物や皮膚保護材，装具による接触性皮膚炎，発赤，発疹，瘙痒感，びらん，潰瘍の有無など） ⑧創部痛の程度，座位が可能な時間 ⑨手の器用さ ⑩家族のサポート状況 CP： ①患者の人工肛門に対する思いを傾聴する ②装具交換時に患者が少しでも装具交換に参加できるような雰囲気づくりをする（肛門部の痛みを考慮した体位，声かけ，個室） ③装具交換時は，最初は看護師が実施して方法を説明し，段階的に患者が実施する手技を増やして以下のことができるように援助する 人工肛門を見る→装具から便を出す→装具を愛護的にはがす→人工肛門周囲を洗浄する→人工肛門にあわせて装具をカットする→装具を装着する ④患者の状況に合わせた装具を選択する ⑤装具交換は妻にも説明しながら行う EP： ①患者には，肯定的な声掛けを行う ②ストーマケアのリーフレットを作成して，説明する ③装具交換時に，人工肛門と周囲皮膚の評価および保護の方法を説明する ④できるケアについては，自分で行ってもらい見守りをし，できないところを説明しながら援助する

自己効力感と「情動的喚起」は相互に影響し合う関係にあるため，環境を整えることが患者の気分を落ち着かせ，ストーマ装具交換が「うまくできる」という気持ちを高めることにつながる

モデルとなる看護師の行動場面を観察学習する「代理的体験」が「自分にもできそう」という効力予期への動機づけとなるため，患者の反応を見ながら手順の説明を行うことが重要である

直接経験することにより自己効力感は最も強く安定したものになると考えられるため，患者が今どのような状況であるかを把握したうえで，ストーマ装具交換への参加の働きかけを行うことが重要である

他者からの「できている」という言語的説得は遂行可能性を高め，また自分自身の行動を認め，評価することも重要となる。
看護師がモデルとなる「代理的体験」や直接経験する「遂行行動の達成」に付加することで自己効力感の変化につながる

2　周術期における自己効力感活用の実際

周術期において，患者の自己効力感が高められるようにすることが，看護師の役割である。

具体例としては，術前には術後合併症を予防し，より早い回復につながるよう呼吸訓練を行うが，その際，どのように実施すべきかを，看護師がモデルとなりていねいに説明すること，つまり「代理的体験」が「できそう」という動機付けを高めることにつながる。そして，実際に訓練を実施し，「自分にもできそう」と実感してもらうことが「遂行(すいこう)行動の達成」となる。

しかしながら，術後は創部痛の出現などにより，思うように呼吸訓練が進まない場合もある。その際，患者が少しでも実施できたことや日々の変化も含め，現在できていることを認める声かけ，実施を促すような励ましといった「言語的説得」が自己効力感を高める有効手段となる。そして，自己効力感が低い場合には，不安や恐怖が強く表れる傾向，すなわち「情動的喚起(かんき)」がみられるため，環境を整えることで心理状態を安定させる配慮も重要となる。

図2-8に，自己効力感を用いたAさんのストーマケア習得に関する看護問題「非効果的自己健康管理」の看護展開と，具体的対策の根拠となる「自己効力感の主要な情報源」を示す。

D　エンパワメントを用いた看護過程

1　周術期におけるエンパワメント活用の留意点

エンパワメントを活用するのは，主に術前と術後になる。特に術後は生活の再構築が必要になるため，エンパワメントを十分に活用できると考える。しかし，術後から急にエンパワメントに着目するのではなく，術前から術後に向けて取り組む必要がある。

周術期に限らず，エンパワメントを活用するためには，患者と看護師との信頼関係の構築がまず必要である。患者がもつ力を発揮できるよう，看護師は患者の力を引き出すコミュニケーションスキルも必要になる。しかし，まずは患者と真摯(しんし)に向き合うことが重要であろう。

2　周術期におけるエンパワメント活用の実際

エンパワメントでは，人は元来，力をもっていると考える。そのため，情報のアセスメントの段階から，強みに着目していく。期待される結果や具体的対策を考える際，エンパワメントの8つの原則（表2-4参照）を考慮して立案する。原則①には「目標を対象者が選択する」とある。つまり，看護計画は患者と看護師が協働して立案することになる。

周術期では患者の意識がなく，生命維持に関して医療者にゆだねられている期間がある。しかし，手術が終了し，患者が麻酔から覚めれば意思疎通は可能である。原則②の「主導権と決定権を対象者がもつ」からもわかるように，患者の希望を優先し，看護師は患者が選択できるように情報を提供する必要がある。

たとえば，術後に早期離床を促すことは，とても大事な看護であるが，患者の意欲がなければ始まらない。患者に早期離床の意欲をもってもらうには，術前から早期離床に関する情報および痛みを取るための方法について患者に十分に伝えておく必要がある。そして，看護師は術後の患者の疼痛を積極的に軽減する。そうすることで，患者は術後に「今日はどこまで離床できるか？」を考え，行動し，目標を達成することができるのである。

そのほかの原則に関しても，具体的な対策を盛り込みながら看護計画を立案することができる。図2-9に，エンパワメントを用いたAさんのストーマケア習得に関する看護問題「非効果的自己健康管理」の看護展開を示す。エンパワメントの8つの原則を考慮して立案している。コメントを見ながらエンパワメントの活用例を見てほしい。

E 適切な看護ケアを導く4つの理論の応用

今回の事例に対して，4つの理論を用いることで次のようなケアを導くことができた。

❶ロイ適応看護理論

ロイ適応看護理論をとおして，患者の思惑をとらえるコミュニケーションを導き出すことができた。非効果的行動であると解釈された場合，適応的様式を踏まえて情報を整理し，どの要素に介入をするとよいかをあぶり出すことができる。その結果，介入の方向性を見いだすことにつながった。

❷セルフケア不足看護理論

セルフケア不足看護理論を用いると，より効果的な方向に患者の回復過程を進めるために，看護師として，どの部分に焦点を当ててかかわることが望ましいかを考え，患者のもてる力を最大限に生かすかかわり方を探究することができた。そして，看護システム理論により，患者（依存者・ケア行為者）のセルフケア能力をアセスメントして，①支持・教育（見守り，指導など），②一部代償（部分介助），③完全代償（全介助）に分類して看護行為を実行することにつながった。

❸自己効力感

バンデューラが提唱している自己効力感を変化させる情報源，「遂行行動の達成」「代理的体験」「言語的説得」「情動的喚起」の4つを駆使してケアを実施することができた。周術期の患者が傷害期，転換期，筋力回復期に向かうなかで，患者が備えている自己の力を発揮し，自主性，主体性を尊重しながら自己効力感を高めていくことができるケアを提供することができた。

❹エンパワメント

エンパワメントを用いると，看護師は，目標を決めてそれを達成することを目指している患者の力を引き出し，患者が主体的に考え，行動が促進されるようなケアを提供することができた。

看護目標〔ストーマケアを習得し，生活の再構築ができる〕，立案日〔受け持ち　　日目，手術/治療 3 日目〕

必要な情報と情報の解釈・分析・統合	看護上の問題／看護課題（PES）
S-1：さっき(ストーマ)見たんだけど，すごく大きくてびっくりした。 今日は，もういいです。看護師さんお願いします。 S-2：今日は無理だったけどがんばってみるよ。 O-1：61 歳，男性，妻と次女と 3 人暮らし O-2：ハルトマン手術・S 状結腸人工肛門造設手術後 3 日目 O-3：RaRs(AV7cm)2 型，5㎝ sSE sN1 sH1 sP3 cM1(LM3)sStageⅣ O-4：本日より常食　しかし，摂取できない O-5：持続点滴中（ソルデム®3A　500mL × 4 本 / 日） O-6：昨日膀胱留置カテーテル抜去（トイレ歩行） O-7：回診時硬膜外カテーテルおよび仙骨前面ドレーン抜去 O-8：肛門内にマレコットカテーテル挿入中 O-9：人工肛門の装具内に粘液便が認められたため術後初めての装具交換が行われ，硬い表情である O-10：ロビー（片道 15m）までがやっと歩行できる O-11：咳は創に響くので我慢している O-12：妻がキーパーソン O-13：毎日，経済新聞を読む O-14：元会社役員	P：非効果的健康管理 E：重症感 創部痛・肛門部カテーテルの挿入部痛 ストーマケアについての知識不足 S：（装具交換時） 今日はもういいです。 今日は無理だったけど，がんばってみるよ。
A さんは，O-2，3 より Stage Ⅳの直腸がんで，すでにリンパ節，肝臓，腹膜，肺に転移がみられ，ハルトマン手術で S 状結腸人工肛門が造設された。人工肛門は，永久となる。人工肛門には，装具の装着が必須であり，適宜装具交換が必要となる。A さんが予定通りに退院するためには，ストーマケア方法の習得が必要である。しかし，O-4 より食事が摂取できていないこと，O-8 よりマレコットカテーテルが挿入中であり，O-11 より創痛があるため，長時間の座位は痛みがあると考えられる。また S-1，2 より人工肛門への拒否感がみられており，ストーマケアへの意欲が上がっていないと考えられる。O-13 より情報収集能力はあると考えられるが，人工肛門への拒否感から，ストーマケアに関する情報を収集するといった行動に移せず，知識が不足している可能性がある。一方で，がんばってみるという前向きな発言もあり，意欲が向上する可能性はあると考えられる。以上より，現在のところ人工肛門に関して自身で順調に管理できているとはいえない。 O-14 より元会社役員をしており，成人期にある A さんは，自律性が高いと考えられる。そのため，エンパワメントの原則を用いて，かかわっていくことができると考える。ストーマケアが不十分であるため，その原因や誘因を一緒に考え，ストーマケアに関する目標を自ら立案できるよう，環境を整えていく必要がある。また，O-12 より妻の協力が可能であると考えられる。妻もストーマケアにかかわっていけるよう，装具交換の説明時には同席してもらう調整が必要である。	人は元来，力をもっていると考えるため，問題ばかりではなく力にも着目してアセスメントする 人は元来，力をもっていると考えるため，問題ばかりではなく力にも着目してアセスメントする

図 2-9　エンパワメントを用いた A さんの看護展開

状況に応じて複数の理論を駆使しながら患者の多面的な側面に注目し，顕在化していない事象にも適切に目を向けることが重要である。しかし，活用した理論によっては，焦点化の視点の違いから，時として反対のケアを導き出すことがあるかもしれない。また，看護計画を立案した時点で，必ずしも患者のすべてをとらえ網羅的なケアを立案できるとは限らない。看護過程においては常に実施したことに対する評価を行うため，その過程のなかで患者の抱えている真の問題を徐々に浮き彫りにし，一歩一歩，状態の安定化，問題の解決に向けてケアを積み重ねていくことが重要である。

文献

1)　World Health Organization：Health Promotion Glossary，1998 version.　http://www.who.int/healthpromotion/about/HPR%20Glossary%201998.pdf p.6（最終アクセス日：2021/10/4）

2)　野川道子編著：看護実践に活かす中範囲理論，第 2 版，メヂカルフレンド社，2016，p.14.

3)　前掲書 2)，p.373-376.

P：問題　E：誘因，原因　S：症状，徴候　OP：観察計画　CP：ケア計画　EP：指導計画

優先順位（〇日目）	期待される結果（評価日：〇日目）	具体的対策（OP，CP，EP）
	自分の目標を決めて，ストーマケアを習得する（評価日：退院時） 1）人工肛門の状態について言葉で表現することができる（評価日：術後5日目） 2）看護師と共にストーマ装具交換ができる（評価日：術後7日目）	OP： ①術後の回復状態や人工肛門造設に対する患者の言動，表情 ②ストーマケアに対する関心や気持ち，準備状況 ③装具交換時の患者の言動 ④人工肛門の状態（色，つや，浮腫，出血，壊死，脱落，離開，膿瘍など） ⑤人工肛門からの排泄物の状態（便の性状，ガスの有無，出血など） ⑥装具からの排泄物の漏れ ⑦人工肛門周囲皮膚の状態（排泄物や皮膚保護材，装具による接触性皮膚炎，発赤，発疹，瘙痒感，びらん，潰瘍の有無など） ⑧創部痛の程度，座位が可能な時間 ⑨手の器用さ ⑩家族のサポート状況 CP： ①ストーマケアの妨げになっている原因や誘因をAさんと共に考える ②Aさんが人工肛門の装具交換やそのほかのストーマケアにかかわる目標を立案できるように，必要な情報（一般的な装具交換の目標など）を提供する ③Aさんと共に装具交換やそのほかストーマケアにかかわる目標を立案する ④Aさんのストーマケアへの意欲を引き出すため，できたことを称賛する ⑤Aさんと1日のストーマケアについて振り返り，翌日に生かせるようにする ⑥Aさんにかかわるスタッフが状況を共通理解し，継続してサポートできるように，カルテへ記載する ⑦Aさんのストーマケア意欲を維持するために，Aさんの前で家族へ今日のがんばりを伝える ⑧安心して人工肛門の装具交換やケアができるよう，個室やトイレなどの環境を整える EP： ①人工肛門を見られない・触れられない時期には，人工肛門装具からの便漏れ，人工肛門周囲の瘙痒感など，ストーマケアにかかわる異常を説明し，異常を感じたら看護師に伝えるように話す ②ストーマケアのリーフレットを作成して，説明を行う ③装具交換時に，人工肛門および周囲皮膚の評価ができるように説明する

問題点と解決策を対象者が考えるとともに，行動変容のための価値を自分で発見してもらうことで，意欲が継続する

主導権と決定権を対象者がもつ

目標は対象者が選択する

対象者の意欲が何よりも大事

対象者が自分で分析して次に生かす

周囲のネットワークと環境を整える

参考文献

・小田正枝編集：ロイ適応看護理論の理解と実践，第2版，医学書院，2016.
・スティーブン．J. カバナ著，数間恵子，雄西智恵美訳：看護モデルを使う①オレムのセルフケア・モデル，医学書院，1993.
・金子史代：ドロセア・E. オレムにおける看護のセルフケア不足理論の基礎的研究；ケアリング・学習・援助を中心にして，看護の科学社，2004.
・ドロセア・E. オレム著，小野寺杜紀訳：オレム看護論；看護実践における基本概念，第4版， 医学書院，2005.
・アン・マリナー・トメイ，マーサ・レイラ・アリグッド編著，都留伸子監訳：看護理論化とその業績，第3版，医学書院，2005.
・アルバート・バンデューラ編，本明寛，野口京子監訳：激動社会の中の自己効力，金子書房，1997.
・Bandura, A.：Self-efficacy；toward a unifying theory of behavioral change, Psychol Rev，84（2）：191-215, 1977.
・坂野雄二，前田基成編著：セルフ・エフィカシーの臨床心理学，北大路書房，2002.
・祐宗省三，他編：社会的学習理論の新展開，金子書房，1985.
・アルバート・バンデューラ著，原野広太郎監訳：社会的学習理論；人間理解と教育の基礎，金子書房，1979.
・江本リナ：自己効力感の概念分析，日看科会誌，20（2）：39-45，2000.
・野川道子編著：看護実践に活かす中範囲理論，第2版，メヂカルフレンド社，2016.

第3章
術前の患者・家族の看護

この章では

- 手術を受ける患者の術前の身体的アセスメント・心理社会的アセスメントについて理解する。
- 術前の患者および家族に対する看護を理解する。
- 術前オリエンテーションの目的と方法を理解する。
- 手術前日・手術当日の看護について理解する。

I 患者・家族の看護

A 情報収集とアセスメント

術前の看護では，患者が心身ともに最良の状態で手術が受けられるよう援助することが重要である。

1. 身体的アセスメント

術前患者の身体状態をアセスメントするためには，患者の現在の状態と，手術や麻酔に伴って生じる術後の問題について把握しておかなければならない。術前の**身体的アセスメント**に必要な情報は，検査データ，既往歴およびその治療，症状などであり，それらの情報とともに，患者が受ける予定の手術の術式，麻酔，予測される術後合併症などを併せて，術後に予測される問題をアセスメントする（表3-1）。術前検査を行い，呼吸機能，循環機能，栄養・代謝機能，肝機能，腎機能，血液凝固能，内分泌・免疫機能など現在の患者の状態を把握し，生体が手術や麻酔による侵襲（しんしゅう）に耐え得るか，また，術前のリスクはどの程度かを評価する。看護師は，患者が苦痛や不安なく安心して検査が受けられるよう援助するとともに，患者が安定した身体状態で手術に臨（のぞ）めるよう援助することが重要である。

表3-1 術前患者の身体的アセスメント

項目	情報	アセスメントを必要とする根拠
呼吸機能	• 呼吸器疾患の既往：慢性閉塞性肺疾患（気管支喘（ぜん）息（そく），肺気腫（きしゅ），慢性気管支炎），間質性肺炎，肺水腫，肺がんなど • 喫煙歴：本数，年数 • 肥満：身長・体重・BMI • 呼吸機能検査：%肺活量（%VC），1秒率（$FEV_{1.0}$%） • 胸部X線写真 • 動脈血ガス分析：PaO_2，$PaCO_2$，pH • 経皮的酸素飽和度（SpO_2） • 胸郭の変形 • 呼吸数，呼吸パターン，呼吸音 • 労作時の呼吸困難：フレッチャー - ヒュー・ジョーンズ（Fletcher-Hugh-Jones）分類 • 喀痰の量・性状	• 呼吸器疾患の既往のある患者は呼吸機能が低下し，術後の咳嗽（がいそう）力の低下，気道内分泌物の増加から，無気肺や肺炎が起こりやすい。 • %VCが80%未満では拘束性換気障害，$FEV_{1.0}$%が70%未満では閉塞性換気障害，%VCが80%未満かつ$FEV_{1.0}$%が70%未満では混合性換気障害となる。咳嗽力が弱く，気道内分泌物が増加しやすく，術後低酸素血症や無気肺，肺炎のリスクとなる。 • 喫煙は，血液中のヘモグロビンの運搬能の低下，気管支線毛運動の減少などをもたらすため，気道内分泌物が増加し，術後低酸素血症や無気肺，肺炎のリスクとなる。
循環機能	• 心疾患の既往：高血圧症，虚血性心疾患（心筋梗塞，狭心症），不整脈 • 内服薬：降圧薬，利尿薬，ジギタリス製剤，抗血栓薬，抗不整脈薬 • 心不全の重症度分類：NYHA分類 • 自覚症状：胸痛，心悸亢進，息切れ，呼吸困難 • 血圧，脈拍数 • 心電図 • 胸部X線写真（心胸郭比） • 尿量，水分量，体重	• 高血圧症がある患者は術中・術後の血圧上昇により出血が起こりやすい。 • 心疾患の既往のある患者は，動脈硬化に伴う末梢血管抵抗の増大，心拍出量の低下から循環血液量減少性ショック，急性循環不全を起こしやすい。 • 心疾患の既往がある患者は心筋虚血による低酸素血症や再梗塞，脳梗塞が起こりやすい。 • 抗血栓薬の使用により血液凝固能が低下し，術後出血が起こりやすい。

表3-1（つづき）

栄養・代謝機能	• 消化器疾患の既往 • 食事摂取量，嚥下機能 • 体重減少 • 消化器症状：悪心・嘔吐，腹痛 • 血液検査：血清総たんぱく（TP），アルブミン（Alb） • 排便機能 • 皮膚状態：浮腫，乾燥	• 低栄養状態では，術後創傷治癒遅延，縫合不全，感染症が起こりやすい。 • 血清総たんぱく（TP）は 6.0g /dL，アルブミン（Alb）は 3.0g /dL 以上が必要とされる。
肝機能	• 肝疾患の既往：肝炎，肝硬変，肝がん • 血液検査：AST（GOT）・ALT（GPT），LDH，総ビリルビン（T-Bil），アルブミン（Alb），血小板（Plt），プロトロンビン時間（PT） • 血液凝固因子 • 皮膚状態：黄疸，瘙痒感	• 肝疾患の既往や肝機能低下のある患者は，たんぱく合成能が低下し低たんぱく血症になりやすく，創傷治癒遅延や感染症のリスクとなる。 • 肝機能低下による血液凝固能の低下により，術後出血が起こりやすい。 • 術中・術後の薬剤使用によって，肝機能が低下する可能性がある。
腎機能	• 腎疾患の既往：腎炎，慢性腎不全 • 血液検査：尿素窒素（BUN），クレアチニン（Cr），クレアチニンクリアランス（Ccr），Na，K，CL • 尿検査：尿比重，尿たんぱく，尿糖 • 水分出納バランス：尿量，水分量，体重 • 皮膚状態：浮腫，乾燥	• 腎疾患の既往や腎機能低下のある患者は，手術による循環血漿量の減少や増加に伴い，急性腎不全や肺水腫が起こる可能性がある。 • 腎機能低下により術中・術後の高カリウム血症となり，不整脈や心停止のリスクとなる。
血液凝固能	• 心疾患・肝疾患の既往：虚血性心疾患，肝炎，肝硬変 • 内服薬：抗血栓薬 • 血液検査：赤血球（RBC），白血球（WBC），ヘマトクリット（Ht），ヘモグロビン（Hb），血小板（Plt），プロトロンビン時間（PT），プロトロンビン時間国際標準比（PT-INR），Fe，活性化部分トロンボプラスチン時間（APTT） • 出血時間	• 抗血栓薬の内服により，血液凝固能が低下し，術後出血が起こりやすい。 • プロトロンビン時間（PT）は 50～ 80％以上が必要となる。 • 貧血があると，酸素運搬能の低下により，低酸素血症のリスクとなる。
内分泌・免疫機能	• 内分泌疾患の既往：糖尿病，甲状腺疾患，副腎疾患 • 内服薬：血糖降下薬，副腎皮質ステロイド薬 • 血液検査：空腹時血糖，HbA1c • 尿検査：尿糖，尿ケトン体	• 糖尿病の既往のある患者は，感染防御機能の低下から術後創傷治癒遅延，感染症が起こりやすい。 • 副腎皮質ステロイド薬の使用により，免疫機能が低下し感染症が起こりやすい。 • 空腹時血糖 100～ 140mg /dL または食後血糖 200mg /dL 以下，尿ケトン体陰性，尿糖 1 ＋以下または尿糖排泄量が 1 日の糖質摂取量の 10％以下のコントロールが必要となる。

1 呼吸機能

全身麻酔の手術では，呼吸機能への影響が大きい。呼吸器系では全身麻酔による影響を軸に，麻酔方法，麻酔時間，麻酔薬，手術部位，手術体位などの情報と，患者個別の年齢，呼吸機能，喫煙歴，身長，体重などの情報を重ねて，術後の患者の呼吸器系の状態を予測する[1]。全身麻酔の手術では，吸入麻酔薬や筋弛緩薬の使用，気管挿管，人工呼吸器管理などにより，気道内分泌物が増加し，術後無気肺や肺炎などの呼吸器合併症が起こりやすい。特に高齢者や呼吸器疾患の既往，呼吸機能の低下，喫煙歴のある患者，長時間の手術患者では，呼吸器合併症のリスクが高くなる。そこで，術前から，全身麻酔による影響と患者個別の情報を重ねて，呼吸器合併症のリスクについてアセスメントし，必要に応じて呼吸訓練や禁煙指導などを行う。

2 循環機能

手術や麻酔は，患者の循環動態に大きな影響を及ぼす。循環器系では循環血漿（血液）量の変動を軸に，麻酔方法，麻酔時間，麻酔薬，手術部位，手術体位などの情報と，患者個別の年齢，心機能，腎機能，血清アルブミン値などの情報を重ねて，術後の患者の循環器系の状態を予測する[2)]。一般的に術後は，手術侵襲に伴うストレス反応としてカテコールアミンが分泌され，血管収縮が起こり，心収縮力や心拍数を増加させて，心拍出量を維持しようとする。しかし，循環血液量が減少すると，循環血液量減少性ショックを引き起こす。特に高齢者や，心疾患の既往，心機能低下や腎機能低下のある患者では，急性循環不全のリスクが高い。また，高血圧症の患者や抗血栓薬を使用している患者は，術後出血のリスクが高くなる。そこで，術前から手術や麻酔に伴う循環器合併症のリスクについてアセスメントし，循環動態の観察と血圧コントロール，異常の早期発見に努める。

3 栄養・代謝機能

手術や麻酔によって侵襲（しんしゅう）を受けた生体は，組織を修復するために体内の糖・たんぱく・脂質をエネルギーとして動員する。術後の創傷治癒，組織の修復には体内のたんぱくが重要であるが，低栄養状態では，創傷治癒遅延や感染防御機能の低下を引き起こし，感染症が起こりやすくなる。そのため，術前の栄養状態についてアセスメントし，低栄養状態の場合は栄養状態の改善に努める。

4 肝機能

肝臓は，解毒（げどく），たんぱく質・糖質・脂質の代謝，胆汁酸・ビリルビンの代謝など，様々な機能を担っている。手術や麻酔によって薬剤の影響を受けると，肝機能の低下をきたすため，術前から肝機能の評価をする。

5 腎機能

腎臓は，薬物代謝，酸塩基平衡（へいこう），電解質の維持，水分の排泄などの機能を担っている。腎機能が低下すると，低ナトリウム血症や高カリウム血症などの電解質異常，代謝性アシドーシスを起こす。また，術後は出血や循環血液量の減少により腎血流量が低下し，急性腎不全が起こる可能性がある。そのため，術前から腎機能や水分出納（すいとう），電解質バランスを把握し，必要時に補正を行う。

6 血液凝固能

手術では出血が伴うため，出血傾向や止血機能を把握しておかなければならない。抗血栓薬を使用している場合は出血時間が延長し，凝固能の低下は術後出血のリスクとなる。また，硬膜外麻酔や脊椎（せきつい）クモ膜下麻酔は，出血傾向のある患者では硬膜外血腫が起こる可能性があるため，禁忌(きんき)となる。

7 内分泌・免疫機能

手術は生体の内部環境へ人為的に加えられるストレッサーであり，手術侵襲に対する生体反応として，糖質コルチコイド（コルチゾール），成長ホルモン（GH），抗利尿ホルモン（ADH），カテコールアミン（アドレナリン，ノルアドレナリン），グルカゴンなどが分泌される。これらのホルモンは，糖新生の促進，骨格筋たんぱくの分解，脂質分解，肝臓のグリコーゲン分解を引き起こし，高血糖を生じる。高血糖になると好中球が減少し，感染防御機能の低下から感染症が起こりやすくなるため，術前からの血糖コントロールが重要である。

2. 心理社会的アセスメント

手術を受ける患者は，外来で医師から疾患や手術について話を聞き，手術を意思決定して入院してくる。しかし，患者が意思決定に至るプロセスでは，疾患の告知，治療の選択において，衝撃，不安，恐怖，苦悩，葛藤(かっとう)，期待など様々な心理状態を体験している。手術は，患者にとってストレスフルな出来事であり，危機的状況である。看護師は患者がそのストレスフルな出来事をどのように認知し，どのように対処（コーピング）しているのかを把握し，患者の心理状態に応じた看護を行う必要がある。術前患者の看護に必要な**心理社会的アセスメント**と対処要因を表3-2，表3-3に示す。患者の疾患や手術に対する認識，ボディイメージの変化に対する受け止め方などについて患者や家族から情報を収集し，ど

表3-2 術前患者の心理社会的アセスメント

項目	情報	アセスメントを必要とする根拠
疾患・手術に対する認識	• 疾患・手術に関する医師からの説明内容をどのように認識しているか • 疾患・手術についてどのように感じているか • 術前検査や処置の必要性を正しく理解しているか • 過去の手術体験の有無	• 疾患の告知，治療の選択において，患者が医師からの説明を正しく適切に理解できていないと，不安や恐怖が増強し，危機に陥る危険性がある。 • 過去の手術体験が，今回の手術に対する理解や認識に影響する可能性がある。
自己概念，ボディイメージ	• 表情，声のトーン，態度 • 不安に伴う反応・行動 • 手術や自身の術後の状態の受け止め方 • 自己概念，ボディイメージに関する言動 • ボディイメージの変化に対する受け止め方	• 不安によって睡眠や食事など日常生活に影響を及ぼしている可能性がある。 • 不安が強度になると危機に陥る危険性がある。 • 自己概念やボディイメージの変化が生じると，自己尊重の低下や自信喪失につながる可能性がある。
コーピング	• 日常的なストレスに対する対処行動（ストレスコーピング） • 今回の手術に対するコーピング行動（表3-3） • 意思決定の方法，サポート状況 • 退院後の目標や希望	• 手術を控えた患者は様々なコーピング行動を用いているが，適切なコーピングが行えていないと危機に陥る危険性がある。 • 患者の目標や希望を把握し，現実的でニーズに沿った看護目標の設定につなげる。
家族関係・社会的役割	• 家族構成，家族内での役割，家族関係（親密性） • キーパーソン • 入院中の面会・サポート状況 • 職業，仕事内容，職場での役割 • 経済状況，社会資源の活用状況	• 入院・手術に伴い家庭内や社会における役割，経済状況に影響が出る可能性がある。 • 患者の家族や友人などのサポート状況を把握し，適切な社会的支持がない場合は状況に応じて退院後の社会資源などの活用を検討する必要がある。

表3-3 対処要因

対処要因	意味
対決的対処	•困難な状況を変えるために積極的に努力をすること
距離をおくこと	•その問題は自分との間に距離をおいて問題や苦しみを忘れようとすること
自己コントロール	•困難なことを自分の中にとどめ，ほかの人に知られないようコントロールすること
ソーシャルサポートを求めること	•問題解決のために積極的に援助を求めること
責任の受容	•問題の責任は自分にあると考え，反省すること
逃避-回避	•ストレスフルな状況がなくなったり奇跡が起こることを願ったりして，逃避すること
計画的問題解決	•問題解決に向けて計画的に対処し，問題そのものを変化させること
ポジティブな再評価	•ストレスフルな状況の見方を変えて，新しい意味を見いだすこと

出典／佐藤栄子編著：事例を通してやさしく学ぶ中範囲理論入門，第2版，日総研出版，2009，p.269.

のように認識しているのか，どのようなコーピングを行っているのかをアセスメントする。

B 看護問題

術前患者の看護問題としては，次のようなものが考えられる。

#1 疾患の症状に伴う身体的苦痛

#2 術前の検査や処置に伴う苦痛

#3 手術や麻酔に関連した術後合併症発症のリスク

#4 治療法の選択，意思決定における葛藤

#5 疾患の告知，予後に対する不安

#6 手術，麻酔，術後の回復過程，身体機能の変化に対する不安

#7 手術に伴う身体の喪失に関連したボディイメージの変化のリスク

C 患者へのケア

1. 身体的ケア

#1 疾患の症状に伴う身体的苦痛

症状によって睡眠や日常生活に影響がないか確認し，症状の緩和と日常生活の援助を行うとともに，疾患に伴う症状が出現していれば，指示されている薬剤を投与する。

#2 術前の検査や処置に伴う苦痛

患者に検査や処置の必要性，方法などについて詳しく説明し，患者が理解できているかどうか確認する。特に，絶食を伴う検査や薬剤を使用する検査・処置なども多いため，患者の状態に変化がないか，検査前から検査後の患者の状態を観察し，異常の早期発見に努める。また，検査や処置後はねぎらい，休息を促す。

#3 手術や麻酔に関連した術後合併症発症のリスク

術後合併症予防のための術前訓練を行う（本編-第5章-Ⅱ「機能低下からの早期回復と術後合併症対策」参照）。

2. 心理社会的ケア

＃４治療法の選択，意思決定における葛藤，＃５疾患の告知，予後に対する不安，＃６手術，麻酔，術後の回復過程，身体機能の変化に対する不安

患者が疾患や手術について，医師からどのような説明を受けているのか，また，どのように認識しているのかを把握する。

看護師はインフォームドコンセントの場に同席し，患者の反応や表情を観察し，説明内容が理解できているか，疑問や質問はないかなどを確認する。理解が十分でない場合や混乱や葛藤が生じている場合には，必要に応じて再度医師から説明してもらう。医師からの説明後は，患者が医師からの説明をどのように受け止めたのか，また，どのように感じているのか話を聞き，患者が自身の思いや考えを表出しやすいように，ゆっくり話のできる環境を整える。

看護師は患者の言葉をありのままに受け止め，患者が話すことによってどのようなコーピングを行っているのかを把握する。そして患者のコーピングに応じて，話すことを促したり，必要な情報提供などを行ったりする。

＃７手術に伴う身体の喪失に関連したボディイメージの変化のリスク

患者が手術に伴って生じるボディイメージの変化をどのように感じているか，アセスメントする。手術に伴って生じるからだの喪失に関連したボディイメージの変容は，特に，乳房切除術を受けた患者や人工肛門造設術を受けた患者に起こり得る。しかし，目に見える外観の変化だけでなく，外からは見えない臓器の摘出や臓器機能の変化も，患者の自己概念や自己価値に大きな影響を及ぼす。看護師は患者のボディイメージに対する思いを聞き，術後の介入方法について考えるとともに，患者ができるだけ術後をイメージして手術に臨(のぞ)めるよう援助する。

D 家族へのケア

手術を受ける患者と同様に，患者の家族も疾患の告知や，治療選択のプロセスにおいて，衝撃，不安，恐怖，苦悩，葛藤(かっとう)，期待など様々な心理状態を体験する。家族は，患者の**意思決定**において重要な役割をもつ。看護師は患者と家族の関係性を把握し，家族が患者の疾患や治療についてどのように感じているのか，患者に対してどのように思っているのか，また，患者の入院･治療にあたって家庭内の状況に影響がないかなど話を聞き，家族のニーズや心理状態に応じた援助を行うことが重要である。術前の入院期間が短く，看護師が家族と話をする時間をもちにくい状況もあるが，入院時やインフォームドコンセントの場，術前オリエンテーションの際などには家族と話をする時間をつくり，家族の反応を確認して家族の思いも聞く。看護師は家族に対し，必要な情報を提供したり，家族が不安を抱えることがないようにいつでも相談してよいことや，家族の支えとなることを伝えたりしていくことが重要である。

Ⅱ 手術に向けた準備

手術療法を受けることが決定した患者は，その準備として検査を受ける。そして，手術日が決定すると**術前オリエンテーション**が行われ，術後の合併症予防を視野に入れた準備が必要となる。入院後１～２日目に手術を受けることが多いため，手術療法を受けるための準備は，外来において開始される。外来看護師は，患者が手術療法を受け入れたのち，自身が積極的に手術に向けた準備を行っていけるよう，十分な説明を行い，患者のセルフケア能力が発揮できるように支援する役割を担う。そして，手術に前向きに臨(のぞ)むことができるよう，病棟看護師と連携を図っていく必要がある。また，病棟看護師は，慣れない入院生活のなかで手術を受ける患者の心理を理解したうえで，対応することが重要である。

 術前オリエンテーション

1. 術前オリエンテーションの目的

術前オリエンテーションの**目的**は，患者・家族に対して術前から術後の一連の流れに関する情報提供をすることにより，手術に対する不安や恐怖を軽減し，主体的に取り組めるよう，身体的・心理的・社会的な準備を整えることである。術前オリエンテーションは手術が決定した時点から開始されるため，外来看護師，病棟看護師，手術室看護師などが連携してかかわる。オリエンテーションの実施にあたっては，患者の個別性を重視し，一人ひとりの理解度に合わせた方法で進めていくことが重要である。それとともに，患者や家族のもつ不安や恐怖をアセスメントしながら，その程度に合わせた対応をする。

2. 術前オリエンテーションの内容

術前オリエンテーションにおける**情報提供内容**は，表3-4のようにまとめられる。

これらの説明は，治療法の決定の際に医師より行われている内容もある。しかし，診断時に行われる説明は，診断そのものへの患者の心理的衝撃が大きく，理解が不十分であることも多い。手術療法を受けることを決定し，改めて自分のこととして現実的に受け止め，主体的に治療参画できるよう，具体的に情報提供を実施する。患者が具体的にイメージでき安心して手術に臨めるよう，また，合併症を予防し順調な経過をたどることができるように，患者自らが行わなければならないことを理解し，それに向けた努力ができるよう援助を行う必要がある。

オリエンテーションの際には，オリエンテーション用パンフレットなどの資料や動画などを活用し，患者の理解を促す工夫を行うとよい。資料を活用することにより，患者は必要時に見返すことができ，家族も確認することができる。術後に必要となる物品についても説明し，入院時に準備するよう伝えておくことも必要となる。

表3-4 術前オリエンテーションの内容

項目	具体的内容	実施時期と留意点
❶手術そのものに関すること	• 手術日，手術時間 • 術式 • 麻酔方法	手術に関する説明は，外来で医師から行われることが多い。入院直前や入院後に具体的な術式の説明が再度行われる。
❷術前経過と手術に向けた準備に関すること	• 術前経過の見通し • 術前検査とスケジュール • 必要物品 • 手術前日：皮膚の準備，消化管の準備，休息 • 手術当日：からだの準備，輸液，手術室への移動時間や方法	手術が決定したら，医師から大まかな説明が行われる。手術までの具体的なスケジュールの説明や手術に向けた準備は，外来看護師が行う。
❸術後の状況と術後経過に関すること	• 疼痛とその対処方法 • 術後経過の見通し • 術後合併症	手術に関連する説明は医師から行われる。看護師は患者の理解度を確認し，必要時は医師との仲介や，理解の不十分な点の補足説明を行う。入院前は外来看護師，入院後は病棟看護師が患者の理解度に合わせ，連携して実施する。日常生活をイメージできるよう，具体例をあげて説明する。
❹合併症予防のために必要な訓練に関すること	• 術前訓練の目的・必要性と方法	外来看護師は，患者が手術に向けセルフケアを実践できるよう，術前訓練の目的・必要性と方法を説明する。入院後，病棟看護師は訓練の実施状況を確認し，術後に訓練内容を生かせるようにサポートする。

術前には，主治医や麻酔科医からの説明も行われる（表3-5）。看護師は，患者の理解状況を確認するとともに，必要に応じて補足や再説明を受ける機会を設けるようにする。また，クリニカルパス*（clinical path）を用いて説明を行うと，具体的な経過についての理解も得られやすい（図3-1）。

手術を受けるために入院するということは，患者にとって社会生活の中断を余儀なくされることにつながる。病状や術式によっても異なるが，会社員であれば，入院期間のみでなく，その後の回復に必要な期間は会社を休む必要がある。患者や家族が，時間的な見通しをもつことができるように説明することは重要である。術前より，退院を視野に入れたオリエンテーションを行う必要がある。

3. 手術までの生活の調整

手術の日程が決定したら，心身が最良の状態で手術が受けられるように，生活上の指導を行う。

* **クリニカルパス**：アメリカで考案された治療戦略上の方法論で，病気の治療や検査，リハビリテーションまでを含む治療に関して，標準化されたスケジュールを表にまとめたもの。

表 3-5 医師から行われる術前説明

主治医からの術前説明内容	麻酔科医からの術前説明内容
❶検査結果と診断名 ❷治療方針 ❸手術の効果，合併症の危険性 ❹手術予定日時・所要時間 ❺術後の経過と退院の目安 ❻手術承諾確認と各種書類の説明 ❼そのほか，質問への対応 ❶〜❸は治療法の意思決定を求める際のものだが，治療法の選択を含め，一度に説明される場合もある。	❶麻酔 ❷痛みのコントロール方法 ❸術前の体調管理・禁煙 ❹既往症やアレルギーの確認 ❺現在内服している薬剤の確認

胃がん　胃切除術クリニカルパス（患者用）　　　様　　歳

経過	入院日〜	手術前日	手術当日		術後 1 日目	術後 2 日目
			術前	術後		
月　日	月　日〜	月　日	月　日		月　日	月　日
治療・処置		おへその掃除を行います。 前々日と前日の寝る前に下剤を飲んで腸の中をきれいにします。 希望があれば安定薬をお渡しします。	下剤を飲んでも排便がなく，希望があれば浣腸を行います。	酸素吸入・心電図モニターをつけます。 足に，全身の血の流れを良くする機械をつけます。	→朝の 8 時頃にはずします。 →朝の 8 時頃にはずします。 状況に応じてドレーン（お腹の管）などを抜去します。 尿の管を抜きます。	
食事	普通食もしくは治療食が出ます。	21 時以降は何も食べたり飲んだりできません。	絶飲食になります。		絶食になります。 医師の指示により飲水可となります。	
点滴			午後の手術の方は，手術の前に点滴を 500〜 1000 mL 行います。	手術のあとも点滴を行います。	点滴を 24 時間行います。	点滴を 24 時間行います。
検査	外来で行わなかった検査をします。				血液と尿の検査をします。	
活動	活動に制限はありません。 呼吸訓練を行いましょう。		トイレ以外，ベッド上で安静にしましょう。	ベッドの頭元を少し上げます。 深呼吸を心がけましょう。 痰を出しましょう。	座ることから始めます。 部屋の中を歩いてみましょう。 深呼吸をしてください。 痰を出しましょう。	病棟内を歩いてみましょう。
清潔	お風呂に入りましょう。	入浴し，爪が伸びている人は切りましょう。		うがいをしてみましょう。（最初は看護師が行います）	からだを拭きます。 （歯磨き・洗面もしてみましょう）	自分で拭けるところは拭いてみましょう。
説明・指導	看護師から入院生活のオリエンテーションがあります。 手術の大まかな経過を説明します。 医師から手術について説明があります。	準備物品を確認させていただきます。（記名をしましょう）	必要物品をそろえておきましょう。 ＊術衣・病衣・バスタオル・ティッシュペーパー・吸い飲み・腹帯・T 字帯・タオル・おむつ	術後より，看護師と一緒にからだの向きを左右に動かします。 痛みがあるときは，すぐに看護師に知らせてください。		翌日からの食事開始に伴い，看護師から説明があります。

図 3-1 クリニカルパス（患者用）の一例

1 食事

術前の栄養評価に問題がない場合は，バランスの良い食事を心がけてもらう。高血圧や糖尿病などの慢性疾患があり食事療法を行っている場合は，病状が安定するようそれを継続してもらう。既往症に関しては，術前検査の結果と併せ，専門医のコンサルテーションを受けることも必要である。また問題がある場合は，栄養士など専門家からの栄養指導を受けるよう調整する。

担当医：　　　　　　担当看護師：

	術後 3 日目	術後 4 日目	術後 5 日目	術後 6 日目	術後 7 日目	術後 8～ 14 日目（退院）
	月　日	月　日	月　日	月　日	月　日	月　日～　月　日
	食後の消化薬の内服が始まります。背中から入っている痛み止めをとります。（本日もしくは翌日）				抜糸をします。	
	3 分粥（ゆっくりとよくかんで食べましょう）	5 分粥（ゆっくりとよくかんで食べましょう）	全粥（ゆっくりとよくかんで食べましょう）	柔らかいご飯になります。ご希望があれば，主食は米飯に変更できます。（ゆっくりとよくかんで食べましょう）		
	眠前まで点滴を行います。	日中点滴を行います。	日中点滴を行います。			
	血液と尿の検査をします。				血液と尿の検査をします。	
	病棟内を歩いてみましょう。	少しずつ歩く距離を延ばしてみましょう。	少しずつ歩く距離を延ばしてみましょう。	活動に制限はありません。		
	シャワーを浴びてみましょう。	シャワーを浴びてみましょう。	入浴またはシャワーを浴びてみましょう。			
		*術後 1 週以降に，栄養士から退院前の栄養指導があります。 （おうちで食事を作られる方と一緒に聞いてください） *手術の内容によって食事・点滴が変わることがあります。 *食事開始後 1 週間は通常の食事の 1/4 量となります。 *医師から病状の説明があります。（必要時，追加治療の説明があります） *主治医の許可があれば，術後 8 日目以降で退院できます。				

2 禁煙，節酒

喫煙は，術後合併症の危険因子であるため，禁煙指導を行う。また，大量のアルコール摂取は，肝機能を低下させるため，飲酒量を減らすよう説明する。

3 上気道感染予防

かぜなどの罹患（りかん）により発熱や呼吸器症状が出現した場合は，術後合併症出現の危険性が高まる可能性がある。そうなれば，手術を延期しなければならないこともあるため，手洗いや含嗽（がんそう）などを行い，予防する必要があることを指導する。

4. 手術や入院に必要な物品の準備についての説明

入院にあたっては，病院において日常生活を過ごすために必要な身の回りの用具を入院日までに準備するよう説明する必要がある。洗面用具，寝衣，タオルやバスタオル，履物，ティッシュ，箸やスプーン，湯呑みなどである。術式により異なるが，術後の安静が必要となるため，紙ショーツや吸い飲みなどの準備も必要となる。

5. オリエンテーション時の注意

患者の理解が得られるよう，オリエンテーションでは専門用語は使用せず，患者に合わせたわかりやすい言葉を使用する。一度に多くの情報を提供することは患者の混乱を招くため，必要な情報を吟味して進める。パンフレットや動画を用いるなど，患者が具体的なイメージをもつことができるように指導方法を工夫する。可能であれば，手術室や術後入室する集中治療室など実際の様子を見学してもらうことも考慮する。患者に質問を行い，疑問点を引き出しながら，納得できるような説明を行っていく。外来看護師や病棟看護師など，複数の医療者が患者にかかわることになるため，それぞれが連携を図り，最良の状態で手術が受けられるようにする。

B 術後の機能回復（機能低下予防）への対策

術後合併症を予防するため，患者自らがその必要性と方法を理解し，術後に効果的な合併症予防が行えるよう指導する。呼吸器合併症を予防するための呼吸訓練や禁煙指導は重要である。早期回復のために，早期離床や疼痛管理についても術後をイメージすることができるように説明しておく。

1. 呼吸訓練

術後の呼吸器合併症の予防のためには，術前より深呼吸の呼吸訓練を行い，呼吸機能を高めておくことが必要である。術後は，全身麻酔による呼吸筋活動の抑制や疼痛（とうつう）により横隔膜の運動が抑制され，浅呼吸となりやすい。また，気管挿管に伴う気道粘膜の損傷や咳（がい）

嗽反射の低下によって気道内分泌物が増加することも重なり，無気肺や肺炎などの合併症を引き起こしやすくなる。術前より呼吸訓練を行い術後合併症の予防を行う。入院後は，呼吸機能の観察とともに訓練の実施状況を確認する。また，術後は患者の状況に合わせて呼吸訓練や排痰法を促し，合併症の予防に努める。

1 呼吸法による深呼吸

深呼吸により，肺の膨張を促す呼吸の練習を行う。呼吸法には，胸郭を動かさずに行う**腹式呼吸**と，肋骨の動きを主体とする**胸式呼吸**がある。男性は腹式呼吸，女性は胸式呼吸を行っていることが多い。一般に胸部の手術を行う場合は腹式呼吸を，腹部の手術を行う場合は胸式呼吸を選択するが，それまでのその人の呼吸方法や行った手術部位を考慮して，呼吸法を選択する。

訓練を行う際は，腹式呼吸・胸式呼吸それぞれの方法を，患者が1人でできるようにわかりやすい言葉で説明する。可能であれば，指導時に看護師が一緒に行うとよい。訓練の目安としては，3～5分を1セットとし1日3セット程度行うように指導する。

▶腹式呼吸法（図3-2）

❶仰臥位またはファーラー（Fowler）位になり，両膝を軽度屈曲する。
❷胸部と腹部に手を置き，胸部と腹部の動きを確認しながら，回数を6～10回/分として深呼吸を行う。
❸呼気6秒，吸気3秒（呼気：吸気＝2：1の割合）を目安とし，口からゆっくり長くしっかりと息を吐き出し，鼻から息を吸い込むようにする。
❹**吸気時に腹部が膨らみ，呼気時に腹部がへこむ**ことを確認する。

看護師が一緒に行う場合は，看護師の手を腹部の患者の手の上に添え，呼気・吸気の運動が行いやすいように声をかけながら行う。

▶胸式呼吸法（図3-3）

❶ファーラー位（または起座位）になり，両膝を軽度屈曲する。
❷胸部と腹部に手を置き，胸部と腹部の動きを確認しながら，回数を6～10回/分として深呼吸を行う。
❸呼気6秒，吸気3秒（呼気：吸気＝2：1の割合）を目安とし，口からゆっくり長くしっかりと息を吐き

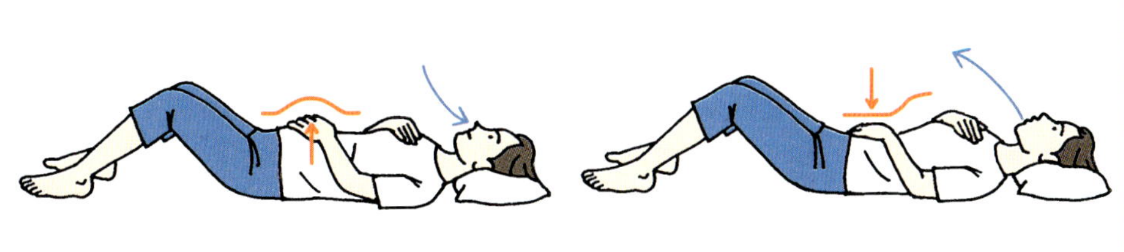

腹部がもち上がるように鼻から息を吸う。　腹部をくぼませながら，口をすぼめて息を吐く。

図3-2 腹式呼吸法

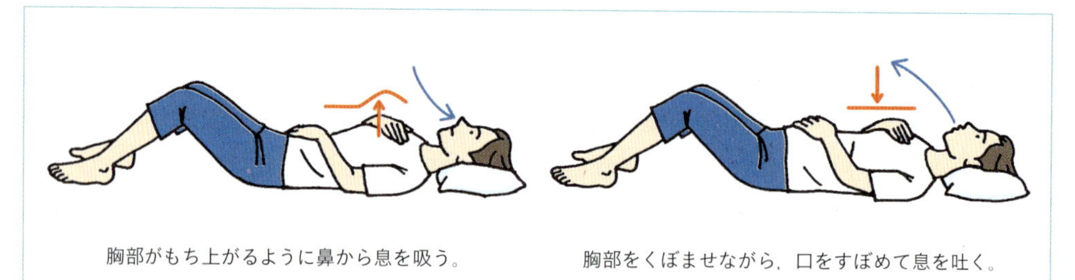

図3-3 胸式呼吸法

出し，鼻から息を吸い込むようにする。
❹**吸気時に胸部が広がる**ことを確認する。

看護師が一緒に行う場合は，看護師の手を胸部の患者の手の上に添え（または両手で胸郭をはさむように当てる），呼気・吸気の運動が行いやすいように声をかけながら行う。

2 器具を用いた呼吸訓練

長時間の手術が予定されている場合などは，器具を用いた呼吸訓練を行うことがある。器具は，大きく分けて，吸気訓練を目的としたもの（トライボール™Z（図3-4），トリフローⅡ®，ボルダイン®（図3-5），ボリューメトリックエクササイザー®，コーチ2®など）と呼気訓練を目的としたもの（スーフル®（図3-6）など）がある。器具を用いた呼吸訓練は，患者が視覚的に効果を確認することができる。患者の状況により使用できない場合があるので，それぞれの器具の特徴を理解し使用する。

❶トライボール™Z（最大吸気法：流量型）（図3-4）

▶ **特徴**　吸気により肺胞を膨らませ，呼吸機能を維持・拡大し，術後の呼吸機能低下や合併症を防止する。慢性閉塞性肺疾患や拘束性肺疾患の呼吸筋トレーニングができる。

▶ **注意事項**

- 器具は，感染防止のため，同一患者のみが使用する。
- マウスピースは温水で洗浄後，乾燥してから使用する。
- 次のような患者には使用しない。呼吸・循環予備能が乏しく，深呼吸の持続が困難な場合，肺活量が10mL/kg以下または最大呼吸量が基準値の1/3以下の場合，過換気がある場合など。
- 術後の開始は，酸素吸入中止以降に医師に確認のうえ行う。
- 術後は，患者の状況によるが，ファーラー位で行う場合もある。

❷ボルダイン®（図3-5）

▶ **特徴**　吸気により肺胞を膨らませ，呼吸機能を維持・拡大し，術後の呼吸機能低下や合併症を防止する。最大吸気持続法の訓練を行う。最大吸気量を設定することができて目盛りでわかるため，達成度の確認が可能である。

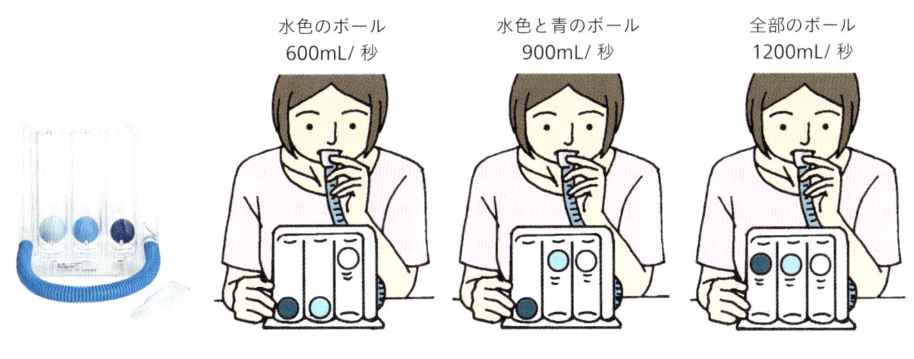

方法

①器具にチューブ・マウスピースを接続し，トライボール™Z を垂直に置く。
②マウスピースを隙間がないように唇でくわえて，息をゆっくりと吸う。
③第 1 段階として，最も蛇腹に近いボール（水色のボール）のみを最上部まで 3 秒間上げ続けられるように吸う。このとき，真ん中のボールが上下しないように注意する（1 つのボール：毎秒 600mL の吸気流量）。
④マウスピースを口から離し，普通に呼吸を行う。
⑤第 2 段階として，蛇腹に近い水色のボールと真ん中の青色のボールを，同様に最上部まで 3 秒間上げ続けられるように吸う。このとき，3 個目のボールが上下しないように注意する（2 つのボール：毎秒 900mL の吸気流量）。
⑥第 3 段階として，3 つのボールを最上部まで 3 秒間上げ続けられるように吸う（3 つのボール：毎秒 1200mL の吸気流量）。
⑦ボールを 1 つも上げられない場合は，45°傾けて練習を行う。

図 3-4 トライボール™ Z による呼吸訓練

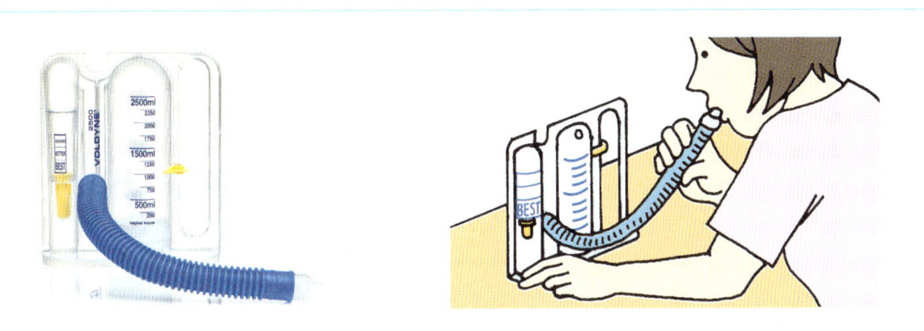

方法

①器具にチューブ・マウスピースを接続し，本体側面にあるスライダーを，目標とする吸気量の位置まで動かして設定しておく。
②ボルダイン®を水平な台に置くか，垂直に保つように持つ。
③自然に息を吐いてから，マウスピースを隙間がないように唇でくわえる。
④息をゆっくりと吸い，チャンバー内のピストンを上下させる。このとき，黄色のフローカップの上部が BEST の範囲にあるようにする。
⑤息を吸い続け，目標とするスライダーの位置までピストンを上昇させる（ピストンの上部が吸気量を示す）。吸気が終わったらマウスピースを唇から離し，所定の時間，息を止めてから，自然に息を吐く。ピストンをチャンバーの底へ戻す。
⑥休憩後，練習を繰り返す。

図 3-5 ボルダイン® による呼吸訓練

▶ **注意事項**

- 器具は，感染防止のため，同一患者のみが使用する。
- マウスピースは温水で洗浄後，乾燥してから使用する。
- 吸気量の設定および訓練の実施は，医師の指示により行う。

方法

①鼻で呼吸しないように，ノーズクリップを鼻に装着する。
②マウスピースをくわえ，軽く歯で固定する。
③音がなくなるまで，ゆっくりと長く息を吐く。
④呼気が終わったら，筒の中に残った自分が吐いた呼気をそのまま吸う。
⑤1回2～3分間，1日5回以上行うと効果的である。

図3-6 スーフル®による呼吸訓練

❸スーフル®（図3-6）

▶ 特徴　呼気時に抵抗を与えることで，気道内が陽圧となり，閉塞状態が改善される。さらに自分の呼気の一部を再吸入することによって，血中の二酸化炭素の濃度を高め，呼吸中枢を刺激して反射的に深呼吸を促す。

▶ 注意事項

- 使用時に音がするため，実施する時間や場所を考慮する。
- 容器の底にあるPEEP板（終末呼気陽圧）により，呼気終末に対する抵抗の負荷を調節する。
- 開封時は，PEEP板の音の強さ（圧）が2になっているため，音が出るときは3に，音が出にくいときは1に調節して行う。
- 術後の開始は，酸素吸入中止以降に医師に確認のうえ行う。
- 術後は，患者の状況によるが，ファーラー位で行う場合もある。

3　排痰法

❶咳嗽法

▶ 特徴　気道内の分泌物を咳嗽により排出させ，気道の清浄化を図る。

▶ 方法

①ファーラー位または座位をとる（術前の練習の場合は，立位でもよい）。
②腹部に両手を当て，数回ゆっくりと深呼吸する。
③大きく息を吸い，1～2秒息を止め，できるだけ強く息を吐き出す。このとき同時にからだを前に傾け，両手で腹部を押すようにする。
④スムーズに息を吐き出せるようになたら，「エヘン」と咳をする練習を行う。

▶ 注意事項

- 口腔内が乾燥しているときは，事前に含嗽（がんそう）により，口腔内に湿潤を与えてから行う。
- 術後は創痛があることが予測されるため，胸帯や腹帯を使用したり手や枕などで創部を圧迫したりして，振動を抑えて咳をするようにする。
- 創部の圧迫は，恐怖のために患者自身ではできないことがあるため，状況に合わせて看護師が介助する。

❷含嗽法

▶ 特徴　含嗽により，口腔内の乾燥を改善し，創部に負担をかけずに気道内の分泌物を排出させ，気道の清浄化を図る。また，口腔内の清潔を保ち，呼吸器合併症のリスクを軽減する。術後はベッド上安静を余儀なくされる期間があるため，仰臥位でも含嗽できるように練習する。

▶ 方法

①吸い飲み（またはストロー）とガーグルベースンを準備し，ベッド上臥床とする。
②胸元にタオルを置き，吸い飲みを用いて少量の水を口に含む。
③ガーグルベースンを頬に密着するように当て，舌で水を吐き出すようにしながら，少しずつ水を吐き出す。

▶ 注意事項

- 吐き出すタイミングがうまくいかないと，誤嚥（ごえん）による肺炎を引き起こす可能性があるため注意する。

❸ハフィング

▶ 特徴　声門を開いた状態で，強制的に息を排出する方法で，気道上部に痰を移動させ，痰の喀出（かくしゅつ）を促す。術後，痰の喀出が不十分な場合に実施する。患者の呼吸状態や気道内分泌物の量，痰の喀出状態や理解度などを併せてアセスメントして，必要に応じて，体位ドレナージなどと併せて実施する。

▶ 方法

①座位をとり，両腕を胸の前で組み，手のひらは反対側の腕をつかむような姿勢をとる。
②鼻からゆっくりと深い吸気を行う。
③「ハッ，ハッ」と声を出しながら，強い呼気を数回行う。
④末梢気道からの痰の移動を行いたい場合は，ゆっくりと長く「ハーーッ」と空気を絞り出すように呼気を行う。
⑤気道上部に上がってきた痰を喀出する。

▶ 注意事項

- 呼気圧が胸壁に移動しないように両腕を引き締め，胸郭を圧迫して行うようにする。

2. 禁煙

喫煙は，たばこに含まれるニコチン，タール，一酸化炭素などの有害物質による影響から，多くのがん・虚血性疾患・脳血管疾患など，様々な疾患の危険因子となっている。周術期においては，「喫煙者では術中喀痰（かくたん）量が多く，創感染，感染症，肺合併症，脳神経合併症，骨癒合障害などの術後合併症が多い。また，受動喫煙は，能動喫煙と同様に周手術期のリスクとなる」[3]とされている。そのため，手術を受けることが決定したら，早期より**禁煙指導**を行う必要がある。また，副流煙による受動喫煙の影響もあるため，家族に対する指導も必要となる。

少なくとも術前30日間の禁煙を指導する。術前の禁煙期間と効果に関しては，禁煙後2〜3日で酸素需給の改善，3週間で術後の創合併症発生の減少，4週間以上で呼吸器合併症の頻度が低下し，より長い禁煙期間とすることで効果が高くなることが報告されている[4]。このため，術前4週間以上の禁煙介入が理想であるが，時間的な制約もあり難しい。手術が決定したら，早期より禁煙が実施できるよう働きかけることが必要である。

禁煙方法として，たばこやライター・灰皿を手元に置かない，ガムをかむなどにより気を紛らわすことなどを勧（すす）める。

3. 離床指導

術後は，肺炎や合併症の予防のため，**早期離床**が重要である。クリニカルパスに基づいて離床を進められるよう，早期離床の必要性と方法を説明しておく。術後は，輸液やドレーンの挿入，疼痛により自力での体動が困難になりやすい。そのため，臥床（がしょう）時は，足関節の運動を行うようにする。また，ベッド上の仰臥位から側臥位（ぎょうがい）へ，また座位から立位への体位変換の方法を指導しておく。

4. 疼痛管理

術後の**疼痛**（とうつう）は，手術による創痛，ドレーンやカテーテルなどによる刺激痛，輸液ルートの挿入部痛，咽頭痛，同一体位による圧迫痛など様々な原因が存在する。術後は，患者が疼痛を我慢せず，訴えられることが重要である。痛みは主観的なものである。痛みの評価は，フェイススケール，VAS（visual analogue scale），数字スケール（numeric rating scale；NRS）などを用いて行われる。患者がこれらのペインスケールを用いて，自分の疼痛を表現できるように，術前に説明しておく。PCA（patient-controlled analgesia）による疼痛管理が予定されている場合は使用方法についても説明しておく（本編 - 第5章 - Ⅲ「疼痛対策」参照）。

5. 服薬の中断

慢性疾患などの既往症をもつ患者は，定期的に内服薬を服用していることがあり，このような患者が手術を受ける場合が増えている。手術を受ける場合に注意しなければならない薬剤には，抗血栓薬・降圧薬・利尿薬・経口糖尿病薬・睡眠導入薬・気分安定薬・女性ホルモンなどがあげられる（表3-6）。薬剤によっては，手術を受けるにあたって休薬しな

表3-6 手術前の休薬などが必要な主な薬剤

分類	薬剤名（主な商品名）	休薬期間	休薬の目的
抗血栓薬	直接経口抗凝固薬 ワルファリンカリウム（ワーファリン®） ヘパリン 抗血小板薬（アスピリン［バイアスピリン®］）	手術前1～2日間 手術前3～5日間 手術の約4時間前から 手術の7日以上前から	手術操作に伴う出血のリスク回避
降圧薬	β遮断薬（アテノロール［テノーミン®］） ACE阻害薬／ARB（エナラプリルマレイン酸塩［レニベース®］） カルシウム拮抗薬（ジルチアゼム塩酸塩［ヘルベッサー®］）	手術当日の服用が原則	術後の血圧変動の予防
利尿薬	サイアザイド系利尿薬（トリクロルメチアジド［フルイトラン®］） ループ利尿薬（フロセミド［ラシックス®］） カリウム保持性利尿薬（スピロノラクトン［アルダクトンA®］） 炭酸脱水酵素阻害薬（アセタゾラミド［ダイアモックス®］）	必要に応じて一時休薬	低カリウム血症，代謝性アシドーシスの予防
経口糖尿病薬	ビグアナイド薬（メトホルミン塩酸塩［メトグルコ®］） スルホニルウレア薬（グリメピリド［アマリール®］） α-グルコシダーゼ阻害薬（アカルボース［グルコバイ®］） DPP-4阻害薬（シタグリプチンリン酸塩水和物［ジャヌビア®］）	手術前2～3日間 手術前2～3日間 手術当日 手術当日 ※インスリン注射による管理を行う	術中の低血糖予防
睡眠導入薬	ベンゾジアゼピン（類似）系薬（ゾルピデム酒石酸塩［マイスリー®］，トリアゾラム［ハルシオン®］，ブロチゾラム［レンドルミン®］）	手術数日前より漸減もしくはほかの睡眠薬へ変更する	突然の服薬中止による術後せん妄を惹起させる可能性
気分安定薬	炭酸リチウム［リーマス®］	血中濃度維持のために手術直前まで継続する。	
女性ホルモンなど	卵胞ホルモン・黄体ホルモン配合薬（ドロスピレノン・エチニルエストラジオール［ヤーズ®配合錠］，ノルエチステロン・エチニルエストラジオール［ルナベル®配合錠］） 卵胞ホルモン製剤（結合型エストロゲン［プレマリン®］）	手術前4週間，術後2週間 手術前4週間	血液凝固能の亢進による心血管系の副作用の防止

出典／加藤恵理子監，宗廣妙子，他：新 周術期看護ガイドブック：退院後の生活につなげる術前・術後ケア．中央法規，p.90-93，2019．谷口英喜監：特集全部わかる！ 周術期の基本のくすり．ナーシング，39（14）：49-52，2019．をもとに作成．

ければならないものもある。休薬の判断は，術式や患者背景を考慮して行われる。患者が確実に休薬を行えるよう，医師からの指示を伝える。患者は緊張により十分に理解できない場合もあるため，必ず確認を行う。休薬する場合は，そのことによるリスクも考慮して患者の状態を観察する必要がある。また，術後は患者の状態により服薬が再開されるため，医師に確認してから投与する。抗血栓薬は，再開忘れにより脳梗塞などを発症するなどのリスクがあるため，注意が必要である。

C 術前処置

入院後は，手術に向けて必要な準備を行う。手術を受ける患者は，手術前日に入院することが多いため，時間を有効に使い，オリエンテーションと並行して行う。

1. 手術前日の看護

1　皮膚の準備

❶皮膚の清潔

皮膚に付着した垢や汚れは，**手術部位感染**（surgical site infection；**SSI**）の起炎菌となることが多いため，術中・術後の感染予防を目的として，手術前日または当日朝のシャワー浴や入浴，洗髪を勧める。通常の石けんを用いても皮膚細菌数の減少効果は期待できるが，可能ならば，入浴時に消毒薬（クロルヘキシジングルコン酸塩など）を用いたり，殺菌効果のある石けんを使用するのもよい[5)]。入浴ができない患者の場合は清拭を行い，皮膚の清潔を保つ。また，爪切りやマニキュアの除去も行う。男性の場合は，麻酔導入時のマスク換気に支障があることや挿管チューブの固定がしにくくなるなどの問題から，髭剃りを行うよう説明する。

❷除毛

手術予定部位とその周辺に剛毛や長毛がある場合は，手術の支障となることがあるため，これらの体毛を除去する。このような処置を行うことを除毛という。除毛は，手術創やドレーン挿入予定部位などを把握し，医師の指示を確認したうえで実施する。

▶ 除毛時の注意事項

①除毛部位の皮膚が乾燥していることを確認したうえで行う。
②皮膚への創傷ガード付きの電気カミソリ（サージカルクリッパー）を使用し，必要最小限の部位を除毛する。
③部位によっては，羞恥心を増強させ自尊心を低下させることもあるため，プライバシーに配慮する。
④切離された体毛は，粘着テープを使用して除去する。
⑤除毛時は新しい替えブレードを使用し，使用後のブレードはバイオハザードマーク付きの廃棄容器に捨てる。

なお，カミソリによる剃毛は，皮膚表面の損傷を起こし，かえって感染を起こす危険性が高まるため行わない。除毛クリームは，接触性皮膚炎を起こす可能性もあるため，過敏性がないことを確認してから使用する。近年は，除毛は手術当日に行われることも多くなり，麻酔導入後に手術室で行う施設も増加している。

❸臍処置

消化管など腹部の手術を受ける患者の場合は，手術切開線が臍近くになるため，手術部

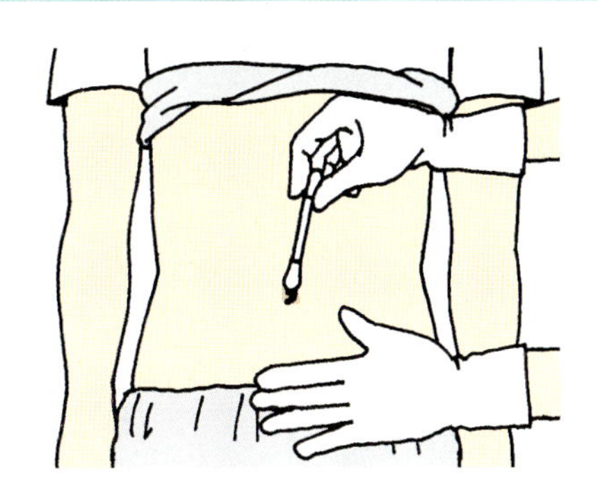

臍処置の方法
①臍周囲の除毛後，オリーブ油で湿らせた綿棒を用いて，臍垢を除去する。
②臍垢が大きく硬い場合は，オリーブ油を染み込ませた綿球を臍部に入れ，数分間放置し，臍垢が軟らかくなったのちに，綿棒で除去する。
③汚れがひどい場合は，何回かに分けて行う。
④清拭（またはシャワー浴）によって油分を除去する。
⑤無理に拭き取ると，疼痛や発赤を引き起こすことがあるので注意する。

図3-7 臍処置

位感染（SSI）の予防（本編-第5章-Ⅳ-B-1-1「手術部位感染（SSI）」参照）を目的として臍垢の除去を行う。これを**臍処置**という（図3-7）。

2 消化管の準備

❶下剤・腸管洗浄薬の内服，浣腸

麻酔方法や手術部位により消化管の準備には違いがある。下剤や浣腸は一般的には不要であるが，大腸や直腸など下部消化管の手術の場合は，SSIと縫合不全，術後のイレウスを予防する目的で下剤の投与や浣腸を行う。また，数日前より低残渣の食事や経口腸管洗浄薬の投与が行われる。

全身麻酔で手術を行う場合は，術中に筋弛緩薬が用いられる。その際に，肛門括約筋も弛緩し，直腸内に貯留している便が術中に排出されてしまうことがあり，術野の汚染防止と術後感染防止のために浣腸が行われることがある。術後は，全身麻酔の影響により腸蠕動も低下するため，術前より便通を整えておく。

❷食事と水分の制限

麻酔導入時の嘔吐による誤嚥を防ぎ，術後合併症を予防するため，術前の食事や水分が制限される。一般に全身麻酔の場合，食事は夕食以降絶食，水分は手術当日より絶飲となることが多い。しかし，長時間の絶飲食は，患者に口渇感や空腹感などの苦痛を与え，脱水や周術期の合併症を増やす可能性が指摘され，術前の絶飲食時間の見直しが行われている。表3-7に，日本麻酔科学会の術前絶飲食ガイドラインが推奨する絶飲食時間を示す。

表3-7 術前絶飲食時間

摂取物	絶飲食時間
清澄水（水・お茶・果肉を含まないジュース・ミルクを含まないコーヒーなど）	2時間
母乳	4時間
人工乳・牛乳	6時間
固形食	注）

注）固形食の摂取に関するエビデンスが不十分であることなどから，明確な絶食時間は示されていない。ただし，欧米のガイドラインでは軽食については摂取から麻酔導入までは6時間以上空けることとされている。ここで指す軽食とは「トーストを食べ清澄水を飲む程度の食事」とされており，揚げ物，脂質を多く含む食物，肉の場合は8時間以上空ける必要がある。

出典／日本麻酔科学会ホームページ：術前絶飲食ガイドライン，2012．をもと作成．http://www.anesth.or.jp/news2012/pdf/20120712.pdf（最終アクセス日：2021/10/13）

3 休息・睡眠の援助

手術を翌日に控えた患者の緊張は，極度に高まっていることが多い。次々に行われる術前処置は，緊張をさらに増強させる。術前処置は手際よく行い，患者を疲労させないようにする。手術に備え十分な睡眠が得られるように，周囲の騒音や照明，室温などの調整を行う。必要時は，指示により睡眠薬の与薬を行う。ふだん，睡眠薬を使用していない患者に対しては，薬剤の影響による転倒や転落事故の危険性に留意し，トイレ歩行時には付き添うなどの配慮が必要である。

4 必要な書類や物品の確認

手術前日には，次のものが準備できているか確認しておく。

- 術前検査データ，胸部X線写真，心電図，血液型
- 必要時，胸帯や腹帯，ドレナージ管理に必要な機器類
- ネームバンド（装着されているか），IDカード
- 同意書（手術同意書，麻酔同意書，輸血同意書など）

そのほか，術後に必要な物品を患者が準備していることを確認する。

2. 手術当日の看護

手術当日は，前日に説明したことが実施できているかどうかを確認するとともに，患者が安心して，安全に手術室へ入室できるように援助する。

1 一般状態の観察

バイタルサインを測定し，異常の有無をアセスメントする。発熱や血圧の上昇がある場合は手術が中止になることもあるため，医師に報告する。また，睡眠状況や精神状態，排泄の状態，絶飲食の状況を確認する。

2　からだの準備

❶清潔

洗面や歯磨きを実施できているか，男性の場合は髭剃りを済ませているか確認する。

❷更衣と手術室入室の準備

排尿を済ませ，手術着に着替えるように説明する。また，眼鏡やコンタクトレンズ，義歯，差し歯，ヘアピン，指輪，ネックレス，時計，かつらなどの除去を行う。貴重品は家族に管理してもらうように依頼する。

❸弾性ストッキングの装着

術後の患者は，長期の安静臥床により静脈還流が阻害されることによって血液のうっ滞が起こり，**深部静脈血栓症**（deep vein thrombosis；**DVT**）を起こしやすい[6)]（本編-第4章-Ⅳ-D「肺血栓塞栓症の予防」参照）。DVTの誘因は，血液の停滞，静脈内皮の損傷，血液凝固因子の亢進であり，手術時にはこれらが重なりやすい。予防として**弾性ストッキング**を装着する（図3-8）。術中や術後は，併せて間欠的空気圧迫装置を使用することが多い。また，患者には，下肢の自動運動を行うことが有効であることを指導する。

❹血管確保と輸液

輸液が指示されている場合は，指示された時刻に正確に輸液を開始する。末梢静脈路を確保する場合は，術中の体位固定に支障のない血管を選択する。

❺前投薬

手術室への入室前に，麻酔薬の増強効果を期待して前投薬が行われる場合がある。主な目的は，麻酔を円滑に導入するための術前の鎮静，抗不安作用などの快適性，口腔内・気道内分泌物の抑制，迷走神経反射の抑制，誤嚥の予防である。しかし，近年は患者の取り違えや誤薬防止のため，鎮静薬などを投与せず，患者が徒歩で手術室に入室することが増えている。

前投薬の指示がある場合は，バイタルサインの測定後に異常の有無をアセスメントしたうえで，安全に実施する。

3　精神的安寧のためのケア

手術当日は，手術時間が近づくにつれて患者の緊張感は高まり，不安は増強する。患者の話を傾聴し，少しでも穏やかな時間を過ごすことができるように環境を調整する。術前に家族との時間をもつことは，患者と家族に安らぎをもたらす。患者と家族が一緒に過ごす時間がもてるよう配慮する。

4　手術室への移送と手術室看護師への引き継ぎ

手術室へは，前投薬が行われていない場合は，患者が歩行して移動し入室する。希望があれば，家族には手術室の入り口まで同行してもらうようにする。患者の不安を観察しな

弾性ストッキングのはかせ方

- 足の大きさに合わせた適切なサイズの弾性ストッキングを選択する（患者の下腿の中央部と足関節の周囲を測定し，サイズを決定する）。
- 体位を仰臥位にし，膝下から足先を露出させる。
- 弾性ストッキングをはかせる。ストッキングはたくし上げるのではなく，少しずつ上部に滑らせるようにはかせるとよい。
- ストッキングのしわや重なりがないように均一に伸ばす。
- 装着中は，足趾の色調の変化やしびれ，知覚・運動障害，発赤（ほっせき）や水疱などの有無を観察する。

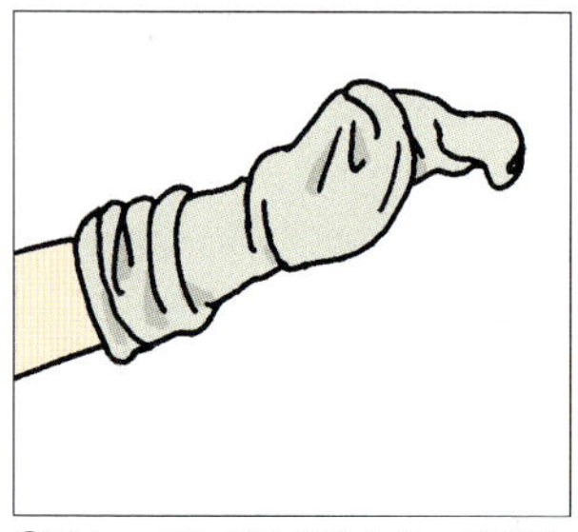

①ストッキングに手を入れ，内側から踵部分をつかむ。

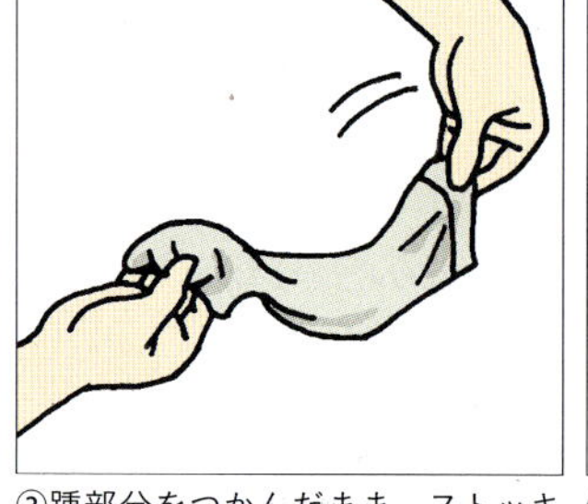

②踵部分をつかんだまま，ストッキングを踵部分まで裏返す。

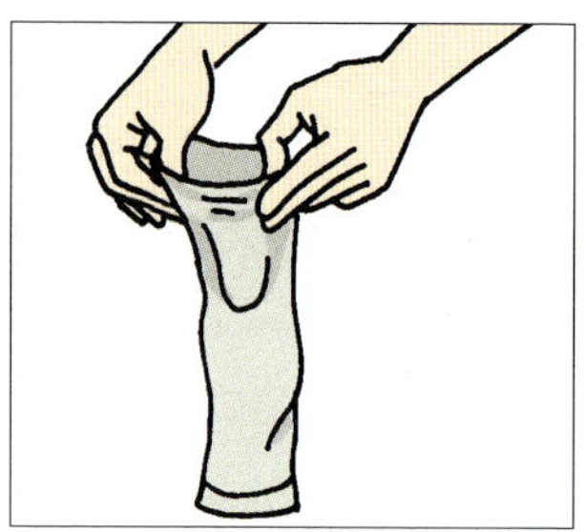

③折り返した踵部分を広げる。

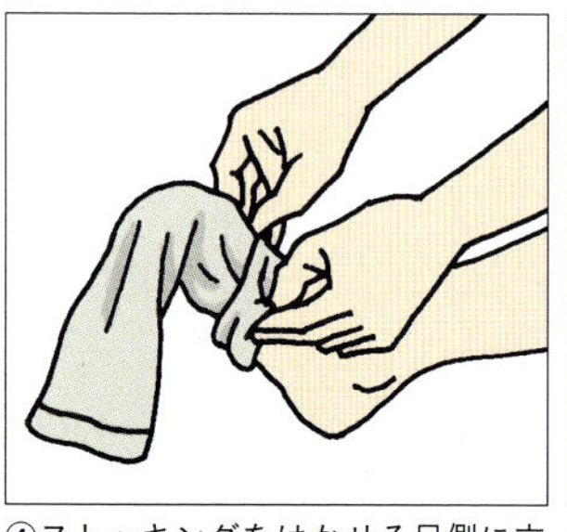

④ストッキングをはかせる足側に立ち，患者と同じ向きになり，踵部分が合うようにつま先から踵へと向かってはかせる。

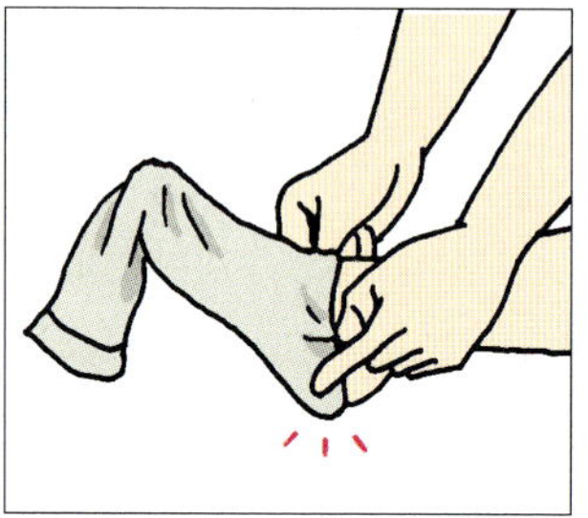

⑤踵位置を合わせる。

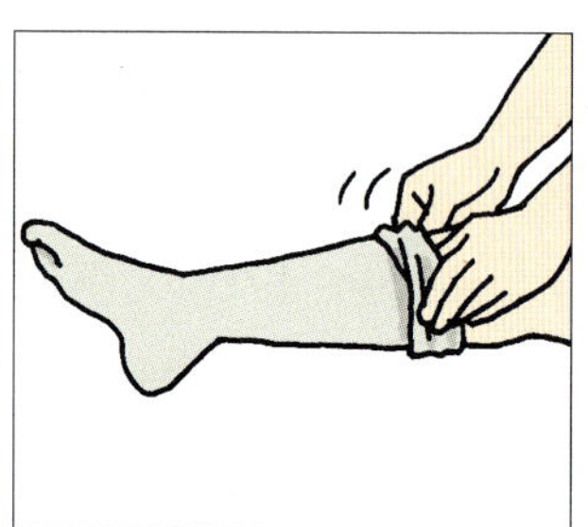

⑥踵部分を越えることができたら，裏返したストッキングを足首まで上げ，ストッキングの裏返しになった部分を上端までたぐり寄せて，まとめてつかみ，広げながら膝下までしわができないように上げる。

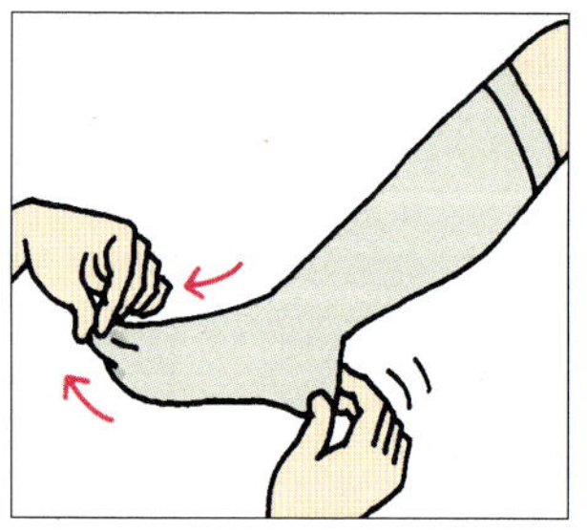

⑦踵の位置としわの有無を両手でなでて確認する。つま先はモニタリングホールから出さないようにする。指先は余っていてもよい。

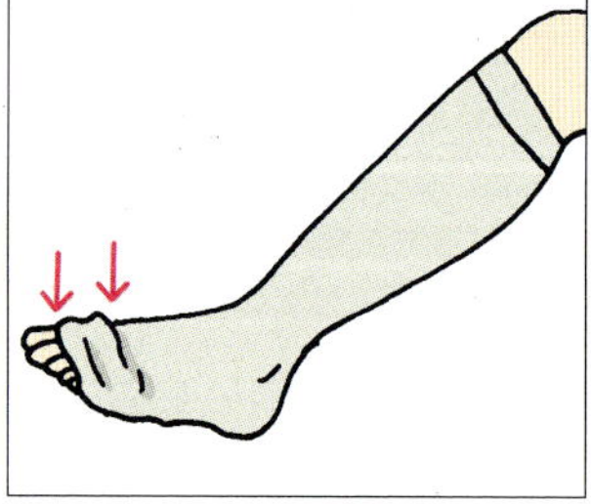

〇留意点：つま先をモニタリングホールから出すと，足趾の循環障害や皮膚炎などの原因となる。

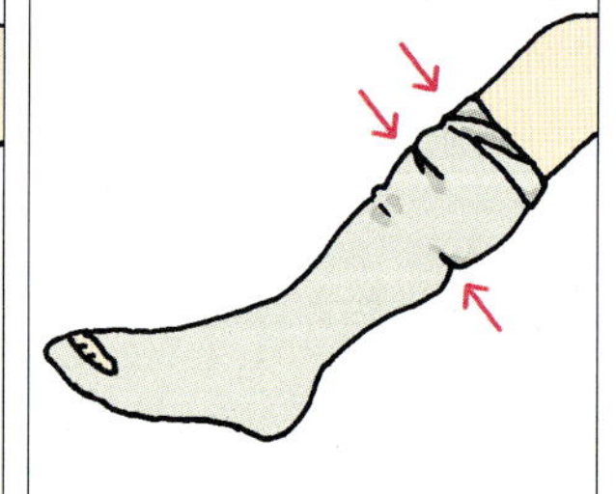

〇留意点：ストッキングのしわや上端の丸まりや折り返しは，その部分への圧力が強くかかるため，トラブルの原因となる。

出典／日本静脈学会弾性ストッキング・コンダクター養成委員会：弾性ストッキングの着用をすすめられた方へ；弾性ストッキングの正しい使い方についてのお知らせ【正式版】，2011．を基に作成．

図3-8 弾性ストッキングの正しいはかせ方

がら，安全に手術室に入室できるよう配慮する。前投薬が行われている場合は，ストレッチャーにより搬送する。入室時には，患者誤認の予防のため，患者自身に名前を述べてもらい，本人確認を病棟看護師，手術室看護師の両者で行う。

手術室看護師に対しては，同意書や検査データ，血液型，感染症やアレルギーの有無と種類，現在行っている処置などを，電子カルテやチェックリストにより確認する。また，持参物がある場合は，その内容についても確認する。

5 家族の看護

手術を受ける患者の家族は，患者と同じような不安や，患者には言えない悩みを抱えていることも多い。家族の不安を傾聴し，疑問があれば解決するよう努める。手術当日は，家族に手術室入室の状況を説明し，待機場所を伝える。術中には必ず連絡がつくように，連絡方法を確認しておく。術後に部屋を移動する場合は，案内をしておく。家族は，患者の前では口に出せない不安などを抱えている場合もあるため，術中はそれを聴く機会にする。また，手術予定時間は説明されているが，予定より延長されることも多い。患者を待つ家族の不安は増大するため，状況に応じて説明を行う。

文献

1) 鎌倉やよい，深田順子：周術期の臨床判断を磨く，医学書院，2008，p.31.
2) 前掲書 1)，p.7.
3) 飯田宏樹：周手術期禁煙と麻酔，日臨麻会誌，33（5）：709-718，2013.
4) 日本麻酔科学会：周術期禁煙ガイドライン，2015．http://www.anesth.or.jp/guide/pdf/20150409-1guidelin.pdf（最終アクセス日：2021/10/13）
5) 日本手術医学会：手術医療の実践ガイドライン（改訂第三版），日手術医会誌，40（Suppl）：82-95，2019.
6) 日本循環器学会，他：肺血栓塞栓症および深部静脈血栓症の診断，治療，予防に関するガイドライン（2017年改訂版）．https://j-circ.or.jp/old/guideline/pdf/JCS2017_ito_h.pdf（最終アクセス日：2021/4/20）

参考文献

・数間恵子，他編：手術患者のQOLと看護，医学書院，1999.
・村川由加理，池松裕子：我が国における術前不安の素因と影響要因および看護援助に関する文献考察，日クリティカルケア看会誌，7（3）：43-50，2011.
・日本糖尿病学会編著：糖尿病専門医研修ガイドブック，改訂第7版，診断と治療社，2017.
・山勢博彰，山勢善江編著：看護実践のための根拠がわかる　成人看護技術；急性・クリティカルケア看護，第2版，メヂカルフレンド社，2015.
・野崎真奈美，他編：成人看護学　成人看護技術；生きた臨床技術を学び看護実践能力を高める〈看護学テキストNiCE〉，改訂第2版，南江堂，2017.
・石塚睦子編著：よくわかる周手術期看護，学研メディカル秀潤社，2017.
・雄西智恵美，秋元典子編：成人看護学　周手術期看護論，第3版，ヌーヴェルヒロカワ，2014.
・林直子，佐藤まゆみ編：成人看護学　急性期看護論Ⅰ；概論・周手術期看護〈看護学テキストNiCE〉，改訂第2版，南江堂，2015.
・中村美知子監，坂本文子指導：周手術期看護；安全・安楽な看護の実践，改訂版，インターメディカ，2017.
・矢永勝彦，小路美喜子編：臨床外科看護総論〈系統看護学講座　別巻〉，第10版，医学書院，2011.
・竹内登美子編著：外来／病棟における術前看護〈高齢者と成人の周手術期看護1〉，第2版，医歯薬出版，2012.
・西口幸雄編著：術前・術後ケアのこれって正しい？ Q&A100，照林社，2014.
・川本利恵子，中畑高子監：ナースのための最新術前・術後ケア，学研メディカル秀潤社，2012.

第4章

術中の患者･家族の看護

この章では

- 手術を受ける患者を取り巻く環境を理解する。
- 周術期における手術室看護師の役割について理解する。
- 各種麻酔方法について理解する。
- 手術室入室から執刀開始までの看護について理解する。
- 術中の患者の安全，安楽を図る看護を理解できる。
- 術直前の麻酔終了後，手術室を退室するまでの看護について理解する。
- 手術室における医療安全対策を理解する。

I 手術室の環境

「手術室は，単に手術のための清潔な部屋ではなく，患者に外科的医療を提供するための手術室スタッフ，医療機器，設備が整った治療環境である」[1]。また，手術室に求められる構成要件として，手術室内の清潔度，室内圧，換気回数，温度，湿度，明るさ（照明），広さなどがある。**手術室の環境**を看護の視点でみると，フローレンス・ナイチンゲール（Nightingale, F）は看護の定義を次のように述べている。「看護とは，新鮮な空気，陽光，暖かさ，清潔さ，静かさなどを適切に整え，これらを活かして用いること，また食事内容を適切に選択し適切に与えること―こういったことのすべてを，患者の生命力の消耗を最小限にするように整えること」[2]。要するに，手術室の環境（清潔度，温度，明るさ，音など）を整えること，これらを理解し活用することで，患者の生命力の消耗を最小限にすることが手術看護の第一歩である。

A 手術室の構造

手術室は，輸血部や病理部（術中もしくは術後に手術で摘出された臓器・組織の診断を行う），集中治療室（intensive care unit ; ICU）や高度治療室（high care unit ; HCU），中央材料室（手術で使用した器械の回収から洗浄・滅菌，手術で使用する物品の供給を行う）などと隣接もしくは直結した構造となっている。

また，手術室では感染制御の観点から，滅菌物（清潔器材）が通過する区域（**清潔区域**）と，使用済みの器材が通過する区域（**不潔区域**）が交差しないようにゾーニングをし，動線を管理している。しかし，科学的な根拠はないため，今後，ゾーニングの考え方が変化していくことが考えられる。

現在のゾーニングの考え方によると，次の4つの手術室の型がある（図4-1）。

1 中央ホール型

文字どおり，中央にいわゆる清潔ホールがある。患者，手術スタッフ，清潔器材，使用済み器材のすべてが中央のホールを通る。手術室を広く設計できるという利点があるが，すべての動線が交差するという欠点がある。

2 回収廊下型

中央（清潔）ホール型と違い，手術室の周囲に廊下がある。使用済み器材はこの廊下を通って回収される。そのため，清潔器材と使用済み器材の動線が交差しないという利点があるが，手術室の面積が狭くなるという欠点がある。

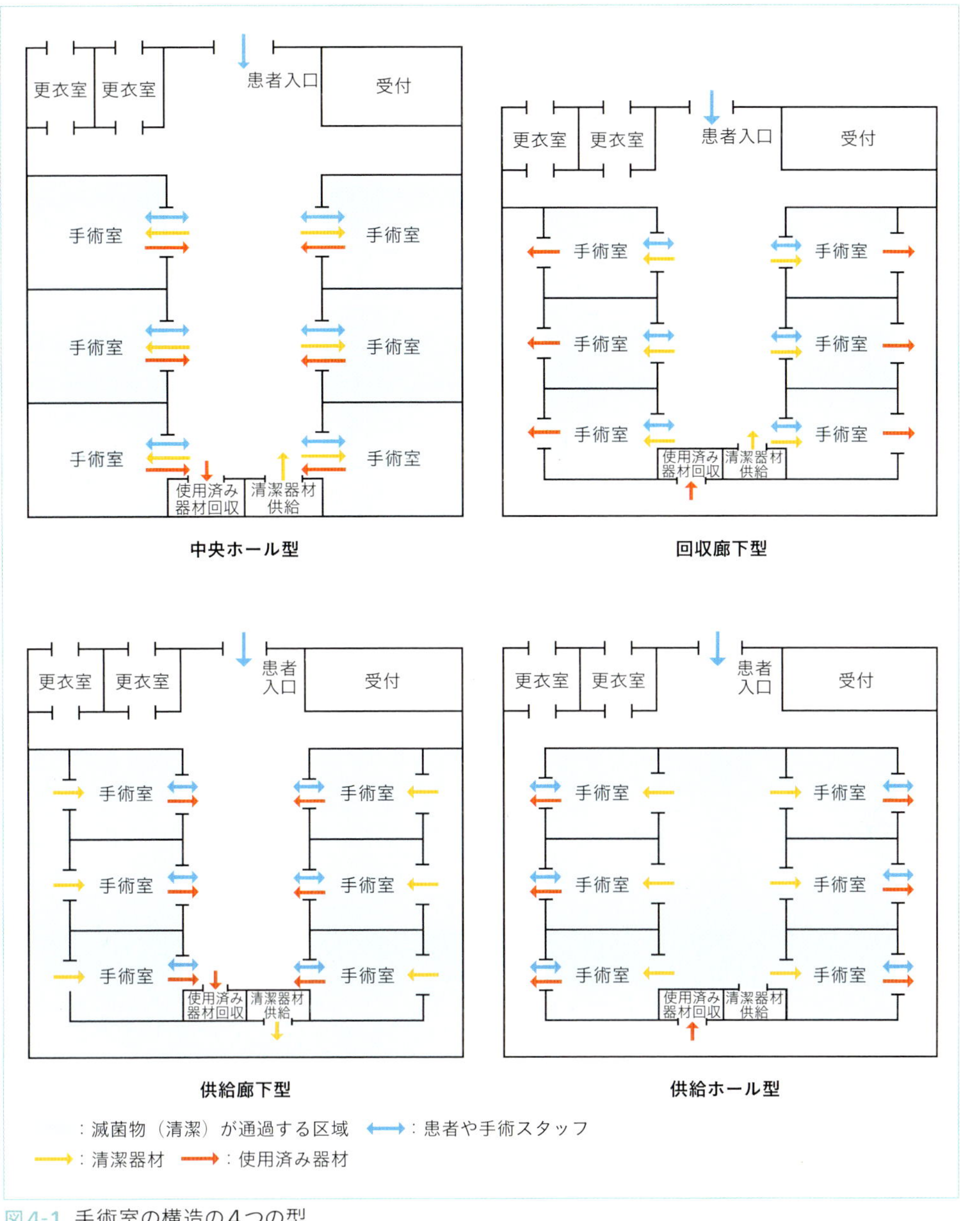

図4-1 手術室の構造の4つの型

3 供給廊下型

回収廊下型とは逆に，清潔器材の供給が手術室周囲の廊下より行われる。清潔器材が外周の廊下を通るため，動線が長くなる点が欠点である。利点は，回収廊下型と同様に，清潔器材と使用済み器材の動線が交差しない点である。

4 供給ホール型

供給廊下型とは逆に，中央に清潔器材を供給する清潔ホールがある。患者，使用済み器材は，手術室周囲の廊下を通るため，患者および使用済み器材の動線は長くなる点が欠点である。利点は，回収廊下型と同様に，清潔器材と使用済み器材の動線が交差しないこと，清潔器材の動線が短く，器材の提供が円滑な点である。

B 室内環境

手術は皮膚を切開して行われることが多い。人間にとって，皮膚はバリアの役割を果たしている。皮膚を切開することにより，そのバリアが破綻（はたん）し，さらに手術侵襲や麻酔の影響によって患者は感染に対して無防備な状態となるため，手術室（図 4-2）は感染防止に努める必要がある。また，手術室の環境の汚染度を上げているのは，人間の皮膚の細菌である。そのため手術室に入室するスタッフは皮膚の露出を最小限にするように努める必要がある。

1. 空気調和（空調）

「手術室の空気の流れは，手術室の乱流を抑え，室内の同一方向に一定の量と速度で動く層流が適している」[3]。**層流**とは，同一方向に一定の量と速度で流れる空気の流れである。層流の方式には，天井から清浄な空気を床面に垂直に流す**垂直層流方式**と，壁面から清浄

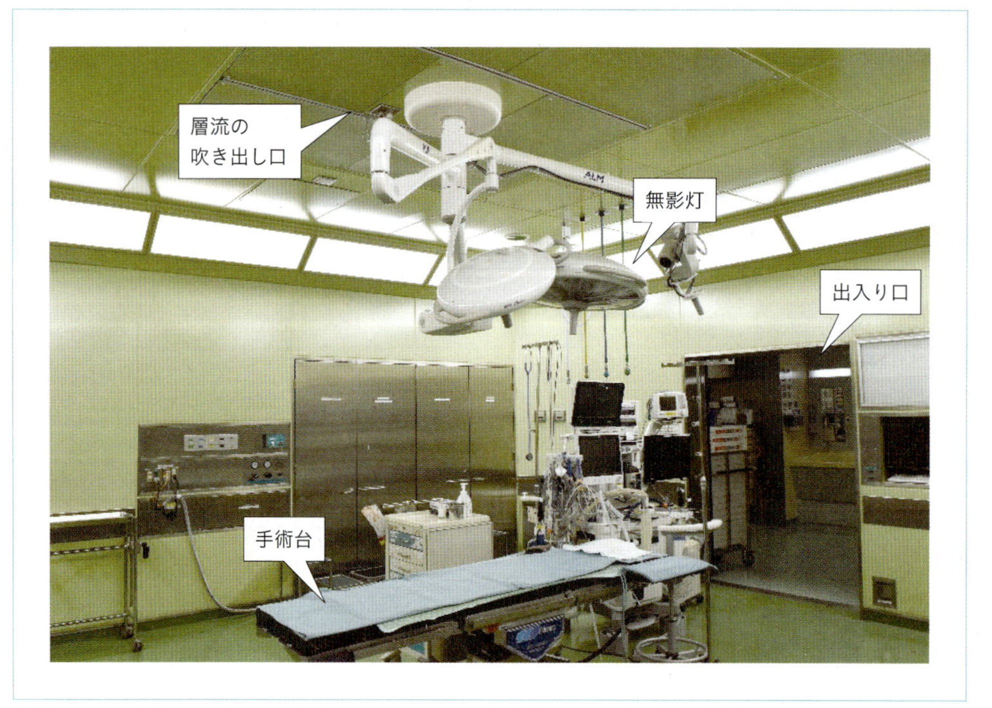

図 4-2 手術室内の環境

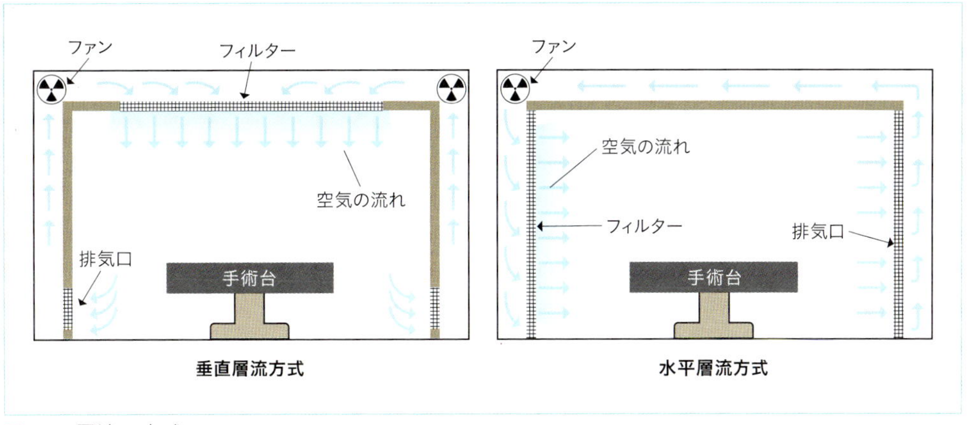

図4-3 層流の方式

な空気を対向壁に水平に流す**水平層流方式**がある（図4-3）。患者のまわりには清浄度の高い空気が流れる半面，術中は空気の対流によって患者は熱を喪失する。また，一般的に手術室は，塵埃（じんあい）の流入を防止するため廊下に対して陽圧となっている。つまり，空気は手術室から廊下に流れていく。逆に，空気感染症（肺結核など）を伴う患者の手術を行う場合では，陽圧であると空気が室外へ流れることにより，感染が拡大する可能性があるため，陰圧に設定し手術をする場合もある。

2. 換気

手術室内の空気が入れ替わる回数（換気回数）が多いほど，清浄度は上がる。一般手術室では，1時間当たり15回の換気回数が必要であり，そのうち3回は，空気を清浄にするのに必要な外気の量による換気が求められている。清浄度の高い空調を維持するためにもう一つ考えなければならないのは，人の出入りである。手術室の扉が開いた状態では室内外の圧差がなくなり，人や物の出入りにより，塵埃などの微粒子が室内に流入する。そのため，高い空気清浄度を維持するためには，人の出入りを制限するか，最小限とする必要がある。たとえば，外回り看護師，および器械出し看護師が手術中に必要な物品を事前に準備し，術中の出入りを減らすことも空気の清浄度の維持につながる。

3. 室内温度と湿度

手術室内部の温度と湿度の条件は，手術内容によって各手術室において設定変更が可能な仕様とし，からだを露出したときに適切な温度と湿度に設定して保持する。

空気中の湿度が60%を超えると，カビが増殖したり窓や壁に結露が生じたりして医療関連感染の予防上好ましくないため，温度22～26℃，湿度50～55%を保持する。

4. 騒音・振動

手術室は，安全で快適な患者の手術室環境と医療者の作業環境の維持のため，適切な防音・防振対策を施す必要がある。患者は手術という心身ともに不安な状況に置かれており，騒音・振動に敏感になっているため，よりいっそう配慮する必要がある。

5. 明るさ

手術室は，患者（術野）の状況を一定の条件下で把握するため，適切な照度と色調が必要である。一般的には750～1500lx（ルクス）程度の照度と補色残像が消去できるよう，手術室内装や術衣の色を選択することが望ましい。

II 手術室看護師の役割

手術室看護師の主な役割には，**器械出し看護**と**外回り看護**がある。手術看護の目的は安全な手術の提供である。安全な手術とは，手術による合併症はもちろん，2次的な合併症，つまり麻酔や手術体位などの手術に付随する物事から生じる合併症が起こらないように予防することといえる。この“予防する”という視点が病棟における看護と大きく異なる点であろう。合併症の予防には手術や麻酔の影響をふまえてアセスメントする力が必要となる。しかし，手術の前日入院が大半を占めるため手術室看護師だけでは限界がある。術前外来と連携し，情報共有や患者も含めて術前の心身の準備を行うことが必要である。

手術看護の基本は，清潔・不潔の理解から始まる。**清潔**とは，一般的には汚れのないこと，衛生的なことを指すが，医療現場では，無菌であることを指す。また，洗浄・消毒・滅菌の違いを理解する必要がある。

洗浄とは，対象物に付着した血液などの有機物や微生物などの汚染物を物理的に除去することである。適正な洗浄により，微生物汚染が10^{-4}となる，つまり99.99％減少する。確実に洗浄することにより，その後の消毒または滅菌での安全性が期待できる。逆に，血液や微生物などの汚れが残っていると，消毒や滅菌の効果が得られず，安全性が保たれない。

消毒とは，細菌芽胞を除くすべての，または多くの病原体を殺滅することである。ただし，病原微生物をすべて殺滅・除去することはできない。必ずしも微生物をすべて殺滅するのではなく，対象（器材や生体）を処理して，使用するのに適切である水準まで微生物を減少させることが重要である。

A 器械出し看護

器械出し看護を担う器械出し看護師は，執刀医を直接的に介助することから，直接介助看護師または手洗い看護師（scrub nurse）とよばれることもある。器械出し看護師の役割は「術前に患者情報を評価し，手術に必要な器械，器材を準備し提供することである」[4]。実際は，安全な手術の提供という目的のもと，器械や医療材料の管理（体内遺残予防のため，術前後で数のカウントや破損の有無の確認などを行う）と清潔の保持に努め，手術の流れを把握し，先を読みながら器械を提供する。

器械出しは単に術者に器械を渡すだけが役割ではない。近年，看護師不足から器械出しを臨床工学技士や救命救急士などが行っている施設もある。器械出しの看護は確かに見えづらい。保健師助産師看護師法には看護師の業について，「療養上の世話又は診療の補助を行うこと」と記してある。器械出しは，安全な手術の提供という目的のもと，診療の補助にあたる看護師の業であるといえる。

また，器械出し看護師は患者の状態をアセスメントし，病態や術式を理解し看護過程を展開する。手術中は，刻々と変化していく術野を観察し，アセスメントして術野に必要な器械・器材を提供していく。前述したように，これらはすべて手術患者の生命の消耗を最小限にするためであり，一つ一つが正確かつ迅速であれば，手術時間や麻酔時間の短縮につながり手術侵襲（しんしゅう）や感染のリスクの軽減につながっていく。

1. 手術時手洗い

手術時手洗いの目的は，手指に付着した通過細菌*の除去と皮膚の常在細菌*を減少させ，術中に滅菌手袋が破損した場合でも，術野の汚染を最小限にとどめることである。

一般的に，手術時手洗い前の手指からは 10^4 ～ 10^6 個程度の細菌（通過細菌と常在細菌を合わせて）がいるとされているが，手術時手洗いにより，10^2 ～ 10^3 個程度に減少させることができる。

手術時手洗いには，**ラビング法**（図4-4）と**スクラブ法**（図4-5）がある。ラビング法とスクラブ法の両者に，手術部位感染率の有意差はないが，ラビング法のほうが時間を短縮できることや，滅菌ブラシや滅菌タオルが不要でありコスト面でも有利なことから，主流となっている。

手術時手洗いの前に，身だしなみを整えておくこと，爪や手荒れなどの確認が重要となる。その理由として，キャップから出ている頭髪が術野に落ち，患者のからだを汚染したり，ゴーグルなどの個人防護具（personal protective equipment：PPE）の着用し忘れによる職業感染（医療スタッフの感染）を引き起こしたりすることを防ぐことがあげられる。また，長い爪は汚れがたまりやすいだけでなく，手袋の破損の原因となる。指輪やネイルも細菌がたまりやすく，汚れが除去しづらくなり十分な手術時手洗い効果が得られないため，手洗い前に除去しておく。手術時手洗いや速乾性手指消毒薬により悪化する可能性があること，傷に細菌が付着し増殖する可能性があり，感染のリスクを高めることから，日頃からの手荒れ予防も感染リスク軽減のため重要である。

＊通過細菌：細菌が皮膚表面や爪などに周囲の環境より付着したもの。大腸菌などのグラム陰性菌や黄色ブドウ球菌などのグラム陽性菌などがある。石けんと流水でほとんど除去できる。

＊常在細菌：細菌が皮脂腺，皮膚のひだなどの深部に常在しているもの。表皮ブドウ球菌などのコアグラーゼ陰性ブドウ球菌が含まれる。消毒薬による手洗いによっても除去しきれない。

①衛生的手洗いを行う。
衛生的手洗いの目的は，主に手に付着した微生物を物理的に除去することである。後に行う手指消毒薬には洗浄能力はないため，ここでの予備洗浄は重要となる。

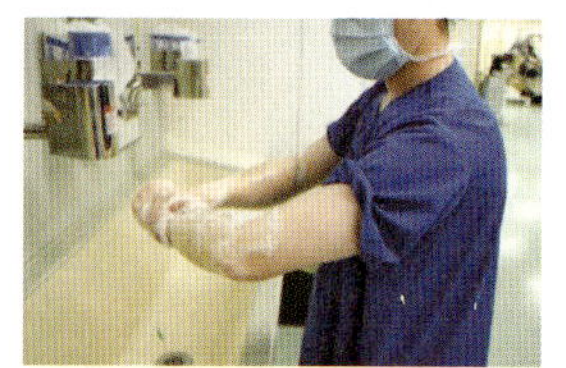

②未滅菌のペーパータオルで十分に水分を拭き取る。
※手や腕に水分が残っていると，手指消毒薬の濃度が希釈されてしまうため。

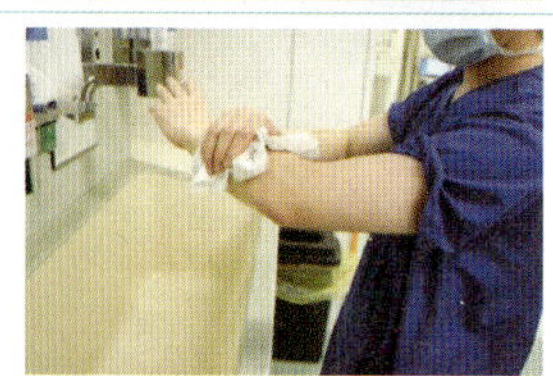

③速乾性手指消毒薬をすり込む。
速乾性手指消毒薬（1プッシュ約3mL）を手に取り，指先，手背，手掌，手指に乾燥するまですり込む。次に，手首から肘関節まですり込む（左右それぞれ行う）。最後に，再度指先から手首にかけて，乾燥するまで消毒薬をすり込む。

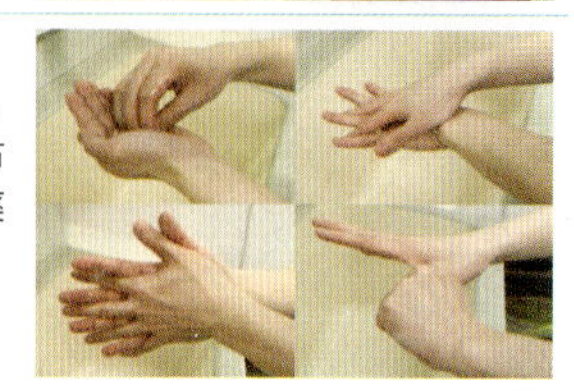

図4-4 ラビング法

①スポンジにより予備洗いを行う。
手指消毒薬（スクラブ剤）をスポンジに取り，手指から肘上まで洗う。左右両方行う。洗い終わったら水で流す。
このとき，指先が肘より低い位置になると，汚い水が指先に流れてくることになるため，末梢（手先）に行くほど高い位置になるように留意する。

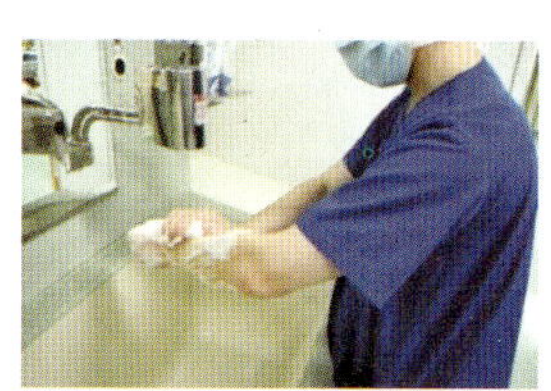

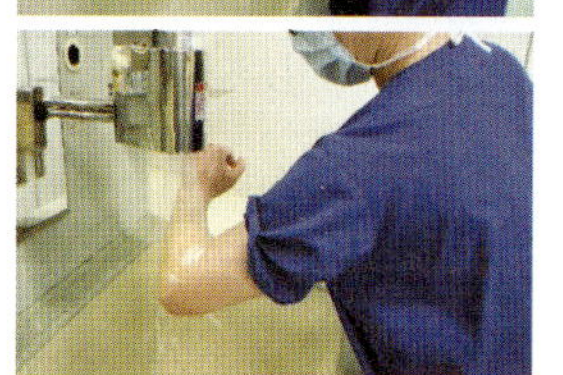

②ブラシを使用して爪，手のしわを洗う。
ブラシによる手洗いは，手荒れや皮膚損傷を引き起こし，微生物の繁殖巣となるため，爪や手のしわなど，もみ洗いでは汚れが落ちにくい部分のみとする。

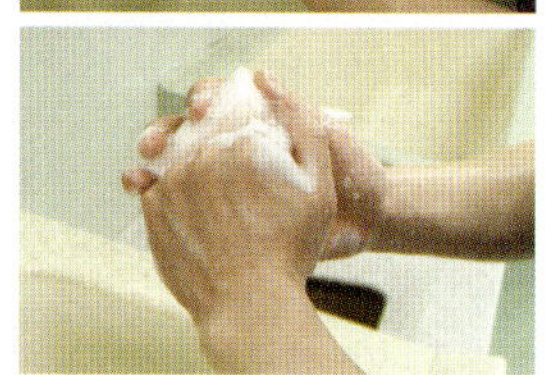

図4-5 スクラブ法

③もみ洗いを行う。
ブラシを捨て，手指消毒薬（スクラブ剤）を使用して手指から肘上まで洗う。①と同様に指先から洗い流す。洗い流したら，手指消毒薬（スクラブ剤）により手指から前腕をコーティングする。

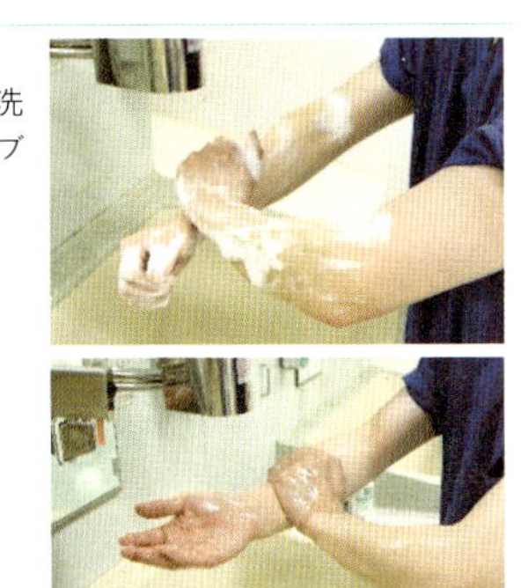

④滅菌タオルを使用して十分に水分を拭き取る。
滅菌タオルを使用し，手指の水分を十分に拭き取る。次いで，手首に滅菌タオルを巻き，上腕に向かってしごくように拭き取る。最後に，速乾性手指消毒薬を手指から手首まですり込むと，より消毒効果が得られる（2ステージ法）。

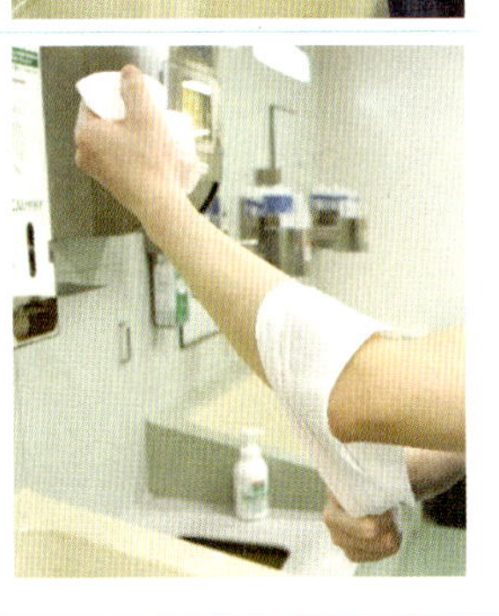

図4-5（つづき）

2. ガウンテクニックと滅菌手袋の着用方法

器械出し看護師は，患者の手術部位感染（surgical site infection：SSI）と職業感染の予防のため，手術時手洗いとともに，正確なガウンテクニックを身に付けることが基本となる。

ガウンテクニックには，介助者にえりひもを渡す方法（オープン法）（図4-6）と袖を通すまでを着用者のみで行う方法（クローズド法）がある。また，手袋の着用方法には，袖口から指先を出して行う方法（オープン法）（図4-7）と袖口から指先を出さずに手袋を着用する方法（クローズド法）がある。手袋は，品質基準を満たしている使用前のものでも，ピンホールが空いている可能性がある。手袋のピンホールにより，SSIの確率が2倍になるともいわれている。また，手袋は手術においてメスや針糸，手術器械など鋭利なものを多く扱うことによる破損のリスクに加え，脂肪や医薬品，血液や体液などに曝露（ばくろ）することによる劣化から破損するリスクも高い。職業感染防止の観点からも，2重手袋が推奨されている。

2重手袋でガウンテクニックを行う場合は，1重目の手袋を先に着用してからガウンを着用するとより清潔に行うことができる。なぜなら，手術時手洗いを行ったとしても，手は「**消毒**」レベルであり，手袋は「**滅菌**」レベルであるためである。また，1重目の手袋と2重目の手袋の色を変えることによって，術中の破損，ピンホールが発見しやすくなる。さらに，1重目の手袋は2重目のものより1/2サイズ大きいものにするとよい。1重目の手袋を 1/2 サイズ大きくすることによって，もし，針が外側から 2 重目の手袋に刺さったとしても，針は 2 重目と 1 重目との間でずれて，貫通しにくくなるためである。

①ガウン着用者は，介助者より清潔にガウンをもらったら，ガウンを広げ，片方のえりひもを介助者に渡す。
※このとき，介助者は着用者の手に触れないように，着用者の手から離れた位置でひもを取るようにする。
※ガウンの着用は，手やガウンがまわりに触れないよう，十分に広い場所で行うこと。

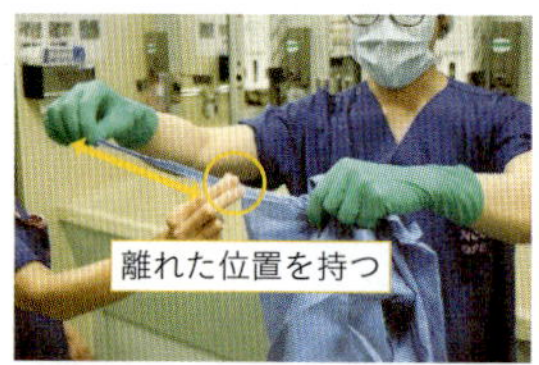

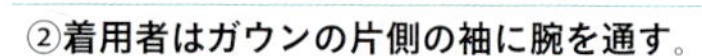

②着用者はガウンの片側の袖に腕を通す。
※このとき，反対の手が顔やからだなどに触れないように注意する。

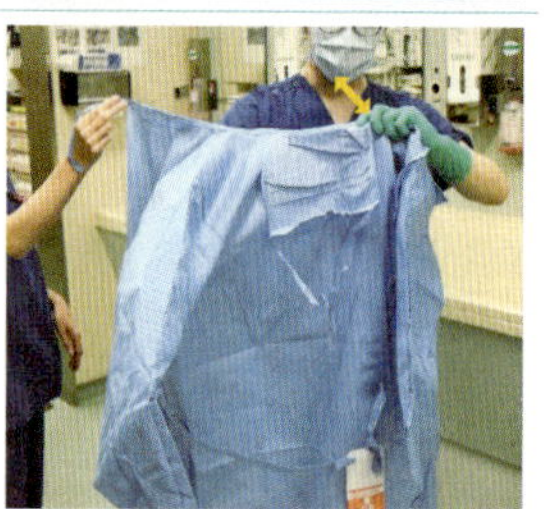

③反対側のえりひもも介助者に渡すと同時に，袖に腕を通す。
※このとき，着用者はひもを渡す側の腕が顔に触れないように注意する。

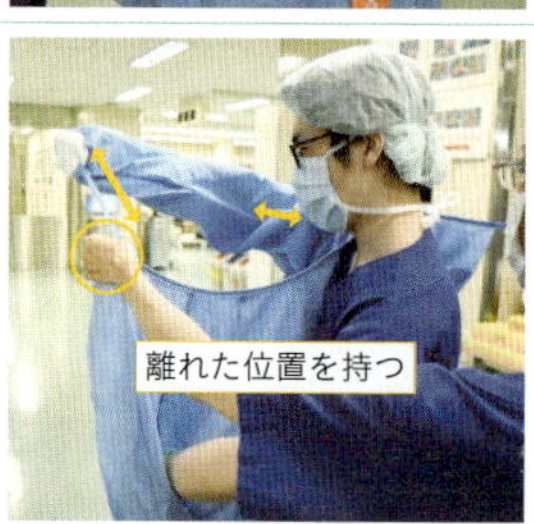

④マスクのひもをほどき，マスクの位置を合わせ，ひもを顔の真横の位置程度（自分の視野の範囲）で持ち，介助者に渡す。介助者は着用者の手から離れた位置でひもを取り，後方で結ぶ。
※ひもを自分の視野の外まで持っていこうとすると，手が不潔になる可能性があるため危険である。

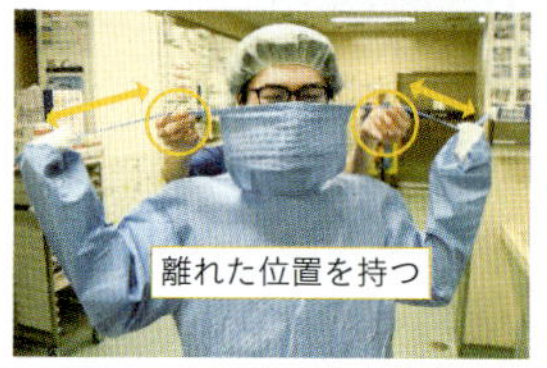

⑤滅菌手袋を受け取り，袖口から手を出さないクローズド法により着用する。
手袋のクローズド法では，ガウンの中で，手袋と向きを合わせて載せ，かぶせるように手袋を着用する。
ガウンの袖をゆっくりと引っ張り，位置を調整する。反対側も同様に行う。
※手袋の端から素肌やガウンの袖口が出ていないか，確認する。

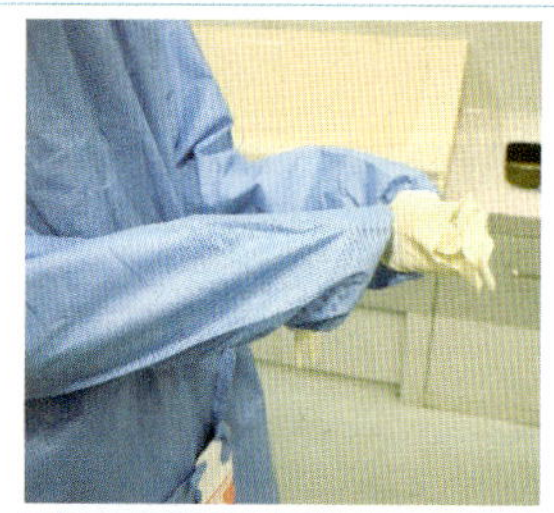

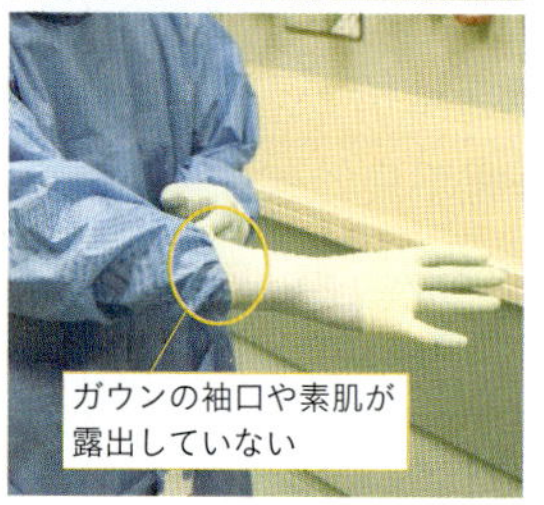

図4-6 ガウンテクニック（オープン法）

⑥**腰ひもを結ぶ**。

着用者は介助者がえりひも，マスクひも，内ひもを結んだことを確認し，腰ひものタグを介助者に渡す。

腰ひもを1周回し，介助者がタグをきちんと把持していることを確認し，タグからひもを引き抜き結ぶ。

※このとき，着用者自身で腰ひもを体の後ろ（背面）に回して行おうとすると，不潔部分である背面に清潔なガウンの袖が触れてしまう危険性がある。

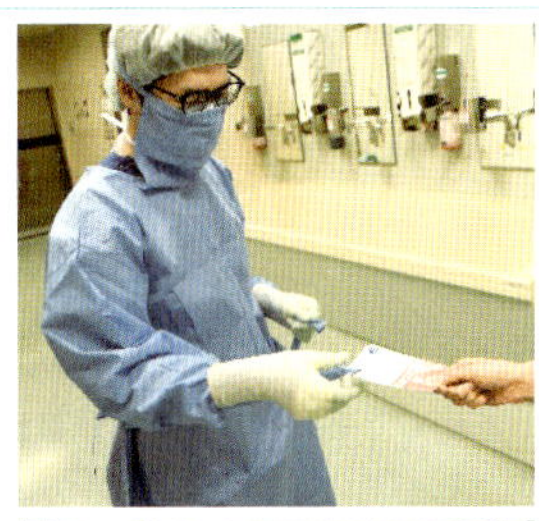

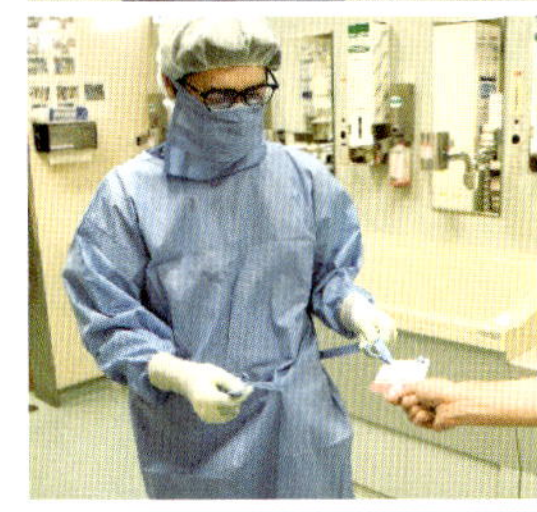

清潔な範囲

清潔かどうかは目視で判断できることはほとんどなく，不潔なものに触れ，汚染されたとしても気づくことができない。そのため，清潔な範囲を常に意識して，不潔にならないよう注意する。清潔な範囲は，**前面の胸部から腰（術野）までの高さ**，**手先から前腕のみ**である。

目に見えない背部，肩から上，腰から下（術野の高さから下）は不潔な範囲とみなす。

※脇の下は，汗をかいたりガウンがすれて素材が薄くなるため，不潔である。

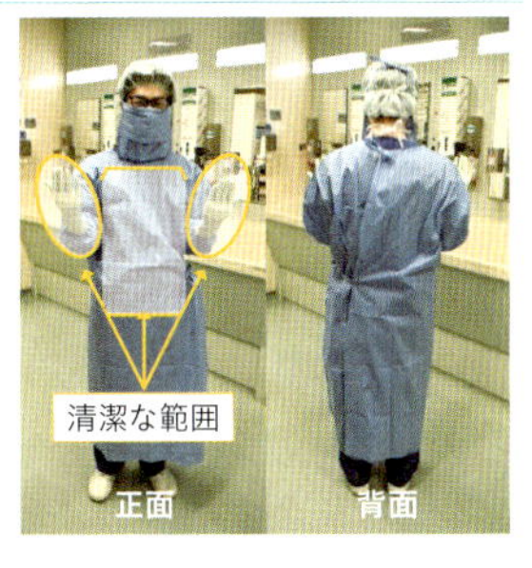

図4-6（つづき）

①**介助者より滅菌手袋を受け取り，包装を開く。手袋の内側が折り返された部分を持ち，両方取る**。

※折り返された部分は，最終的に手と接するため。

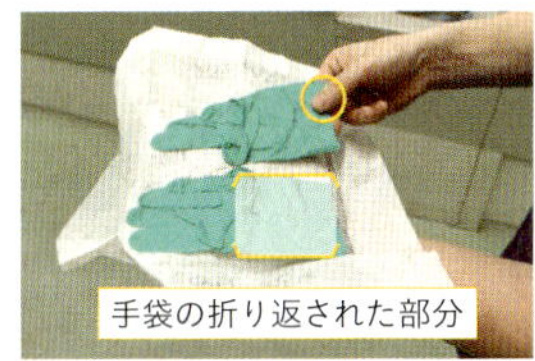

②**片方の手袋を着用する**。

手袋の口を開き手を入れる。このときも手袋の内側のみに触れるように注意する。

※左右どちらからでもよい。

※折り返し部分はそのままとする。

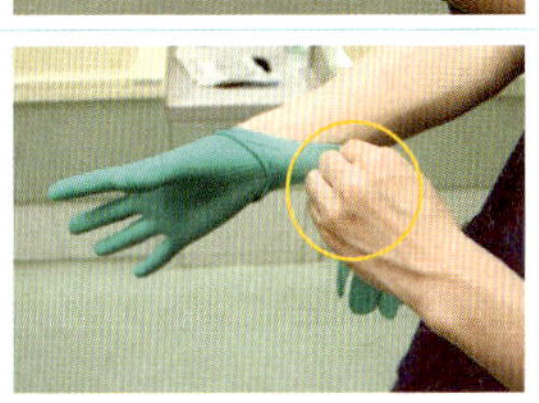

③**反対側の手袋を着用する**。

片側の手は手袋を着用しており「滅菌」レベルであるため，反対側の手袋の折り返し部分の内側（手袋の外側となる部分）に手を挿入し，折り返し部分の外側には触れないようにして着用する。このとき，折り返し部分の内側に入れた手で，折り返しを反転させながら引っ張り，完全に手袋を伸ばす。

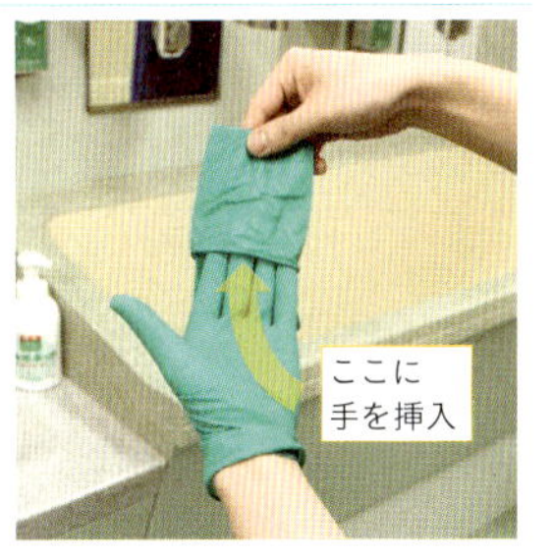

図4-7 滅菌手袋の着用方法（オープン法）

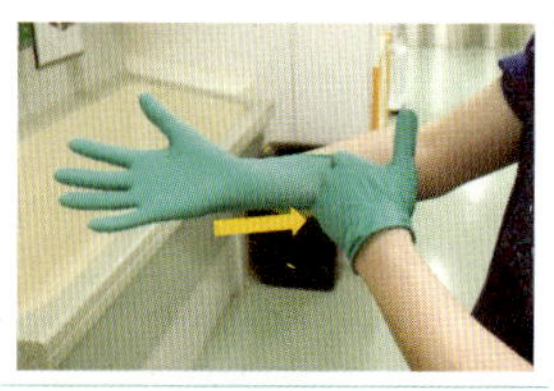

④最後に，最初に着用した側の手袋の折り返し部分の内側に反対側の手袋を着用した手を入れ，折り返し部分を反転させる。

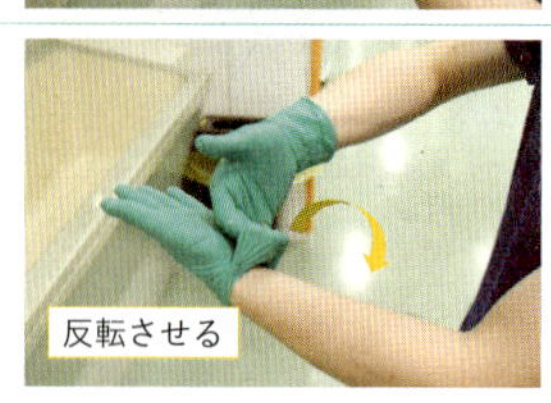

図4-7（つづき）

3. 器械出し看護の実際と看護計画

器械出し看護師は，術前の患者情報を評価し，患者の個別性（病態や術式，既往歴など）を加えて看護を展開する。たとえば，腹腔鏡の手術の場合であれば，体型によっても手術の難易度が変わる。皮下脂肪や内臓脂肪が多ければ手術の難易度が上がり，手術時間が長くなることが予測される。また，腹部の手術の既往，術前の化学療法や放射線治療を行っていれば，癒着している可能性や組織が脆弱化している可能性があり，出血のリスクが高くなる。このように患者情報から術式などをふまえてアセスメントし，看護問題をあげて計画を立て，準備する（表4-1）。ここでポイントとなるのがいかに想定外を減らし想定内としておくこと（最悪を想定し，最善を尽くす）である。出血や開腹手術（術式変更）の可能性が高ければ，執刀医と対応を打ち合わせておくことが重要となる（表4-1）。

術中は，常に目と耳で術野を観察し（術野を観察することはもちろん，執刀医の会話から得られる情報もあるため）先を予測し，術野に器械を提供する。一つ一つの器械の受け渡しにかかる時間は数秒だが，一つの手術で数百回〜数千回の受け渡しとなると数十分の違いが出てくる。結果的に患者の手術時間や麻酔時間が長くなり，感染や出血などの合併症のリスクが上がってしまう。また，テンポ良く器械を出すことで手術の流れや場の雰囲気も良くなる。たとえば，腹腔鏡の手術では，同じ手術室にいる全員がモニターをとおして術野を共有できる。器械出し看護師は，執刀医が術野（モニター）から目を離さずに，器械の向きを変えずに手術が行えるように補助することが重要となる。

最後に，手術の進行が円滑であっても，安全でなければ本末転倒である。つまり，体内遺残や器械の清潔の保持に問題が起こらないよう安全管理が重要となる。そのために，手術で使用される器械の数や破損の確認，清潔・不潔の管理の知識，技術とともに，執刀医や外回り看護師とコミュニケーションをとりながらカウントすることが大切となる。

表4-1 器械出しの看護計画の例（#出血のリスク）

看護長期目標：出血時に迅速かつ適切な対応を行い，最小限の出血で手術が進行する
看護短期目標：出血時に迅速な対応を行うことができる

看護問題と評価の指標（問題状況・問題の原因・予測される問題など）	看護計画
#出血のおそれがある **〈要因〉** □ 手術の既往による癒着 □ 炎症性疾患 □ 糖尿病や高血圧の有無 →動脈硬化 □ 貧血 □ 肝硬変，血友病，再生不良性貧血，悪性貧血など止血機能を障害する疾患の有無 □ 化学療法，放射線療法，副腎皮質ステロイド薬の使用の有無 □ 術式 □ BMI →手術操作のしやすさ □ 術中低体温 **血液データ** • RBC： • Plt： • Hb： • PT（プロトロンビン時間）：9～15秒 ※PTは肝細胞で生成される第Ⅰ，Ⅱ，Ⅴ，Ⅸ，Ⅹ外因性共通凝固因子が関与する • APTT（活性化部分トロンボプラスチン時間）：25～45秒 ※内因系の凝固異常の検査 ※PTと組み合わせて実施することで凝固異常のスクリーニング検査として用いる • フィブリノゲン（Fg）：200～400mg/dL • Alb：3.8～5.3g/dL • TP：6.7～8.3g/dL	**〈術前〉** **O-P** □ IC（インフォームドコンセント）の内容と本人，家族の反応（理解度），同意書の内容 □ 血液検査データ（Hb，Plt，PT，APTT，Alb，TP） □ 器械・物品のオーダー □ 画像検査データ（目標臓器周囲の解剖，血管の走行） □ 術式 □ 準備血の有無，血液製剤 □ 執刀医との情報共有 ①術式変更の可能性 ②必要な物品・器械の確認 ③出血時の対応（止血薬，縫合糸，持針器） **T-P** □ 必要物品の準備 ①ガーゼ類，止血鉗子（かんし），吸引 ②止血薬，縫合糸など出血時に必要な物品 ③術式変更（開腹手術・拡大手術への移行）を視野に入れた必要物品 □ 準備血の有無の確認 □ 外回り看護師と情報共有を行い，術式変更や出血した場合の物品・器械の準備，展開について打ち合わせをする ※必要に応じて器械準備担当の看護師，臨床工学技士，麻酔科医を含める **〈術中～術直後〉** **O-P** □ バイタルサイン（血圧，脈拍，SpO_2，体温） □ 術野の進行状況 □ 癒着の有無 □ 出血（量，排出速度）の有無，コントロール □ ガーゼの色 □ 術野の雰囲気，医師の会話の内容 □ 術中病理検査がある場合は検査結果 □ エネルギーデバイスの先端の汚れの有無 □ 洗浄液の温度 □ 術後ドレーンからの出血（出血の量，性状，排出速度） **T-P** □ 予測を取り入れた円滑な器械出しを行う（手術の流れ，術式変更，出血への対応，癒着剝離への対応，肥満など視野不良への対応，深い組織への対応など） □ 術野の進行に合わせて無影灯を調節し，良好な視野が得られるようにする □ 手術進行に応じて器械の整理整頓を行い，必要な器械がすぐに渡せるようにする □ コード類の絡まりに配慮する □ 器械，エネルギーデバイスの汚れを取り，良好な状態で使用できるようにする □ 執刀医との円滑なコミュニケーションを図り，外回り看護師と情報共有をする □ 出血時には，早めにガーゼや吸引を外回り看護師に依頼し，医師が指示した縫合糸，止血薬を提供する

B 外回り看護

外回り看護を担う外回り看護師は，器械出し看護師とは違い，直接的に執刀医を介助することはせず，器械出し看護以外の部分で手術をサポートする。そのため，間接介助看護師ともよばれる。外回り看護師の役割は，「患者が手術医療を安全に受けることができるように，手術にかかわる各職種間の調整役を担う。また，術後，患者の回復が順調な経過をたどるための看護を提供する（表 4-2）。さらに患者の代弁者となり患者を擁護する役割を担う」[5] ことである。外回り看護師は，器械出し看護以外のことをすべて行う（手術進行に応じた必要物品の準備と術野への提供，麻酔の介助，手術体位の作成，患者の状態のモニタリング，手術記録の記載，コストの管理，環境整備など，非常に多岐にわたる）ため，幅広い知識が必要となる。手術の進行状況をみて術野に器械や物品を提供することはもちろん，患者の情報に手術や麻酔の影響を加えてアセスメントを行い，患者の代弁者・擁護者として介入する必要がある。前述したように，手術看護の目的は安全な手術の提供であり，2 次的合併症の予防は看護師にとって力の発揮し甲斐がある場面である。特に外回り看護では，麻酔による体温低下や手術体位による合併症の予防はとても重要となる。

手術室看護師は，患者と話す機会が少なく，コミュニケーション能力は低くても良いと思われることが多いが，実際はそうではない。確かに患者とコミュニケーションをとる機会は少ないが，短い時間のなかで信頼関係を築いたり，情報収集をしていく必要がある。また，手術室でコミュニケーションをとるのは患者だけでなく，他職種ともコミュニケーションをとり連携を図っていく必要がある。手術は外科医だけでなく，麻酔科医，手術室看護師（器械出し看護師，外回り看護師），臨床工学技士，薬剤師などがチームとして連携して遂行される。外回り看護師はそれぞれの職種の役割が発揮できるよう，チーム間での情報の共有，手術の準備，時々刻々と変化する手術の流れのなかでのマネジメントなど，多くの場面で調整役を担っている。手術室看護師においてもコミュニケーション能力はとても重要である。

III 麻酔（全身麻酔，局所麻酔）

外回り看護師が，看護を展開するうえで重要となるのが麻酔の知識である。外回り看護は麻酔看護といっても過言ではないため，まず麻酔について解説する。そのうえで患者の手術室入室から退室までの外回り看護の実践（IV～VI）を述べる。

麻酔は，大きく全身麻酔と局所麻酔に分けられる。両者の大きな違いは，患者に意識があるかないかである。**全身麻酔**は**意識が消失する**が，**局所麻酔**では**意識は保たれる**。全身麻酔には，鎮痛・鎮静・筋弛緩という 3 つの要素があり，「全身麻酔の 3 要素」とよばれる。さらに，「全身麻酔の 3 要素」に有害反射の抑制を加えたものが「全身麻酔の 4 条件」と

表4-2 外回りの看護計画の例（#体温変動のリスク）

看護長期目標：悪性高熱症，低体温が起こらない
看護短期目標：術中体温の1℃以上の体温変動が起こらない

看護問題と評価の指標 （問題状況・問題の原因・予測される問題など）	看護計画
#体温変動のリスク **〈要因〉** □ 全身麻酔による体温調節中枢の抑制，不動化 □ 全身麻酔，局所麻酔による末梢血管拡張 □ 輸液，輸血 □ 消毒薬，洗浄液 □ 手術室環境 □ 長時間手術 □ 加齢による基礎代謝，熱産生能の低下 □ 気腹，手術創からの放熱 悪性高熱 □ 遺伝的素因 □ 揮発性吸入麻酔薬 □ 脱分極性筋弛緩薬 **〈評価の指標〉** □ 手術中体温が36℃以上 □ 体温変動が±1℃以内 □ シバリングが起こらない 加温装置 温風式加温装置は最大50kcal/時間の熱を体表面にあたえることができる。カバーからの温風では低温熱傷は発生しないが，ホースの温風吹き出し口が直接体に当たらないようにする 保温 • ブランケットなどで身体を覆い，体表面の熱喪失を防ぐ，不必要な体表面の露出を防ぐ（しっかり覆うことで，裸の場合と比較し熱喪失を30%程度減少できる） • 頭部は血流が多いため，頭部を覆うことは熱喪失の防止に効果的 • 輸液の加温によって熱喪失を防ぐことはできるが，体温を上昇させることはできない。加温は体温程度までにとどめる 低体温による影響 • 覚醒遅延 • 出血傾向の増大 • 免疫機能の低下 • 創傷治癒遅延，感染 • 心筋虚血の発生頻度の増加 • シバリング→酸素消費量の増加，低酸素 • 不快感増強，悪寒 体温上昇による影響 • 代謝の亢進，酸素消費量増大，二酸化炭素産生増加 • 呼吸性・代謝性アシドーシス • 呼吸器・心筋の仕事量増大 • 過剰な発汗，蒸散による脱水 悪性高熱症 初発症状は頻脈であることが多く体温上昇は遅れて現れる。 □ 体温：急速に上昇（0.5℃/15分） □ 3大徴候：①頻脈，②発熱，③アシドーシス	**〈入室～退室〉** **O-P** □ 平常時の患者の体温（入院時，出棟前） □ 表情，不快の訴えの有無 □ 患者入室時の四肢末梢の冷感の有無 □ 麻酔導入後から手術終了までの中枢温（　　温） □ 四肢末梢の冷感の有無（1時間ごと） □ 手術室の室温 □ 輸液の温度 □ バイタルサイン（血圧，脈拍，SpO_2），$EtCO_2$ □ レミフェンタニル塩酸塩（アルチバ®）使用の有無 □ 気腹使用量 □ 末梢循環障害の程度（悪寒・四肢冷感・チアノーゼの程度） □ シバリングの有無 □ 水分出納バランス・出血量 □ 低温熱傷の有無 □ 悪性高熱症状の有無（頻脈，発熱，アシドーシス，赤褐色尿，全身の筋硬直など） **T-P** □ 入室する前から衣類などで体温を下げないようにする □ 患者入室前からベッドを温風式加温装置で加温 □ 不必要な露出を避ける □ 患者の使用するリネンを加温 □ 室温の調整（麻酔導入時26～27℃，手術中は24℃，覚醒時は再び26～27℃） □ 輸液を加温する。輸血使用時は加温器を準備しておく（必要時ホットラインを使用する） □ 消毒薬（ポビドンヨード［イソジン®］）や術野で使用する生理食塩水を加温しておく □ 下肢または上肢に温風式加温装置を設置し，手術開始とともに38℃以上で加温を開始する □ 洗浄時は加温した洗浄水を使用する。必要時，帰室病棟へ術後ベッドの加温の依頼をしておく □ 消毒拭き取り用のハイポアルコールタオルもしくは清拭タオルを加温しておく □ 手術終了後は，速やかにリネン類で体表面を覆って保温し，温風式加温装置を使用し加温する □ 麻酔覚醒時にシバリングが発生したら，温風式加温装置で加温し，麻酔科医の指示により酸素投与を行う □ 悪性高熱発症時は，速やかな薬剤投与（ダントロレン）の準備とクーリング，吸入麻酔薬の中止を行う **E-P** □ 入室時に，暑さ・寒さなどは調節可能なので，我慢せずに伝えてほしいことを説明する □ 術前訪問で患者に末梢を冷やさないように，必要時は上着やズボン・靴下の装着を説明する □ 手術室入室前の待合時間がある際は，掛物を羽織るように病棟看護師へ依頼する

よばれている。これらの要素を単一の薬剤で満たすのは現実的ではなく，それぞれ適切な効果が得られるように鎮痛・鎮静・筋弛緩薬をバランス良く投与するバランス麻酔が主流である。また，硬膜外麻酔や末梢神経ブロックなどの局所麻酔を併せて用いることにより，鎮痛や筋弛緩（きんしかん）の効果が得られ，術後痛の緩和はもちろん，術中のオピオイド（麻薬性鎮痛薬）の使用量も減らすことができる。そのため，全身麻酔単独ではなく局所麻酔も併用することが多くなっている。

A 全身麻酔

全身麻酔には，麻酔導入，麻酔維持，麻酔覚醒という3つのフェーズ（段階）がある。**麻酔導入**とは，全身麻酔がかかっていない状態から全身麻酔がかかった状態（全身麻酔の4条件がそろった状態）になることである。**麻酔維持**とは，麻酔導入が完了し，全身麻酔が安定して維持されている状態である。**麻酔覚醒**とは，全身麻酔状態から覚醒させる状態である。この麻酔のフェーズは，よく飛行機に例えられる。麻酔の導入は離陸，維持は飛行機が安定して飛行している状態，覚醒は着陸といったイメージである。飛行機と同様に，危険が多く潜んでいるのは，麻酔の導入時と覚醒時である。

一般的に行われている全身麻酔は，麻酔の導入時に静脈麻酔薬（プロポフォール）を投与し，その後の維持は吸入麻酔薬で行うという方法である。麻酔の導入から維持まですべてを静脈麻酔薬を用いて行う麻酔を，**全静脈麻酔**（total intravenous anesthesia；**TIVA**）という。逆に，麻酔の導入から維持まですべてを吸入麻酔薬により行う方法を，**吸入麻酔**（volatile induction and maintenance of anesthesia；**VIMA**）という。投与経路は異なるが，血液中の麻酔薬濃度をコントロールすることにより，脳に作用させる。

全身麻酔で使用される薬剤（表4-3）は様々あるが，その作用と副作用を理解しておくと，麻酔の導入時や覚醒時の観察のポイントがわかる。麻酔の導入に使用される薬剤の一部について，その作用と副作用，特徴を説明する。

表4-3 全身麻酔で使用される薬剤

分類		薬品名（商品名）
鎮静薬	吸入麻酔薬	セボフルラン（セボフレン®），デスフルラン（スープレン®） 笑気（亜酸化窒素）
	静脈麻酔薬	プロポフォール（ディプリバン®），チアミラールナトリウム（イソゾール®），ミダゾラム（ドルミカム®），ジアゼパム（セルシン®），レミマゾラム（アネレム®）
鎮痛薬	麻薬	フェンタニルクエン酸塩（フェンタニル®），レミフェンタニル塩酸塩（アルチバ®），ケタミン塩酸塩（ケタラール®）
	非麻薬	アセトアミノフェン（アセリオ®），フルルビプロフェン アキセチル（ロピオン®）
筋弛緩薬	非脱分極性	ロクロニウム臭化物（エスラックス®），ベクロニウム臭化物
	脱分極性	スキサメトニウム塩化物水和物（スキサメトニウム®）

1. 吸入麻酔薬（鎮静薬）

吸入麻酔薬は，気道を通じて肺へと吸入することにより，肺胞から血液に溶け込み，血流によって脳へ運ばれる。体内での代謝は少なく，呼吸により排泄される。投与には専用の気化器が必要である。末梢静脈ルートがなくても投与できることから，小児の麻酔導入にも用いられる。

▶ セボフルラン　気道刺激性がないので，小児の緩徐（かんじょ）導入にも使用できる（VIMA に適している）。気管支拡張作用が強い（喘息（ぜんそく）患者にも使用可能）。導入・覚醒が迅速である。

▶ デスフルラン　導入，覚醒が迅速である。気道刺激作用があり，咳嗽（がいそう）や喉頭痙攣（こうとうけいれん）などを誘発することがある。代謝物による肝・腎機能障害が少ない。

▶ 笑気（亜酸化窒素）　鎮痛作用があり，筋弛緩作用はない。ガス性の吸入麻酔薬である（気化器不要）。ただし，単独での麻酔力は弱いため，ほかの麻酔薬と併用して使用することが多い。気胸，イレウス，気脳症など，体内に閉鎖腔がある場合，亜酸化窒素使用により，これらの空間が膨張し内圧が上昇して危険を招くことがあるため注意する。

2. 静脈麻酔薬（鎮静薬）

静脈麻酔薬は，末梢静脈ルートから静脈内に投与し，心臓を経由して脳へ運ばれる。静脈内投与であるため，漏（も）れがない限り，迅速に効果が得られる。

▶ プロポフォール　覚醒が早い。**注入時に疼痛がある**ため，患者に声掛けを行うとともに，点滴漏れとの鑑別を行う。強い血管拡張作用があるため低血圧に注意する。鎮痛作用はない。卵黄レシチンおよび大豆油を使用しているため，**卵アレルギー**，**大豆アレルギー**の既往のある患者への使用は避ける。

▶ チアミラールナトリウム　脳保護作用，抗痙攣作用が強い。**ポルフィリン症**，**喘息**には禁忌である。血管痛は少ないが，**強アルカリ性**のため注入時の漏れにより組織壊死（えし）を起こす。

▶ ミダゾラム　血圧低下が比較的少ないため，心臓外科など心機能の悪い患者に対する全身麻酔の導入時に使用することが多い。血管痛がない。フルマゼニルによる拮抗（きっこう）（リバース）が可能である。抗痙攣作用がある。

3. 麻薬（鎮痛薬）

鎮痛とは，文字どおり痛みを鎮めることであり，鎮痛薬には手術に伴う痛みやストレス反応を鎮める作用がある。手術室で使用される鎮痛薬には，麻薬性鎮痛薬と非麻薬性鎮痛薬がある。早期術後回復を促進するためには，術中・術後の良好な痛みのコントロールが重要である。ここでは**麻薬性鎮痛薬**について説明する。

▶ フェンタニルクエン酸塩　鎮痛作用はモルヒネの 50 ～ 80 倍とされる。脂溶性であるため，静脈内投与後，速やかに脳に達して効果を発揮する（短時間作用性）。副作用として悪心（おしん），呼吸抑制（呼吸数の減少，時に停止），鎮静作用，便秘などがある。麻酔導入時に急速に投与すると胸壁の筋硬直（**鉛管現象**）が起こり，換気困難になる場合がある。麻酔導入，術中，術後に使用される（硬膜外麻酔やIVPCAにも使用される）。ナロキソンによる拮抗が可能である。

▶ **レミフェンタニル塩酸塩**　血液中および組織中の非特異的エステラーゼにより，速やかに加水分解される。つまり，からだ中のあらゆるところで分解される超短時間作用性である。長時間投与でも蓄積しない。用量の調節が容易である。薬効が速やかに消失するため，ほかの麻薬にみられる遷延性無呼吸がない。肝・腎機能障害を有する患者にも用いやすい。副作用として，呼吸抑制（呼吸数の減少，時に停止），循環抑制（血圧低下，心拍数低下）が強い。添加物に緩衝剤としてグリシンが用いられているため，硬膜外腔・クモ膜下腔への使用は禁忌である。

4. 筋弛緩薬

筋弛緩薬は，気管挿管時の咽頭反射の除去，調節呼吸の容易化，体動の抑制，腹筋弛緩による術野の確保（腸管の脱出防止や腹腔鏡手術での操作スペースの確保など）が目的となる。筋弛緩薬は毒薬に指定されているため，専用の鍵のかかる保管庫に貯蔵する必要がある。

▶ **ロクロニウム臭化物**　非脱分極性筋弛緩薬。ベクロニウム臭化物より作用発現時間が短い（60～90秒）。主として肝臓から排泄されるので，肝機能障害を有する患者では注意が必要である。腎臓からの排泄は少なく，腎不全患者においても容易に使用できる。代謝物に筋弛緩作用はない。注入時に疼痛があるため，体動する場合がある。スガマデクスナトリウムにより拮抗する。

▶ **ベクロニウム臭化物**　非脱分極性筋弛緩薬。作用発現時間は2～3分である。代謝物にも筋弛緩作用があり，長時間投与で筋弛緩作用が遷延する可能性があるため，注意が必要である。

▶ **スキサメトニウム塩化物水和物**　脱分極性筋弛緩薬。作用発現時間が1分程度と短いため迅速導入に向いている。作用持続時間も短いため，短時間の手術で使用される。筋肉内注射が可能であるため，末梢静脈ルート確保前に喉頭痙攣が起こった場合などに使用できる。不整脈，カリウム上昇，眼圧・頭蓋内圧亢進などの副作用があるため，避けられる傾向にある。小児では悪性高熱症が現れやすい。

B 局所麻酔

局所麻酔とは，「患者の意識を消失させることなく，体のある一部の感覚を消失させることによって痛みを感じさせなくする麻酔」[6]のことを指す。局所麻酔には大きく分けて，硬膜外麻酔や脊髄クモ膜下麻酔，末梢神経ブロックといった区域麻酔と，浸潤麻酔や表面麻酔といった限局した部分にのみ行う狭義の局所麻酔がある。

1. 硬膜外麻酔

硬膜外麻酔は，硬膜外腔に局所麻酔薬を投与することによって，脊髄神経伝達を可逆的に遮断し，鎮痛を得るものである。術中の鎮痛だけでなく，硬膜外腔にカテーテルを留置することによって，術後鎮痛にも使用される。**PCA**（patient-controlled analgesia）は，患者（patient）による痛み（analgesia）のコントロール（controll），つまり，患者による**自己調節鎮痛法**として術後鎮痛に使用されることが多い。PCAポンプとよばれる機械を用いて，痛みがある場合に，患者が自らボタンを押すと硬膜外腔に留置されたカテーテルに局所麻酔薬が投与され，痛みのコントロールを行うというしくみである。患者は痛みがあるときに，鎮痛薬を投与できるため，術後のQOLが向上する。

硬膜外麻酔の副作用・合併症として，血圧低下，徐脈，硬膜穿刺，神経損傷，局所麻酔中毒，硬膜外血腫，硬膜外膿瘍などがある。特に注意したいのは，硬膜穿刺による**全脊髄クモ膜下麻酔**（呼吸困難，意識消失など）と**硬膜穿刺後頭痛**（post dural puncture headache；PDPH），神経損傷である。全脊髄クモ膜下麻酔とは，硬膜穿刺を行い，クモ膜下腔へカテーテルが迷入していることに気づかないまま局所麻酔薬が投与された場合に起こる症状をいう。また，硬膜穿刺を行うと穿刺部位から脳脊髄液が漏出し，髄圧が低下，硬膜・血管・神経が牽引されることによって頭痛が生じる。硬膜外麻酔は持続的に大量の局所麻酔薬が投与されるため，局所麻酔中毒を起こすことがある。

注意事項・禁忌としては，次のことなどがあげられる。

- 理解・同意が得られない患者（小児や認知症など）
- 出血性素因のある患者は，硬膜外血腫を形成する危険性がある
- 穿刺部位または周囲に感染がある場合，硬膜外膿瘍など感染を起こす危険性がある
- 頭蓋内圧亢進者は，小脳扁桃ヘルニアを引き起こすことがある

2. 脊髄クモ膜下麻酔

脊髄クモ膜下麻酔は，クモ膜下腔に局所麻酔薬を投与することによって，脊髄の自律神経，知覚神経，運動神経を遮断する麻酔である。手技は比較的容易である。脊髄クモ膜下腔は脳脊髄液（液体）で満たされており，薬液の拡散が速やかであるため，作用発現も速い。そのため，交感神経の遮断による血管拡張と血圧低下も顕著である。

脊髄への穿刺を避けるため，脊髄が馬尾となる第2腰椎（L_2）より尾側で行う。そのため，適応となる手術は下腹部以下の手術である。

脊髄クモ膜下麻酔の副作用・合併症として，血圧低下，呼吸抑制，PDPH，神経損傷，硬膜外膿瘍，血腫などがある。脊髄クモ膜下腔に注入された麻酔薬が拡散し**心臓交感神経**（Th_1～Th_4）を遮断すると，心拍数が減少し心収縮力が低下する。また，**横隔神経**（C_4）が遮断されると，横隔膜が麻痺し，さらに脳幹部に至ると意識が消失する（全脊髄クモ膜下麻酔）。そのため，麻酔薬投与後に麻酔高がどこまでかを観察することが重要となる。硬膜穿刺後

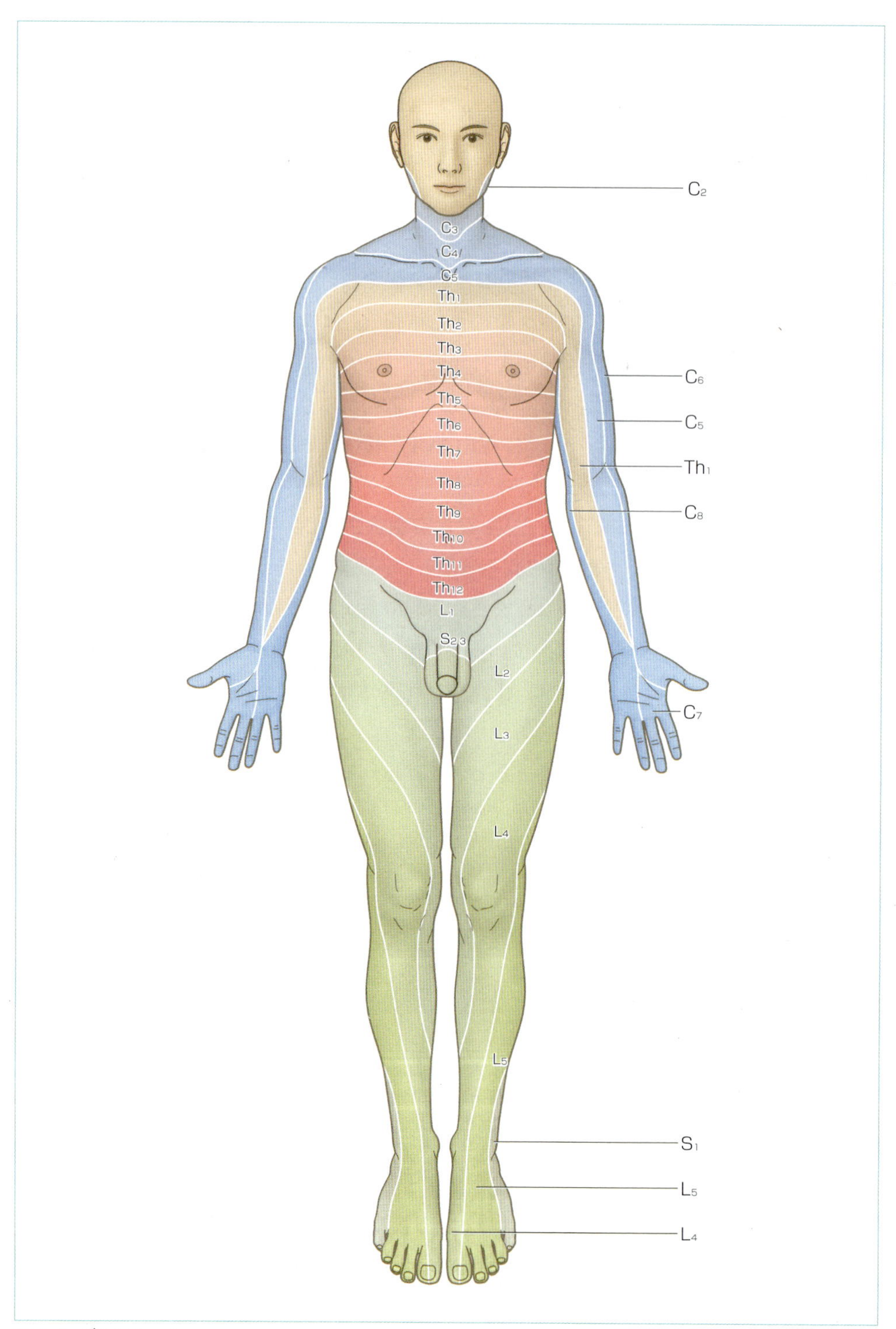
C2
C3
C4
C5
Th1
Th2
Th3
Th4
Th5
Th6
Th7
Th8
Th9
Th10
Th11
Th12
L1
S2 3
L2
L3
L4
L5
C6
C5
Th1
C8
C7
S1
L5
L4
図4-8 デルマトーム

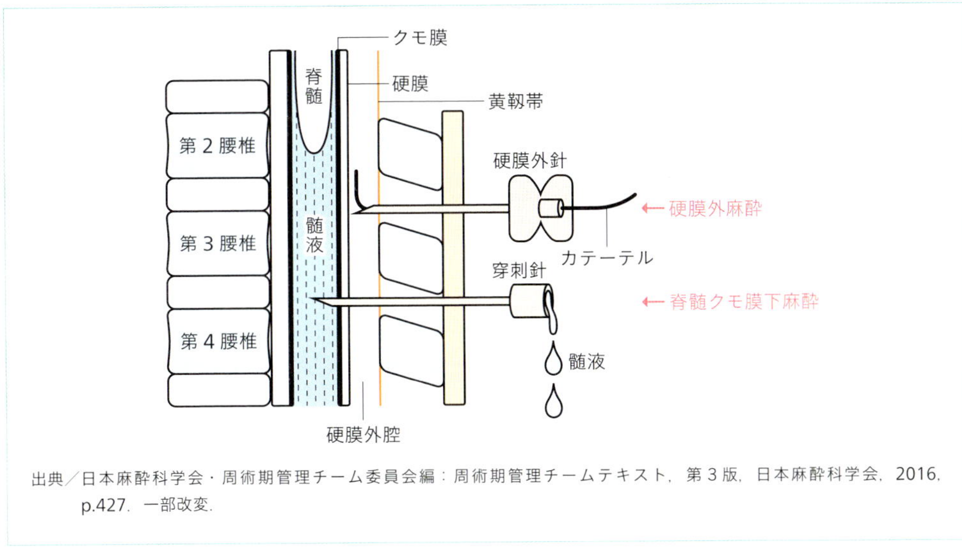

出典／日本麻酔科学会・周術期管理チーム委員会編：周術期管理チームテキスト，第3版，日本麻酔科学会，2016，p.427．一部改変．

図4-9 硬膜外麻酔と脊髄クモ膜下麻酔

頭痛は脊髄クモ膜下麻酔の合併症として重要で，20～40歳代の若年者，女性で発症頻度が高い。手術が終わり，座位や立位になると頭痛が出現し，仰臥位になると軽減する。

皮膚の神経支配を表したデルマトームを図4-8に示す。硬膜外麻酔では，予定されている手術部位に関与する皮膚知覚の神経支配と臓器の神経支配を考慮して穿刺部位が決められる。たとえば胃切除であればTh_8～Th_{10}，下行結腸や直腸であればL_2～L_3である。また，デルマトームは脊髄（せきずい）クモ膜下麻酔の麻酔高（だか）の観察にも必要である。たとえば，前述したようにTh_4（乳頭）部まで麻酔高が来ていれば心臓交感神経が遮断され，C_4（鎖骨上）部まで来ていれば横隔膜が麻痺し，呼吸が停止する危険性があるため，ぜひ覚えておきたい。

そのほかの注意事項・禁忌としては，次のことなどがあげられる。

- 理解・同意が得られない患者（小児や認知症など）
- 大量出血や高度のショック状態の患者では，過度の血圧低下が起こることがある
- 出血性素因のある患者は，硬膜外血腫を形成する危険性がある
- 穿刺部位または周囲に感染がある場合や敗血症がある場合，硬膜外膿瘍や髄膜炎などを起こす危険性がある
- 頭蓋内圧亢進者は，小脳扁桃ヘルニアを引き起こすことがある

硬膜外麻酔と脊髄クモ膜下麻酔の違いを図4-9[1]に示す[7]。

3. 末梢神経ブロック

末梢神経ブロックとは，神経周囲もしくは神経が走行する筋層間，筋膜上に局所麻酔薬を投与することによって，一時的にその神経の支配領域に鎮痛効果を得る方法である。脊髄クモ膜下麻酔や硬膜外麻酔と比較して，より限局した部位に局所麻酔薬を投与するため，交感神経遮断による影響が少なく，血圧の変動が少ないのが利点である。

末梢神経ブロックは，単独で使用される場合，手術の麻酔の補助として使用される場合，また，単回投与とカテーテルを留置して持続などを行う方法があり，手術の内容によって使い分けがされている。

末梢神経ブロックには，手術部位により様々な種類がある。たとえば，上肢・肩の手術であれば腕神経ブロック，下肢の手術であれば坐骨神経ブロックや大腿神経ブロックなどがある。

IV 手術室入室から執刀開始までの援助

手術を受ける患者は，手術室という慣れない環境で，家族と離れて1人で手術に臨む（のぞ）こととなる。そのため少なからず不安を抱えており，ふだんとは異なった精神状態にある。このことを念頭に置き，少しでも患者が安心して手術が受けられるように，コミュニケーションや看護技術を駆使して介入していく必要がある。

A 入室時の看護

患者の入室時，看護師はマスクをはずして患者と目線を合わせ，笑顔で自己紹介とあいさつを行い，患者の安心感が得られるように努める。安全管理の視点から，**患者誤認防止**のために患者確認，**手術部位誤認防止**のために手術部位確認を，患者本人や同意書などとともに行う。施設にもよるが，入室方法は歩行入室が主流である。これは患者誤認防止と患者の心理面でメリットがある。患者は自分の足で歩いて入室することにより，安心感や心の準備ができる。しかし，前述したように手術を受ける患者は極度の緊張状態にあることも考えられるため，常に患者のそばに寄り添い，転倒・転落に注意する。また，身体状況（視力・聴力・運動機能の低下や痛み，前投薬によるふらつきなど）により歩行入室できない場合は，車椅子（いす）やストレッチャーによる移送を行う。

B 麻酔導入時の看護

患者入室後，まずは，心電図・血圧計・酸素飽和度（SpO_2）プローブといったモニター類を患者に装着する。モニター装着は必ず声を掛けながら行う。モニターを装着したら，モニターの数値や波形，患者の状態（表情や皮膚の状態，四肢冷感など）の観察を行う。麻酔導入薬が投与される前の患者の状態（モニターの値，意識レベルなど）は，麻酔覚醒から手術室退室時までの患者の基準となるため，把握しておく。

麻酔薬が投与されると，呼吸・循環・体温などが急激に変動する。そのため，モニターとともに五感を使って患者を観察し，異常に素早く対応できるよう，あらかじめ患者の状態に麻酔の影響を加えてアセスメントし，起こり得る変化を想定して準備しておく。

また，麻酔薬が投与されると，体温調節中枢の抑制，末梢血管の拡張により体温の再分布（中枢の温かい血液と末梢の冷たい血液が混ざることによる熱の移動）が起こるため，体温が低下する。入室時，患者は緊張によって末梢血管が収縮していたり，手術時に服を脱ぐ必要があるため，あらかじめ薄着になっていたりする場合が多い。その影響によって四肢が冷たくなっていると，再分布性低体温が助長される。そのため，麻酔導入前から室温を26～28℃に設定しておいたり，温風式加温装置を使用し末梢を温めたりすることによって，体温低下予防に努める。さらに，手術室や手術台，患者にかけるタオルケットなどの暖かさは，患者に安心感を与える。

1　モニタリング

手術室での**モニタリング**は，ただ単に血圧や脈拍，SpO_2の値を監視することではなく，その値が患者にとって平常時の値とかけ離れていないか，正しく計測された値なのか，このちどう変化するのかなどをアセスメントし，対応していくことが重要となる。そのためには，術前の患者の状態やモニター機器のしくみ，どのような情報が得られるかなどを知り，観察をしていく。

2　挿管時の看護

麻酔導入により患者は呼吸が停止するため，**気道の確保**は患者の命に直結する。また，挿管操作は侵襲が大きいため，循環変動も起こりやすい。挿管操作に集中している麻酔科医の代わりにバイタルサインのモニタリングを行う。

手術室でしばしば遭遇する気道確保困難は，ある程度予測することが可能であるため，術前評価が重要となる。また，気道確保困難に遭遇した場合は麻酔科医も困惑しており，冷静な判断ができないこともある。看護師も挿管困難時に必要なデバイスや日本麻酔科学会の「麻酔導入時の気道管理アルゴリズム」[8]を理解しておく必要がある。

3　チューブ類の挿入

手術室では多くのチューブ類が留置されることがあり，その多くは患者が意識を消失している間に行われる。そのため，看護師はその必要性と合併症を理解して，術前に説明を行い，留置後も観察を行う。

尿量を循環血液量（腎血流）の指標としたり，尿の性状を腹部手術による尿管損傷など

このような特徴の患者は，気道確保に要注意！

肥満（特にBMI 30以上），睡眠時無呼吸症候群，小顎（下顎が小さい），開口障害（口が開きにくいと挿管操作が困難となる），頸部後屈制限（頸椎症やリウマチなど），頸部腫瘤，頸部の手術や放射線治療の既往など，気道確保困難が予測される場合は，事前に麻酔科医と対応を話し合って準備しておくことが重要である。

の指標としたりするため，膀胱留置カテーテルを挿入し，尿の量や性状を観察する。

血圧の変動を連続して監視したい場合や動脈血液ガス分析が必要な場合の採血ルートとして観血的動脈圧ルートを留置しているときは，術中，継続的に観察を行う。

C 体位作成時の看護

手術は，手術部位により様々な体位で行われる。その手術体位も，患者にとって侵襲となり得る。患者は手術の間，全身麻酔により同一体位を強いられる。さらに，筋弛緩薬の作用により，麻酔前の患者の良肢位を逸脱していても訴えることができない。近年，内視鏡下手術の普及により，特殊な体位で手術をするだけではなく，ローテーション（手術台を左右上下に傾けること）を行うことが増えている。内視鏡下手術は小さな傷からカメラを挿入し，細長い鉗子（かんし）を用いて手術を行うため，重力によって術野の妨げとなる臓器をよけるためである。手術室看護師は，執刀医や麻酔科医と連携し，少しでも安全で安楽な体位により，2次的合併症が起こらないように介入していくことが必要である。

そのためには，神経の走行，手術体位による影響と術前の患者の状態を把握し，アセスメントする必要がある。

1. 手術体位に求められる条件

安全で安楽な手術体位に求められる条件として，次のようなものがある。

❶全身の関節が可動域内である，手術上の良肢位が保持されている

一般的な良肢位と手術時の良肢位（表4-4）を理解しておくとともに，術前の患者情報から，関節可動域（図4-10）制限がないか把握しておく。特に，関節リウマチなど関節の変形や拘縮がある場合には注意する。

❷局所的な圧迫，過度な牽引，伸展がない

からだに加わった外力（圧迫，ずれなど）は，骨と皮膚表面の間にある軟部組織の血流を低下，あるいは停止させる。この状況が一定時間持続すると，組織は不可逆的な阻血障害に陥り，褥瘡（じょくそう）や深部組織損傷*（deep tissue injury；DTI），医療関連機器圧迫創傷*（medical device-related pressure ulcer；MDRPU）といった組織損傷が起こる。

❸呼吸・循環・神経系の機能を障害しない

体位変換による血行動態の変化（たとえば，骨盤高位のような下肢を挙上させる体位では，血圧の上昇，眼圧・頭蓋内圧の上昇が起こる）が許容範囲内であるか，胸郭や横隔膜の動きを制限していないかが重要である。

❹十分な術野が確保でき，手術がしやすい

執刀医にとって重要となる条件である。十分な術野が確保できないと，鉗子操作の妨げ

***深部組織損傷**：圧迫やずれによって，深部で軟部組織の損傷が引き起こされているもの。

***医療関連機器圧迫創傷**：医療関連機器による圧迫で生じる皮膚または下床の組織損傷であり，厳密には従来の褥瘡と区別されるが，広い意味では褥瘡の範疇（はんちゅう）に属する。

や手術時間の延長につながるため，執刀医の立ち位置や手術操作（特に内視鏡下手術の場合はポートの位置や長い鉗子操作）を考慮した手術体位が求められる。

❺安全な麻酔管理ができる

麻酔科医にとって重要となる条件である。麻酔薬や緊急薬剤の投与ルートである末梢静脈ルート，挿管チューブの管理ができるか，血圧や SpO_2，呼気終末二酸化炭素分圧（$EtCO_2$），体温のモニタリングを行うことができ，安全な麻酔管理が行えるかが重要となる。たとえば，両上肢を体幹に沿わせて手術を行う場合では，術中，末梢静脈ルートの管理や追加でルートを確保することは困難となるため，あらかじめ2本の末梢静脈ルートを確保しておくことや，SpO_2 プローブもシールタイプに変更するとともに確実な固定が必要となる。

❻手術時間（長時間）に耐えることができる

❶〜❺の条件を満たし，手術時間に耐え得る体位であることが重要である。

表4-4 一般的な良肢位と手術時の良肢位

	一般的な良肢位	手術時の良肢位
肩関節	外転（側方挙上）10〜30°	外転（側方挙上）0〜90°
肘関節	屈曲90°	屈曲0°または軽度屈曲または90°以内
前腕	回内・回外中間位	回内・回外中間位
手関節	背屈10〜20°	軽度背屈（10〜20°）
股関節	屈曲10〜30°	軽度屈曲，外転10〜30° 砕石位の場合：外転40°以内
膝関節	屈曲10°	軽度屈曲（10〜30°）
足関節	背屈・底屈0°	中間位

出典／日本手術看護学会手術看護基準・手順委員会編：手術看護業務基準，日本手術看護学会，2017，p.38．一部改変．

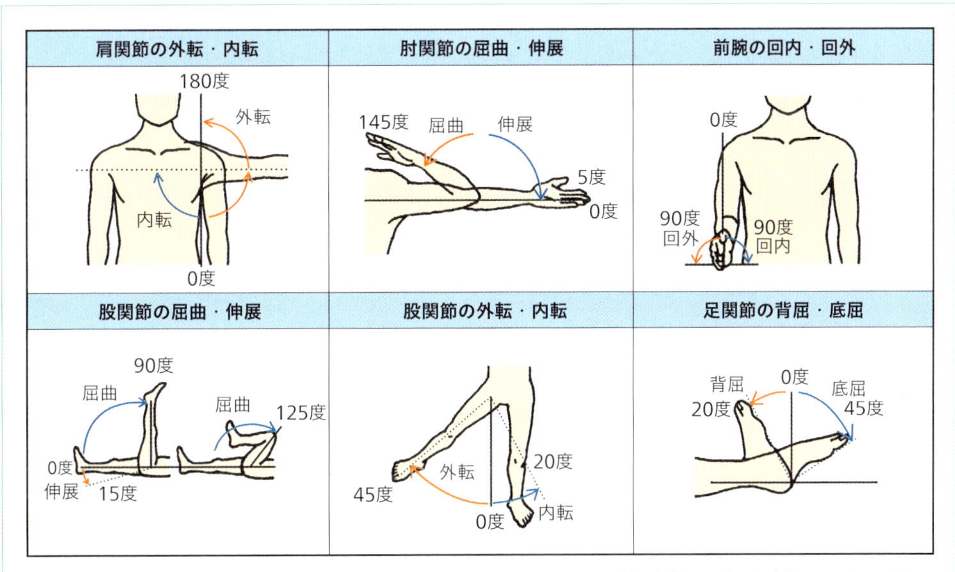

出典／倉橋順子，近藤葉子：カラービジュアルで見てわかる！ はじめての手術看護，メディカ出版，2009，p.82-83．をもとに作成．

図4-10 主な関節運動と可動域

2. 手術体位による影響（合併症）

1 呼吸・循環動態の変動

全身麻酔では，麻酔薬の影響により，呼吸中枢の抑制や末梢血管抵抗の低下が起こり，筋弛緩薬（きんしかん）による全身の筋肉の弛緩により，重力の影響を受けやすくなる。たとえば，腹部の臓器が弛緩した横隔膜を挙上させ，機能的残気量が低下する。また，換気は肺の上側のほうが行われやすいが，血流は下側のほうが多いといった換気血流比不均衡が起こる。血液は重力により下方へ移動するため，頭側を上げると静脈還流が悪くなり，心拍出量が低下し血圧が下がる。また，下肢の血流がうっ滞しやすくなり，深部静脈血栓症（deep vein thrombosis；DVT）のリスクが高くなる（本編-第3章-Ⅱ「手術に向けた準備」参照）。

術前の患者の呼吸，循環の状態に加えて，手術体位や術中のローテーションによってどのような影響が加わるのかをアセスメントし，術中・術後の観察，対策につなげていく。

2 皮膚損傷

同一体位の保持，固定器具による圧迫やローテーションによる摩擦やずれがあると，皮膚組織の血流の低下もしくは停止に至り，皮膚損傷が起こる。特に，全身麻酔による6時間以上の手術，側臥位（そくがい），腹臥位，座位などの特殊体位は褥瘡発生のリスクが高いことから，厚生労働省が定めた「褥瘡（じょくそう）ハイリスク患者ケア加算」の対象にもなっている。

手術室看護師は，褥瘡のリスクを軽減させるために，手術体位や手術時間，患者の状態（骨突出の有無，皮膚の乾燥，浮腫（ふしゅ），栄養状態など）によって適切な体位固定器具，体圧分散マットを選択して，使用する必要がある。また，手術開始時は体圧分散が効果的に行えていた（実際は体圧計を用いないと，どの部位にどの程度の圧がかかっているかはみることができない）としても，重力や手術操作，ローテーションにより外力のかかる部位が変化する可能性があるため，看護師の手と目により，積極的な観察とケアを行っていく。

3 神経障害

神経障害によって術前に正常であった神経機能を損なうと，入院期間の延長を強いられ，その身体的・精神的損失は計り知れない。

体位による末梢神経障害の主たる原因は，栄養血管の血流障害に伴う，機能的障害と考えられている。神経は牽引されることで虚血が生じ，持続的な圧迫が加わることで血流不足が増悪（ぞうあく）する。圧迫を避けるためには神経の走行部位を記憶し，固定器具などが当たらないように体圧分散を行う。牽引を避けるためには神経走行をイメージし，複数の関節の屈曲・伸展に注意することが重要となる。そして，神経障害に気づくためには神経の支配範囲を把握し，障害時の症状を理解しておく必要がある（表4-5）。

手術体位は患者による個人差も大きく，同じように体位を作成しても2次的合併症が起

表4-5 手術体位によって起こる主な神経障害の原因と症状

主な神経障害	神経の走行と支配領域	原因	症状
腕神経叢麻痺 （尺骨神経麻痺に次いで多い）	第5頸神経～第1胸神経から構成され，第1肋骨と鎖骨の間を通って腋窩付近に走っている脊髄神経叢	頸部伸展・回旋・側屈による牽引 肩関節の外転90°以上 体固定器具による圧迫など	上肢全体の運動障害，圧迫障害
尺骨神経麻痺 （最も発生頻度が高い）	肘部で上腕骨内側上顆を走行。手首と手の主な筋肉を支配	肘部管の圧迫，上肢の外転，肘関節の屈曲100°以上	鷲手
橈骨神経麻痺	上腕骨周囲をらせん状に走行，外側からの圧迫を受けやすい 腕の後部・前腕・手（母指～中指），上肢全体の伸筋を支配	上肢の手台からの落下による圧迫，離被架による圧迫	手関節の背屈障害，下垂手，下垂指
坐骨神経麻痺 （ヒトで最も太い神経）	大腿裏面を走行し，股関節を伸展させる筋を支配	股関節の過度の屈曲，外転	大腿の伸展障害，下腿の屈曲障害，足関節の背屈・底屈障害，下腿外側と足全体の感覚障害
総腓骨神経麻痺	腓骨頭下方の体表から0.5～1cmの浅い所を走行 腓骨頭から3～5cmの所で深腓骨神経と浅腓骨神経に分岐 深腓骨神経は足関節，足趾を伸展させる筋を支配 浅腓骨神経は足関節を外反，底屈させる運動神経，下腿外側・足背皮膚の知覚神経	腓骨小頭，膝関節部の圧迫	尖足または下垂足を呈し，足先が垂れ，足の背屈が不能

こってしまうことがあるため，事前の情報収集とアセスメントが重要であり，手術室看護の質につながる。病棟看護師とは関節可動域など観察のポイントも異なるため，術前に患者のもとを訪問し，手術にかかわる情報収集（手術体位に関連した関節可動域，手術で使用する麻酔や消毒などの薬剤に関連したアレルギーなど）や患者・家族の抱える不安の軽減，手術室での流れや手術体位などの説明（患者教育）などを行う。また，事前に得た情報を手術メンバーで共有し，患者の代弁者として意見を伝えて，擁護していくことが重要である。

3. 主な手術体位と注意点

1 仰臥位（図4-11）

適応手術は開腹手術，開心術，耳鼻科手術，眼科手術などである。手術部位によって，両上肢を体幹に沿わせる場合もある。

褥瘡好発部位は，後頭部，肩甲骨部，肘関節部，仙骨部，踵部である。

神経圧迫を受けやすい部位は，腕神経叢，橈骨神経，尺骨神経，総腓骨神経である。肩関節の外転・頭部後屈・回旋・側屈による腕神経叢の牽引に注意する。大腿の背側に体圧

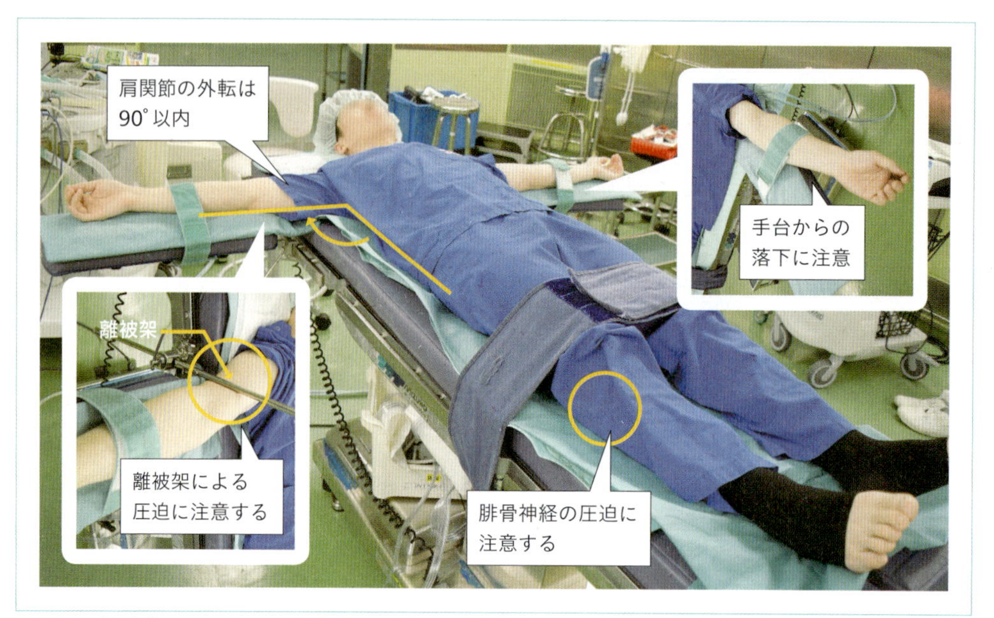

図4-11 仰臥位

分散用具を挿入し，股関節・膝関節を軽度屈曲させると，坐骨神経・大腿神経の牽引負荷，腰椎の彎曲（わんきょく）を軽減させ，腰痛の予防になる。術中は手台からの落下や離被架（りひか）*，術者のもたれによる両上肢の圧迫にも注意する。

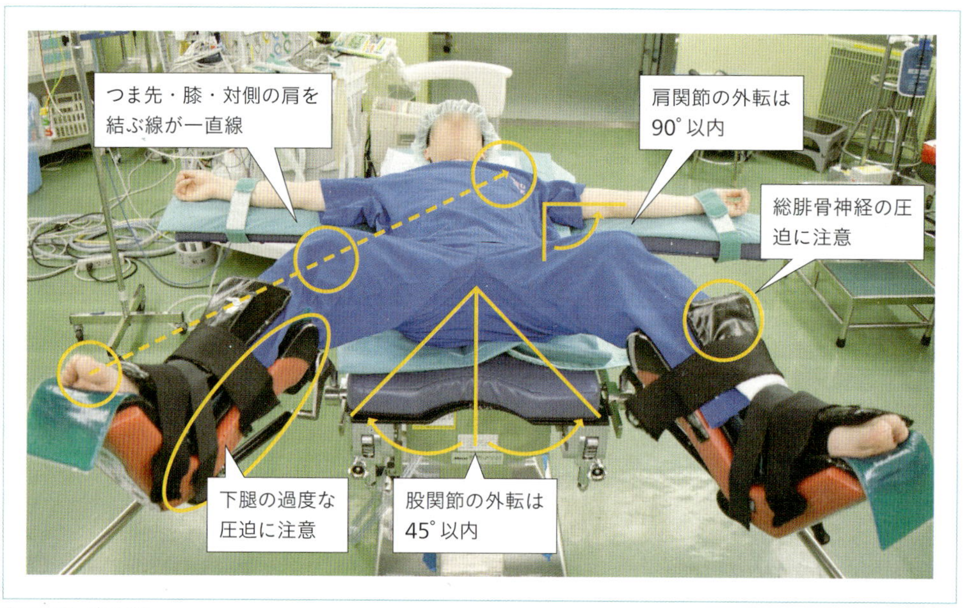

図4-12 砕石位

＊離被架：ベッドに取り付けて，患部に布団などが直接触れないように覆う枠。手術中は術野以外は覆布（おいふ）で覆われているため，麻酔の管理（気管チューブなどの観察）が行いやすいよう，手術台に取り付けて使用している。

2 砕石位（図4-12）

適応手術は直腸手術，婦人科腟式手術，経尿道的手術などである。

褥瘡（じょくそう）好発部位は，後頭部，肩甲骨部，肘関節部，仙骨部，膝窩（しっか）部，腓骨（ひこつ）小頭部，踵部である。

神経圧迫を受けやすい部位は，腕神経叢（そう），橈骨（とうこつ）神経，尺骨（しゃっこつ）神経，坐骨神経，大腿神経，総腓骨神経である。大腿を過度に外転させたり，股関節を屈曲した状態で膝関節を伸ばしたりすると，坐骨神経が引き伸ばされる。レビテーター（支脚台）が腓骨小頭に当たると，腓骨神経麻痺が起きる可能性がある。左右のローテーションがかかっているときには，膝の外側が当たっていないか注意する。下腿の過度の圧迫による**コンパートメント症候群***に注意する。羞恥心の強い体位でもあるため配慮が必要である。

3 側臥位（図4-13）

適応手術は呼吸器外科手術，腎臓摘出術，股関節手術などである。

褥瘡好発部位は，側頭部，頬部，耳介部，肩部，前胸部，側胸部，腸骨，大転子部，膝部，外果，内果である。手術体位のなかで最も体重を支える基底面積が狭い体位である。

神経圧迫を受けやすい部位は顔面神経，腋窩神経，橈骨神経，尺骨神経，総腓骨神経である。両膝関節が重なると，自重により腓骨神経を圧迫する可能性がある。

内視鏡手術やロボット支援手術は本当に低侵襲か!?

近年，医療機器の進歩により手術術式の第一選択として内視鏡手術やロボット支援手術が増加している。確かに，一つ一つの傷は小さく，回復も早いため，在院日数が短縮して社会復帰も早くなっている。しかし，手術中は気腹（二酸化炭素を腹腔内に送気し手術操作スペースを確保する）を行い，特殊な手術体位やローテーション（手術台ごと傾け視野を妨げる臓器を避ける）が必要となる。また，腹腔鏡による大腸の手術では，開腹手術に比べて1.5倍程度手術時間が長くなる傾向にある。これらに加えてロボット支援手術では，鉗子やロボットアームから触覚は執刀医に伝わらないため，見えない所で患者のからだや臓器を圧迫してしまったり，開腹操作への移行に時間がかかるといったデメリットもある。これらを考えると本当に低侵襲といえるのか？　本当に低侵襲と評価されるためには内視鏡手術やロボット支援手術のメリット，デメリットを理解して，2次的合併症が起こらないようにするためのチームの働きが不可欠である。なかでも，2次的合併症を予防する視点での看護師の介入や調整役割は重要となる。

***コンパートメント症候群**：複数の筋肉がある部位では，いくつかの筋ごとに，骨，筋膜，筋間中隔などで囲まれた区画（コンパートメント）に分かれている。骨折や打撲，局所の圧迫などの外傷が原因で筋肉組織などの腫脹が起こり，その区画内圧が上昇すると，その中にある筋肉，血管，神経などが圧迫され，循環障害のため壊死や神経麻痺をきたす。これをコンパートメント症候群という。特に多くの筋が存在する前腕，下腿や大腿部で起きやすい。コンパートメント症候群と診断された場合は，早急に減張切開を行い，高くなった区画内圧を下げる手術が必要となる。そのため，コンパートメント症候群の徴候を見逃さないことが重要となる。

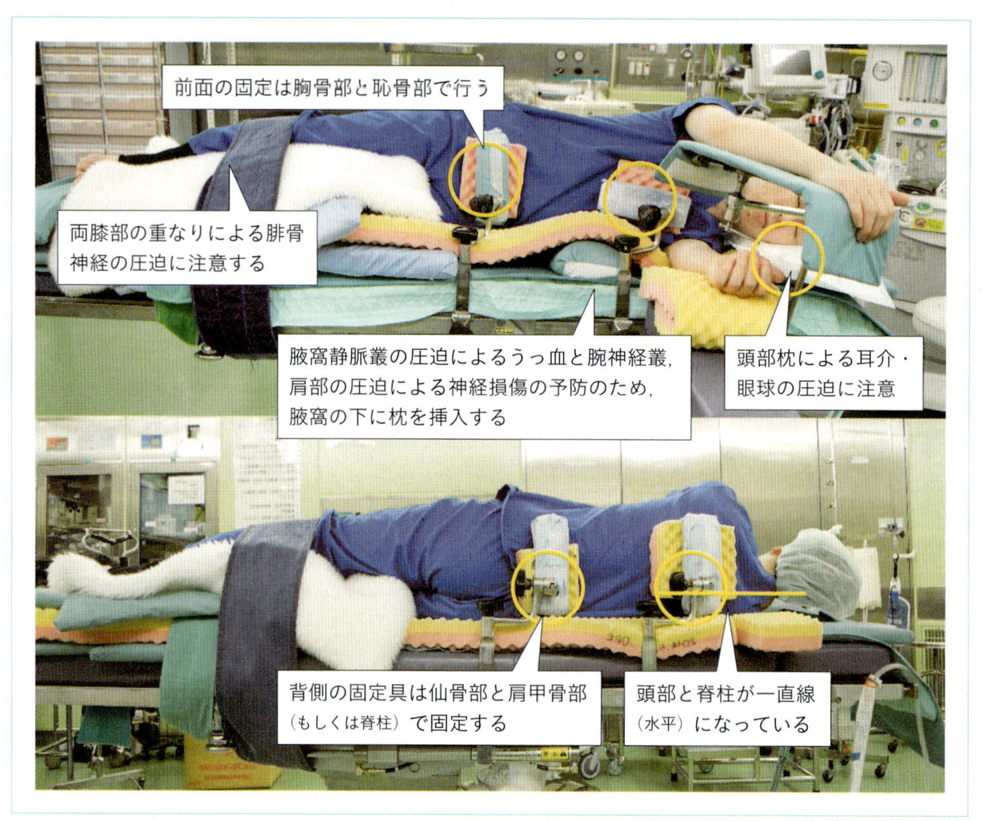

図4-13 側臥位

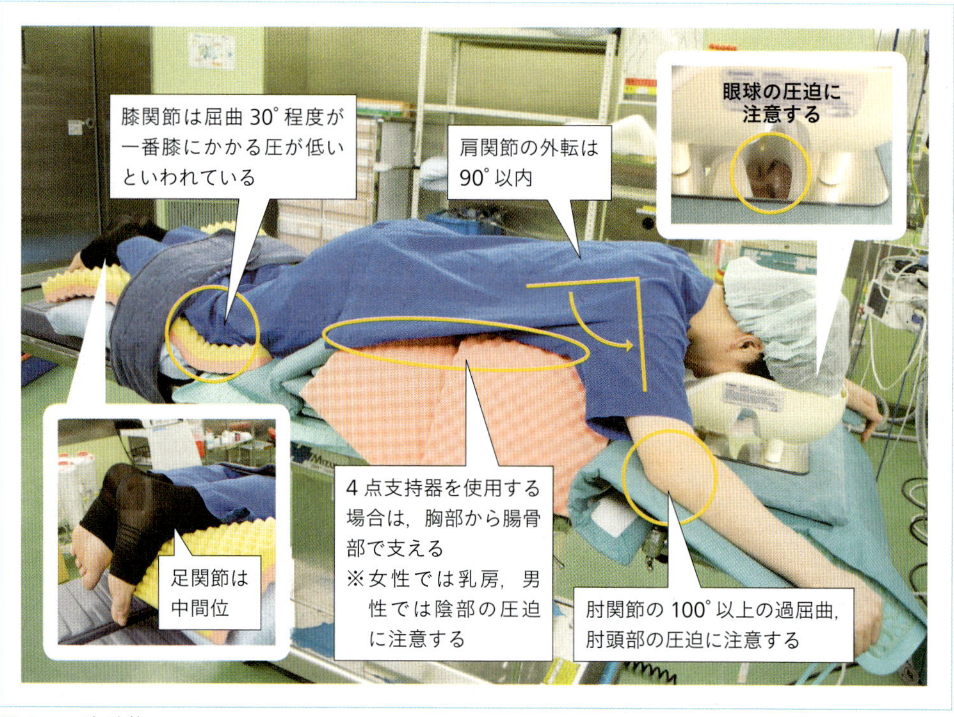

図4-14 腹臥位

4 腹臥位(図4-14)

適応手術は脊椎手術，下肢後面の手術，仙骨部の手術，後頭部の手術などである。

褥瘡好発部位は，前額部，頰部，顎部，前胸部，腸骨部，膝部などである。

神経圧迫を受けやすい部位は，顔面神経，橈骨神経，尺骨神経，大腿神経，総腓骨神経である。腹圧が上がると血圧も上昇し，脊椎の手術などでは出血が増加する。下大静脈(腹部)や大腿静脈(鼠径部)の圧迫により静脈還流が障害され，DVTを起こしやすくなる。手術体位のなかで最も移動距離が長い体位であるため，十分な人手の確保と，留置物の抜去などに注意する。

D 肺血栓塞栓症の予防

肺血栓塞栓症(pulmonary thromboembolism：PTE)とは，静脈血栓による塞栓症であるが，周術期のPTEの多くは，術後の離床時に下肢の深部静脈血栓が遊離して塞栓子となり，肺動脈を閉塞して発症する。静脈血栓の要因は，①血液凝固能亢進，②血液うっ滞，③静脈損傷であり，ウィルヒョウ(Virchow)の3徴とよばれる。周術期にはこのウィルヒョウの3徴がすべて存在するため，DVTを生じる危険性が高い。そこで手術室看護師は，「肺血栓塞栓症および深部静脈血栓症(静脈血栓塞栓症)の診断，治療，予防に関するガイドライン」[9]に準じ，患者の状態をアセスメントし，適切な対策を実施する必要がある(表4-6，4-7)。

表4-6 主な領域の静脈血栓塞栓症のリスクレベルと予防法

リスクレベル	一般外科	産科	整形外科	脳外科	予防法
低	60歳未満の非大手術 40歳未満の大手術	正常分娩	上肢の手術	開頭以外の脳神経手術	早期離床および積極的な運動
中	60歳以上あるいは危険因子がある非大手術 40歳以上あるいは危険因子がある大手術	帝王切開術(高リスク以外)	脊椎手術 骨盤・下肢手術(股関節全置換術，膝関節全置換術，股関節骨折手術を除く)	脳腫瘍以外の開頭術	早期離床および積極的な運動 弾性ストッキングあるいはIPC
高	40歳以上のがんの大手術	高齢肥満妊婦の帝王切開術 静脈血栓塞栓症の既往，あるいは血栓性素因のある経腟分娩	股関節全置換術 膝関節全置換術 股関節骨折手術	脳腫瘍の開頭術	早期離床および積極的な運動 IPCあるいは抗凝固療法
最高	静脈血栓塞栓症の既往，あるいは血栓性素因のある大手術	静脈血栓塞栓症の既往，あるいは血栓性素因のある帝王切開術	「高リスク」の手術を受ける患者に，静脈血栓塞栓症の既往，血栓性素因が存在する場合	静脈血栓塞栓症の既往，あるいは血栓性素因のある脳腫瘍の開頭術	早期離床および積極的な運動(抗凝固療法とIPCの併用)あるいは(抗凝固療法と弾性ストッキングの併用)

出典／日本麻酔科学会・周術期管理チームプロジェクト編：周術期管理チームテキスト，第4版，日本麻酔科学会，2020，p.517，日本循環器学会：肺血栓塞栓症および深部静脈血栓症の診断，治療，予防に関するガイドライン(2017年改訂版)をもとに作成．

表4-7 リスクレベルごとの予防法に関する推奨

リスクレベル	推奨予防法	推奨クラス
すべてのリスクのある患者に対して早期離床および積極的な運動を行う。		I
中リスク	弾性ストッキングあるいは間欠的空気圧迫法	IIa
高リスク	間欠的空気圧迫法あるいは抗凝固療法※	IIa
最高リスク	「抗凝固療法※と間欠的空気圧迫法の併用」あるいは「抗凝固療法※と弾性ストッキングの併用」を行う。また，出血リスクの高い患者に対して間欠的空気圧迫法を行う。	IIa

※腹部手術施行患者では，エノキサパリンナトリウム，フォンダパリヌクスナトリウム，あるいは低用量未分画ヘパリンを使用する。予防の必要なすべての高リスク以上の患者で使用できる抗凝固薬は低用量未分画ヘパリンである。最高リスクにおいては，低用量未分画ヘパリンと間欠的空気圧迫法あるいは弾性ストッキングを併用し，必要ならば，用量調節未分画ヘパリン（単独），用量調節ワルファリン（単独）を選択する。製剤によって投与経路や体内動態が異なるため患者の状態に応じて選択する必要がある。

出典／肺血栓塞栓症および深部静脈血栓症の診断，治療，予防に関するガイドライン（2017年改訂版），2017，p.70．一部改変．

また，間欠的空気圧迫装置の使用を避けたほうがよい患者は次のとおりである。

- 広範なPTEを有し，かつDVTが確認されている場合
- 静脈炎・皮膚軟部組織感染（蜂巣炎（ほうそうえん）など）がある場合
- 肺水腫（はいすいしゅ），重度の心不全，末梢神経障害，下肢虚血（閉塞性動脈硬化症など）がある場合

V 麻酔維持期の援助

1. 体温管理

手術中の体温管理の主な目的は低体温の予防と悪性高熱症の早期発見である。手術患者は，麻酔薬の使用により体温調節中枢が抑制されるとともに，不動化により行動性体温調節が消失するため，環境温度などの影響を受け36℃以下の低体温となりやすい。特に，新生児や乳児は体温調節機能が未熟であり，高齢者は体温調節機能と熱産生（基礎代謝）が低下しているため，環境温度の影響を受け，体温が変動しやすい。術中の低体温は患者に様々な影響を与えるため，手術室看護師は積極的に体温管理を行う必要がある。

1 低体温による影響

体温が1℃低下すると免疫力は37%，基礎代謝は12%，体内酵素の働きは50%低下するといわれている。つまり，免疫力の低下により創部感染率の増加が，代謝機能の低下により麻酔覚醒遅延や麻酔薬効果の残存が起こる。そのほか，血液凝固能の低下による出血量と輸血量の増加，心臓合併症のリスクの増大，苦痛（悪寒，疼痛（とうつう），シバリングなど）の増強によるQOLの低下などによって，結果的に離床が遅れ，入院期間が延長する。

麻酔中，体温は容易に低下するが，上昇させることはとても困難であるため，体温が低下する前から介入する必要がある。

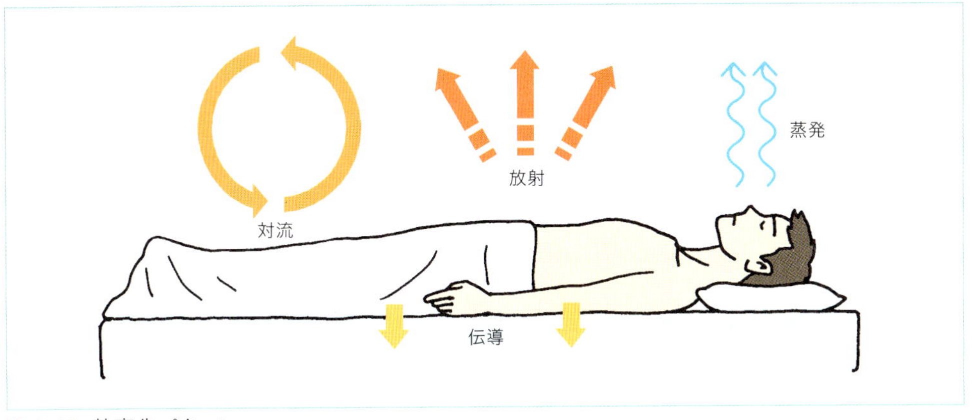

図4-15 熱喪失パターン

2 体温が低下するしくみ（熱喪失パターンと再分布性低体温）

術中の熱の喪失には4つのパターン（図4-15）がある。この熱喪失パターンを理解し，体温を低下させないためにどのように保温または加温するとよいかを，看護に生かしていく必要がある。特に，術中の熱喪失の主な原因は**放射**と**対流**である。

▶ 放射　接していない物体間での熱の移動である。熱エネルギーが空気や大気を通過する際に熱が放散する。麻酔の影響により拡張した末梢血管により熱喪失が増大する。

▶ 蒸発　気道や皮膚からの不感蒸泄などで，水分が気化するときに熱が逃げる。術中は粘膜や漿膜，皮膚や肺より水分が蒸発するが，蒸発による熱の喪失は少ない。それは術中は体温調節中枢の抑制により体温の閾値（いきち）（発汗する温度やシバリングが起こる温度）が変化し発汗しにくくなっており，また気道からの熱喪失も人工鼻により予防されているためである。

▶ 伝導　互いに接する物体間での熱交換であり，温度が高いほうから低いほうへ移動する。手術台などから熱が喪失する。術中は伝導による熱喪失は少ないが，意識のある患者には冷たい手術台などは不快である。

▶ 対流　空気や水などの分子の移動によって促進される熱移動であり，手術室内の空気の流速が速いと熱喪失が増大する。また手術室の構造上，患者の真上から送風されれば，その影響により，露出部位の熱の喪失は大きい。

これらの熱喪失に加えて，全身麻酔後早期から熱の再分布が起こる（からだの中で熱の分布が変わる）。麻酔導入前，患者は不安や緊張により末梢の血管は収縮し，さらに手術室の室温は比較的低く，服を脱がされて末梢温（外殻温（がいかくおん））は低下する。そこに麻酔により血管拡張が起こり，深部の熱は血流を介して末梢に移動する。温かい血液と冷たい血液が混ざることにより中枢温は急激に低下（麻酔導入から1時間で0.5～1.5℃低下）する。この熱の再分布による体温低下を**再分布性低体温**という（図4-16）。末梢温は一時的に上昇するようにみえる。

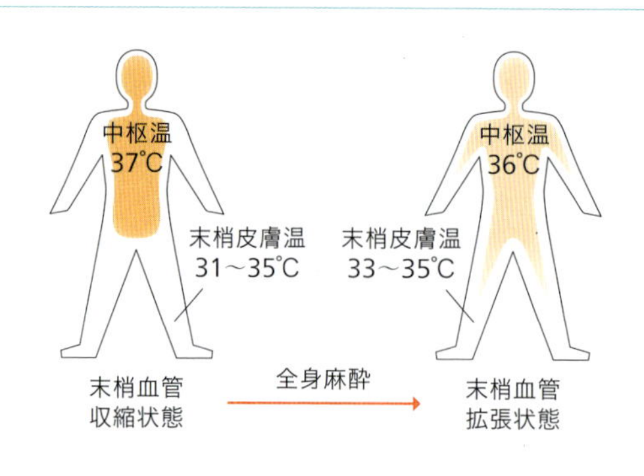

左図では体温調節中枢が末梢血管を収縮させ，熱を逃がさないようにしており，中枢温は37℃に保たれている。全身麻酔により末梢血管が拡張し，体温調節中枢が抑制され，温かい血液は末梢まで広がり，末梢から熱が奪われていく。このとき，末梢温は上がるため，体温は上昇したように思えるが，中枢温は下がっている。

出典／弓削孟文監，古家仁，他編：標準麻酔科学，第6版，医学書院，2011，p.184.

図4-16 再分布性低体温

3 体温管理の実際

(1) 体温測定

術中の体温測定（中枢温と末梢温）は様々な部位で測定が可能である。しかし，使用するデバイスの特徴により様々な影響を受けることを理解してモニタリングする必要がある。たとえば，膀胱温や直腸温では尿の量や開腹手術による影響を受ける可能性がある。

(2) 室温の管理

室温が28～30℃あれば，人間は裸でも中枢温はあまり低下しないといわれており，外気温が高ければ，放射と対流による熱喪失を防ぐことができる。

(3) ベッド・リネンの加温

術前からベッドや患者にかけるリネンを温めておくと，伝導による熱の喪失を防ぐことができる。

体温が正常でもシバリングが発生する!?

シバリングには，攣縮性と低体温性がある。

①攣縮性シバリング：過緊張性の振戦で，機序はあまり判明していないが，鎮痛が不十分な場合や神経系と筋肉への伝導がうまくいかないときに起こることが多い。

②低体温性シバリング：直腸温など深部体温の低下や末梢温の低下が起こった場合に，生理的な発熱反応として現れる。

それぞれ単独で発生することもあるが，複合して起こる場合もある。シバリングを防ぐため，患者の体温管理をする際には，患者の末梢（手や足など）に触れ中枢温と末梢温が引き離されることのないように注意する必要がある。たとえば中枢温が高くても末梢が冷たい場合には加温をする必要がある。術後，末梢温も中枢温も温かく，シバリングが起きている場合は鎮痛が不十分である場合を考慮して対応する。

(4) 体表面の被覆（保温）

入室前から退室まで，可能な限りからだの表面を覆い保温に努める。患者や病棟看護師にも協力してもらい，上にかける上着や掛物，長ズボンなどで可能な限り保温して出棟してもらう。被覆により，裸と比較して熱喪失を 30% 減らすことができるといわれている。頭部は血流が多いため，頭部を覆うことは有効である。

(5) 加温装置による加温

温風式加温装置は，体表に温風を吹き付ける（対流）ことで，体表面におよそ 30 ～ 50W の熱を与える。ブランケットの種類も豊富であり，術式や術野に合わせて可能な限り広い面積で加温できるものを選択する。温風式加温装置による熱傷の報告は非常に少ないが，まったくないわけではないので注意する。

再分布性低体温の予防として，手術の 30 分～ 1 時間程度前から加温するプレウォーミングが有効である。

(6) 輸液や輸血の加温

輸液・輸血用加温器を使用し輸液や輸血を加温する。未加温の輸液製剤や輸血製剤の投与は体温の低下を招く。

4 悪性高熱症

悪性高熱症とは，骨格筋の遺伝的異常（麻酔歴，家族歴の問診が重要となる）のある患者で，揮発性吸入麻酔薬や脱分極性筋弛緩薬への曝露（ばくろ）を契機に発症する。悪性高熱症の発生はまれ（6 万人に 1 人程度）であるが，発症した場合は早期に対処しないと致命的となる。

初期症状は頻脈，頻呼吸，$EtCO_2$ の上昇，低酸素血症に続き，急激な体温上昇（15 分に 0.5℃以上）かつ高体温（38℃以上），代謝性アシドーシス，不整脈，筋硬直，ミオグロビン尿（赤褐色尿），全身の発汗などがある。3 大徴候は，頻脈（ひんみゃく），発熱，アシドーシスである。

発症した場合は，原因となる薬剤（吸入麻酔薬，脱分極性筋弛緩薬）を中止し，純酸素（100% 酸素）で換気し，二酸化炭素の排出，麻酔回路と二酸化炭素吸収剤（ソーダライム）の交換，全身の冷却，特効薬であるダントロレンナトリウム水和物の投与，そして手術の中止も考慮する。

2. 呼吸管理

麻酔維持期の呼吸管理では，SpO_2，カプノグラム，血液ガス分析などをモニタリングしながら，換気や酸素化を評価する。術中の呼吸器合併症としては低酸素血症，高二酸化炭素血症，肺塞栓症，喘息（ぜんそく）などがある。

低酸素血症の要因には吸入酸素濃度低下や肺胞低換気，シャント，換気血流不均衡などがある。低酸素血症の基準は SpO_2 90% 未満であり，この値は動脈血酸素分圧（PaO_2）の約 60mmHg に相当する。SpO_2 90% 未満となると，酸素解離曲線のカーブは急激に下降する。つまり，血中の酸素飽和度と酸素含量が急激に少なくなる。術中・術後をとおして

SpO_2 のモニタリングを行い，低酸素血症が発生した場合は，原因を分析して迅速に対処する必要がある。

また，内視鏡下手術の増加に伴い，特殊体位や二酸化炭素ガスを使用し気腹を行う手術が増加しているため，それらによる呼吸への影響を考慮する必要がある。たとえば，下腹部の臓器に対して頭低位（トレンデレンブルグ［Trendelenburg］位）で行う手術では，重力によって横隔膜が腹腔内臓器に圧迫され，横隔膜の運動が制限されるため，機能的残気量の低下や無気肺が起こるリスクがある。また，気腹を行うと，横隔膜の運動が制限される可能性がある。さらに，気腹の影響により，高二酸化炭素血症やガス塞栓，気胸，皮下気腫などの合併症のリスクもあるため，注意して観察する必要がある。

3. 循環管理

全身麻酔薬の多くは，心収縮力の低下や血管拡張作用によって循環抑制をきたす。また，その一方で，麻酔深度が浅い場合や手術侵襲によって交感神経が刺激されると，血圧が上昇することもある。そのほか，手術体位や手術操作，特に静脈還流の変化，出血や水分出納（輸液や不感蒸泄，尿など）により循環変動が起こるため注意が必要である。

麻酔維持期の循環管理では，血圧，心拍数，尿量などをモニタリングする。酸素供給を司る血液が，血圧低下により心臓や脳などの重要な臓器に供給できなくなったり，血圧上昇により，心筋虚血や動脈瘤の破裂，脳出血などの合併症が起こったりするので注意する。尿量は腎血流，動脈圧，循環血液量の影響を受けるため，臓器血流の状態の指標となる。尿量の目標基準値は 0.5 ～ 1.0mL/kg/時間であり，体重 50kg の人であれば 25 ～ 50mL/時間が目標となる。

術中の水分出納で，確実に計測できるのは出血量と尿量である。

1 出血量

出血量は術野で使用された血液を含んだガーゼの重さを量り，そこからガーゼの重さ（事前にガーゼの種類ごとに 1 枚当たりの重さを計測しておく）を引くことで計測できる。さらに，術野で吸引を使用している場合は，吸引ボトルの目盛りを見て計測できる。吸引出血では，手術によって術野の腹水や羊水，尿などが混入することがあり，血性かどうかその性状にも注意が必要である。また，膀胱鏡や関節鏡など，灌流液を用いて行う手術では総吸引量から使用した灌流液の量を引いて出血量を計測する。術中の出血はガーゼ出血量と吸引出血の総量となる。

輸液・輸血などの治療方針にもかかわってくるため，出血量の計測は，循環血液量の変化を把握し，手術進行や患者の状態を麻酔科医に報告，共有することが重要である。

大量出血時は，末梢静脈ルートの追加や輸血，急速輸液装置，術野への止血薬や吸引の追加などマンパワーが必要となる。

2 輸液管理

成人の生体内の水分は体重の約60%であり，細胞内液40%，細胞外液20%（そのうち間質液15%，血漿5%）から構成されている。循環血液量は70mL/体重（kg）で概算することができ，体重50kgであれば約3500mLとなる。術中の輸液は，術前の水分不足（絶飲食，嘔吐，下痢など）や出血，サードスペースへの移行，麻酔薬の影響に伴う相対的な循環血液量の不足などに対応するために必要となる。

周術期に使用される輸液は主に細胞外液であり，生理食塩水，リンゲル液，人工膠質（こうしつ）液，アルブミン製剤などがある。リンゲル液には緩衝（かんしょう）剤の種類により乳酸リンゲル液，酢酸リンゲル液，重炭酸リンゲル液などがある。重炭酸リンゲル液は酢酸の分解による肝臓への負担を軽減させることができ，ブドウ糖加酢酸リンゲル液はエネルギー源として糖を利用させ，骨格筋のたんぱく分解を抑制し，術後の回復を促進させるなどの特徴がある。また腎不全や透析患者ではカリウムを含まない生理食塩水が選択される。人工膠質液は，分子量の大きなヒドロキシエチルデンプンを含む輸液製剤で，毛細血管の壁を通過しにくいため血管内にとどまりやすい。人工膠質液は細胞外液の約4倍の血漿増量効果があるため，出血や循環血液量不足に伴う急激な血圧低下時に選択される。

3 輸血

大量出血による問題は，循環血液量の減少により組織への酸素供給の低下，凝固因子などの低下により止血機能が低下することである。看護師は事前に出血のリスクをアセスメントするとともに，執刀医，麻酔科医とともに出血時の対応（輸血や止血製剤の使用など）を確認し把握する必要がある。

輸血を行う場合は，同意書の取得の確認，血液検査，血液バッグの確認，患者確認などを2人以上で行う（表4-8）。手術室で輸血を行う場合，切迫している場面が多いと考えられるが，輸血による合併症のリスクも考慮し，確実な確認が必要である。また，投与中・投与後は副作用の確認も行い，記録に残す。

❶赤血球液（RBC）

ヒト血液から白血球および血漿の大部分を除去した赤血球層に赤血球保存用添加液（MAP液）を混和したもので，通常はヘモグロビン（Hb）値が7～8g/dL程度あれば十分

表4-8 輸血用血液の保管方法

輸血製剤の種類	保管方法	有効期間
赤血球液（RBC），全血	2～6℃の保管	採血後21日間
新鮮凍結血漿（FFP）	−21℃以下の保管	採血後冷凍保存で1年間 融解後は直ちに使用，2～6℃の保存で24時間以内
濃厚血小板（PC）	20～24℃で水平浸透	採血後4日以内であるがなるべく早く使用することが望まれる

な酸素の供給が可能であるが，冠動脈疾患などの心疾患あるいは肺機能障害や脳循環障害のある患者では，Hb 値を 10g/dL 程度に維持することが推奨される。また，6g/dL 以下では輸血はほぼ必須とされている。RBC の使用目的は末梢組織への十分な酸素供給である。

❷新鮮凍結血漿（FFP）

ヒト血液から白血球の大部分を除去し，分離した新鮮な血漿を凍結したものである。厚生労働省の使用指針では FFP の使用目的を凝固因子の補充による治療的投与としている。FFP は解凍後 3 時間以内に使用しなければならないため，注意が必要である。

❸濃厚血小板（PC）

血液成分採血により白血球の大部分を除去して採取した製剤である。使用期限が採血後 4 日間と短いため，注意する。血小板輸血の目的は，血小板成分を補充することによって止血を図り，出血を防止することである。一般的に，血小板数が 5 万 / μL では輸血の必要はないが，2 万〜 5 万 / μL では止血困難な場合には血小板輸血が必要となる。

VI 麻酔終了から手術室退室までの看護

A 麻酔覚醒時の観察とケア

麻酔からの覚醒は，麻酔薬の作用の消失により，意識と自発呼吸の回復が本質となる。麻酔覚醒時も合併症や偶発事故の発生が多い時期であり，注意が必要である。吸入麻酔薬による麻酔から覚醒させる場合，麻酔が浅くなってくると「興奮期」という体動や咳，嚥下運動が強くなる時期が訪れて患者が暴れるため，手術台からの転落や，自己抜管や末梢静脈ルートなどの自己抜去に注意する。そのため，麻酔覚醒時は患者のそばから離れないようにする。また，突然の嘔吐や抜管後の再挿管にも備えて準備をすることが重要となる。

1. 抜管時の看護

抜管とは気管チューブ，あるいは声門上器具（ラリンジアルマスクなど）を抜去することである。抜管の基準としては，次のようなものがあげられる。

- 意識が十分に回復している（指示動作が可能，合目的行動の有無）。
- 咳反射がある（咳反射がない場合は誤嚥のリスクがある）。
- 自発呼吸が十分に回復している（1 回換気量≧ 5mL/kg，深呼吸が十分に可能，呼吸数≧ 10 〜 25 回 / 分）。
- 筋弛緩が十分に回復している（筋弛緩モニター TOF 比≧ 0.9）。
- 酸素化が十分である（P/F 比≧ 300）。
- 二酸化炭素分圧が正常である（二酸化炭素の貯留があると，抜管後に意識低下のリスクがある）。
- 循環動態，そのほかのバイタルサインに問題がない。

2. 症状発現時の看護

▶ **術後悪心**（おしん）**・嘔吐**（postoperative nausea and vomiting：PONV） 術後患者全体の30％，高リスク群では80％に発症する合併症である。患者側のリスク因子として，女性，PONVや乗り物酔いの既往などがある。発症すれば，患者によっては術後痛より大きな精神的ストレスとなり，患者満足度を低下させる。

B 退室時の看護

術後の患者は，手術室から直接病棟へ帰室する場合と，PACU（postanesthesia care unit：麻酔後回復室。回復室やリカバリーともよばれる，図4-17）などを経て病棟へ帰室する場合があり，施設の規模や考え方などにより様々である。どちらの場合も，術直後は患者の急変対応や手術・麻酔による合併症を早期発見する必要がある。PACUでは，看護師もしくは麻酔科医が患者の異常に早期に気づき，対応できる環境で監視している。

PACUでは次のようなことを中心に観察し，退室基準を満たしたのち退室となる。ここで留意しなければいけないのが，患者は麻酔，手術による影響を受けていることである。意識，呼吸，循環をみるときに基準となるのは単に正常値の範囲かどうかだけではなく，麻酔および手術を受ける前の値，つまり平常時の患者の値から逸脱していないかどうかである。

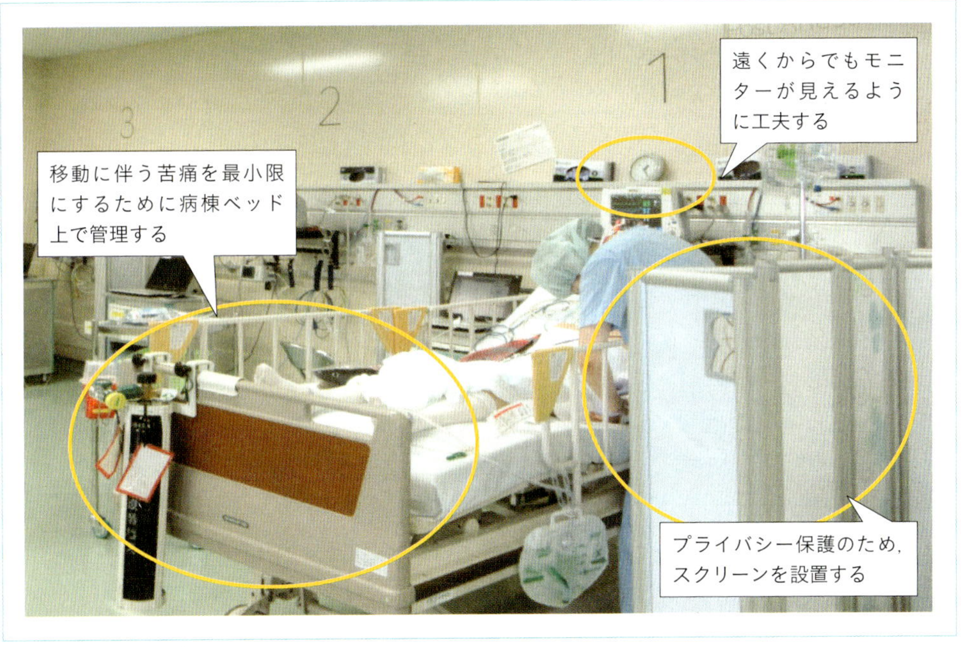

図4-17 PACUの様子

- **意識**：指示動作に従うことが可能など
- **呼吸**：気道閉塞の有無，呼吸数，SpO_2 など
- **循環**：術前と比較して著しい変動がないか，出血は許容範囲内か
- **痛み**：NRS ≦ 5，痛みのコントロールができているか
- **悪心・嘔吐**：なし，もしくは許容範囲内か
- **体温**：低体温やシバリングがないか
- **四肢の動き**：麻痺や痛みがないか

そのほか，硬膜外麻酔や脊髄クモ膜下麻酔による合併症や副作用，手術体位による褥瘡やコンパートメント症候群などの合併症も観察していく。

病棟への申し送り内容

手術室から病棟への申し送りは，術後への継続看護の第一歩である。そのため，その申し送り内容は病棟看護師が帰室後の経過を予測し，異常の早期発見，合併症の予防に生かすことができる内容とする。たとえば，手術の術式（予定術式から変更があればその内容も含む），麻酔方法，手術体位と皮膚・神経障害の有無，術中の経過（呼吸・循環動態，体温，出血など），手術室で留置された留置物（ラインや膀胱留置カテーテル，ドレーンなど），抜管後の経過（PONV，PACU での様子など），術中の状態および継続する看護問題について申し送る。また，予期せぬ術式の変更や術中病理診断の結果など，患者が知りたくない情報や医師と異なる情報を伝えると患者の不安や医療不信につながることもあるので，患者の前で申し送る場合は注意が必要である。

PACUで術後の患者さんを観察するメリットとは?

現在，全国の大学病院で手術室内に PACU を保有している割合は 16.1％（2012～2015 年 PACU 全国調査）といわれている。施設によっては，術後 1～2 日目の状態が安定する間を術後 ICU で管理するところもある。PACU での管理は全国的にはまだ少ないが，日本麻酔科学会などでは PACU 管理を行う必要性について重要視されるようになった。

では，PACU 管理のメリットについて考えてみよう。麻酔覚醒直後は，患者は最も不安定な状態であり，呼吸や循環状態および創部からの出血など，様々なリスクが考えられる。さらに，術後の「痛みや悪心・嘔吐（PONV）」という患者にとって最もつらい症状も出現する。本文で述べたように，PACU では患者のモニタリングを行い，痛みや悪心（おしん）・嘔吐（おうと）（PONV）といった苦痛を除去し，退室基準をクリアすることで，安定した状態で病室へ帰ることができるというメリットがある。また，患者の急変時や出血などによる再手術への対応も素早くでき，患者の安心・安全の保証につながっている。

出典／仙頭佳起：PACU（postanesthesia care unit）で強化する術後管理の三本柱（安全性，満足度，効率化），日臨麻会誌，37（3）：337-345，2017.

VII 手術室における医療安全

手術室では，患者が安全で安心な手術を受けることができるように多職種（執刀医，麻酔科医，手術室看護師，臨床工学技士，放射線技師，薬剤師など）が協力・連携し，チームとして安全で質の高い手術医療を提供していくことが重要である。しかし，手術室では，確認事項の多さや，メスやはさみといった鋭利で危険な手術器具などを取り扱うこと，高度な医療機器を使用すること，高度先進的な手術医療技術の進化に対応するための学習やトレーニングが日々必要となること，多くの職種がチームとして医療を実践しているため，コミュニケーションエラーが起こりやすいことなど，様々なリスクが潜んでいる。また，1つのミスが重大な事故につながりやすく，医療者各個人がルールやマニュアルを遵守した安全行動を徹底して実践しなければならない。ここでは，手術室看護師が実践するべき手術室における安全管理のポイントおよびWHO（世界保健機関）が提唱している「手術安全チェックリスト」について述べる。

1. 手術室における安全管理

1 患者誤認・手術部位誤認の防止

患者が手術室へ入室する際，本人による患者氏名の確認（フルネームで患者自身に名乗ってもらう）およびリストバンドでの確認を，医療者が複数名で実施する。近年では，患者認証のシステムが確立している施設も多くあり，リストバンドのバーコードを読み取り患者認証を行うなど，二重三重の確実な確認の実施で患者誤認防止に努めている。また，手術部位の誤認防止では，各施設の「手術部位マーキングの実施基準」などを遵守し（たとえば左右識別バンドの使用や手術する側にフェルトペンで印を付けるなど），手術室入室前に部位の確認を患者本人と医療者複数で実施する。

2 転倒・転落の防止

外回り看護師は，術前に患者の転倒･転落リスクの評価を行い，患者に付き添いながら，入室方法に応じた転倒・転落の防止を行う。患者は，手術台への移動時に転倒のリスクがある。外回り看護師は，患者の過去の転倒歴，使用薬剤，運動上・機能上の問題，年齢などからアセスメントし，転倒防止に努める。また，麻酔導入時・覚醒時には患者の体動が起きやすく，転落のリスクがあるため，付き添う人数を増やす，必要時は抑制するなどの転落防止に努める。特に小児は，突然泣いて暴れる（いつ動き出すかわからない，説明しても理解できない）など，転落のリスクが高いため，常にだれかが付き添い，からだを保持するなどの工夫が必要となる。

3 確実な滅菌物の提供

器械出し看護師は，術野で提供する器械・医療材料の滅菌状態を確認し，滅菌状態の保持に努めなければならない。手術器械を使用する前には，化学的インジケータおよび生物学的インジケータによるモニターを確認する。手術器械の十分な洗浄や滅菌工程，滅菌物の保管方法などに対する知識をもち，術中は器械を不潔にしないように管理し，滅菌の質の保証に努める必要がある。

4 体内遺残防止

手術では，使用する器械・器材が体内に遺残する危険性がある。手術室看護師は，他職種と協力しながら，器械・ガーゼ・針・そのほかの器材などについて，確実にカウントを実施する必要がある。基本的には，X線不透過の材質の器材を使用し，手術終了後はX線を撮影し，最終的に体内遺残がないことを確認しておくことが望ましい。

5 針刺し・切創の防止

手術室では，メスや針など鋭利な器械を取り扱うことが多いため，針刺し・切創を起こす危険性がある。手術室看護師は，執刀医と的確にコミュニケーションを図り，安全な器械の受け渡しを行い，針刺し・切創の防止に努める。また，針カウンターや針刺し防止機能付き留置針などを使用し，器械台のメスや針の置き場所もほかの器械と区別して管理するなど，安全対策を徹底する必要がある。さらに，感染防止として，キャップ・マスク・手袋・ゴーグルの使用など，PPE着用の徹底を職員全体で実践していく必要がある。

6 医療機器の使用前点検・メンテナンスの徹底，使用薬剤のダブルチェック

麻酔器やME機器（電気メスやモニター）が多く存在する手術室では，医療機器の安全で適切な取り扱いをしなければならない。仮に術中にトラブルが発生した場合は，患者の生命に直結する重大な医療事故になりかねない。手術室看護師は，医師や臨床工学技士と協力して，医療機器の安全で適切な取り扱いができるように，日頃から，使用方法の学習会やトレーニングを実施する必要がある。また，医療機器を使用する前に，手順に沿った使用前点検を確実に行い，トラブルシューティングについても掲示するなど，トラブル発生時に速やかに対応できるように準備しておかなくてはならない。

麻酔で使用する薬剤は，麻薬，静脈・吸入麻酔薬，筋弛緩薬，昇圧薬など劇薬・毒薬が多く，使用する量や濃度・方法などを間違えると患者の生命が脅かされてしまう。手術室看護師は，日頃から薬剤の作用などについての知識を十分に学習するとともに，麻酔科医・薬剤師とも協力して，**与薬の6R**（正しい患者，正しい量，正しい時間，正しい薬剤名，正しい用法，正しい目的）および使用期限などを麻酔科医とダブルチェック（複数の目で確認）し，安全に薬剤を使用する必要がある。

表4-9 患者安全に必要不可欠な10の目標

❶チームは，正しい患者の正しい部位に手術を行う。
❷チームは，患者の疼痛を軽減し，麻酔薬の投与による有害事象を防ぐ方法を使用する。
❸チームは，命に関わる確保困難または呼吸機能喪失を認識し，適切に準備する。
❹チームは，大量出血のリスクを認識し，適切に準備する。
❺チームは，患者が重大なリスクを有するアレルギーまたは副作用を誘発しないようにする。
❻チームは，手術部位感染のリスクを最小にする方法を常に使用する。
❼チームは，手術創内に器具やガーゼ（スポンジ）を不注意に遺残しないようにする。
❽チームは，すべての手術標本を入手し，正しく識別する。
❾チームは，効果的にコミュニケーションを行い，手術の安全な実施のために必要な情報交換を行う。
❿病院と公衆衛生システムは，手術許容量，手術件数と転帰の日常的サーベイランスを確立する。

出典／日本麻酔科学会：WHO 安全な手術のためのガイドライン2009．http://www.anesth.or.jp/guide/pdf/20150526guideline.pdf（最終アクセス日 2021/10/4）

7 安全に対する教育・トレーニング

手術室で発生したインシデント事例については振り返りを行い，二度と同じようなインシデントが発生しないように，対策についてスタッフで検討し，周知・徹底していく必要がある。特にKYT（危険予知トレーニング）は，短時間で実施することができ，有効なトレーニング方法である。ほかにも，4M4E分析，RCA分析，チーム・ステップスなどがあるが，スタッフ全員で取り組み，安全対策を実践的に行うことで，スタッフのリスク感性が向上し，最終的に患者の安全の保証につながると考えられる。

2. 手術安全チェックリスト

WHOは，世界中の手術による死亡を減少させるという目的で，2009（平成21）年に「安全な手術のためのガイドライン」を制定した。このガイドラインでは，患者安全に必要不可欠な10の目標を掲げている（表4-9）。また，WHOは，この10の目標の内容を盛り込んだ「**手術安全チェックリスト**」（図4-18）を作成し，サインイン（手術室入室～麻酔導入前），タイムアウト（皮膚切開前），サインアウト（手術室退室前）の3つの場面で，手術にかかわるスタッフ全員が作業の手を止めて確認行動を行うことを推奨している。「手術安全チェックリスト」を使用する目的は，正しいと認められた行為を補強し，手術にかかわる医療スタッフ全員のより良いコミュニケーションとチームワークをはぐくむことで，手術における患者の安全を保証するものである。

次に，サインイン，タイムアウト，サインアウトの一例を記載する。

1 サインイン（手術室入室～麻酔導入前）

サインインは，患者が手術室に入室し，患者認証後，モニター装着前に実施する。患者，執刀医，麻酔科医，手術室看護師で，作業の手を止めて行う。外回り看護師主導のもとサインインを行い，手術看護記録にサインインの実施を記録する。超緊急の帝王切開手術や

手術安全チェックリスト（2009年改訂版）

WHO（世界保健機関）/ 患者安全

麻酔導入前	皮膚切開前	手術室退室前
（少なくとも，看護師と麻酔科医で）	（看護師，麻酔科医，外科医で）	（看護師，麻酔科医，外科医で）
患者本人に間違いのないこと，部位，術式，手術の同意の確認はしたか？ □ はい 手術部位のマーキングは？ □ はい □ 適応でない 麻酔器と薬剤のチェックは済んでいるか？ □ はい パルスオキシメータが患者に装着され作動しているか？ □ はい 患者には： アレルギーは？ □ ない □ ある 気道確保が困難あるいは誤嚥のリスクは？ □ ない □ ある，器具 / 介助者の準備がある 500mL（小児では 7mL/kg）以上の出血のリスクは？ □ ない □ ある，2 本の静脈路 / 中心静脈と輸液計画	□ チームメンバー全員が氏名と役割を自己紹介したことを確認する． □ 患者の氏名，術式と皮膚切開がどこに加えられるかを確認する． 抗菌薬の予防的投与が直前60分以内に行われたか？ □ はい □ 適応でない 予想される重大なイベント 外科医に： □ 極めて重要あるいは通常と異なる手順があるか？ □ 手術時間は？ □ 予想出血量は？ 麻酔科医に： □ 患者に特有な問題点は？ 看護チームに： □ 滅菌（インジケータ結果を含む）は確認したか？ □ 器材の問題あるいは何か気になることがあるか？ 必要な画像は提示されているか？ □ はい □ 適応でない	看護師が口頭で確認する： □ 術式名 □ 器具，ガーゼ（スポンジ）と針のカウントの完了 □ 摘出標本ラベル付け（患者氏名を含め，標本ラベルを声に出して読む） □ 対処すべき器材の問題があるか？ 外科医，麻酔科医，看護師に： □ この患者の回復と術後管理における重要な問題点は何か？ 【日本麻酔科学会ワーキンググループ訳】 このチェックリストには，すべてのものを含むことを意図していない。施設の実情に応じた追加・改変が推奨される。

出典／日本麻酔科学会：WHO 安全な手術のためのガイドライン 2009．http://www.anesth.or.jp/guide/pdf/20150526guideline.pdf（最終アクセス日：2021/10/4）

図4-18 WHO手術安全チェックリスト

心臓血管外科手術では，一刻を争うため，必要最小限の項目（患者氏名，術式，部位など）に省略される場合がある。

- 患者氏名，手術する部位，左右の確認（患者に答えてもらう）
- 術式（執刀医）
- 麻酔器と薬剤のチェックは済んでいるか，気道確保が困難ではないか，誤嚥のリスクはあるか，器材・応援の準備はあるか（麻酔科医）
- 抗菌薬投与の有無，「〜を」「〜 g」「〜時間ごとに」投与するか，患者のアレルギーの有無（ある場合は種類），準備血はあるか，「〜を」「どのくらい」準備しているか（執刀医）
- 関節可動域制限の有無（ある場合は部位と程度）（外回り看護師）

2 タイムアウト（皮膚切開前）

タイムアウトは，執刀（皮膚切開）直前に，手術にかかわるスタッフ全員が作業の手を止めて行う。外回り看護師主導のもとタイムアウトを行い，手術看護記録にタイムアウトの実施を記録する。超緊急の帝王切開手術や心臓血管外科手術では，一刻を争うため，必要最小限の項目（患者氏名，術式，部位など）に省略される場合がある。

- 自己紹介（手術ルームにいるスタッフ全員）
- 患者氏名，手術部位，術式，極めて重要あるいは通常と異なる手順の有無，手術時間，予想出血量，必要な画像は提示してあるか（執刀医）
- 患者に特有な問題点の有無，抗菌薬予防投与は60分以内に行ったか（麻酔科医）
- 滅菌・インジケータの結果は確認したか，看護上の問題，何か気になっていること，報告や確認しておきたいことはあるか（器械出し看護師）
- 看護上の問題，何か気になっていること，報告や確認しておきたいことはあるか，DVT予防装置の稼働を確認したか（外回り看護師）

3 サインアウト（手術室退室前）

サインアウトは，手術終了後に，手術にかかわるスタッフ全員が作業の手を止めて行う。その際，外回り看護師主導のもとサインアウトを行い，手術看護記録にサインアウトの実施を記録する。

- 器械・ガーゼ・針のカウントは完了しているか（器械出し看護師）
- 病理検体の個数・種類・保存方法の確認およびラベル付けは完了しているか（外回り看護師）
- 術後X線撮影は必要か（執刀医）
- 使用した器材・器械に問題はないか（器械出し看護師，外回り看護師）
- 患者の術後の回復と管理についての主な問題点は何か（執刀医，麻酔科医，外回り看護師）

サインイン，タイムアウト，サインアウトの実施においては，各職種が把握している患者の情報や問題点を手術チームのスタッフ全員が共有・共通認識することにより，患者に不測の事態が起きた場合に，スタッフ全員が連携し，迅速に対処できることが重要である。これは，患者の命を救うことにつながる。

文献

1) 日本麻酔科学会・周術期管理チーム委員会編：周術期管理チームテキスト，第3版，日本麻酔科学会，2016，p.427.
2) 金井一薫：ナイチンゲールの『看護覚え書』イラスト・図解でよくわかる！，西東社，2014，p.28.
3) 日本手術看護学会監，日本手術看護学会手術看護基準・手順委員会編：手術看護業務基準，日本手術看護学会，2017，p.2.
4) 日本手術医学会：手術医療の実践ガイドライン，日手術医会誌，34（Suppl）：37，2013.
5) 前掲書4)，p.39.
6) 弓削孟文監，古家仁，他編：標準麻酔科学，第6版，医学書院，2011，p.122.
7) 日本麻酔科学会・周術期管理チーム委員会編：周術期管理チームテキスト，第4版，日本麻酔科学会，2020，p.18.
8) 日本麻酔科学会：気道管理ガイドライン2014（日本語訳）より安全な麻酔導入のために，麻酔導入時の気道管理アルゴリズム．https://anesth.or.jp/files/pdf/20150427-2guidelin.pdf（最終アクセス日：2021/10/4）
9) 伊藤正明ほか：循環器病ガイドラインシリーズ．肺血栓塞栓症および深部静脈血栓症の診断，治療，予防に関するガイドライン（2017年改訂版）https://js-phlebology.jp/wp/wp-content/uploads/2020/08/JCS2017.pdf（最終アクセス日：2021/10/4）

参考文献

・厚生労働省：［要約］赤血球濃厚液の適正使用，http://www.mhlw.go.jp/new-info/kobetu/iyaku/kenketsugo/5tekisei3b01.html（最終アクセス日 2021/8/19）
・武田純三編著：オペナースがパッと調べてサクサク使える！　手術室の薬剤 122，オペナーシング　2014 年　春季増刊，2014.
・整形外科看護編集部：医師・先輩ナースの「専門用語」がパッとわかる整形外科のキーワード辞典 394，メディカ出版，2018.
・中川朋子：外回り看護パーフェクトブック；決定版！　できる手術室看護師になる！，オペナーシング，2011 年春季増刊，2014.
・草柳かほる，他編著，手術室看護：術前術後をつなげる術中看護〈ナーシングプロフェッショナルシリーズ〉，医歯薬出版，2011.
・讃岐美智義：Dr. 讃岐のツルっと明解！周術期でよく使う薬の必須ちしき；メディカのセミナー濃縮ライブシリーズ，メディカ出版，2016.
・横野諭編著：手術室の安全医学講座，金芳堂，2015.
・横野諭編著：手術室の安全医学講座 Part2，金芳堂，2017.
・日本麻酔科学会：WHO 安全な手術のためのガイドライン 2009，http://www.anesth.or.jp/guide/pdf/20150526guideline.pdf（最終アクセス日：2021/10/4）
・妹尾安子：手術看護 10 日間速習＆完全マスター；オペナース必修講座，メディカ出版，2016.

第5章 術後の患者・家族の看護

この章では

- 術後の患者の異常を早期発見するための看護実践と家族への看護について理解する。
- 機能低下から早期回復と合併症対策について理解する。
- 術後疼痛のコントロール方法と看護について理解する。
- 周術期の感染対策と看護について理解する。
- ドレーン留置の目的と留置中の看護について理解する。

I 患者・家族の看護

手術は外科的治療の一つであり,「手術の成功」が術後の患者と家族のゴールとなる。加えて,術後の患者に対する異常の早期発見と合併症の予防は重要である。そのため,術後は,「合併症を起こさず,速やかな心身の回復と生活への適応をみせる」という看護目標があげられる。この看護目標を達成するために行う看護師のケアのポイントを術直後と術後回復期に分けてみると表5-1のように示される。

A 情報収集とアセスメント

1. 術直後の患者の様子

患者は,手術が無事に終わり,麻酔から覚醒して手術室退室の条件を満たせば,病棟もしくは集中治療室(intensive care unit;ICU)へ移動する。手術室から病棟もしくはICUへ移動する際は,手術室看護師から病棟看護師もしくはICU看護師に,術中の患者の状態について,表5-2の項目について引き継ぎがなされる。

この時点では,患者は,麻酔から半覚醒の状態であり,意識が清明ではない。深呼吸をして,自力で酸素を体内に取り入れていけるように看護師はかかわる必要がある。そのために,「○○さん,手術は無事に終わりましたよ。わかりますか?」や「○○さん,大きな呼吸を繰り返し行ってください」「家族の方がお見えになっていますよ」など,深呼吸を促進しながら,覚醒を促す声掛けを行う看護実践は重要である。

また,この時期は全身の循環動態が不安定であるため,移動中も循環動態の変動に注意する。酸素を吸入しながら,病棟もしくはICUへ移動する。麻酔の影響,主に鎮痛薬の影響で悪心(おしん)・嘔吐(おうと)を引き起こしやすい。嚥下(えんげ)反射が十分に戻っていない場合は,胃液のような内容物が口腔内に上がってきたときに誤嚥(ごえん)のおそれがあるため,顔を横に向け,膿盆(のうぼん)を当てて吐物を吐き出させて,誤嚥を予防する。

2. 全身状態の綿密な観察

術後の異常の早期発見と合併症の予防に向けて,全身状態の綿密な観察が必要となる。原則として,帰室直後1時間は15分ごとに全身状態を観察する。その後の1～2時間は,30分ごとに全身状態の観察を行う。それ以降の24時間は,状態に応じて2～3時間ごと

表5-1 術後・術後回復期における看護師のケアのポイント

術直後	• 全身状態の綿密な観察により,異常の早期発見に努める • 苦痛の緩和(術後疼痛緩和,ほかの苦痛に対する安楽ケア)に努める
術後回復期	• 術後合併症を予防するために,早期離床を促進する • 身体機能の変化と日常生活への適応を促す(日常性の回復)

表5-2 手術室看護師からの申し送り事項

申し送り事項	内容の様式
病棟名・患者名	（　　　）様
試行術式	（　　　）
手術の開始時刻・終了時刻	（ ）時（ ）分・（ ）時（ ）分
所要時間	（ ）時間（ ）分
術中の体位	（　　　）位
麻酔法	全身麻酔，硬膜外麻酔など，GOE（笑気エーテル麻酔），GOF（笑気フローセン麻酔），m-NLA（神経遮断麻酔）
麻酔時間	（ ）時（ ）分・（ ）時（ ）分まで
麻酔薬	使用された麻酔薬
硬膜外麻酔	挿入部位，方向，使用薬剤
硬膜外麻酔の部位と使用薬剤	
術中の呼吸循環動態	麻酔経過記録に準ずる
術中の使用薬剤とその効果	例：（ ）時（ ）分ラシックス®5mg
輸液量と輸血量	（　　　）mL
出血量	（　　　）mL
尿量	（　　　）mL
手術創の図示	皮切・採皮の部位・大きさ
ドレーン類の挿入部位	閉鎖式ドレーン，開放式ドレーン，部位・方向
ライン・カテーテルの種類	図示するなど
体内に挿入されている材料	品名，サイズ，数
看護内容	#問題ごとに実施した内容をSOAP or DAR or 継時記録として記載
帰室時のバイタルサイン	BP=（ ）mmHg，P=（ ）回/分，R=（ ）回/分，T=（ ）℃
麻酔からの覚醒状態	（　　　）
その他	術中トラブル，MAP（添加濃厚赤血球）・FFP（新鮮凍結血漿）など

出典／中村美鈴編：すぐに実践で活かせる周手術期看護の知識とケーススタディ，日総研出版，2004，p.28-29．をもとに作成．

に，異常がないかどうかていねいに観察を行う。具体的には図5-1のような観察ポイントを念頭に置いて，術後の全身状態の観察を行う。

特に，この時期は，麻酔の影響や術前の患者のコンディションとの関連で，様々な症状を引き起こしやすい。そのため，何らかの異常を早期発見するためには，看護師としての五感をフルに活用し，全身のフィジカルアセスメントをしながら，「術後，この時期にこの症状は正常なのか，異常なのか」という問題意識をもって意図的に観察することが重要である。さらに，直感的に「おや，何か，ちょっと変？」と目の前の患者の状態をキャッチできるスキルが重要となる（図5-2）。

異常が疑われるようであれば，ていねいに観察を続け，正常ではない，もしくは異常と判断できる場合は，適宜，医師に報告する。順調な経過をたどる場合は，術後1病日から早期離床の訓練が開始される。術後2～3日目頃には患者の容態はダイナミックに回復の経過をたどる。術後2～3日目の情報収集と観察ポイントを表5-3に示す。

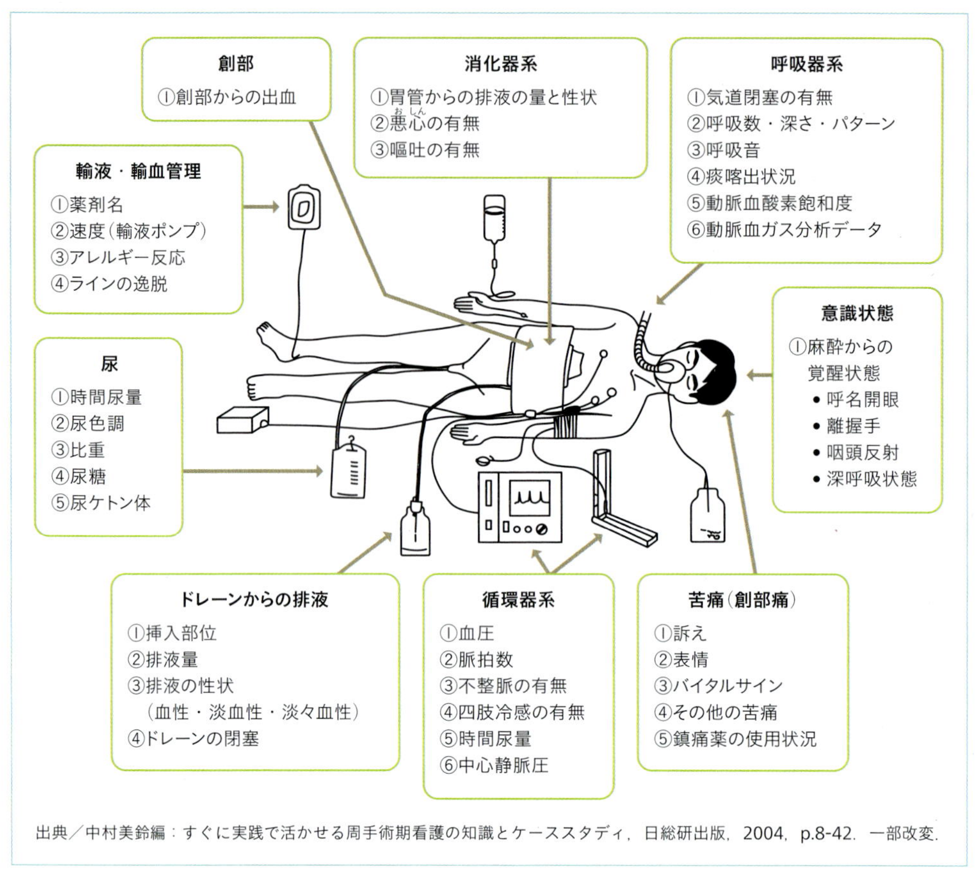

図5-1 術直後の情報収集と観察ポイント

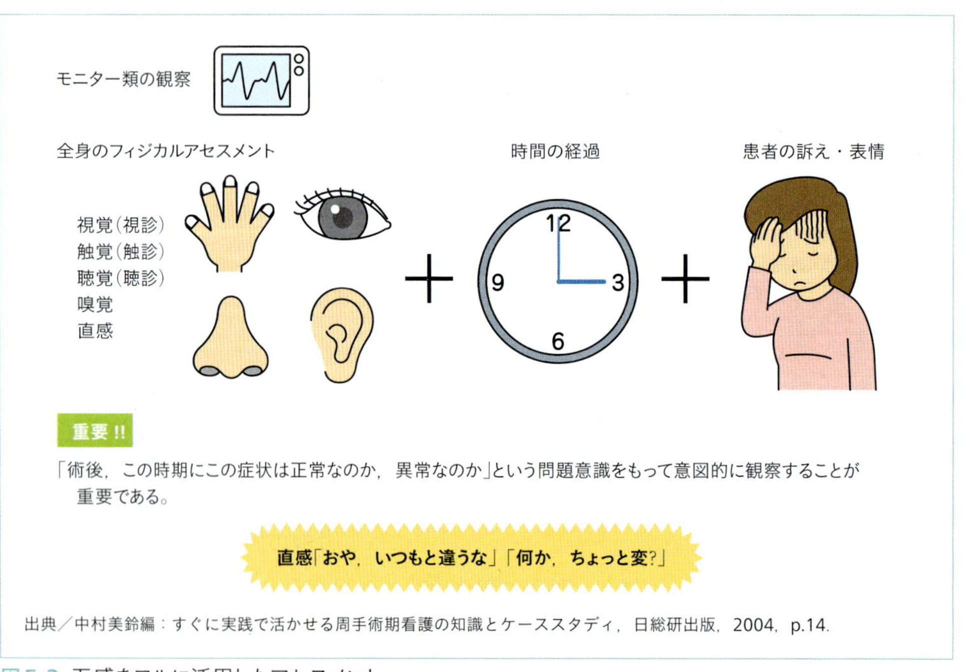

図5-2 五感をフルに活用したアセスメント

表5-3 術後2～3日目の情報収集と観察ポイント

情報の項目		観察ポイント
身体面	苦痛	創部痛，体動痛，その他の苦痛
	呼吸	呼吸数，呼吸音，痰の色・量・性状，X線像
	循環	血圧，脈拍数・リズム，浮腫
	消化器	腸蠕動音，腹部膨満・腹部膨満感，排ガスの有無，排便の有無，経口摂取の開始状況
	尿	カテーテル抜去時期，膀胱（バルーン）訓練，排泄方法（ポータブルトイレ）
	創部	治癒状況，ドレーンからの排液，ドレーン類抜去時期，感染徴候の有無
精神状態		睡眠状況，見当識
心理・社会面		精神活動レベル，読書・テレビ，重要他者との関係
離床状況		体動範囲，歩行距離，日常生活

3. 術後期にある患者の生体反応

術後の異常の早期発見と合併症の予防に努めるには，視覚的に観察してとらえられる情報以外に，手術侵襲によって生じる生体内の反応，すなわち神経内分泌系ならびに代謝系の反応を，からだの臨床所見と照らし合わせて情報収集しつつ，アセスメントする。

フランシス・ムーア（Moore, F. D.）は，術後の生体の回復過程について，第1相：傷害期（異化期），第2相：転換期（術後3，4～7日間），第3相：筋肉回復期（術後1～数週間），第4相：脂肪蓄積期（第3相後～数か月間）という4つの相があると提唱した（本編-第1章-II「周術期にある患者・家族の特徴」参照）。現在でも，この理論は，術後のアセスメントを行う際に活用されている（表5-4）。

4. 術後患者の一般的な回復過程

術後の患者にとって，手術創部の痛みは術後9～13時間がピークといわれている。そのため，術直後から術後1日は一般的に周囲への関心はなく，疼痛の少ない楽な姿勢から動こうとしない。そのため，早期離床の必要性を繰り返し説明し，離床を促す看護が必要である。また，腸蠕動（ぜんどう）も始まる時期であるが，術後24～72時間以内に腸蠕動音が聴診できない場合は，術後の麻痺性イレウスの危険性があるため，留意して経過観察し，適宜，医師に報告をする。

術後3日前後より，手術創部痛が軽減し体動が容易となる。順調な経過をたどる場合は，腸蠕動も回復する時期である。動く意思はあるが体力回復が不十分な状態である。早期離床の必要性を理解しつつ取り組む患者と，「痛むのに動く必要性があるのか」と疑問をもち早期離床の必要性について教育的かかわりを要する患者がいる。さらにこの時期は，早期離床以外に，手術による機能低下や機能喪失という現実に直面する時期である。そのため，周囲および自己へ関心が向き，今後の成り行きなどが気がかりな時期であるため，患

表 5-4 術後の身体所見の特徴

	第 1 相（傷害期）	第 2 相（転換期）	第 3 相（筋力回復期）	第 4 相（脂肪蓄積期）
時期	手術による侵襲開始～術後 2～ 4 日	術後 2～ 6 日間	術後 1～数週間	第 3 相後～数か月間
臨床所見	• 頻脈・体温上昇・血圧上昇 • 血糖値上昇 • 尿量減少 • 尿中 K ↑，Na ↓，Cl ↓ • 腸蠕動・分泌は減弱～消失 • 体重減少（成人 2～ 4kg 減少） • 周囲（食事・見舞客など）への関心の欠如 • 疼痛の少ない，楽な姿勢から動こうとしない • 手術創部の疼痛あり（術後 9～ 13 時間ピーク） • 創部の癒合･張力は弱く，糸を切れば容易に離解する	• 脈拍・体温正常 • 尿量増加 • 尿中 K ↓，Na ↑，Cl ↑ • 腸蠕動回復，食欲回復 • 周囲への関心が戻る • 手術創部痛が消失し，体動が容易となる • 動く意思はあるが，体力回復が不十分 • 手術による機能の低下・喪失という現実に直面 • 術後 3～ 4 日目頃から創部痛は治まり，創部が癒合し，張力が完成	• 食欲も良好，便通も正常化 • 体重の回復がみられる • 体動に苦痛がなくなり，体力もつき，運動が可能になる • 社会のなかで自己の位置付けに関心をもち，自己を受容できる • 創部痛はまったく消失し，赤色瘢痕	• 体力の十分な回復→日常生活に戻る • 体重の増加 • 現実に適応するような努力がみられる • 白色瘢痕

出典／中村美鈴編：すぐに実践で活かせる周手術期看護の知識とケーススタディ，日総研出版，2004，p.22-23．をもとに作成．

者の言動や反応の観察は重要である。

術後 5 日頃より体動に苦痛がなくなり，体力もつきはじめて体動が容易となる。また，患者は早期離床が順調に進むことで，回復意欲も高まってくる時期である。社会のなかでの自己の位置付け，目の前の自己のありように関心をもちはじめる。手術による今後の生活行動の変更や療養生活に対して，漠然とした不安を抱く時期でもある。

術後 7 日頃より，適宜，抜糸・抜針が行われる。体力もしだいに回復して，患者は自身の日常性に関心が高まり，現実に適応するような努力がみられる時期である。

5. 術後の創傷治癒過程

術後の異常の発見と合併症予防のための情報収集に重要な観察項目とアセスメントとして，術後の創傷治癒過程がある。人為的に切開された創傷は，一般的には表 5-5 のような治癒過程をたどる（本章 - Ⅳ「感染対策」参照）。

B 看護問題

全身麻酔で手術を受けた患者は，麻酔侵襲（しんしゅう）ならびに手術侵襲により，一般的に次のような看護問題を引き起こしやすい。

- 麻酔・手術侵襲に関連した呼吸機能の低下
- 麻酔・手術侵襲に関連した循環機能の低下
- 麻酔・手術侵襲に関連した消化機能の低下
- 疼痛出現の危険性
- 早期離床遅延の危険性
- 疾患・治療や今後の生活に関連した不安・苦悩

表5-5 術後の創傷治癒過程と創部合併症

	第1段階（血液凝固期） 術後～数時間	第2段階（炎症期） 術直後～3日目頃	第3段階（増殖期） 3日目頃～3週間	第4段階（成熟期） 2週目頃～数か月
創傷の治癒過程	•血管収縮による止血 •血小板による血液凝固	•白血球の遊走と食作用が起こる •再生上皮による上皮化が24時間以内に始まり，48時間以内に完了する	•線維芽細胞の増生，コラーゲンの産生によって，肉芽（にくげ）細胞が形成される（コラーゲン産生は5～7日がピーク） •毛細血管が創部に侵入し，ネットワークを形成する •通常7日目頃には創部は癒合し，抜糸できる	•線維芽細胞が減少し，成熟した線維芽細胞に変化する •コラーゲンの再構築が起こり，創部の抗張力が増す
創部合併症	•術後出血 不十分な縫合や止血，麻酔覚醒時の急激な血圧上昇などが原因で起こる。術後24時間以内に起こりやすい		•創部感染 血液や滲出液（しんしゅつえき）が創部に貯留し，またドレーンなどを介して細菌の侵入などがあると，そこが細菌増殖の母地となり，創部感染を起こす •創部哆開（しかい）（創部離開） 低栄養状態，高齢，糖尿病合併，大量ステロイド薬使用などの患者は創傷の治癒過程の進みが悪く，肉芽形成が遅延するため，創部が治癒せず，離開してしまう	

出典／中村美鈴編：すぐに実践で活かせる周手術期看護の知識とケーススタディ，日総研出版，2004，p.22．一部改変．

1. 呼吸機能の低下

一般的に，看護問題および共同問題の優先順位としては高い。患者は，手術のために全身麻酔を施行され，その間は呼吸保持のために気管挿管を行っている。気管挿管は，気管支粘膜の刺激となり，線毛運動を抑制し，気道分泌物（いわゆる痰）を増加させる。さらに術後は痛みに伴い痰の自己喀出（かくしゅつ）がつらく，喀痰（かくたん）困難を引き起こしやすい。また，術前から喫煙の習慣がある患者は痰の増加をきたす。痰の増加は術後2，3日まで生じやすく，痛みと相まって，喀出困難から無気肺や肺炎を引き起こしやすい。

2. 循環機能の低下

術後は循環動態の変動を伴いやすい。術式にもよるが，特に術中の手術操作の影響により，また高血圧の既往のある患者などは，術後の循環動態が不安定になりやすいため，血圧や脈拍の値，心電図モニターの波形に注意が必要である。

また術後は，手術操作の影響や止血が不十分な場合に術後出血を生じやすい。術後出血は術後24時間以内に生じる。術後出血が生じると循環動態に大きな変動をもたらし，急激な血圧低下を招く場合もある。

さらに，長時間にわたり同一体位を保つことで，静脈還流が停滞し，深部静脈に血栓ができやすい，すなわち深部静脈血栓症（deep vein thrombosis；DVT）を引き起こしやすい状態となる。いわゆるエコノミー症候群によく似た状態である。形成された血栓が遊離して，静脈血流に乗り，肺に移動して肺動脈を閉塞すると肺血栓塞栓症を引き起こして重篤な状態になるため，注意が必要である。

3. 消化機能の低下

開腹手術の場合は，手術創の視野拡大のため，手術操作により腸管を生理食塩水ガーゼで乾燥しないようにくるんだり，腹鈎（手術器具）で操作したりするため，これらの操作が要因で，**麻痺性イレウス**を引き起こしやすいといわれている。これらの操作と併せて，全身麻酔薬と併用して，筋弛緩薬を静脈内注射で注入され，全身の筋肉の弛緩に加え，腸管も弛緩状態にあり，腸蠕動運動は抑制される。このような手術に伴う腸管の操作や術中の空気との接触，筋弛緩薬による腸蠕動の抑制が，術後の腸管運動の低下を招き，麻痺性イレウスを引き起こしやすい。

4. 疼痛に伴う苦痛

手術操作による切離・剝離，切断，切除などに伴う侵害受容性の疼痛を生じる。侵害受容性の疼痛は，健常な組織を傷害し，侵害刺激が加わったために生じる疼痛である。一般的に創部痛は，急性疼痛で術直後から9～13時間でピークになり，術後48時間までの創部痛が最も多い。3～4日目から緩和傾向となる。そのため，この時期の疼痛コントロールは重要である。

また，疼痛は創部痛のみではなく，臓器切除による内臓痛，内部組織の剝離，手術操作に伴う牽引痛，ドレーン挿入部の表在痛，腰背部痛，手術体位に伴う疼痛などがある。

さらに，疼痛は主観的なものであることから，術後疼痛に対する反応は十人十色で個人差が大きい。術後疼痛は，手術操作，術後の環境，患者特性（過去の体験，手術への心構え，対人関係），体動時や咳嗽時，それ以外に不穏時に増強しやすい。疼痛コントロール不良の場合は患者の苦痛を伴い，全身の回復に影響を及ぼす。

5. 早期離床遅延の危険性

術後の呼吸器合併症や術後の麻痺性イレウスを予防するために，早期離床は重要である。しかし，患者は術後の疼痛コントロールが不良のため，体動により痛みが助長されたり，手術した創が開いたりするのではないかという危惧から，早期離床の必要性を理解していても，なかなか動こうとしない場合がある。

6. 疾患・治療や今後の生活に関連した不安・苦悩

疼痛が緩和する時期になると，自己の今後の生活に関心が向く。そのため，一般的に患者は疾患や治療に対して漠然とした不安を抱きやすい。加えて，見通しの立たない今後の生活，社会復帰や家族との生活に対しても不安を抱きやすい。

患者の不安や苦痛は，一人ひとりの術後の状況によって，個別性がある。たとえば，進行がんの30歳代後半の女性患者は，自分のからだよりも自宅にいる子どもや今後の生活が最も気がかりだったり，別の40歳代前半の男性患者は，同一体位による背部痛が最も気になり，このまま痛みが緩和しないのではないかと不安になったりする。また一度は納得して人工肛門造設手術を受けた患者が，実際に造設された人工肛門を見て「こんなはずじゃなかった……」というような苦悩を抱える場合もあり，患者の不安・苦悩は多様である。

C 患者・家族へのケア

1. 呼吸機能回復のためのケア

術前から呼吸機能障害が予測される場合，合併症を起こすリスクは高くなる。ゆえに，深呼吸やボルダイン®の使用など肺胞の拡張や呼吸筋の強化を促す呼吸訓練（本編 - 第3章 - II「手術に向けた準備」参照）や，早期離床といった合併症に対する術前からの予防行動や，術後の呼吸訓練を実施できるよう，教育的意図をもってかかわる。しかし，術後は疼痛や苦痛を感じることが多く，呼吸器合併症に対する予防行動は促しても行いにくい状況であるため，十分な教育的な看護が必要である。

2. 循環機能回復のためのケア

術後は，術直後から図5-1に示すように，全身の綿密な観察が重要である。特に，バイタルサインの値には注意する。併せて，ドレーンからの排液や創部からの出血に対しても注意深く観察する。**1時間に約100mL以上**の血性の出血を認める場合は，血圧低下や頻脈が出現するおそれがあるため，すぐに医師に報告する。心電図モニターの観察においては，不整脈の出現に注意する。多量の出血を認める場合は再手術となる場合もあるため，医師の指示に従うと同時に，患者の協力を得ながら心理面のケアを行う。

DVTの予防に対しては，術中から弾性ストッキングの着用や，間欠的空気圧迫装置の使用により，静脈血栓の予防に努める。ほかには，ベッド上で下肢を挙上する，足関節の底背屈運動を行うなど，静脈還流を促すとよい。この足関節の底背屈運動は，看護者による他動運動よりも，患者自身の自動運動のほうが一定の効果がある。そのため，患者に対して，足関節の底背屈運動の必要性を教育的に説明することが重要となる。

3. 消化機能回復のためのケア

術後の麻痺性イレウスの予防には，麻酔薬の影響で抑制されていた腸管の蠕動（ぜんどう）運動を促すために，術後早期から早期離床を促進するケアが重要となる。

また，腸蠕動の回復を把握するために，排ガスの有無や腸蠕動音，触診など，フィジカルアセスメントを実施する。併せて，腹部X線画像上では腸管ガスを多数認めるため，それらの身体所見と術後の経過をふまえ，目の前の患者の状態をアセスメントする。術後24～48時間以内に，排ガスを認めなかったり，腸蠕動音が低下したり，聴取できない場合は，イレウスの危険性が高いため医師に報告をする。イレウスの程度にもよるが，温罨（おんあん）法や腸管の走行に即して「の」の字を描くように**腹部マッサージ**などのケアを実施するとよい。

4. 疼痛緩和

術前オリエンテーションにおいて，術後の疼痛コントロールとして硬膜外自己調節鎮痛法（patient-controlled epidural analgesia；PCEA）（図5-3）の説明がなされることが多い。創部痛とそのほかの苦痛を見分けてアセスメントする。

また，痛みは，後出図5-10に示すような痛みのスケールを用いて，客観的に評価する。

5. 早期離床促進のためのケア

術後は疼痛コントロールが良好に行われ，患者の回復の経過に即して，その患者の治療上の生活のなかで，早期離床を段階的に拡大していく看護が重要となる。

早期離床とは，「術後患者の呼吸や循環機能を促進して体力の回復を速やかにするため，術直後から少しずつ体位変換，深呼吸，手足の自動運動・他動運動を行い，できるだけ早

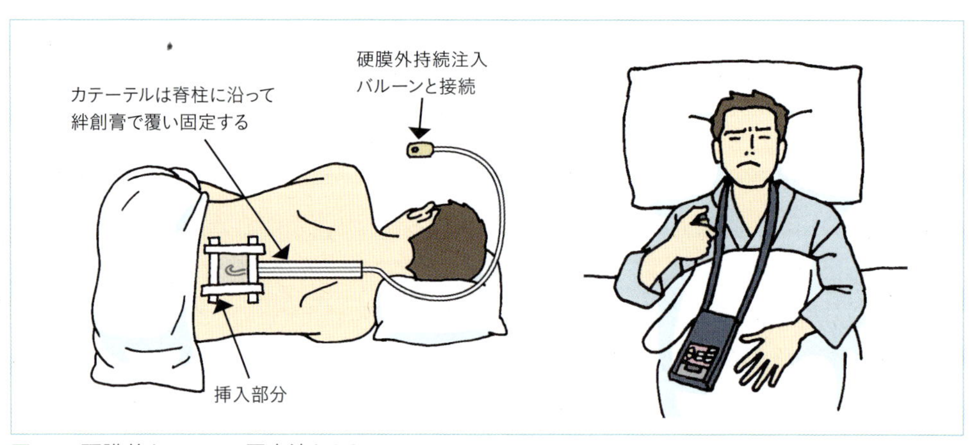

図5-3 硬膜外カテーテル固定法とPCEA

表5-6　早期離床の目的と具体的内容

目的	具体的内容
❶術後呼吸器合併症の予防	• 横隔膜を下げ，ガス交換面積を拡大する。 • 酸素消費量の増加に伴って，呼吸運動を促進し，痰の排出を促す。
❷循環の促進	• 静脈のうっ滞を防ぎ，静脈血栓や下肢深部静脈炎を予防する。 • 全身の循環を促進させ，全身の機能回復を促す。 • 心拍出量を増大させ，毛細血管の血流促進によって創傷の治癒を促す。 • 局所の圧迫を防ぎ，皮膚異常や褥瘡（じょくそう）などの皮膚障害を防ぐ。 • 血圧の変動を抑え，起立性低血圧を防ぐ。
❸消化管運動の促進	• 腸蠕動を促し，排ガスを誘発し，イレウスや癒着を予防する。 • 胃管を抜去して，経口からの食事摂取を促す。
❹排尿障害の予防	• 腹圧がかかり，自然排尿を促す。 • 膀胱留置カテーテルを早期に抜去できる。
❺骨や筋肉の衰退防止	• 筋力低下，腱の萎縮，関節の拘縮を予防する。 • 廃用症候群を予防する。
❻精神活動の活発化	• 回復への動機付けとなる。 • 実際に離床ができると回復を実感でき，さらに回復意欲が増す。

く患者が単独で起床や歩行などの日常行動ができるようにする」という意味である。この必要性を患者自身が理解できるよう，患者のレベルに合わせ，患者の目線で説明し，早期離床への理解を得ることが重要な看護となる。具体的目標と内容は表5-6のとおりである。

▶早期離床の段階的な進め方　施行した術式によって早期離床の進め方は異なる。一般的な開腹手術の場合，順調な回復であれば，術後1日目には端座位，立位，足踏みとベッド周囲のわずかな歩行から始める。

- 離床を行う必要性・目的の説明と患者の受け止めを確認する（治療への同意を得て参画［参加］してもらうことで，コントロール感をもってもらう）。
- 弾性ストッキングの着用を確認する（DVTの予防につながる）。
- ドレーン，チューブ類を整える（歩行しやすい環境を整え，自己抜去や転倒を予防する）。
- 一般的な手術の場合は，順調な回復であれば，術後1日目には端座位，その後は足踏みをし，ふらつきや気分不快がないことを確認する（起立性低血圧の予防につながる）。
- 病室内の歩行，トイレ・洗面台への移動を日常生活行動に取り入れて，段階的に拡大していく（自己効力感を高めつつ，生活行動を拡大することで回復を実感できる）。
- 身体状況を十分に把握し，患者と相談しながら，病棟内の廊下を100m，200m，あるいは往復，ラウンジや売店へと到達目標を共有しつつ進めていく（回復を実感しながら，回復意欲を高める）。
- 患者のからだを十分に支える（患者の安全のため。患者は安心感がもてる）。

6. 疾患・治療や今後の生活に関連した不安・苦悩

患者・家族は，疾患や治療，今後の生活に対して，大なり小なり不安を抱きやすい。患者・家族は，一人ひとりの術後の状況によって，様々な苦痛・苦悩を抱えており，個別性がある。そのため，患者・家族のこれまでの生活史や価値観を把握し，抱えている不安を最小限にできるように，患者に共感的態度でかかわり，また患者・家族が現在・未来に望んでいる生活の実現に向けて看護していく。患者自身の個別の生活と照らし合わせて，今の不安や治療に対する不安を焦点化し，不安を緩和（かんわ）できるように具体的な看護を実践する。

今後の生活や家族に対する不安に関しては，可能なかぎり患者に寄り添い，患者の内面の思いを傾聴する。また，ボディイメージの変化に対する不安については，共感的態度で接し，見守るという姿勢が大切である。今後の不確かな状況に対する不安については，状況に応じて，適切な時期に適切な情報量を提供する看護を，一人ひとりの患者に合わせて考える。

II 機能低下からの早期回復と術後合併症対策

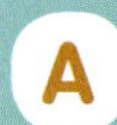 呼吸機能

1. 機能低下と術後合併症

1 気道内分泌物の増加と喀出困難

手術および麻酔による呼吸器への主な影響として，気道内分泌物の増加と粘稠化があげられる[1)]。術中から術後は，気道内分泌物を容易に喀出できないことで，貯留した分泌物により末梢気道が閉塞して**無気肺**を生じやすい。無気肺の進行により**換気血流比不均等***が起こり，**低酸素血症**に進展する。また，気道内分泌物が貯留した状態は，感染しやすく**肺炎**を併発しやすい。したがって，分泌物の増加や粘稠化をきたす要因を理解し，術前より対策をとる必要がある。なお，術後1週間程度は，横隔膜の機能低下もあり，肺活量が50～60%低下し機能的残気量は30%低下する[2)]。

❶気管挿管と麻酔薬の刺激

気管挿管を行う場合，チューブを気管に挿入するという物理的な刺激により，気管支の収縮が起こり，分泌物が増加する。また，吸入麻酔薬を用いる場合，送気される麻酔薬の刺激により分泌物が増加・粘稠化をきたすとともに，気管の線毛運動が低下するため，喀出が困難となる。このように，全身麻酔の手術で気管挿管を施行し吸入麻酔薬を使用する場合は，気道内分泌物が貯留しやすい状態となる。

❷薬物による呼吸抑制と疼痛や体位の影響

術後は，麻酔薬の効果が残存することや呼吸抑制作用のある鎮痛薬の投与などにより，換気が不十分となりやすい。また，疼痛があると呼吸が浅くなり，痛みを避けるため深呼吸や排痰，咳などを抑制してしまう。その結果，気道内に分泌物が貯留しやすい状態となる。術中の同一体位や術後の安静によっても，貯留した分泌物の喀出は困難となりやすく，

* **換気血流比不均衡**：気道内分泌物が貯留し虚脱した肺胞部分に残る血流は，有効な換気が得られないため，血液が酸素化されずに通過し，肺静脈で酸素化された血液と交じり酸素化不良を引き起こす。

特に，臥位では横隔膜の運動も抑制され，換気が不十分となる。つまり，薬物や疼痛，体位などの影響により換気不良や痰の喀出困難が生じ，気道内に分泌物が貯留する。

❸侵襲に対する生体反応

周術期をとおして，手術や麻酔，疼痛などは生体にとって侵襲（しんしゅう）となり，侵襲に対する反応として，神経内分泌反応が活性化し，炎症性サイトカインの産生も亢進する。その結果，侵襲を受けた直後は脱水となりやすく気道内分泌物が粘稠化しやすい一方で，利尿期に入りサードスペースから水分が血管内に戻る時期には，循環血液量が増加し肺うっ血や肺水腫をきたしやすい。このような術中から術後の水分や電解質の変動により，気道内分泌物の量や性状が変化する。また，侵襲により易感染状態となり感染が重症化しやすい。

❹患者側の特性

喘息や上気道感染などにより気管の過敏性が増している場合は，周術期の様々な刺激により気管支痙攣（けいれん）*を引き起こしやすい。また，加齢や慢性閉塞性肺疾患，肥満などにより呼吸機能に低下が認められる場合，気道内分泌物の喀出が困難となりやすい。喫煙習慣がある場合，気道内分泌物が増加しているため，手術や麻酔による影響は多大なものとなる。

2 無気肺

無気肺は，貯留した気道内分泌物により末梢の気管が閉塞し，肺胞が虚脱することで生じる。症状として呼吸音の減弱が認められ，進行して無気肺の範囲が広くなると，低酸素血症による呼吸困難，頻呼吸，頻脈（ひんみゃく），発熱を呈する。所見として，胸部単純X線検査において肺胞虚脱部位に一致して透過性の低下が認められる[3)]。

3 肺炎

肺炎は，発熱，白血球増多，膿性痰などの症状や，胸部単純X線検査において浸潤陰影が認められる。原因は，無気肺に感染が併発した場合に生じ，高齢者などでは誤嚥による肺炎も生じやすい[3)]。

2. 機能回復のためのケア

1 術前の機能評価と機能低下の予防

❶既往歴および検査結果の把握

胸部単純X線検査，呼吸機能検査などの結果を把握し，呼吸器系の異常の有無を把握する。異常が認められた場合は，病態に応じたケアを計画する。

❷生活習慣や感冒症状の有無の把握

喫煙などの生活習慣，肥満，感冒症状の有無など，呼吸機能に影響する要因の有無を把

＊ **気管支痙攣**：気管支平滑筋の攣縮（れんしゅく）による換気障害。

表5-7 呼吸器合併症のリスクを高める要因

❶閉塞性肺疾患（気管支喘息，肺気腫，慢性気管支炎）：疾患による呼吸機能の低下，気管の過敏性（気管支痙攣のリスク），気道内分泌物の増加，喀痰困難
❷高齢者：呼吸機能の低下により閉塞性障害や拘束性障害が生じやすい
❸全身麻酔，長時間麻酔：気管挿管や麻酔薬の影響増加
❹胸部および上腹部の手術：術後の呼吸抑制が生じやすい
❺肥満：麻酔薬の影響が残存しやすく効果的な換気が困難となりやすい
❻喫煙：気道内分泌物の増加，気管の線毛運動や末梢気道の異常
❼感冒：気管過敏性あり（気管支痙攣のリスク），気道内分泌物の増加

握し，ケアを計画する。

❸予定術式や麻酔を踏まえた予測

術式によって呼吸機能への影響は異なり，長時間の手術では麻酔の影響は大きくなる。また，胸部や上腹部の手術は呼吸のしづらさに直接影響する。患者の特性と手術や麻酔の特性に関して，呼吸器系に影響し，合併症のリスクを高める要因を表5-7にまとめた。

❹禁煙指導

喫煙は，気管を刺激し分泌物の量を増加させることに加え，気管の線毛運動の機能を低下させ，分泌物の排出を困難にする。そのため，手術を受ける患者には禁煙を指導する。

❺呼吸訓練と早期離床の指導

呼吸訓練として深呼吸や排痰（はいたん）法を指導し，術後に深呼吸を自主的に行うことや早期に離床を進めることの必要性を指導する。気道内分泌物を喀出（かくしゅつ）する必要性を患者が理解しスムーズに取り組めるよう，術前から加湿の必要性の説明や，排痰の練習を行う。術後は創の痛みがあることも予測されるため，疼痛コントロールの必要性を伝え，創を保護しながら咳をする練習などを実施する。

▶ **深呼吸**　術後に有効な，腹式呼吸や胸式呼吸などの呼吸法を習得できるよう支援する。深くゆっくりした呼吸により換気量を増やすとともに，可能な範囲で術後早期より上体を起こした姿勢をとり，胸郭を十分に広げて呼吸をする必要性を説明する。

▶ **排痰法**　咳嗽（がいそう）時には創部を強めに圧迫し，小さな咳嗽をこまめに行って少しずつ排痰できるよう促す。

2　術後の機能評価

無気肺，肺炎，低酸素血症の早期発見のため観察を行う。患者の呼吸状態（呼吸数，呼吸の深さとリズム，呼吸音），自覚症状（息苦しさ，倦怠（けんたい）感），チアノーゼの有無，排痰状況（頻度，量，性状），咳嗽状況，経皮的動脈血酸素飽和度（SpO_2），動脈血ガス分析の結果，胸部X線画像など，呼吸機能にかかわるデータから，機能障害の程度を把握し，合併症発症の有無を評価する。併せて，効果的な呼吸を阻害する要因の把握のため，疼痛コントロール状況，意識レベルの観察などを行う。

3 機能回復のためのケア

❶疼痛管理

疼痛により呼吸が浅く早くなり咳嗽が抑制されることで，痰の喀出が困難となる。積極的に疼痛管理を行い，深呼吸や排痰がスムーズにできるよう働きかける。十分な鎮痛薬の投与は必要であるが，オピオイド系鎮痛薬を使用する場合は，副作用として呼吸抑制があるため注意を要する。

❷肺理学療法，早期離床

▶ **深呼吸の促しと早期離床**　術前からの指導を踏まえ患者が自主的に深呼吸を実践できるよう，声を掛ける。離床できる状態であれば，できるだけ上体を起こして過ごし，歩行により効果的な呼吸を促す。

▶ **体位ドレナージ**　安静度に問題がなければ，可能な範囲で早期より体位変換を積極的に行い，気道内分泌物の貯留を予防する。分泌物が貯留していると想定される部位や病変が上側になる体位をとり，重力を活用して分泌物の排出を促す体位ドレナージを行う。

▶ **タッピング**　重症患者など自主的な排痰が困難な場合などは，排痰を助けられるよう胸部のタッピングを行う。タッピングは，手をお椀のような形にして軽く胸部をたたき，気道に付着している分泌物をはがれやすくすることを意図して実施する。

❸水分管理（輸液管理）

水分出納（すいとう）と体重測定，血液検査の結果により，循環血液量を推測しながら輸液管理を行うことが合併症予防につながる。血清アルブミン値の低下がみられる場合は，脱水の進行が予測されるため早期に補正が必要となる。

❹加温・加湿，去痰薬の投与

術後は，気道内分泌物の粘稠度が低下するよう加温・加湿された酸素の投与を行う。必要に応じて去痰薬の吸入を行う。

3. 合併症発現時のケア

1 無気肺発症時のケア

呼吸状態の観察と検査所見の確認を行い，悪化の徴候の早期発見を行う。効果的な換気を阻害する疼痛をコントロールしながら，体位変換や離床を積極的に行い，排痰を促す。十分な補液を行うとともにネブライザーなどを用いて加湿を行い，必要に応じて気管内吸引を実施する。必要に応じて去痰薬や抗菌薬を使用する。

2 肺炎発症時のケア

無気肺と同様のケアに加え，抗菌薬の投与と喀痰排出の補助を行う。重症化や肺炎を契機とする敗血症を予防するために，早期に流動食などを開始し，消化管粘膜の防御機構を高めることも重要となる。

B 体液・循環機能

1. 機能低下と術後合併症

1 術中の循環変動

全身麻酔薬は心収縮力を低下させ，血管を拡張させる作用があるため，血圧が低下しやすい。一方，挿管時には交感神経が刺激され，これにより頻脈と血圧上昇が起こる。また，術中の体位や手術操作に伴い，循環は変動しやすい状況にある。

2 循環血液量の減少

周術期をとおして，循環や体液は大きく変動する。術直後には循環血液量の減少が問題となるが，これは術前からの脱水，手術操作による出血と不感蒸泄，侵襲(しんしゅう)反応による体液のサードスペースへの移行が大きくかかわっている。

❶術前からの脱水

術前処置として術直前には絶飲食が必要となり，これによって患者の水分出納バランスは術前から脱水に傾くことになる。水分の喪失量（成人）は 1.5 ～ 2.0mL/kg/ 時間×体重×絶食時間により求められ[4]，これを補正するための輸液が術前から必要となる。

❷手術操作による出血と体液の喪失

手術操作は出血を伴う。出血によって循環血液量が減少すると，頻脈，血圧低下，チアノーゼ，冷感などの症状が現れ，全身の組織は虚血による酸素不足から機能不全に陥る。また，手術時の体液の蒸発など，水分の喪失もあるため，表 5-8 にあげるような水分出納(すいとう)は正確に把握する必要がある。

❸侵襲反応による体液のサードスペースへの移行

術後にサードスペースに貯留する体液量は表 5-9 のように手術部位によって異なり，腹腔内の手術では多くなる。血管内の血液量減少に対応した輸液を行い，循環血液量を維持することにより機能相は回復するが，サードスペースの水分は貯留したままの状態で経過する。この時期には，**1 時間当たり体重当たり 0.5 ～ 1.0mL の尿量**を確保する。

3 術後出血

手術侵襲によって毛細血管抵抗性の低下や線溶系の亢進が起こるため，術後は出血傾向となる。術後出血は多くの手術において合併症としてあげられ，血管の脆弱(ぜいじゃく)性や術前からの凝固異常がある患者では，より注意が必要である。

体重の 20% を超える出血では出血性ショックとなり，冷感，乏尿，脳への血流低下か

表5-8 術後の水分出納

インプット	アウトプット
• 輸液量，輸血量 • 代謝水（5mL × 体重 kg/ 日） • 経口摂取による水分量	• 出血量 • 尿量 • 排液量 • 排便などによる排泄量 • 不感蒸泄 （15mL × 体重 kg/ 日）

表5-9 手術部位とサードスペースの水分量

手術部位	サードスペースの水分量
顔面	5mL/kg 未満
頸部 胸部 腹壁 上肢	5～10mL/kg
下腹部腔内 下肢	5～15mL/kg
上腹部腔内	10～20mL/kg

出典／澄川耕二：輸液〈土肥修司，澄川耕二編：TEXT 麻酔・蘇生学〉，第 4 版，南山堂，2014，p.86．一部改変．

ら不安や興奮といった症状が出現する。出血量が体重の 30% を超えると循環不全が顕著となり，血圧低下，無尿，昏睡を呈するようになる。

出血量は術式や患者の状態によって異なるが，2000mL を超えることもある。出血量が多いと予想される待機手術の場合には，事前に輸血の準備や自己血輸血のための採血を行う。術後，ドレーンの排液が 1 時間当たり 100mL を超える場合は再手術が考慮されるため，速やかに医師に報告する。

4 不整脈・心筋梗塞

出血，循環血液量減少，電解質や酸塩基平衡の異常，低体温などにより，術後に不整脈を起こすことがある。不整脈のなかでも心室細動や高度ブロックでは心臓のポンプ機能が障害され，心拍出量低下からショックや多臓器障害に至ることがある。また，術後の心拍数増加は酸素需要も増加させ，心筋は虚血に陥りやすく，心筋梗塞（こうそく）の病態を呈することがある。

5 心不全

心臓のポンプ機能が障害された状態を心不全という。術後は生体反応によって末梢血管抵抗が増大し，心収縮増加と心拍数増加によって心負担は大きくなる。心予備力が低下しているため，不整脈や心筋梗塞などが起こると心不全に移行しやすい。心不全になると，組織の酸素需要に応じることができなくなり，呼吸困難や倦怠感が生じ，活動耐性が低下する。心不全が高度になると，全身状態の悪化をきたす。

6 深部静脈血栓症

主に下肢の静脈（ヒラメ筋静脈，下腿筋静脈，左腸骨静脈）に生じた血栓が遊離して血流に乗って肺に到達し，肺血栓塞栓症を発症する。静脈血栓が形成される因子として，血流の停滞，静脈内皮の障害，凝固反応の亢進，があげられる。静脈血栓塞栓症の既往や血栓が形成されやすい人，整形外科の人工関節術を受ける人，40 歳以上でがんの大手術を受ける人などが高リスクとされる。術中・術後は体動が制限されるため静脈がうっ滞し，さらに手術侵襲(しんしゅう)に対する生体反応により血栓が形成されやすくなる。この対策として，術中は**弾性ストッキング**と**間欠的空気圧迫装置**を装着する（本編 - 第 4 章 - Ⅳ-D「肺血栓塞栓症の予防」参照）。

7 高血圧

血圧には，不整脈，疼痛，運動，不安，寒冷刺激など，影響を与える要因が多く，術後の変動幅が大きい。血圧を適切に維持するためには，血圧に影響する要因を一つ一つ取り除く必要がある。薬物療法によって血圧をコントロールすることが多いが，精神的ケアや環境調整も行っていく。

2. 機能回復のためのケア

術後は循環血液量の需要と供給のバランスが崩れ，表 5-10 の徴候を示す急性循環不全（ショック）の状態となりやすいため，注意深く観察する。

Column

ノーリア-スティーブンソン分類

心臓のポンプ機能が障害される心不全の病期分類には，スワン-ガンツ（Swan-Ganz）カテーテルによって得られた数値を基に評価する**フォレスター（Forrester）分類**が有名である。フォレスター分類は，心係数（CI）2.2L/ 分 /m^2 と肺動脈楔入圧(けつにゅうあつ)（PCWP）18mmHg を基準値として，「末梢循環不全の有無」「肺うっ血の有無」の組み合わせで，心不全を 4 タイプに分類する。

ノーリア-スティーブンソン（Nohria-Stevenson）分類（図）は，フォレスター分類の代替として広まった臨床病型に基づく分類であり，スワン-ガンツカテーテルが挿入されていない患者でもベッドサイドで判定できるのが大きな特徴である。

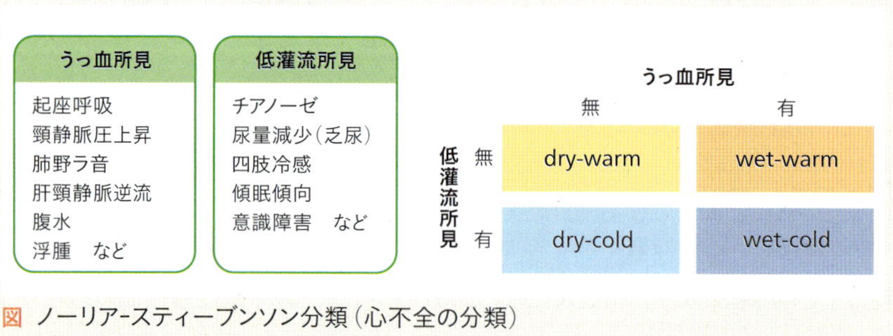

図 ノーリア-スティーブンソン分類（心不全の分類）

表5-10 急性循環不全（ショック）の徴候

- 血圧低下（収縮期血圧90mmHg未満もしくは通常より30mmHg以上低下）
- 頻脈，徐脈，不整脈
- 失神・痙攣（けいれん），意識障害
- 乏尿
- 四肢冷感，冷汗
- チアノーゼ，浮腫

1 術前の機能評価と機能低下の予防

❶既往歴

高血圧症，動脈硬化症，脂質異常症，狭心症や心筋梗塞（こうそく）などの虚血性心疾患，弁膜症，不整脈の既往がないかを確認する。既往歴がある場合は，現在の治療状況も確認する。

❷術前検査（スクリーニング）

12誘導心電図，胸部X線検査，呼吸機能検査などの結果を確認する。

❸胸部症状の有無と程度

胸痛，呼吸困難，息切れ，動悸，浮腫，前胸部絞扼感（こうやくかん）などの自覚症状があれば，心臓超音波，心血管造影，CT，MRI，核医学検査などの精密検査を行い，心機能を把握する。

❹生活習慣やADL

生活習慣（食事，運動，睡眠，飲酒，喫煙など），血圧，脈拍数など，循環機能に影響を与える要因の有無を確認する。また，既往疾患によって活動耐性が低下し，ADLに影響が出ていないかも確認する。

2 術後の機能評価

❶術中の情報の活用

手術時間，麻酔時間，術中体位・固定方法，術中経過（患者の状態の変化，対処），水分出納（すいとう）（出血量・尿量・輸液量・輸血量）などの情報を収集し，術後看護に活用する。

❷循環器系のモニタリング

バイタルサイン，心電図，血液検査データ，SpO_2，皮膚（色，温度，湿潤），浮腫などを観察する。また，輸液や薬剤の調整のため，ドレーン排液の量・性状，尿量を観察する。

3 循環機能低下の予防

循環器疾患の既往歴がある場合は，食事や水分，服薬の管理を行う（第2編-第9章-Ⅱ「循環器疾患（高血圧，慢性心不全）」参照）。循環器系の既往歴がない場合でも，不安から脈拍数や血圧が上昇するなどの反応がみられることがあるため，精神的ケアも必要である。心身の状態を安定させることによって，循環機能も安定した状態で手術に臨（のぞ）めるようにする。

❶禁煙指導

たばこ煙の粒子径は0.5μm前後で，吸入後は血流に乗り，全身の血管の炎症を引き起こす。喫煙の影響による血管の収縮や血圧上昇は心負荷になるため，術前は禁煙を促す。

❷深部静脈血栓症の予防

下肢の血流を促進するために，床上安静中から足関節や足趾の伸展，屈曲運動を行う。離床が可能になれば，可能な範囲を歩行するように勧める。水分制限がなければ飲水を促す。血栓形成は下肢の疼痛，発赤（ほっせき），腫脹などにより確認できる。また，Dダイマーが上昇していないかどうかも観察する。

ホーマンズ（Homans）徴候（下肢を伸展させた状態で足関節を背屈すると腓腹筋部に疼痛を感じる）やローエンバーグ（ローエンベルグ）（Lowenberg）徴候（腓腹筋部をマンシェットにより加圧し100mmHg以下で疼痛を感じる）も参考にできる。

❸輸液や薬剤の投与

輸液や薬剤投与は循環血液量の変化をもたらし，心臓や腎臓の機能に影響する。一般状態，水分出納，血液データを確認しながら管理を行う。

❹離床拡大と活動量の調整

術後は血圧が変動しやすく，姿勢や体位の変換によって容易に血圧の上昇や低下が起こる。また，不整脈も起こりやすい。術後は活動耐性が低下していることもあり，離床は患者の自覚症状の出現やバイタルサインの変動を確認しながら慎重に行う。

❺疼痛コントロール

疼痛は心拍数の増加や血圧上昇を招き，心負荷となるため，疼痛のコントロールを図る。

3. 合併症発現時のケア

1　ショック

表5-10にあるような徴候がみられれば，すぐに医師に報告する。ショックに陥っている原因をアセスメントし，出血性ショックの場合は出血部位や出血量を確認し，緊急手術など止血のための対応を行う。心原性ショックの場合は抗不整脈薬や強心薬の投与，補助循環などの処置の看護を行う。ショックを察知したら，速やかに全身の循環維持のために**ショック体位**をとらせる。

2　不整脈・心不全

胸部症状の有無と程度を患者に確認し，医師に報告する。24時間心電図モニターを装着して不整脈を観察し，症状発現時には12誘導心電図により波形を確認する。投薬開始後は正確に投与されるように管理する。安静が必要と判断された場合は，心身の安静を図ることができるように，環境の調整やセルフケアの援助，心理的なケアを行い，心拍出量の維持に努める。

3 深部静脈血栓症

DVTの発症が認められた場合，抗凝固療法，下大静脈フィルター留置術，血栓吸引・溶解療法，血栓摘除術などが行われるため，治療に応じたケアを行う。血栓が遊離して肺血栓塞栓症を起こす可能性があるため，呼吸困難，頻呼吸，胸痛などの呼吸器症状や，血圧低下，チアノーゼ，意識障害などのショック症状の有無を確認し，これらの症状の徴候がみられた場合は速やかに医師に報告する。

C 摂食・嚥下機能

1. 機能低下と術後合併症

1 摂食・嚥下機能への影響

摂食・嚥下とは，食物を認識して口腔内に入れ，咀嚼してから食道を通過させ，胃まで送り込む過程をいう。摂食・嚥下の過程は先行期（認知期），準備期（咀嚼期），口腔期，咽頭期，食道期の5段階から構成されている（表5-11）。

摂食・嚥下機能障害の原因は多様で，口腔・歯牙，脳神経系や運動器系の障害などの身体的な原因のほか，心理的・社会的な原因からも引き起こされる。

手術を受ける患者は，全身麻酔によって食物の認知をはじめ，筋肉・反射運動が障害される。挿管チューブの刺激は下咽頭・喉頭の浮腫や腫脹を招くほか，反回神経や舌下神経の麻痺を起こすこともあり，嚥下障害を起こす原因となる。また，絶飲食は摂食・嚥下に関係する咽頭筋群の廃用性萎縮や反射能力の低下をもたらすことがある。嚥下反射障害を招く原因と機能障害を図5-4にまとめた。

2 摂食・嚥下機能低下による術後合併症

嚥下機能が障害されると咽頭から食道に送り込まれる飲食物が気管に流れ込む。これにより懸念される術後合併症としては，誤嚥による窒息と誤嚥性肺炎がある。摂食機能が障害されると食物の摂取が困難となり栄養状態低下と脱水などを起こす。いずれも発症すれば全身状態の悪化と生命の危機につながる。

2. 機能回復のためのケア

1 術前評価

摂食・嚥下機能の低下をもたらす疾患と関連する症状の有無を確認する。また，関連した情報として，摂食・嚥下時の様子を観察し，5段階ある摂食・嚥下の過程において，どの段階がどの程度可能なのかを詳細に確認する。観察ポイントを表5-12にまとめた。

表5-11 摂食・嚥下のメカニズムと機能障害

時期		機能	機能障害
摂食	先行期（認知期）	飲食物の形状，色，量，におい，温度などを認識する 摂食方法を選択する	• 認知機能や知覚機能の低下による食物の認識困難 • 食欲低下 • 摂食行動困難
摂食	準備期（咀嚼期）	飲食物を口腔内に入れて咀嚼し，唾液を混和しながら飲み込むのに適した食塊を形成する	• 咀嚼困難 • 唾液分泌量低下
嚥下	口腔期	口腔内の食塊を舌で硬口蓋に押し付け，咽頭に移動させる	• 舌の機能低下 • 食塊の移動困難・口腔内停滞
嚥下	咽頭期	軟口蓋が咽頭後壁に押され，上咽頭が閉鎖して食道入口部が開大し，食塊が食道に送り込まれる	• 誤嚥 • 窒息 • 食塊の咽頭残留
嚥下	食道期	食道の蠕動運動により，食塊が胃に送り込まれる	• 蠕動運動低下 • 停滞，逆流，嘔吐などの通過障害 • 逆流物の誤嚥

2 術後の機能評価

臨床でよく行われている摂食・嚥下機能を評価するテストを次に示す。

- **反復唾液嚥下テスト**：口腔内を湿潤させた状態で，30秒間の嚥下回数を数える。2回以下では嚥下障害が疑われる。
- **水飲みテスト**：冷水3mLを嚥下してもらう。むせや口腔内・咽頭内への残留の有無，程度を確認する。

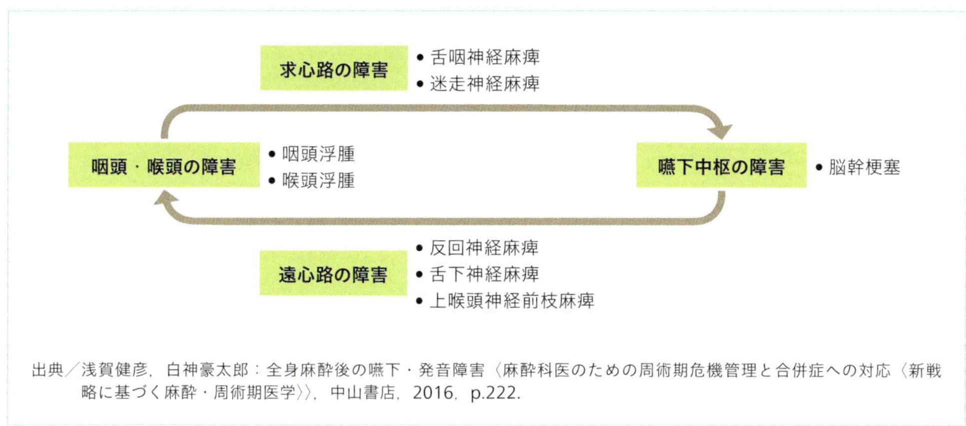

出典／浅賀健彦，白神豪太郎：全身麻酔後の嚥下・発音障害〈麻酔科医のための周術期危機管理と合併症への対応〈新戦略に基づく麻酔・周術期医学〉〉，中山書店，2016，p.222.

図5-4 嚥下反射障害を招く原因

表5-12 摂食・嚥下機能の観察ポイント

全身	食事摂取	
• 機能の低下をもたらす原疾患と症状 • 発熱などの急性症状 • 感染症 • 口腔・咽頭粘膜の状態 • 歯牙の状態（歯数，義歯使用の有無と適合状態，う歯） • 体重	• 内容，摂取量 • 形態（固形物，流動物） • 食事による疲労感 • 所要時間 • 摂食・嚥下の容易さ（5段階） • 口腔内残留	• 口腔内乾燥，唾液，流涎 • 噯気（ゲップ） • むせ • 咳，痰 • 逆流 • 疼痛

- **フードテスト**：ティースプーン1杯のゼリーを嚥下してもらう。むせや口腔内・咽頭内への残留の有無，程度を確認する。
- **頸部聴診法**：聴診器を頸部前面に当てて，嚥下前後の呼吸音と嚥下音を確認する。嚥下後，0.8秒以内に嚥下音が聴取され，その後に聴取されるのが呼吸音のみであれば正常だが，雑音が聴取される場合は誤嚥や残留の可能性が高い。

3 誤嚥や窒息の予防

体位・姿勢の保持や体位ドレナージにより飲食物や唾液の気道への流入を防ぎ，喀痰喀出を促す。必要時，吸引を行って残留物を除去する。嚥下は意識的に行うように説明し，息こらえ嚥下などの方法をとる。

また，口腔ケアによる誤嚥性肺炎の予防に努める。

4 機能回復のためのケア

摂食機能を回復させるためには機能障害の原因に介入していく。食事時の姿勢や食事形態の工夫，一口量の調整など食事介助も考慮する。唾液の分泌を促すには唾液腺マッサージが効果的である。嚥下機能を回復させるには口唇・頰のマッサージや嚥下に関連する筋群の他動運動などのリハビリテーション（間接訓練）が有効とされる。

3. 合併症発現時のケア

窒息時は，口腔内から用手・吸引器によって誤嚥(ごえん)物を排出させる。誤嚥性肺炎を発症した場合は抗菌薬の投与を行い，呼吸状態の改善を図るためのケアを行う。摂食・嚥下(えんげ)機能低下に伴う栄養低下や脱水に対しては，輸液や経腸栄養などを含め対応するようにする。

D 消化吸収機能

1. 機能低下と術後合併症

1 胃粘膜防御作用の低下

❶神経内分泌反応

手術や麻酔，疼痛は生体にとって侵襲(しんしゅう)となる。侵襲を受けた生体は，神経内分泌反応が活性化され交感神経緊張状態となる。その結果，消化管の運動は低下し消化液が貯留しやすい状態になる。また，サイトカインの産生も増加することで，消化管の粘液産生の低下や粘膜の微小循環障害が引き起こされ，粘膜を損傷しやすくなる。このように，侵襲に対する反応である交感神経緊張状態とホルモンやサイトカインの作用により，**急性胃粘膜病変**を発症しやすい。

❷鎮痛薬（非ステロイド性抗炎症薬）の使用

術後の疼痛管理において，非ステロイド性抗炎症薬（non-steroidal anti-inflammatory drugs；NSAIDs）がしばしば用いられる。NSAIDsは抗炎症作用および鎮痛作用があるが，胃壁の防御作用にかかわる物質の活性化を阻害する作用もある[5)]。鎮痛管理のためにNSAIDsを多用した場合や空腹時の内服など不適切な使用法により，胃壁の防御機能の低下が生じ，胃酸の作用を直接的に受けることになる。

❸術前から術後の絶飲食

手術前後は誤嚥防止のため絶飲食となる。また，消化管の手術では創の安静のため，術後の絶食期間が長期化する場合がある。絶食が続くことは消化管粘膜の萎縮(いしゅく)につながる。また，消化管に食物がない状態では，胃酸の作用を緩和することができず，胃粘膜は消化液の作用を直接受けることになる。

2 消化吸収機能の低下

手術侵襲により消化吸収機能にも影響を生じる。交感神経優位の状態では，消化液の分泌は抑制され消化吸収機能が低下する。また，術後の長期絶食により，腸管粘膜の萎縮や免疫力低下，蠕動運動低下，腸内細菌増殖が起こり，バクテリアルトランスロケーション*（BT）が生じる。つまり，腸管の正常なバリア機能が破綻(はたん)することで，術後感染症を発症しやすくなる。

3 急性胃粘膜病変

急性胃粘膜病変とは急性胃炎や消化性潰瘍の総称である。消化液（胃酸）と胃粘膜保護作用のバランスが崩れることにより発症する。症状は，上腹部痛やコーヒー残渣（ざんさ）様嘔吐，吐血である。術後など侵襲時は，発症が急激であることも多い[6)]。

2. 機能回復のためのケア

1 術前の機能評価と機能低下の予防

患者側の要因として，消化性潰瘍の既往がある場合は，手術侵襲により病変が悪化しやすい。また，術前よりNSAIDsを使用している場合も消化性潰瘍の発症リスクが高い。このような急性胃粘膜病変のリスクが高い患者には，術前に消化器症状の有無を把握し，胃酸分泌を減らすヒスタミンH_2受容体拮抗（きっこう）薬やプロトンポンプ阻害薬，胃粘膜保護薬の内服状況などを把握する。状況により，術前に上部消化管内視鏡検査が行われる場合もあるため，結果を把握する。手術要因として侵襲が大きいと想定される長時間手術や大手術の場合，急性胃粘膜病変の発症リスクが高まるため，予防措置の有無を医師に確認する。消化性潰瘍のリスクが高い場合，NSAIDsの使用を控えるほか，急性胃粘膜病変を予防するための与薬を検討する必要がある。患者要因や手術要因を踏まえて医師に報告・相談しながら，術後のケア計画を立てる。

2 術後の機能評価

急性胃粘膜病変の症状である，胃痛，悪心などの症状の有無と増悪するタイミングを観

Column

NSAIDsとは

炎症を抑える薬には副腎皮質ステロイド薬とNSAIDs（エヌセイズ）がある。

NSAIDsには，抗炎症作用，鎮痛作用，解熱作用に加え，血小板凝集阻害作用があるため，抗血小板薬としても使用される。副作用として，胃腸障害（消化性潰瘍，消化管出血，悪心（おしん）・嘔吐，下痢など）が高い頻度で発症する（3～15%）。そのほかには，腎障害もみられ，腎機能低下がある場合は使用を控える。

小児へのNSAIDsの投与は，インフルエンザ脳症の増悪リスクがあるため，使用が制限される。NSAIDsの一つ，アスピリンにより喘息を発症する（アスピリン喘息）場合もあるため，注意を要する。

＊ **バクテリアルトランスロケーション**：免疫機能の低下や長期の絶食などにより，消化管粘膜の防御機構が破綻し，逆流性に細菌が侵入する状態。

察し早期発見に努める。水分・食事摂取量，排便状況，腸蠕動音，疼痛の程度，NSAIDsの内服量・頻度・時間などから，消化管運動の回復状況と交感神経緊張状態の程度，胃粘膜損傷のリスクを高める薬剤や空腹時間などの影響を評価する。

3 機能回復のためのケア

急性胃粘膜病変の発症予防のため，生体への侵襲を軽減する必要がある。侵襲には，手術や麻酔だけではなく，疼痛や精神的苦痛なども含まれるため，そうしたコントロール可能な侵襲をできるだけ低減できるよう，鎮痛処置や苦痛の緩和を十分に行う。また，術後の経過において，合併症の発症や感染など新たな侵襲が加わることのないよう配慮する。

鎮痛薬を使用する際にはNSAIDsのみを多量に使うことがないように，ほかの薬剤との組み合わせや投与法（投与経路）の工夫についても医師に相談する。NSAIDsを内服する場合には，空腹時の使用を避けるよう患者指導を行う。侵襲の大きい手術の場合は，消化器症状を継時的に観察すると共に，胃酸分泌を減らす薬剤や胃粘膜を保護する薬剤を投与することを，早期に医師に相談する。

3. 合併症発現時のケア

急性胃粘膜病変を発症した際，NSAIDsを使用している場合は中止する。通常は薬物療法としてH_2受容体拮抗薬やプロトンポンプ阻害薬，胃粘膜保護薬が与薬されるため，指示どおりに施行する。出血を伴う場合は，誤嚥や窒息，循環動態の変動に十分に注意を払う。出血時は，内視鏡的に止血が行われることもあるため，絶食し輸液管理を行う[6)]。

E 排便機能

1. 機能低下と術後合併症

1 消化管蠕動運動の抑制

周術期の消化管は，複数の要因により機能が低下する。まず，麻酔薬の作用により消化管の蠕動運動が抑制される。特に，長時間の手術や肥満などで麻酔薬の使用量が多くなる場合は，消化管蠕動運動の回復は遅れる。次に，手術や麻酔などの侵襲に対する生体反応として交感神経優位となり，消化管の蠕動運動は抑制される。侵襲が大きい場合は，交感神経優位の状態が遷延し，蠕動運動の回復が遅れる。

加えて，疼痛の影響も大きい。疼痛コントロールができていない場合も交感神経が刺激され，消化管の蠕動運動は抑制される。また，疼痛により体動が抑制されるが，そうした体動制限も消化管への刺激を減弱し，結果的に消化管の運動が抑制される。さらに，術後は安静目的で床上での臥床時間が長くなり活動量が低下することも，消化管への刺激を減弱し，蠕動運動の抑制につながる。

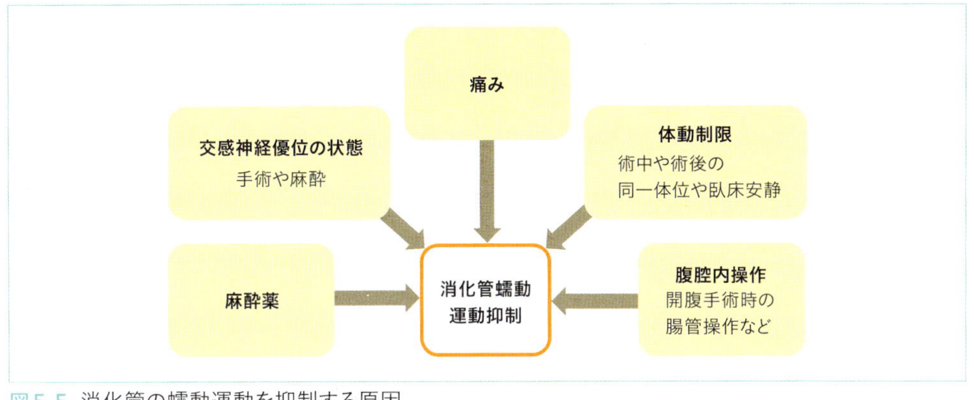

図5-5 消化管の蠕動運動を抑制する原因

そのほか，消化器手術などの開腹手術では，術操作により消化管を把持したり牽引したりすることで消化管に炎症を生じる。そうした炎症にかかわる細胞の消化管への浸潤によっても運動が抑制される。ほかにも，術操作により消化管の蠕動運動にかかわる神経の障害が生じることも影響する。このように，手術や麻酔により消化管の運動が抑制される状態が主な機能低下である。消化管の蠕動運動を抑制する原因を図5-5にまとめた。

どのような手術であっても，一時的に消化管の運動は抑制され，排ガスや排便が認められなくなるが，通常，数時間～数日で回復する。一般に開腹手術であれば術後3～4日で排ガスや排便が認められるが，回復までの時間は侵襲の大きさや腹腔内操作の有無に大きく左右される。機能低下からの回復が順調でなく，消化管の運動麻痺が遷延し内容物の通過障害が生じる病態が，**麻痺性イレウス**である。

2 腸管の癒着に伴う内容物の停滞

消化管への影響は，特に開腹による消化器手術で大きい。先に述べた腸管の炎症による蠕動運動の抑制に加え，腸管の炎症が治癒する過程で，周囲の組織と腸管との間で癒着が進む。その結果，腸管に過屈曲や狭窄が生じたまま固定されてしまい，腸管の運動が制限され通過障害が起こりやすくなる。すべての開腹手術で癒着は生じるが，特に悪性腫瘍の浸潤や腹水，リンパ節郭清の施行，腹腔内感染，縫合(ほうごう)不全や腸管の損傷，開腹手術が複数回となる場合などは，癒着による影響が大きくなるため内容物の通過障害をきたしやすくなる。この状態が癒着性の腸閉塞である。

3 排便機能にかかわる神経障害や臓器の喪失

骨盤内手術においては，術操作により骨盤内に分布する神経を損傷するリスクがある。排便に促進的に働く骨盤内臓神経（副交感神経）を損傷した場合，直腸における便の貯留や排出機能が低下し，排便困難を生じる場合がある。また，脊髄手術の場合，患部より末端の神経機能を喪失することで，排便反射が生じず排便機能が障害される。

直腸の機能は便の貯留であるが，直腸を切除する手術ではその機能が失われ，排便回数の増加や軟便傾向，便失禁や便漏れなどを生じる。また，大量の腸管切除においては，腸管粘膜の吸収面積が減少することで，下痢や消化不良，栄養吸収障害を生じる。

このように，消化管機能の低下により，排便機能障害をきたす場合がある。

4　イレウス／腸閉塞

イレウスおよび**腸閉塞**とは，何らかの原因により腸管内容物の運搬が障害されることで生じる病的な状態である。従来，日本では，腸管に器質的な変化は認められず蠕動（ぜんどう）運動の異常を原因とする機能的イレウスと，腸管に過屈曲や狭窄部位があるなど器質的な障害が腸管に認められ物理的に閉塞する機械的イレウスに分類し，いずれも「イレウス」とよんできた。また，イレウスの訳語として「腸閉塞」を用いてきた。しかし海外では，腸管麻痺による機能的イレウスのみを「イレウス」とよび，機械的イレウスは「腸閉塞」と呼称する。「急性腹症診療ガイドライン 2015」[7] においても機械的イレウスはイレウスではなく「腸閉塞」と定義されている。ただし，臨床では慣習的にいずれも「イレウス」と呼称する場合がある。

分類として，イレウスは麻痺性イレウスと痙攣（けいれん）性イレウスに，腸閉塞は単純性（閉塞性）腸閉塞と，複雑性（絞扼（こうやく）性）腸閉塞に分けられる。このうち複雑性腸閉塞は，腸管の血行障害を伴い，急速に腸管壊死に至りショック状態に陥るため，緊急手術を要する病態である。イレウスおよび腸閉塞の分類と所見を表 5-13 にまとめた。術後には，先に述べたように，消化管蠕動運動の抑制が遷延し生じる麻痺性イレウス，または，癒着に起因する癒着性の腸閉塞のいずれも発症の可能性がある。病態が異なるため所見が異なることを踏まえ，観察を行う必要がある。

イレウスの症状として，腹痛，腹部膨満感，悪心（おしん）・嘔吐，排ガス・排便の停止など，複数の症状が同時に認められることが多い。一方，腸閉塞の場合は，腸蠕動音の亢進や強い症状が発現する場合があるほか，急速にショック症状を呈する場合もあるため注意を要する。腹部Ｘ線像では，腸管拡張や，ガスと液体がたまり，その境がニボー（鏡面）像として認められる（図 5-6）。

5　排便機能障害

排便機能は，消化管における水分や栄養分の消化吸収を伴う腸管内容物の輸送と，直腸肛門括約筋群による不随意的または随意的な便の貯留と排泄により調整されている。手術による消化吸収機能の低下や腸管運動にかかわる神経の障害などにより，排便機能障害を呈する。排便機能障害の症状としては，腹痛，便秘（排便困難），頻便，下痢，排便時間の延長，残便感，消化不良，便失禁，便漏れ，便意促迫など，原因や要因により異なる[8]。

表5-13 イレウス（腸閉塞）の分類

	イレウス		腸閉塞	
分類	腸管に器質的変化なし。腸管を支配する神経の障害などにより生じる。運動障害により腸管内容物が停滞する。術後の麻痺性イレウスなど。		腸管の内腔が物理的に閉塞して生じる（腸管の過屈曲や狭窄など）。術後の癒着による腸閉塞など。	
	麻痺性イレウス	痙攣性イレウス	単純性腸閉塞（閉塞性）	複雑性腸閉塞（絞扼性）
	腸蠕動が麻痺した状態	腸管の一部が痙攣した状態。頻度は低い	腸管の血行障害なく，通過障害が主である状態	腸管の血行障害により腸管壊死を伴う状態
腹痛	弱い		間欠的・周期的	強い・持続的
バイタルサインの異常	少ない		少ない	多い（ショックとなることが多い）
腹膜刺激症状	なし		まれ	多い（ほぼ必発）
腸蠕動音	減弱，消失		亢進（金属音）	減弱，消失
腹部単純X線検査	鏡面像		ニボー（鏡面）像	ニボー（鏡面）像，無ガス

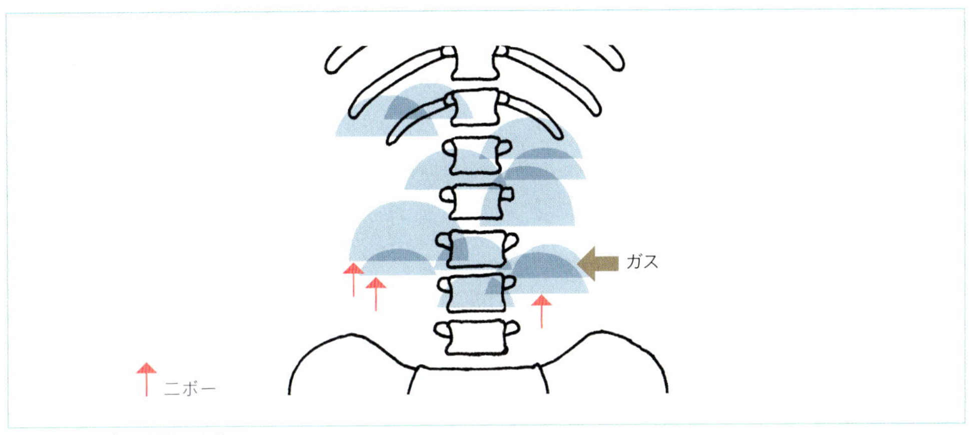

図5-6 ニボー（鏡面）像

2. 機能回復のためのケア

1 術前機能評価と機能低下の予防

❶機能評価

術式により消化管に対する影響は異なるため，まず予定術式を把握する。次に，患者のイレウスと腸閉塞のリスクを評価する。開腹手術の既往がある者，術前に腹部に放射線療法を行っていた者，悪性腫瘍による播種がある者など，腹腔内で臓器の癒着が推測される場合は，特に注意を要する。

また，高齢や肥満，腹水の貯留など，消化管運動に影響する要因についても把握する。

これらの要因を踏まえたのち，術前の排便習慣や緩下剤の使用状況から消化管の状況を評価し，術式に合わせた消化管処置を着実に行う。

❷機能低下の予防

イレウスおよび腸閉塞の予防のため，早期離床が重要であることを説明する。安静度に合わせ，術後早期から体位変換を行い，離床や運動を行うことで消化管の蠕動運動を促進できることを説明し，患者が主体的に離床に取り組めるようにかかわる。また，疼痛により交感神経緊張状態となると消化管の蠕動運動が抑制されるため，痛みを我慢しないよう説明し，疼痛管理に取り組めるよう働きかける。

2 術後の機能評価

消化器症状（腹痛，悪心・嘔吐，腹部膨満感），腸蠕動音，排ガス，腹部の状況（腹壁の緊張，膨隆），食事と水分の摂取状況，排便状況（量，性状，残便感，便漏れ），消化管の運動に影響する薬剤の効果と副作用など消化管の回復状況，痛みや離床状況を把握する。

3 機能回復のためのケア

❶疼痛コントロール

積極的に疼痛を管理し，疼痛による交感神経緊張状態を早期に緩和できるようかかわる。また，疼痛により離床が妨げられないよう，離床の前に鎮痛薬を使うなど工夫し，できるだけ離床が進められるよう働きかける。

❷消化管の減圧

術式により，術後に経鼻胃管が挿入されている場合は，胃内容のドレナージにより減圧が図れるよう，排液の量や性状を観察しながら管理を行う。また，腹腔内にドレーンが挿入されている場合は，ドレーンからの排液を促す。

❸消化管の蠕動運動促進

▶ **離床**　歩行は消化管を刺激し，蠕動運動を促進するためイレウスの予防として効果的である。術前からの指導を踏まえ，患者が自主的に離床できるよう環境を整えていく。

▶ **薬物投与**　消化管の蠕動運動を促進し，排ガス・排便が得られ，腸管の回復が進むよう，薬物が処方される。患者の食事摂取状況（質・量）と薬剤の使用状況，排便状況を踏まえ，薬剤の効果や副作用を把握することで，薬剤の適切な量やタイミングを見きわめる。

▶ **腹部・腰部温罨法**　温罨法は消化管の蠕動運動を促進する。患者と相談して腹部・腰部温罨法を利用するのもよい。温罨法によるリラックス効果は，副交感神経を刺激し，消化管の蠕動運動を促進する。

❹食事療法

腹腔内の手術の場合，創傷治癒の過程において，腹膜切開部位と腸管，または腸管と腸管が癒合するという現象は必ず生じる。癒着性の腸閉塞のリスクがあるため，ふだんから食事に注意するよう指導を行う。食べてはいけないものはないが，食物繊維の多いものは，細かく刻んだり軟らかく煮込んだりするなど調理法を工夫し，一度にたくさん食べ過ぎないようにして腸閉塞を予防する。また，刺激の強い香辛料や，カフェインなど交感神経を刺激するもの，ガスを多量に発生する炭酸飲料などは控えめにすることで，消化管の負荷を軽減できることも伝えていくとよい。

3. 合併症発現時のケア

1 イレウス／腸閉塞

イレウスや腸閉塞を発症すると，腸管の閉塞部位より口側に消化液や内容物が停滞することで，腸管が拡張し腸管内圧が高まる。その結果，嘔吐を生じるとともに，腸管内（壁）へ水分が漏出し，腸管浮腫と腸管の血流障害が生じる。進行すると，電解質バランスが崩れ，腸管内細菌の異常増殖をきたす。

患者が腹部膨満感や軽い悪心，鈍い痛みなどを訴え排ガスや排便がある場合は，食事や水分を控えて様子をみる。顕著な症状がある場合，嘔吐がある場合，排ガス・排便が認められない場合は，症状の増悪と寛解を繰り返すなどイレウスや腸閉塞の徴候が認められれば，経口摂取を中止し，医師に報告・相談し，腹部単純X線，腹部造影CTなど，検査を受ける必要がある。

激しい嘔吐や痛み，バイタルサインの異常が認められるなど，絞扼(こうやく)性腸閉塞の場合は緊急手術が必要となるため，症状の観察を注意深く行い，速やかに対処する必要がある。保存的治療でよい状態であれば，絶飲食により消化管の安静を促し，輸液による水分管理を行う。イレウスチューブまたは経鼻胃管による消化管の減圧を図る際は，排液の量や性状の観察を行い，異常の有無や，輸液の必要量の評価を行う。イレウスチューブや経鼻胃管の挿入中は腹痛や腹部膨満感，排ガスの状況など，症状の改善の有無や検査結果を把握し，チューブ抜去の時期を検討する。保存的治療で症状が軽減しない場合は，癒着部を剝離する手術が必要となる。

術後の回復がうまくいかなかったことや，絶食が続くことで気分的に落ち込む患者も多いため，精神的な支援も重要である。また，絶食により口腔内の自浄作用が低下し不潔になりやすいため，感染予防のための口腔ケアが必要であることを説明し，患者が自己管理できるよう働きかけていく。

2 排便機能障害

後遺症として排便機能障害をきたした場合には，症状に応じた対応を行う。緩下剤や止瀉薬，消化酵素薬の投与などが行われるため，医師の指示を確認しながら内服指導と経過の観察を行う。期間を経ることで症状が軽減する場合もあるが，後遺症として回復が見込めない場合もある。患者が，手術により喪失した機能を理解し，変化した身体に合わせた生活ができるよう，生活調整を共に考えていく。

F 代謝機能

1. 機能低下

1 糖代謝への影響

❶術前処置による影響

全身麻酔の術前には絶食が必要となる。絶食によって食事によるエネルギーの供給が途絶えるとインスリンの分泌にも影響し，血糖値の変動やたんぱく異化亢進につながる。

❷麻酔薬による影響

麻酔によって体温調節機能が低下することで代謝も影響を受けるため，エネルギーの需要・供給バランスにも影響する。全身麻酔に用いられる麻酔薬は，インスリンの感受性や糖産生に作用して血糖変動に関係する。

❸術後急性期における生体反応

手術侵襲(しんしゅう)に伴う内分泌系の反応として，副腎皮質刺激ホルモン（ACTH），アドレナリン，コルチゾール，グルカゴンなどのホルモン分泌が増加する。これらはインスリン拮抗(きっこう)ホルモンでもあることから，インスリンの分泌は抑制され，インスリン抵抗性も低下し，高血糖となりやすくなる。ランゲルハンス島は膵体尾部に多く存在するため，膵体尾部切除を行った患者は糖尿病の発症につながることがある。肝臓切除術でも，糖代謝に伴うインスリン抵抗性により耐糖能が悪化し，高血糖になるリスクがある。

2 たんぱく代謝への影響

術後はたんぱく異化やエネルギー消費量の増大に対応するために，サイトカインやストレスホルモンによって骨格筋の体たんぱくが分解，アミノ酸が血中を経て肝臓に運ばれ，糖新生と創傷治癒に利用される。このため，術後早期は患者の血中たんぱくやアルブミンは減少し，**低たんぱく血症**の状態となる。たんぱくは1日当たり50～70g消費され，骨格筋が減少して筋力が低下するリスクが生じる。窒素平衡は，尿素窒素やクレアチニンなどの窒素代謝産物が尿中に排泄されることから負となる。

3 脂質代謝への影響

術後は脂質もエネルギー源として利用される。体内に蓄積されているトリグリセリド（中性脂肪）は，エネルギーの需要に応じて遊離脂肪酸とグリセロールに分解される。遊離脂肪酸は肝臓や末梢組織のアセチルCoAからTCAサイクルに入り，エネルギー源として利用され，グリセロールは糖新生に利用される。余剰分の中性脂肪は皮下脂肪や内臓脂肪として蓄えられ，必要時に消費もしくは再合成される。

2. 機能回復のためのケア

1 術前機能評価と機能低下の予防

❶術前機能評価

術前に代謝障害の有無を確認する。特に注意が必要な疾患は，糖尿病や肥満である（第2編-第9章「基礎疾患のある患者の周術期看護」参照）。また，薬物の代謝に大きく関係する肝機能についても確認しておく。

❷代謝障害の予防

低たんぱく血症が認められる場合は栄養状態の改善を試みる。栄養指導による経口摂取への取り組みのほか，患者の状態によっては完全静脈栄養法（total parenteral nutrition：TPN）や腸瘻が考慮されることもある。糖尿病患者では血糖コントロールを適切に行う。

2 術後の機能評価

手術直後は生体反応により代謝機能が大きく変動する。代謝機能が正常化する時期（ムーア分類の第III相）までは検査データや治療状況のモニタリングを続ける。

3 機能回復のためのケア

代謝障害を最小にとどめるための栄養管理を行う。術後は，侵襲のため必要エネルギーが高くなっている。個人の基礎エネルギー消費量（basal energy expenditure：BEE）はハリス-ベネディクト（Harris-Benedict）の式により推測できる（表5-14）。さらに，必要エネルギーはBEEを用いて表5-15の活動係数（活動の程度）とストレス係数（代謝亢進の程度）を基に算出することができる。糖尿病をもつ患者では血糖値のコントロールを行う。

G 運動機能

運動器は，骨，関節，筋肉，靭帯，神経などの器官の総称であり，これらが骨格を構成して運動を可能にする。手術侵襲によってこれらの機能が影響を受けると，運動能力が低下して，全身性の合併症にもつながる可能性が生じる。

1. 機能低下

1 運動機能低下の原因

❶手術体位による神経障害

術中の体位固定の際に，神経の圧迫，過伸展や過屈曲，虚血などによって，橈骨神経麻痺，尺骨神経麻痺，腕神経叢麻痺，総腓骨神経麻痺などが起こることがある。

表 5-14 基礎エネルギー消費量（BEE）と必要エネルギー量の算出

男性	BEE = 66.47 + 13.75 ×体重（kg）+ 5.0 ×身長（cm）− 6.76 ×年齢（歳）
女性	BEE = 655.1 + 9.56 ×体重（kg）+ 1.85 ×身長（cm）− 4.68 ×年齢（歳）
必要エネルギー量	kcal/ 日= BEE × 活動係数×ストレス係数（表 5-15 参照）

表 5-15 活動係数とストレス係数

活動係数	寝たきり・ベッド上安静		1.2
	ベッド以外での活動あり		1.3
	軽い労作		1.5
	中等度の労作		1.7
	重度の労作		1.9
ストレス係数	ストレスなし		1.0
	飢餓		0.84
	手術	低度の侵襲	1.1
		中等度の侵襲	1.2
		高度の侵襲	1.3〜1.8
	感染症	軽症	1.2
		中等度	1.5
		重症	1.6
	がん・COPD		1.1〜1.3

❷安静時の不良肢位

仰臥位で下肢が外旋位になっていると，上布団や掛け物などにより腓骨頭が圧迫され，腓骨神経障害を起こすことがある。

❸手術侵襲による反応

手術侵襲により筋たんぱく分解と脂肪分解が促進される。術後 2 週間で筋肉量は 2 kg，握力は 4 kg 減少するともいわれ，術後は筋肉量が減少することを念頭に置いて問題を予防する必要がある。

術後は手術前後の絶食に伴う栄養障害，侵襲による臓器障害，薬物の影響などにより，エネルギーの吸収，代謝，利用のメカニズムが崩れる。

❹手術操作による筋肉の離断

運動機能に直接関係する筋肉への操作は影響が大きい。そのほかの筋肉も，呼吸機能や体位の保持など本来の機能を果たすことが難しくなる場合には，間接的に運動能力に影響を与える。

2 運動機能低下による影響

運動器系や脳神経系の手術の場合には，それぞれ特有の運動機能低下に関連する術後合併症が起こり得る。それ以外の手術であっても，骨量や筋肉量の低下に起因する問題が懸念される。特に，安静状態が長期化して起こる筋萎縮，関節拘縮，褥瘡，骨粗鬆症，括約

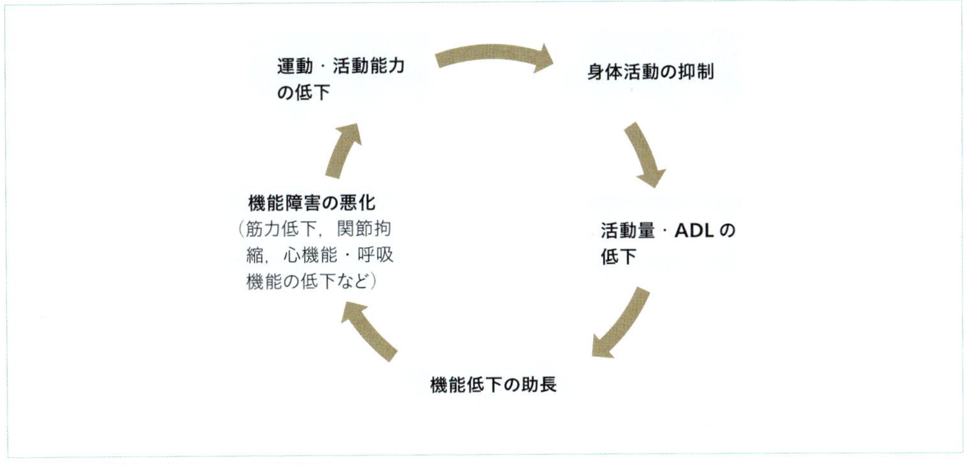

図5-7 不動性による負のスパイラル

表5-16 サルコペニアの診断基準（一般の診療所や地域での評価）

❶症例発見：下腿周囲径（男性＜34cm，女性＜33cm）
　質問表（SARC-F ≧ 4，SARC-CalF ≧ 11 のいずれか）
❷筋力：握力（男性＜28kg，女性＜18kg）
❸身体機能：5回椅子立ち上がりテスト（≧ 12秒）

出典／日本サルコペニア・フレイル学会：サルコペニア診断基準の改訂（AWGS2019発表），http://jssf.umin.jp/pdf/revision_20191111.pdf（最終アクセス日：2021/7/8）をもとに作成．

筋障害（便秘・尿便失禁）などの**廃用症候群**は，さらなる運動機能の低下を招くだけでなく，2次的に循環・呼吸・消化などの機能障害にもつながる。循環や呼吸機能の障害は活動耐性の低下につながり，さらに不動性が増悪する図5-7のような悪循環（負のスパイラル）が生じる。消化管でも蠕動運動が低下して，BTが発生する誘因にもなる。

特に高齢者では，術前から筋肉量減少や低身体機能が認められることが多く，術後の安静によって，容易に運動や日常生活にも支障をきたす**サルコペニア**の状態になることが懸念される。サルコペニアの診断基準を表5-16に示す。

サルコペニアとは，加齢に伴って骨格筋量と骨格筋力が低下した状態を指し，主に加齢が原因となっている「一次性サルコペニア」と，加齢以外の疾患（重症臓器不全，炎症性疾患，悪性腫瘍，内分泌疾患など），栄養状態（低栄養，薬物使用），活動状態（不活動，無重力状態）に関連していると考えられる「二次性サルコペニア」に分けられる。手術を受ける患者の多くが該当すると考えられ，術前から全身状態の改善を含めた介入を計画的に行う必要がある。

2. 機能回復のためのケア

1 術前の機能評価と機能低下の予防

運動器疾患がある場合は，その症状と治療に関する情報のほか，機能障害の部位と程度，

表5-17 日常生活動作

セルフケア動作	移動動作	コミュニケーション
• 食事 • 更衣 • 整容 • トイレ • 入浴	• 正常歩行 • 杖・装具付き歩行 • 車椅子 • 四つ這い	• 口頭 • 筆記 • 手話 • 自助具 • 機器

疼痛や日常生活への影響を把握する。日常生活動作（ADL）については表5-17の内容のほかに，装具，義肢，自助具などの使用状況を把握する。日常生活機能評価表，バーセルインデックス（Barthel Index：BI），機能的自立度評価法（functional independence measure：FIM）などを活用することでも評価できる。

2 術後の機能評価

術中の体位によって神経障害が起こることがある（表4-5参照）ため，神経障害の有無を観察する。手術によって運動機能やADLの変化が予測される場合は，術後も術前と同じツールを用いて変化を評価する。

3 機能回復のためのケア

術後は一過性に筋力が低下しやすい状態となるため，術後早期から全身状態を観察しながら離床を進め，不活動に伴う廃用症候群を予防する。術前に運動機能低下のリスクがあると判断された場合には，医師や理学療法士と連携して計画的にリハビリテーションを進める。床上でも，関節の可動域を維持・拡大させるための**関節可動域**（range of motion：ROM）**訓練**や筋肉を維持・増強させるための**筋肉増強訓練**（muscle strengthening exercise：MSE）を取り入れて，運動機能の維持・回復を図る。安静時の腓骨神経障害を予防するためには，外旋位とならないように，膝蓋骨が真上に位置するように良肢位を保つ。

H 脳神経・感覚機能

1. 機能低下と術後合併症

1 脳循環の変動と非日常的環境

❶侵襲に対する生体反応

侵襲の影響により，短期間で循環血液量が大きく変動するほか，ストレスホルモンの分泌により電解質のバランスが変化し，神経細胞の通常の活動が妨げられる。また，術中は低体温になりやすい一方，術後は炎症性サイトカインの影響で発熱するなど体温が大きく変動する。こうした変化に伴い，脳の機能低下を生じやすい。侵襲に対する生体反応は，本来，脳への循環を確保し酸素と栄養素の供給を優先する反応であるが，大きな侵襲によりそれが満たされなくなる状況では機能低下を生じる。こうした脳機能の低下は**せん妄**の発症要因となる。せん妄は機能的脳障害の一つで，脳実質や脳血管の変化をきたさないため，通常は回復可能である。ほかに術後に生じる機能的脳障害として，低ナトリウム血症や敗血症，悪性症候群などがある。

一方，侵襲による血圧変動などの影響により器質的脳障害を発症する場合がある。器質的脳障害の例として，脳出血や脳梗塞(こうそく)があげられるが，脳実質が障害を受けるため，症状やその回復の程度は障害部位と範囲，早期治療の状況などに左右される。

❷薬剤の使用

手術時は，麻酔薬をはじめとして様々な薬剤を使用する。そうした薬剤のなかには，脳の機能に影響を及ぼす薬剤も数多く認められる。代表的なものとして，ベンゾジアゼピン系の抗不安薬，抗うつ薬，副腎皮質ステロイド薬，抗コリン薬，オピオイドなどは，せん妄のリスク因子となることが指摘されている。

❸苦痛と拘束感の持続

疼痛など術後の苦痛により，不安や恐怖感が生じ，抑うつ状態となる場合がある。また，苦痛があることで不眠や昼夜逆転が生じやすく，睡眠パターンが変化しやすい。こうした心的ストレスや睡眠障害も，脳機能の低下につながりやすい。また，術後は，持続的に輸液が行われるほかドレーン類が挿入され，ベッド上の安静が強いられる。チューブ類が多数あり，容易に身動きしづらい状況となることで拘束感が強まり，精神的な苦痛を感じやすい。このような疼痛や精神的苦痛も侵襲の一つであり，脳機能の低下につながる。

❹非日常的な環境

術直後は身体状況が不安定であるため，通常の病室とは異なる回復室などで過ごすことが多い。時計やカレンダーを確認しづらい状況で日常的な会話やテレビの音などの刺激が遮断される一方，常にモニター音や処置の音が聞こえ，夜中もたびたび看護師の観察を受けるなど非日常的な刺激が過剰となる。また，通常使用している眼鏡や補聴器をはずしている場合も多いため，感覚の変化をきたしやすい。術後は感覚機能に対する刺激の遮断と過剰が同時に生じるアンバランスな環境であり，感覚機能の低下をきたしやすい。

2 術後せん妄

❶せん妄とは

せん妄とは一過性の脳機能障害であり，失見当識や注意力の低下，記憶障害，言語障害，意識レベルの変化など多様な症状が認められる[9]。短期間のうちに急性に発症し，数日から数週間の症状持続が認められるが，通常は可逆的であり後遺症を残さず回復する。一日のうちでも症状が変動し，特に夜間に悪化しやすい。せん妄の症状は，表5-18にあげたように，過活動型と低活動型，およびその両者が混じった混合型に分けられる。過活動型は症状が顕著で発症を把握しやすいが，低活動型の場合は容易に把握できない場合も多い。

せん妄が引き起こす問題として，幻聴や幻覚など症状そのものが患者にとって苦痛とな

表 5-18 せん妄の症状

過活動型	易刺激性，興奮，錯乱，幻覚，妄想，不眠，不穏
低活動型	無表情，反応が鈍い，動きが緩慢，自発的な会話が減る，傾眠，無気力
混合型	過活動型と低活動型の特徴が混在

表 5-19 せん妄発症にかかわる要因

準備因子（脳機能低下を起こしやすい状態）	直接因子（せん妄そのものの原因）	促進因子（せん妄の発症促進，重篤化や遅延の要因）
• 高齢 • 器質的脳疾患（認知症，脳血管疾患，神経変性疾患など）や外傷性脳疾患 • 重篤な身体疾患 • アルコール依存症 • 抑うつ	• 手術 • 薬剤（鎮静薬，鎮痛薬，向精神薬，抗コリン薬） • 脱水 • 低酸素症 • 感染 • 低血糖 • 貧血	• 術後の痛みなど不快な身体症状 • チューブ類による抑制や拘束 • 入院による環境変化や回復室，集中治療室の環境 • ADL の低下した状態 • 視覚障害（近視や老眼）や聴覚障害（難聴） • 不安や恐怖 • 睡眠障害

ることに加え，チューブ類の自己（事故）抜去など危険な行動が増え安全確保が困難になることや，褥瘡（じょくそう）や誤嚥（ごえん）など二次的合併症の発症につながることがあげられる。また，患者の家族にとっても，せん妄症状により，通常と異なる患者の姿を目にすることは大きな心理的ショックとなる。

❷せん妄の発症にかかわる要因

せん妄の発症には，準備因子，直接因子，促進因子が影響する[10]。準備因子は，脳に器質的な疾患があるなど，せん妄を発症しやすい特性である。直接因子は，せん妄発症の直接的なきっかけとなる状況で，手術や薬剤の使用などが含まれる。促進因子には，身体状況の変化，不安や抑うつなど精神的要因，環境の変化，不眠などがある。一般に，手術を契機に発症するものを**術後せん妄**という。表 5-19 に，せん妄発症にかかわる要因をまとめた。

3 器質的脳障害

器質的脳障害には，脳卒中（脳出血，脳梗塞（こうそく），クモ膜下出血）などがある。いずれも脳血管の破綻や閉塞により脳実質が障害を受けることにより生じる。症状は障害を受けた脳の部位が司っていた機能により様々である。

2. 機能回復のためのケア

1 術前の機能評価と機能低下の予防

せん妄発症の準備因子の有無を評価する。高齢や器質的脳障害があるなど発症リスクが高いと判断した場合は，術後に向けてケア計画を充実させる。

術直後や術後の回復過程がイメージできるよう，患者にとってわかりやすい言葉でオリエンテーションを行う。酸素マスクやチューブ類が複数あることなどを具体的に伝え，術後の自身の姿を想像できるよう説明する。術後に過ごす回復室やICUを見学し，イメージを具体化できるようなかかわりも効果的である。患者の不安が強い場合はじっくり話を聞き，情報提供などにより疑問を解決できるようかかわる。患者本人や家族にせん妄のリスクを伝え，予防的なケアに協力できるよう働きかけることも大切である。

糖尿病，高血圧など動脈硬化性疾患がある場合は，器質的脳障害の発症リスクがあるため，疾患の発症時期や管理状況を把握する。

2 術後の機能評価

❶機能的脳障害

患者に通常と異なる言動が認められた場合，せん妄の可能性があることを認識する。せん妄は，初期には軽い意識障害のみで気づきにくかったり，低活動型のように無気力，不活発，傾眠など，発症がわかりにくかったりする場合もある。そのため，症状を理解し早期に気づけるよう心がける。速やかに安全確保や症状緩和（かんわ）につなげ，合併症の発症や事故を予防することができるよう，初期対応が肝心である。そのためにも，軽い意識障害を見逃さないよう注意する。近年では，せん妄を見逃さないため，日本語版ICD-SC（intensive care delirium screening checklist）やCAM-ICU（confusion assessment method for the intensive care unit）など，せん妄評価ツールも開発されている。

❷器質的脳障害

患者の反応から，意識レベルの低下や麻痺の有無，脈拍や血圧の変動（クッシング［Cushing］徴候など）を観察する。

3 機能回復のためのケア

❶身体状況回復に向けた援助

侵襲による身体状態の変化から速やかに回復できるよう支援する。血圧変動を抑制し，脱水の補正や電解質バランスの改善を図り，全身状態の改善を目指す。検査結果やバイタルサインの変化から生じている身体的問題を把握し，速やかに対処する。また，痛みを緩和し侵襲を減らすとともに，可能な範囲で早期より離床を図る。昼夜の区別を明確にして日中の活動量を増やし，夜間に十分な睡眠が確保できるよう，睡眠リズムを整える。必要に応じて睡眠薬を用いて睡眠を確保することも必要であるが，薬剤によっては逆にせん妄を発症する契機となるため，注意を要する。

❷安全の確保

せん妄の準備因子があり，発症リスクが高い患者は，医療スタッフの目が届きやすく頻繁に訪床可能な部屋に配置できるとよい。また，ベッド配置を工夫して転落を防止し，危険な物品がベッド周囲に置かれていることがないよう注意する。医療機器やチューブ，ドレーン類は，患者の目に触れないように配置するとともに，可能な限り早期に抜去する。すなわち，患者にとってなじみのないものが目に触れず，行動の制限が最小限となるような工夫が必要である。

❸環境の改善

可能な限り，患者のふだんの生活に近づけた落ち着く環境を提供する。視力障害や聴覚障害がある場合などは，早期から眼鏡や補聴器を用いて通常の感覚となるように配慮する。また，ベッドサイドに時計やカレンダーを置き，日時を意識できるよう働きかける。日常的なコミュニケーションも図れるようにする。

3. 合併症発現時のケア

1 せん妄

予防的なケアを実行しながらも，せん妄が発現した場合は，次のようなケアを追加する。

❶安全の確保

チューブやドレーン類の自己抜去による悪影響を避けるため，観察を強化する。抑制はできるだけ避けるべきであるが，やむを得ない場合もあるため，患者や家族にていねいに説明して理解を求める。家族の付添いが得られるようであれば，患者にとって安心感にもつながるため，依頼することも効果的である。患者の動作に合わせてアラームで知らせる機器などを用いて，行動を抑制せず早く気づけるような工夫も実施する。

❷身体状況の改善，薬剤の利用

せん妄の直接因子となる身体的な問題を速やかに解決できるよう処置を行う。また，促進因子となる疼痛や不眠などを，鎮痛薬や睡眠薬を使用することでできるだけ改善し，悪化を防止する。

❸家族への対応

ふだんとは異なる家族の姿を目にすることは，患者の家族にとって非常に動揺する経験である。手術の影響によるものであり，症状は一過性で回復すること，医療者は，改善を図っていることなどを説明し，安心感を得られるようにする。患者にとって家族が身近にいることは不安の軽減につながり，安全を確保しやすいことを説明し，協力を依頼する。

2 器質的脳障害

早期発見，早期治療が重要である。機能評価により器質的脳障害が疑われる場合は，速やかに検査と診断につなげ，治療を開始できるよう配慮する。脳梗塞（こうそく）であれば血管再開通のための与薬や血管内治療，出血であれば血圧変動をコントロールし頭蓋内圧亢進症状を抑制する。

I 性・生殖機能

1. 機能低下と術後合併症

1 ホルモン分泌の変化

生命維持において性ホルモン分泌は優先度が低いため，生殖にかかわる臓器の機能は抑制され性ホルモンの分泌は低下する。女性では月経周期が変わったり，排卵が停止したりするが，これはホルモン分泌の変化に起因するもので生体反応の一つととらえられる。

術直後は，傾眠状態で疼痛や倦怠感など苦痛が大きくなる。そうした時期には，周囲に対する無関心など心理社会的な変化も認められ，性的なことに関心は向きにくい。性ホルモンの分泌が正常化するのは，ムーアの回復過程の第Ⅲ相頃，性機能の回復は，第Ⅳ相の手術から２〜５週間を経過した脂肪蓄積期頃といわれている。

2 性・生殖機能障害

手術により，生殖にかかわる臓器などの摘出や生殖にかかわる神経の損傷が生じることで，性・生殖機能障害を生じる場合がある。また，乳房の手術など手術部位によっては，ボディイメージやセクシュアリティへの影響をきたし，抑うつなど心理的な影響が出る場合や，性生活の再開が困難となる場合もある。

2. 機能回復のためのケア

1 術前の機能評価と機能低下の予防

術前に性・生殖にかかわる機能を評価し，妊孕性への意向などを把握する。

一般に手術を受けると，直後から一定の期間は社会的な事項に関心が向かず，性欲は低下する。その後，徐々にホルモン分泌が正常化するが，元に戻るまでに数週間を要する場合もある。侵襲(しんしゅう)から速やかに回復できるよう，さらなる侵襲となる疼痛や苦痛をコントロールし，術後合併症を予防しながらリハビリテーションを進めていく。また，侵襲によるホルモンの変化があることを患者に説明し，女性の場合は月経周期の乱れや排卵停止について不要な心配をしないよう，説明することも考慮する。

2 術後の機能評価

性・生殖にかかわる機能の評価は入院中には困難である場合も多い。侵襲からの回復過程を踏まえながら，術前と術後の比較を行う。

侵襲（しんしゅう）に伴う一時的な変化であれば，患者の苦痛の軽減と回復に向けたリハビリテーションの促進により回復を見守る。

生殖にかかわる臓器を摘出する手術や神経を損傷する手術では，臓器の形態が変わったことや，喪失した機能による影響を考慮して接する。患者自身が，手術による生殖器系の形態や機能の変化を知り，それに合わせた生活ができるようかかわる。喪失はつらい体験であり受容には長い時間がかかるため，患者とパートナーが支え合っていくことができるような支援が重要である。患者の話を傾聴し，必要に応じて臨床心理士など専門家のカウンセリングを受けられるようにコーディネートする。性・生殖器系に関しては相談しにくい事項も多いため，患者が情報を求めたくなったときや相談したいと感じたときに役に立つような情報を，医療者側から積極的に提供していくことが大切である。そのためにも，医療者として最新の治療や代替療法を学習していくことが求められる。性・生殖にかかわる悩みは，性別年齢にかかわらずだれもが抱え得る問題であるが，個人のプライバシーにかかわるため医療者として介入しにくい側面がある。医療チームで情報共有しながら介入の必要性を評価しかかわるようにする。

3. 合併症発現時のケア

性・生殖器系にかかわらない手術であっても，手術をきっかけに性生活が難しくなる場合もある。心身への負担が多大であったことを考慮し，患者の気持ちに寄り添い，身体的な回復状況に照らしながら，患者にとって手術はどのような意義があったのか位置付けられるよう配慮する。時として，それまでの家族の関係性や問題が手術を契機に顕在化する場合もあるため，患者の話をていねいに聞く。今の気持ちを把握し，今後どうしていきたいのか，それはなぜか，患者が自身の思いに気づけるよう配慮する。

手術によって生殖にかかわる機能を喪失した場合は，それを補う方法に関する情報の提供や，患者が喪失を受け止めていく過程でのかかわりが求められる。

疼痛対策

A 疼痛とは

1. 疼痛の基礎

1 疼痛の定義

国際疼痛学会によると，疼痛とは「実際に何らかの組織の損傷が起こったとき，または組織損傷を起こす可能性があるとき，あるいはそのような損傷の際に表現される不快な感覚や情動体験」とされる[11]。ここで重要な点は，疼痛とは，何らかの組織の損傷と関連しているという点で警告信号の意味合いがあることと，感覚だけではなく情動体験でもあるということである。疼痛により組織損傷に気づくことは不安や恐怖につながり，同時につらく不快な体験であることを考慮する。また，疼痛はそれを感じている本人しか自覚できないという点で，常に主観的なものである。

2 疼痛の伝わる機序

疼痛は，外的刺激および組織障害による炎症によって侵害受容器が反応し，1次ニューロンである末梢神経に伝えられる。この刺激は脊髄後角を経て上行し二次ニューロンである脊髄視床路に伝わる。そこから大脳に伝わり「痛み」として認識される。疼痛刺激は2種類の神経により伝達され，Aδ（デルタ）線維は鋭い疼痛を伝え，C線維は鈍い疼痛を伝える[12]。

3 疼痛の分類

疼痛は，原因により，**侵害受容性疼痛**，**神経障害性疼痛**（**神経因性疼痛**），**心因性疼痛**に分類される。侵害受容性疼痛は侵害受容器が刺激を受けて生じる痛みであり，神経障害性疼痛は神経の損傷や炎症などにより生じる痛み，心因性疼痛は心理的な原因により生じる痛みである。また，疼痛は発生部位とその特性により，体性痛と内臓痛に分けられるが，これらは痛みの質が異なることで，障害を受けている部位や原因が示唆される。表5-20に

表5-20 体性痛と内臓痛

種類	特徴
体性痛	鋭い局在性の痛み。時に灼熱感を伴う 皮膚表面や深部組織の侵害受容器の活性化により生じる 浅部痛（皮膚・体表の痛み）と深部痛（筋膜・筋肉，胸膜，腹膜の痛み）に分類される
内臓痛	鈍いび漫性の痛み 侵害受容器を経由しない機能異常によって生じる 腹膜の炎症，内臓の拡張，平滑筋運動性亢進などにより生じる

出典／米山多美子：術後疼痛をどうとるか，Expert Nurse, 29（5），2013より引用

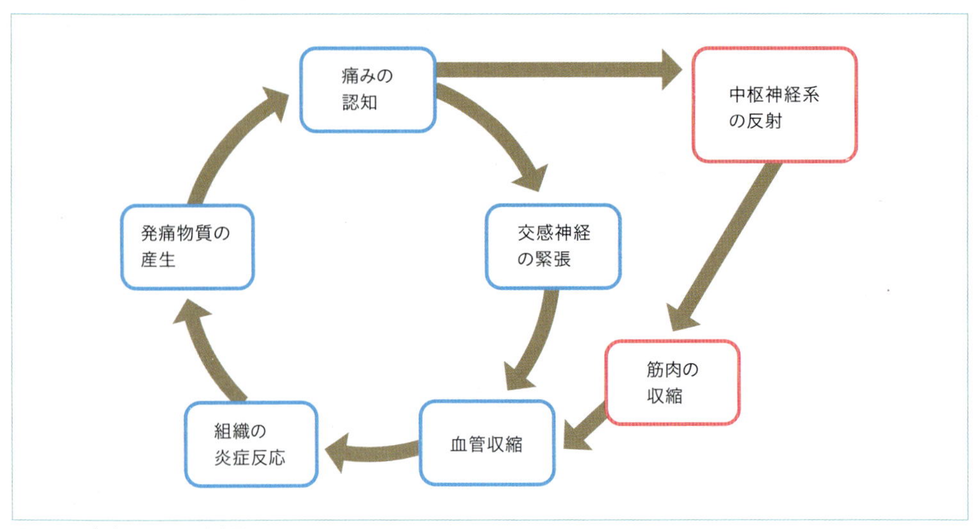

図5-8　疼痛による悪循環

体性痛と内臓痛の区別を記した[13]。

2. 痛みの悪循環

痛みという侵襲によって，生体の神経内分泌反応は活性化され，交感神経緊張状態となる。末梢血管は収縮し局所の虚血状態が生じることで，代謝産物が蓄積し，組織の酸素欠乏が進行する。それは，さらなる組織の炎症反応と発痛物質の産生につながる。一方で，痛みによる脊髄反射によって損傷部位の筋攣縮(きんれんしゅく)が起こり酸素需要が増えるため，組織の酸素欠乏が進行し，発痛物質の産生が惹起(じゃっき)される。痛みがあることで，中枢神経の痛み伝達ニューロンの興奮が増し，痛みが増大し鎮痛処置の効果が下がるという悪影響も生じる。すなわち，痛みを我慢することで痛みの機序の複雑化が生じ，鎮痛しにくい状態になる。これを疼痛による悪循環とよぶ[14]。疼痛による悪循環の概要を図5-8に図示した。

B 術後疼痛

1. 術後疼痛

1 術後疼痛の特徴

術後疼痛とは，手術によって損傷された皮膚や組織，臓器の炎症や腸管の蠕動(ぜんどう)運動など，様々な原因が複雑に絡み合った痛みである。創痛だけでなく，縫合やドレーン挿入の痛み，同一体位や圧迫などによる痛み，合併症発症による痛みなど様々な要因により生じる。こうした痛みは，不安や恐怖によって増幅されるものでもある。

術後疼痛は，一般に術直後から9～13時間でピークになり，術後48時間程度持続し，その後は徐々に軽減していく。

2 術後疼痛の影響と術後合併症

術後疼痛があることで，図 5-9 に示したように様々な臓器に影響があり，術後合併症のリスクが高まる。

❶呼吸機能に対する影響

痛みにより浅い頻呼吸となることで，1回換気量は減少，機能的残気量は低下し，肺胞換気量が減少する。すなわち，効果的な換気がしにくい状態となる。また，痛みにより深呼吸や咳嗽（がいそう）が抑制され，気道内分泌物が貯留しやすくなる。全身麻酔の手術では無気肺や肺炎，低酸素血症のリスクがあるが，痛みがある場合，発症するリスクがさらに高まる。

❷循環機能に対する影響

痛みによって交感神経が緊張すると，末梢血管が収縮し頻脈となる。その結果，心仕事量の増加をきたし，心筋の酸素消費量が増加する。このように心負荷が大きくなることで，不整脈を発症しやすくなるほか，術中から術後にかけて狭心症や急性心筋梗塞（こうそく）を発症することもある。また，痛みがあることで血圧が上昇しやすく，術後出血のリスクを高める。もともと高血圧症の人は，動脈硬化のため急激な血圧変動をきたしやすく，脳出血や脳梗塞など器質的脳障害のリスクも高まる。

❸消化機能への影響

痛みにより交感神経が緊張すると，消化管の蠕動運動が抑制される。その結果，術後の

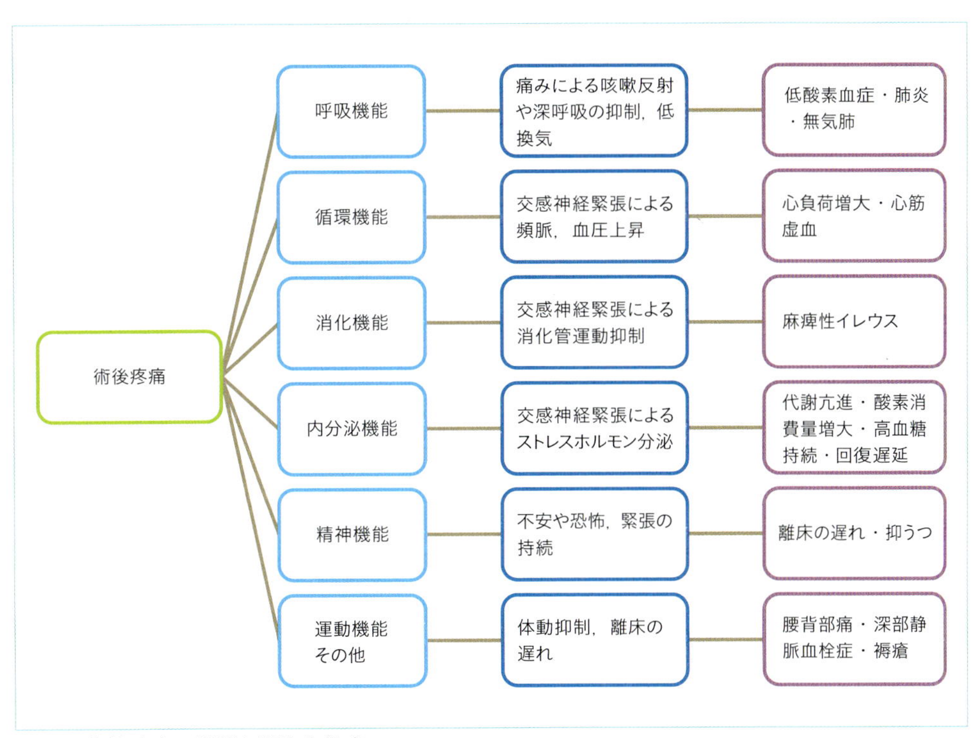

図5-9 術後疼痛の影響と術後合併症

腸管麻痺が遷延し，麻痺性イレウスのリスクが高まる。

❹内分泌機能に対する影響

痛みという侵襲（しんしゅう）により，神経内分泌反応が活性化し，ストレスホルモンが分泌される。分泌が増加するホルモンには，ACTH，コルチゾール（糖質コルチコイド），バソプレシン（抗利尿ホルモン［ADH］），成長ホルモン，アルドステロン，ノルアドレナリン，アドレナリンなどがある。これらのホルモンの働きにより，たんぱく異化が進み，血糖値上昇と遊離脂肪酸やケトン体，および乳酸の上昇が起こる。高血糖状態は創部の治癒の遅延につながる。

❺精神機能への影響

痛みは警告信号の意味合いがあるため，不安と恐怖心を引き起こす。強い不安から過呼吸になる場合もある。持続する痛みにより無力感が増し，抑うつ状態にもなりやすい。

❻運動機能への影響

痛みにより体動が抑制され，離床が遅れやすい。その結果，DVT のリスクが高まるほか，同一体位による腰背部痛や褥瘡（じょくそう）のリスクも高まる。

2. 術後鎮痛の原則

1　術後鎮痛の重要性

前述のように，痛みがあると種々の術後合併症のリスクが高まるうえに，創の治癒の遅延や離床の遅れにつながるため，鎮痛は重要である。痛みの悪循環により鎮痛効果が低下するほか，遷延する痛みにより精神的な影響も大きくなることを考慮する。

術後鎮痛の目標は，患者に痛みやストレスを与えず呼吸や咳嗽（がいそう），体動を容易にし，早期の創の治癒や身体機能の回復を促すことである。対処方略は，創部における痛みの原因を除去すること，創部の発痛物質の産生を抑制すること，痛みの伝達路を遮断し，自律神経や知覚神経の反応を抑制することである。痛みの緩和（かんわ）によって患者の不安を軽減し，術後合併症を減少させ，早期離床やリハビリテーション促進を目指す必要がある。

2　先行鎮痛法

術後鎮痛は，痛みに対する先行鎮痛法が原則である。手術部位への局所麻酔や硬膜外麻酔，神経ブロックなどにより，痛みが生じる前に鎮痛を開始することで，発痛物質の産生を抑制することができ，痛みの伝達路を遮断することができる。そのことで疼痛の悪循環を予防でき，より良い鎮痛効果を得ることができる。

3　鎮痛薬の投与方法の種類

❶持続硬膜外ブロック

目標とする部位の硬膜外腔にカテーテルを留置し，脊髄の前根と後根を遮断し，痛みを抑制する。近年は，PCA という，鎮痛薬の投与を患者自身で調節する鎮痛法の意義が重要視され，PCA機構が備え付けられた硬膜外麻酔の機器が使用されることが多い。PCAは，鎮痛薬の追加投与が患者自身の判断で可能であり，ボタンを押すと自動的に投与される。過量投与を防ぐため，いったん鎮痛薬が投与されると，その後はロックアウト時間として，ボタンを押しても投与されない設定をすることができる。

❷持続末梢神経ブロック

手術創に対応した脊髄神経前枝を遮断し，痛みを抑制する。

先に述べた持続硬膜外ブロック，抗凝固薬を使用する場合など出血による脊髄損傷のリスクが高くて使用できない例がある。これに対して持続末梢神経ブロックは，広範囲の鎮痛効果は得られないものの抗凝固薬使用中でも問題が生じにくい。強い痛みの管理のためオピオイド系鎮痛薬を使用した場合に生じ得る全身性の副作用を避けることも可能となるため，近年は四肢以外にも様々な部位の手術で使用されるようになってきている[15]。

❸静脈内投与・筋肉内投与・経直腸投与・経口投与

手術部位や侵襲の程度，患者の回復状況に合わせて，投与経路が選択される。一般的には，術直後の絶飲食の時期には静脈内投与や経直腸投与が第一選択とされ，水分などの経口摂取が可能になった段階で，経口投与となる。

4 投与製剤

鎮痛薬は，痛みの程度に合わせて使用する。鎮痛薬には副作用があるため，それぞれの特性を踏まえて組み合わせて使用する。たとえば，NSAIDsの副作用には消化管粘膜障害があるため，消化管潰瘍性疾患のある患者では使用は禁忌となる。また，末梢血管の血流を減少させ血圧を下げ腎血流を低下させるため，腎障害のある患者への使用は避ける。

オピオイド系鎮痛薬は，呼吸抑制や悪心（おしん）・嘔吐などの副作用が強いため，ほかの薬剤を併用するなど工夫を要する。薬剤の副作用が患者の苦痛につながり，ほかの合併症を併発することのないよう配慮する。

表5-21に，術後に使用される主な鎮痛薬と副作用をまとめた。

表5-21 術後に使用される主な鎮痛薬と副作用

分類	薬剤名	副作用
アセトアミノフェン	アンヒバ®, アセリオ®, カロナール®	• 大量投与で肝障害
非ステロイド性抗炎症薬（NSAIDs）	フルルビプロフェン　アキセチル（ロピオン®），ジクロフェナクナトリウム（ボルタレン®），ロキソプロフェンナトリウム水和物（ロキソニン®），メフェナム酸（ポンタール®）	• 消化管粘膜障害（消化管粘膜の血流を障害）：消化管潰瘍性疾患には禁忌 • 腎障害（腎血流低下作用あり）：心・腎障害のある患者や高齢者は注意 • 喘息患者や慢性副鼻腔炎患者の発作誘発（アスピリン喘息（ぜんそく））
オピオイド系鎮痛薬（麻薬性／非麻薬性）	モルヒネ塩酸塩水和物（モルヒネ塩酸塩®），フェンタニル®	• 呼吸抑制 • 悪心・嘔吐 • 便秘：腸管運動低下 • 尿閉 • 精神症状

3. 術後疼痛に対するケア

1　術前の看護

❶疼痛に関する認識の確認

患者の痛みに対する態度や言動を観察する。これまでの痛みに関する経験や，鎮痛薬に関する言動，不安などを聞き取り，必要な援助を計画する。

❷痛みに関する指導

痛みは我慢する必要がないこと，痛みにより様々な悪影響があるため積極的に鎮痛する必要があることを説明する。また，我慢すると鎮痛しにくくなるため，痛みが進んでからではなく痛み始めのときから鎮痛薬を使うと効果的であることや,眠る前や動く前などは,前もって積極的に使用するとよいことを説明する。疼痛が増強してからでは鎮痛薬の効果が得られにくいことを伝え，早期対処が図れるよう説明する。

また，主観的な痛みを医療者に伝える際には，スケールを使って客観的に表現することで共有しやすくなることを伝える。図 5-10 に痛みのスケールを示した。痛みは我慢するものではなく，医療者と一緒に目標を決めてコントロールするものであることを，患者が納得できるような説明を行うことが大切である。

近年は，PCA ポンプを使用した疼痛管理が行われることも多い（図 5-11）。PCA ポンプの使用により，疼痛出現時に患者が自らの判断で，制限の範囲内で一定量の鎮痛薬を速やかに追加注入することができる。事前に患者に対して PCA ポンプの利点や追加投与の方法を説明しておく必要がある。

PCA ポンプ使用による疼痛管理のメリットとして，次の事項があげられる[16]。

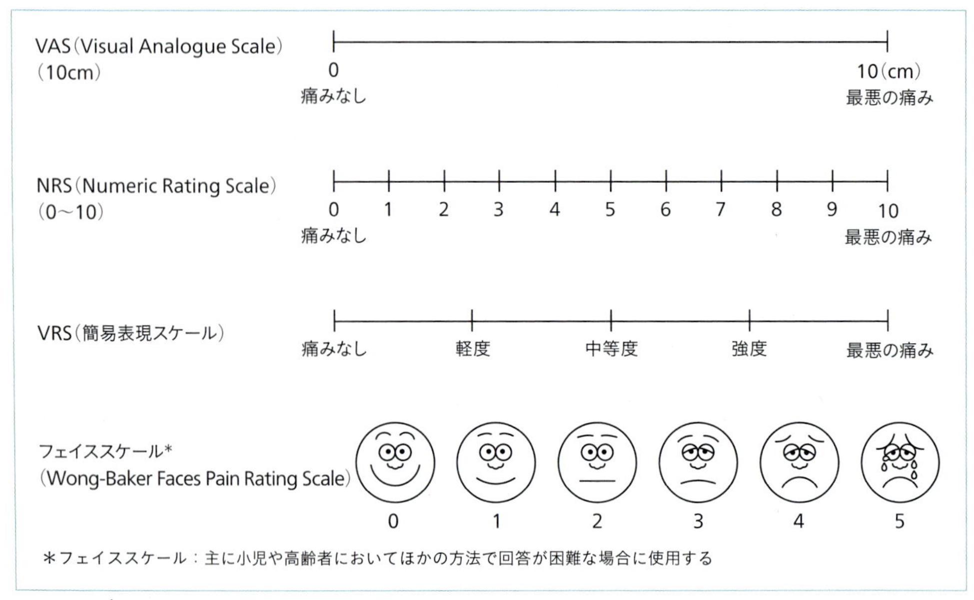

図 5-10 痛みのスケール

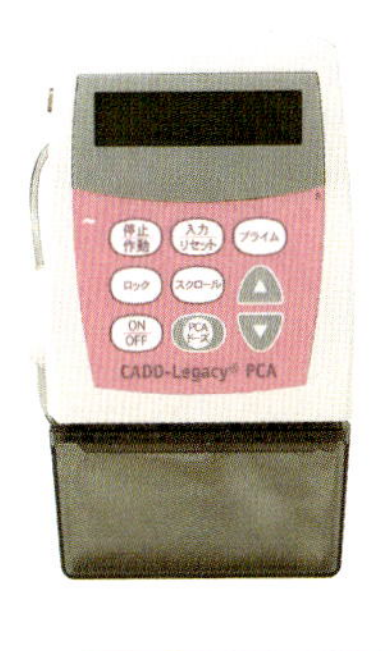

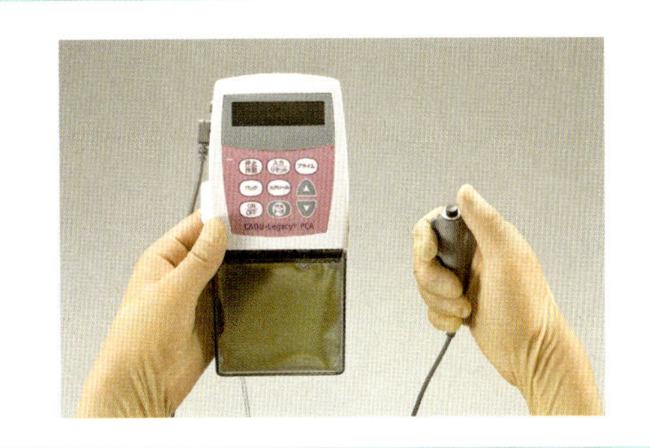

図5-11 PCAポンプ（CADD-Legacy®）

❶痛みに対し，即座に患者自ら鎮痛薬を投与することができ，痛みを自己コントロールできる。
❷硬膜外，静脈，皮下などの投与方法に対応可能なPCAポンプがあり，経口投与よりも迅速にコントロールができる。
❸嘔吐や下痢，絶飲食などにより，経口薬や坐薬が使用できない場合にも使用できる。
❹からだの回復状態，離床などのプログラムに合わせて，患者の判断で予防的に薬を投与できる。

予定されている鎮痛薬について情報を提供することで，不安の緩和につながる。その際，患者が鎮痛薬の副作用に過剰に反応することのないよう，副作用が出現した場合は，その症状を緩和（かんわ）する薬剤を併用する予定であるなどの情報提供を行う。

2　術後の看護

❶疼痛のアセスメントと鎮痛処置の実施

患者の表情や姿勢などを観察し，患者の訴えをていねいに聞き，疼痛の部位，程度，性状（どのような痛みか）を把握する。痛みの性状により体性痛か内臓痛かなど判断できるため，創による侵害受容性のものであると判断できれば，速やかに鎮痛を図る。鎮痛は重要であるが，ほかの合併症による痛みと鑑別することも同等に重要である。想定される合併症とその症状を考慮し，鎮痛以外のほかの処置が優先される状況ではないか検討する必要がある。また，安静時にも痛いのか体動時のみかなど，痛みの増強の誘因についても把握し，誘因を除去する計画も検討する。

疼痛をアセスメントする際には，鎮痛薬の使用状況に照らして検討する。鎮痛薬の使用量や使用した時間，効果と副作用を観察し，副作用症状の緩和を図りつつ使用する。離床の前に鎮痛薬を使用するほか，体動や咳の前には創部の保護を促す。また，鎮痛処置を行った際には，そのことを患者に説明し，見通しが得られるよう心理面に配慮したかかわりも行うとよい。鎮痛薬の使用後は，効果発現までの時間や持続時間を考慮し，タイミングよく追加使用の検討ができるよう配慮する。

❷疼痛閾値を高める援助の実施

表5-22にあげたような，痛みの閾値（いきち）を低下させたり上昇させたりする要因を踏まえ，

表 5-22 痛みの閾値にかかわる要因

閾値を低下させる要因 （痛みを感じやすくする因子）	閾値を高める要因 （痛みを感じにくくする因子）
不快感，不眠，疲労，不安，恐怖，怒り，悲しみ，抑うつ，倦怠感，孤独感，役割や社会的地位の喪失など	症状の緩和，睡眠，周囲の理解，コミュニケーションなど人との触れ合い，マッサージやリラクセーションなど緊張の緩和，不安の緩和，気分転換など

疼痛を緩和する。

▶ **安静に伴う苦痛の緩和**　体位の工夫や体位変換，体動時の援助を行う。腹筋の緊張を緩め，創に負担をかけないような姿勢を保持する。

▶ **共感的なかかわり**　患者の訴えを傾聴し，不安を取り除けるようなコミュニケーションを図る。共感的に接する。

▶ **休息や睡眠の確保**　リラクセーション，温罨法やマッサージなどを施行し，リラックスできるようにする。睡眠が確保できるよう必要に応じて睡眠薬を使用する。日中はできるだけ気分転換が図れるような環境調整を行う。

▶ **ドレーンやチューブ類の管理**　挿入されているドレーンの固定が不十分だと，体動時に痛みが増強することがある。また，チューブ類の重みで固定した皮膚に緊張がかかりやすくなるため，定期的に固定の位置を変え，固定をやり直す。

IV 感染対策

A 手術と創

1. 手術による創への影響

1 手術創の清浄度

手術は無菌操作で行われるものであるが，手術する部位の特性により清浄度に差異が生じる。たとえば，消化管の手術の場合，腸管の切除などの処置により消化管内の常在菌が創に付着するため，清浄度は下がる。同様の理由で，泌尿生殖器の手術や口腔咽頭の切開がある場合，清浄度が高くない。一方で，開心術や脳外科手術，整形外科の骨・関節の置換術などは，無菌操作が破綻しないため清浄度が高い。ただし，外傷による手術や感染を伴う場合などは，手術部位にかかわらず清浄度は下がり，創は汚染されやすくなる。表5-23に手術の清浄度の分類をまとめた。

ほかにも手術創の清浄度に影響する要因として，剃毛など術前皮膚処置が不適切に行われた場合や，緊急手術などにより皮膚の清潔度が保ちにくい場合などがあげられる。

表5-23 手術創の分類

クラス	内容
クラスⅠ **（清潔：clean）**	感染や炎症がない，一次縫合された状態 呼吸器，消化管，生殖器，尿路手術を含まない
クラスⅡ **（準清潔：clean-contaminated）**	呼吸器，消化管，生殖器，尿路，胆道，虫垂の手術 特別な汚染のない手術創
クラスⅢ **（不潔：contaminated）**	外傷など開放性の新しい創 腸管内容物が流出した場合
クラスⅣ **（汚染／感染：dirty-infected）**	古い外傷性の創，壊死組織が残っているもの，消化管穿孔に対する手術創，感染が認められるものや膿瘍などの感染に対する手術

出典／渡部祐司：損傷の定義・分類，畠山勝義監，北野正剛，他編：標準外科学，第14版，医学書院，2019，p.101.

2 侵襲による易感染状態

手術侵襲(しんしゅう)に伴う血糖値の上昇は，脳への十分なエネルギー供給と損傷した組織を修復するエネルギーとなるが，高血糖は好中球の作用を低下させるなど，細胞性免疫や液性免疫などの機能を低下させるほか，末梢血管の血流低下により易感染性を高めるという問題を引き起こす。

また，術前から栄養状態が悪く血清たんぱく質が低下している場合などは，アミノ酸の不足により創の治癒遅延を生じやすい。治癒遅延により感染防御機構の破綻が遷延するため，感染のリスクを高める。

さらに，侵襲に伴い分泌されるサイトカインは，それ自身や周囲の細胞に働きかけ，ほかのサイトカインの産生を促すなど局所的な働きが中心であるが，侵襲が大きい場合は多量に産生され，全身的な炎症反応を引き起こす。サイトカインには炎症性のもの，抗炎症性のものがあり，炎症性のサイトカインが産生されると，それを代償しようと抗炎症性のサイトカインが産生される。それらのバランスにより，炎症性サイトカインが優位な全身性炎症反応症候群（SIRS）や，抗炎症性サイトカインが優位な代償性抗炎症反応症候群（CARS）が引き起こされる。CARSでは免疫が抑制され，重症感染症を引き起こしやすい。

2. 創傷治癒過程

1 創治癒過程

創の治癒形式には1次治癒と2次治癒がある（図5-12）。1次治癒は，手術の切開創のように縫合(ほうごう)により密着させた創の治癒であり，2次治癒とは，褥瘡(じょくそう)などのように開放した創の治癒のことである。

創傷治癒過程は，大きく炎症期，増殖期，成熟期に分けられる。創の治癒は受傷直後から始まり，これらの4つの時期が重なり合いながら進行していく[17]（表5-5参照）。

まず，炎症期は止血と凝固から始まる。血管透過性の亢進が起こり，血球や血漿成分などが創傷組織に到達する。創傷組織に到達した血小板は血栓を形成し，血栓の間にフィブリン網を形成する。また，好中球やマクロファージなどは血管外に移動し，壊死組織や遺

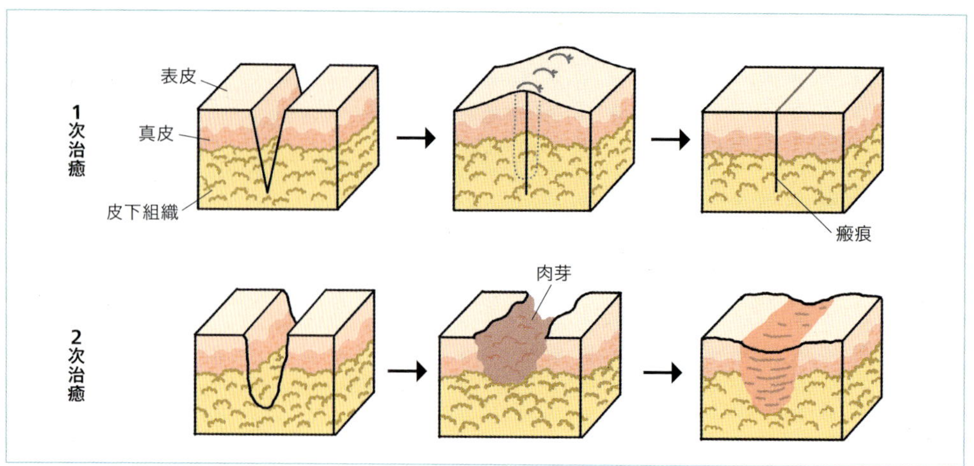

図5-12 1次治癒と2次治癒

物の貪食を行う。炎症期に感染や虚血，栄養障害があったり創に圧が加わったりすることで，炎症期が遷延しやすくなり，それ以降の治癒も遅れ，創治癒が遅延しやすくなる。

増殖期においては，形成されたフィブリン網のもとで肉芽組織が形成される。線維芽細胞が増殖しコラーゲンなどの産生により補強され，同時に血管が新生される。フィブリンは徐々に分解され，線維素融解が起こる。

成熟期は，増殖期に形成された肉芽組織内でコラーゲンの再分解と再構築が起こり，瘢痕が形成されるとともに組織が再生される時期である。

2 創傷治癒に影響する要因

創傷治癒を阻害する要因は，主に患者要因，手術要因，創の要因に分けられる（表5-24）。患者要因としては，低栄養状態，糖尿病による高血糖，喫煙，全身的な副腎皮質ステロイド薬投与などがあげられる。手術要因としては，長時間手術や清浄度の低い手術が，感染を併発しやすく創治癒遅延を生じやすいものとしてあげられる。創の要因としては，感染や壊死組織の存在，乾燥，血行不良，器械的外力，血清たんぱく質の減少などがある。

一方で，創傷治癒の促進因子としては，創面が清潔で閉鎖し湿潤環境にあること，外力

表5-24 創傷治癒に影響する因子

阻害要因			促進要因
患者要因	手術要因	創の要因	
低栄養状態 糖尿病 喫煙 副腎皮質ステロイド薬	手術の清浄度 長時間手術	感染や壊死組織 乾燥 血行不良 器械的外力 血清たんぱく質の減少	創面の閉鎖・湿潤環境 外力がかかりにくい状況

出典／廣瀬宗孝：感染予防，標準麻酔科学，医学書院，2011，p.208．をもとに作成．

がかかりにくい状況などがあげられる。創面の乾燥は上皮細胞の遊走や線維芽細胞の増殖を妨げるが，創面の閉鎖による低酸素状態は血管新生を促進する。術後は，創傷が治癒するための最適な環境をつくるため，創傷を被覆し，適切な閉鎖・湿潤環境をつくることができるようなドレッシング材が使用される。

3. 手術創における感染管理の重要性

手術は，治療目的で人工的に組織を損傷させ，生体の感染防御機構を破綻させる処置を施すものである。そのため，生体への悪影響を最小限とする必要があり，無菌的処置により感染管理を徹底することが重要である。

手術や麻酔といった侵襲によりサイトカインが分泌され，炎症反応が生じて免疫が低下するが，そこにさらに感染が加わることで炎症反応が多大となりやすい。感染により引き起こされるSIRSは特に敗血症（sepsis）とよぶが，手術侵襲後の敗血症は炎症性サイトカインの働きが過剰となり，SIRSが重症化しやすく，多臓器障害症候群（multiple organ dysfunction syndrome；MODS）に進展する場合もある。

また，局所的であっても，感染は創治癒遅延の重大な要因である。創の治癒遅延により，入院期間の延長や再手術，治療の長期化をきたし，患者のQOLを著しく損ない，手術の満足度を大きく下げることにつながる。

B 感染予防のためのケア

1. 術後感染症

手術が原因または手術を契機に発症する術後感染症は，主に2種類に区別される。手術の創や手術操作が行われた部位の**手術部位感染**（surgical site infection；SSI）と（図5-13），それ以外の部位の感染である**遠隔部位感染**である[18]。術後に発熱や痛み，C反応性たんぱ

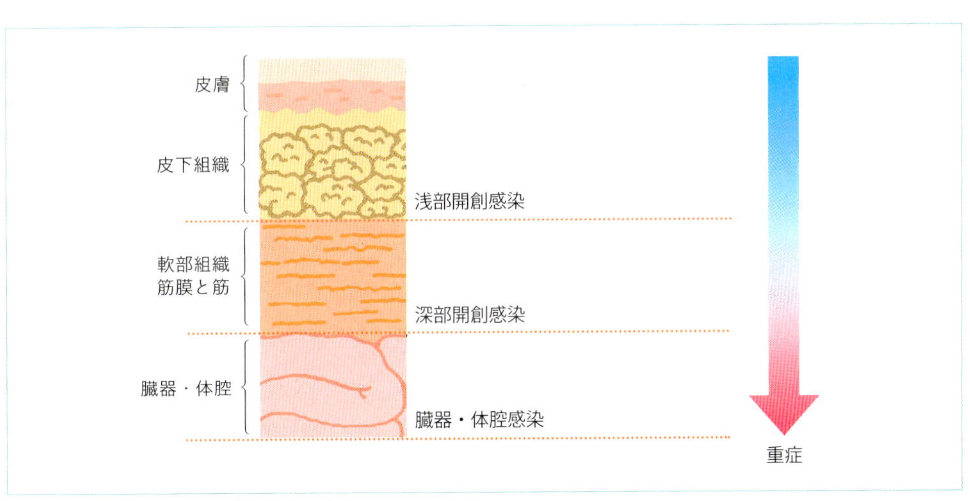

図5-13 手術部位感染（SSI）の分類

く（c-reactive protein；CRP）や，白血球（white blood cell；WBC）値の再上昇が認められた場合，術後感染症が示唆される。また，多くの術後感染症は，術後3〜5日目以降に発症する。

1　手術部位感染（SSI）

❶SSIとは

手術部位感染（surgical site infection；SSI）とは，手術創の感染や手術操作が直接加わった部位に起こる感染のことをいう。通常，術後30日以内に発症するが，人工物の移植が行われた場合は，術後1年以内に発生したものを含む。原因として，皮膚の常在菌や消化管内常在菌など内因性のものと，術中の落下細菌や手術器械やスタッフからの細菌など外因性のものがあげられる。

SSIは，浅部切開創感染，深部切開創感染，臓器・体腔感染の3つに分類される。表層浅部切開創のSSIでは，局所に疼痛，圧痛，腫脹，発赤，熱感や切開部から排膿などが認められるが，一般に重篤化（じゅうとくか）することはまれである。深部切開創のSSIでは，感染が深部組織（筋膜，筋肉）に達し，排膿や38℃以上の発熱，疼痛，圧痛などより重篤な症状がみられる。臓器・体腔感染は重症化しやすく，敗血症性ショックを起こしMODSに進展する場合もある。

このように感染部位の深度により，症状が局所的か全身的か異なり，重症度にも差異が認められる。

❷SSIの危険因子

SSIの要因は主に3つに分けられ，病原菌，創，患者（宿主）の要素が影響している。それぞれ多数の因子があげられるが，最も重要な因子として，創の清浄度，患者の全身状態の良否，手術時間の長短がある。表5-25にSSIの危険因子をまとめた。

表5-25　手術部位感染（SSI）の危険因子

病原菌	創	患者（宿主）
遠隔部位の感染巣 術前の長期間の入院歴や療養施設の入所歴 創の清浄度 術前の剃毛 術前の抗菌薬による治療の有無	手術手技の難度（手術時間の長さ） 血腫や壊死 縫合の大きさ ドレーンの数，挿入部位 人工物の挿入	高齢 免疫抑制が生じる状態 副腎皮質ステロイド薬使用 悪性腫瘍 肥満 糖尿病・血糖コントロール不良 低栄養 喫煙歴 低体温 輸血歴 低酸素

2 遠隔部位感染

遠隔部位感染とはSSI以外の感染であり，具体的には中心静脈カテーテル挿入によるカテーテル関連感染症や，膀胱留置カテーテルの長期留置に伴う尿路感染症，脂肪乳剤による感染，硬膜外麻酔や脊髄麻酔による髄膜炎，人工呼吸などに伴う肺炎などがある。

2. 創治癒促進と感染予防のためのケア

感染症の発症は，病原菌の量および毒素と宿主の感染防御力とのバランスにより左右される。そのため，感染予防のためのケアとしては，病原菌の量を減じることと，宿主である患者の感染防御力を高めることを目指す。感染を予防し早期に創が治癒することは，創の感染防御機構の早期の回復にもつながるため，創治癒促進と感染予防の両者を考慮したケアを行っていくことが重要である。

1 術前の看護

❶術前評価と身体状況を整えるケア

創治癒遅延や感染リスクの要因の有無を把握し，感染源となり得る部位の治療や血糖コントロールなど予防的ケアを実施する。患者に対しては，術前は感染症に罹患(りかん)しないよう予防行動をとる必要性を指導し，感染症を発症したおそれがある場合は，医師に相談し，必要に応じて速やかに受診するよう説明する。

▶ **遠隔部位に感染巣がある場合**　皮膚や口腔内の感染，感冒などのウイルス感染，膀胱炎など，日常的な感染症は可能な限り手術までに治療を行う。

▶ **糖尿病・高血糖**　術前検査の結果，高血糖が認められれば手術までに改善を図る。血糖値が200mg/dL以上となるとSSIのリスクが高まるため，必要に応じインスリンを用いる。

▶ **低栄養**　血液検査の結果，血清アルブミン値の減少が認められれば，栄養状態の改善を目指して適切な栄養管理を行う。

▶ **喫煙**　できるだけ早期より禁煙を行うことで，SSIの予防と創治癒促進が期待できる。なお，気道の清浄化には最低3週間の禁煙が必要とされている。

❷全身の清浄化

手術前日または当日に，入浴やシャワー浴，清拭などを安静度に合わせて実施する。全身を清浄化することで，皮膚の大きな汚れを除去し消毒効果を高められる。剃毛は，皮膚に生じた微細な切創が細菌の増殖源となるため行わない。剃毛が必要な場合は，サージカルクリッパーなどを用いて手術直前に行う。なお，感染管理上，術前の入院期間はできるだけ短縮するほうがよいとされる。

❸口腔内処置

歯周病など口腔内の感染は，術後肺炎のリスクを高めるため，術前に歯科受診ができるよう配慮する。歯垢(しこう)に含まれる細菌が肺炎の起炎菌となると考えられており，含嗽(がんそう)や歯磨きなど口腔ケアを行うことは重要である。特に絶食の期間が長引く場合は口腔ケアの重要性が増すため，患者に口腔ケアの重要性を説明し，定期的な実施を促す必要がある。

❹消化管処置

医師の指示に従い，術式に合わせた消化管処置として緩下剤（かんげ）や下剤の内服を促す。術中や術直後に便による創の汚染を予防するためにも，術前から排便状況を整える必要性がある。腸管切除が予定される場合は，下剤の内服により腸管の洗浄を行うが，激しい下痢により電解質バランスが乱れるおそれがあるため，輸液を施行しながら実施する。

❺抗菌薬の予防投与

手術部位の細菌叢（そう）の特性を踏まえた適切な抗菌薬の予防投与を行う。手術創の常在菌を理解し，適切なタイミングで与薬を行う必要がある。

2 術後の看護

❶感染の早期発見

感染予防とともに，感染を早期発見し速やかに治療をスタートすることが最も重要である。そのために定期的なバイタルサインの測定や，ドレーンの排液量や性状，創の炎症徴候を観察し変化に気づく必要がある。併せてCRPやWBCなどの検査値を経時的に確認し，悪化の徴候を速やかに把握する。

術後３～５日目以降の創の炎症再燃や発熱，CRPやWBCの上昇は新たな侵襲が加わったことを意味し，感染症発症の可能性がある。速やかな感染源同定のため，患者から症状の聞き取りを行うほか，必要な観察を追加する。

❷創部の清潔と保護

手術創の清浄度により管理は異なるが，医療者はスタンダードプリコーションを実施するとともに創の清潔保持を徹底する。併せて患者自身が創の異常に気づく必要性を指導し，創の観察と清潔のためのケアを実施できるよう働きかける。また，創に圧がかかると治癒遅延につながるため，創を保護する工夫を伝え，創に緊張がかかり過ぎないようにする。

❸ドレーンの早期抜去

ドレーンやチューブ類は可能な限り早く抜去する。やむを得ず留置する場合は，清潔管理を徹底する。挿入が長期間になると患者自身が管理する場合も多いため，不潔にならないようチューブやバッグの管理法を指導する。膀胱留置カテーテルを長期間にわたり留置する必要がある場合は水分摂取を励行し，膀胱内の細菌が増殖することを予防する。

❹疼痛コントロール

疼痛は生体にとって侵襲であり，交感神経の緊張やサイトカインの反応を引き起こす。また，痛みに対する脊髄反射として，筋肉の収縮が引き起こされ血流が低下しやすい。結果的に酸素や栄養素が十分に創に行きわたらず，創治癒遅延を引き起こす。そのため，痛みは積極的に緩和する。

❺低体温の予防

低体温は血管を収縮し創部への酸素供給を減少させるほか，好中球やマクロファージなど貪食細胞の機能障害をきたしSSIのリスクを高める。術中から室温調整や加温・保温により低体温を予防する。

C 感染症発症時のケア

感染症の発症時のケアとして大切なことは，できる限り早く診断し治療を開始することである。感染部位から起炎菌をある程度は推定することができ，適切な抗菌薬を選択することができるため，SSIおよび遠隔部位感染の徴候を観察し，苦痛の緩和を図りながら，抗菌薬の効果や副作用の観察を行う。

時に敗血症ショックなどの重篤な状態となる場合もあるため，SIRSの診断基準を理解し，CARSによる免疫抑制状態で生じる感染の重症化やMODSへの進展を引き起こさないよう，バイタルサインの変化に注意を払い，全身状態を整える。

V ドレーン管理

A 手術とドレナージ

1. ドレナージとは

ドレナージとは，体腔，創腔，管腔内に貯留した滲出液，血液，膿液，消化液などの液体や空気などの気体を体外に誘導して排出することをいう。使用するドレーンは表5-26のように様々な種類があり，それぞれの特徴を基に目的に応じて使用する。

2. ドレナージの目的

ドレナージには，次のような目的がある。

▶**治療的ドレナージ**　滲出液や血液などが貯留し，保存的治療では治癒・軽快が期待できない場合に，液体や気体を体外へ排出させる。

▶**予防的ドレナージ**　血液，滲出液，消化液などの貯留によって感染や縫合不全が予測される場合に，その予防のために腹腔内や胸腔内などに留置する。

▶**情報ドレナージ**（インフォメーションドレナージ）　術後出血，縫合不全，感染など，術後合併症の徴候の有無を観察する。

術後のドレナージでは，切断・吻合した組織からの出血や消化液を体外へ排出させるとともに，その量・色・性状などを観察することによって正常に回復しているかどうかを確認することが大きな目的であり，前述の目的もすべて含む。ドレーンは排液が貯留しやす

表5-26 各種ドレーンと特徴

ドレーンの種類	構造上の特徴，使途
フィルム型ドレーン フィルム型　多孔型　ペンローズ型	• 主に腹腔内や皮下の開放式ドレーンとして使用される • 内腔に多数の吸引溝があり，毛細管現象を利用してドレナージする • シリコン製で柔らかく，患者の苦痛が少ない • 圧迫により屈曲しやすく，内腔が狭くなりやすい • 粘稠な排液，凝血塊，組織片などは排出しにくく，内腔閉塞の原因となる
チューブ型ドレーン デュープル型　プリーツ型　単孔型　平型	• 主に腹腔内や胸腔内の閉鎖式ドレーンとして使用される • 素材はゴム製，シリコン製，シリコンと塩化ビニルの合成など多種類ある • 内腔が閉塞しにくく，粘稠な排液，凝血塊，組織片などのドレナージも可能である
サンプ型ドレーン 2腔型　3腔型　（先端）（中央）マルチドレーン	• 内腔が2つ（2腔型）または3つ（3腔型）に分かれ，縦に溝がある • 一方の腔から外気を入れ，ほかの腔から体液を排出する構造（サンプ効果）となっている • 内腔に吸引圧をかけてもドレーン先端が組織に吸着して損傷することが少ない
ブレイク型ドレーン ラウンド型　フラット型	• 4本の深い吸引溝をとおして体液を排出する • 吸引溝と周辺組織との接触面積が広いため広範囲で効率的なドレナージが可能である • 内腔がないため閉塞しにくい

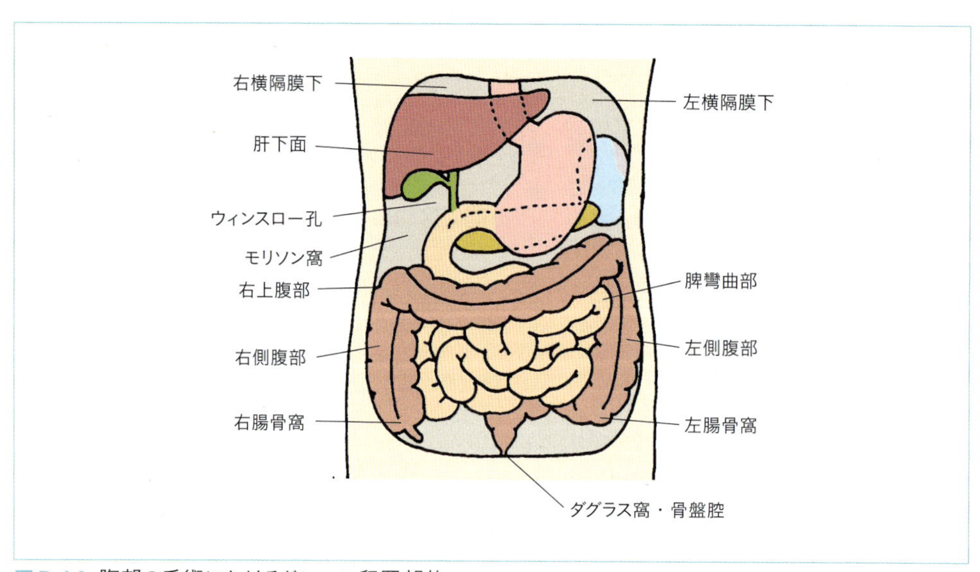

図5-14 腹部の手術におけるドレーン留置部位

い部位に術後数日間留置される。図5-14は腹腔内の手術に際して留置される部位であるが，このほか食道摘出術，肺切除術，心臓手術では胸腔内ドレーンが，脳手術では脳槽ドレーンが留置されるなど，部位は術式によって異なる。

3. ドレナージの方法

ドレナージには，開放式，閉鎖式，半閉鎖式があり，表5-27に示すような特徴がある。また，閉鎖式ドレナージには，陰圧をかけずに自然に排液を回収する受動的ドレナージと，陰圧をかけて吸引しながら排液を促す能動的ドレナージがある。

4. ドレーンからの排液

術直後のドレーンからの排液は，血液を多く含むため血性であり量も多い。術直後に血性排液が100mL/時以上の場合は，後出血の可能性があるため，医師に報告する。一般的な術後排液の色は図5-15に示すように，血性→淡血性→淡々血性→淡黄色→淡々黄色（透明・漿液性）と日を追うごとに変化していく。ドレーンは排液量が減少し，色調が淡々血性→淡黄色となる術後3日目から1週間頃まで留置される。

消化管の手術では，各消化管の分泌液によってドレーン排液の色も異なる。排液の正常な色は，切除した臓器・組織により異なる。胆汁は濃い黄金色，膵液は無色透明など，もともとの分泌液の色を理解して観察する。腹腔内に感染が起きた場合は，粘稠度の高い白～クリーム色の排液がみられる。縫合不全では消化管の内容物が混入するため，茶系の混濁液が排出され，便臭がすることもある。

表5-27 開放式ドレナージと閉鎖式ドレナージの特徴

項目	開放式（オープンドレナージ）	閉鎖式（クローズドドレナージ）
ドレーンの末端	外界に開放されている	外界から閉鎖されている
排出液の回収方法	ガーゼに吸収	排液バッグ・ボトル
体表面のチューブの長さ	短い（数cm）	長い（1m前後）
排液量の計測	不正確（mLではなく，gによる重量測定とすることもある）	正確
排液の観察	表層に滲出していない場合は，ガーゼの体表側を確認する	視覚的な観察が容易
逆行性感染のリスク	高い	低い
活動／ADL	制限されにくい	制限されやすい
拘束感	なし	あり

注）半閉鎖式ドレナージでは，ドレーンの末端をパウチなどで覆って排液を回収する。

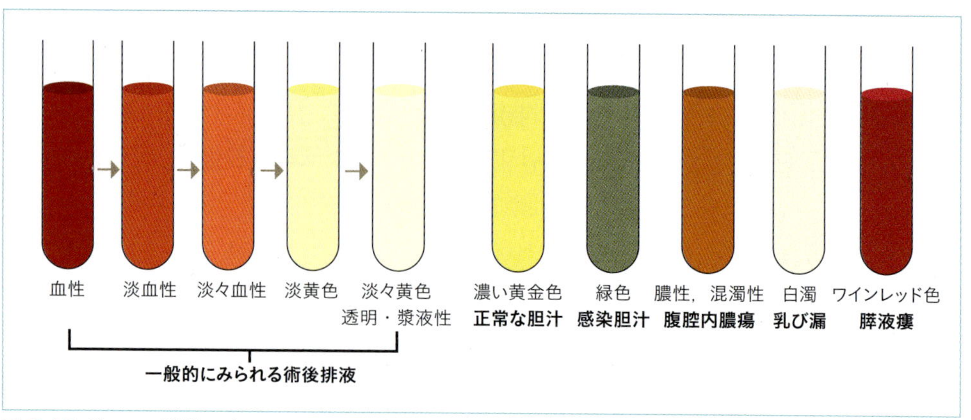

図5-15 ドレーン排液の色

B ドレーン留置中の看護

ドレーン留置中は，疼痛や不快感，感染や自己抜去のリスク，ADLの制限，不安などが看護上の問題となる。これらに対する看護によって，安全で効果的なドレナージが行われるようにする。

(1) 観察ポイント

- 排液量，色調，性状，臭気，混濁・浮遊物の有無
- ドレーン挿入部および周囲の皮膚の状態
  感染徴候の有無：発赤（ほっせき），腫脹，熱感，排膿，疼痛など
  皮膚障害の有無：発赤，びらん，表皮剝離など
- ドレーン挿入部からの出血・排液漏れの有無
- 皮膚固定糸の状態
- ドレーンの逸脱・迷入の有無（固定時の目盛りや目印の確認）
- ドレーンの屈曲・閉塞・破損の有無
- バイタルサイン，検査データ（特に，出血，止血に関するHt，Hb，Plt，PT）の変化
- 吸引器の場合は設定・作動状況
- 安楽・苦痛の状況，自己抜去などの危険性の有無

(2) ドレーンの事故(自己)抜去防止

- ドレーンの皮膚固定を確実にする
- ドレーンの長さは長すぎず，短すぎず，患者の活動を考慮して調節する
- ドレーンの固定部位，固定方法，排液バッグの置き方を工夫する
- 患者に体動時の注意事項について説明を行い，理解を得る

(3) ドレナージ効果の促進

- 効果的に流出がされるようにドレーンの固定を工夫し，排液バッグ，ボトルは挿入部より下の位置に置く
- ドレーンのミルキングを行う。図5-16のように用手的，またはミルキングローラーなどを用いて陰圧をかけて排出を促す

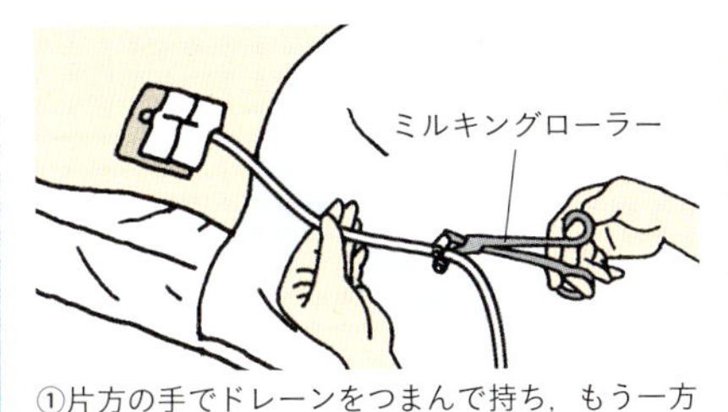

①片方の手でドレーンをつまんで持ち，もう一方の手でミルキングローラーをドレーンにはさむ。

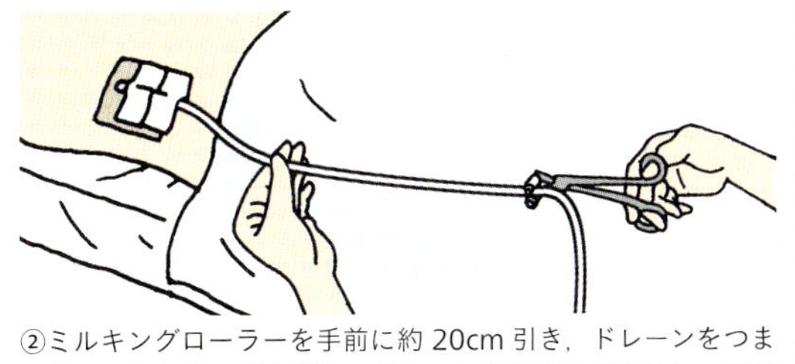

②ミルキングローラーを手前に約20cm引き，ドレーンをつまんでいたほうの手を離す。ドレーン内の圧力が変動し，排液が移動しやすくなる。

図5-16 ミルキングの方法

(4) 感染予防

- 挿入部と周辺の皮膚の清潔を保持する
- 排液バッグ・ボトルやチューブの接続部位は清潔に保ち床につかないようにする
- 排液バッグ・ボトルやチューブの交換時は清潔操作で行う
- 排液バッグ・ボトルは排液の逆流を予防するため挿入部より下の位置に置く
- 移動時，必要であれば排液の流動性を防ぐためにチューブをクランプ鉗子を用いてクランプする

(5) 苦痛の緩和

ドレーンによる不快感や痛みを訴える場合は，チューブにゆとりをもたせるように長さを調整したり，ドレーンの固定方法や固定部位を変えたりして安楽を図る。不安，恐怖心，重症感などに対しては，気持ちに寄り添いながら，留置の目的と必要性をよく説明して理解を得るように努める。活動制限による苦痛がある場合は，必要に応じてADLの援助を行いながら，安全に活動できるようにドレーンを管理する。

C ドレーン抜去後の看護

排液の量が減少し，色や性状に異常がなければドレーンは抜去される。抜去後は，ドレーン抜去部からの滲出液や出血の有無を観察し，異常を察知した場合は医師に報告する。

ドレーン抜去によって，観察が容易であった排液の観察は困難になり，体内で起こる出血や縫合不全などは患者の自覚症状や検査データの変化から察知する必要がある。たとえば，腹腔内手術では縫合不全が起こる可能性があるため，腹痛や炎症反応（WBC，CRPの上昇），発熱の有無を観察する。胸腔内手術では，胸腔内に滲出液や空気が貯留すると呼吸器症状がみられるため，呼吸パターン，呼吸音，胸郭の動き，皮下気腫の有無，Spo_2，動脈血ガスデータ，胸部X線写真などの観察を行う。

ドレーン抜去部に感染徴候がなく全身の回復が正常範囲であれば，フィルムドレッシング材などにより抜去部を被覆してシャワー浴を行うことが可能となる。

文献

1） 鎌倉やよい，深田順子：周術期の臨床判断を磨く；手術侵襲と生体反応から導く看護，医学書院，2008，p.31-52.
2） Craig D.B.：Postoperative recovery of pulmonary function，Anesth Analg，60（1）：46-52，1981.
3） 大山隆史，他：呼吸器合併症（無気肺・肺炎），消外 Nurs，15（6）：559-564，2010.
4） 澄川耕二：輸液〈土肥修司，澄川耕二編：TEXT 麻酔・蘇生学〉，第 4 版，南山堂，2014，p.86.
5） 鈴木康夫編：患者さんによくわかる薬の説明〈メディクイックブック第 1 部〉，2014 年版，金原出版，2014，p.636-642.
6） 畠山勝義監，北野正剛，他編：標準外科学，第 15 版，医学書院，2019，p.21，p.246.
7） 急性腹症診療ガイドライン出版委員会：急性腹症診療ガイドライン 2015．https://minds.jcqhc.or.jp/n/med/4/med0214/G0000779/0001（最終アクセス日：2021/10/8）
8） 山本聖一郎，他：外科手術後排便障害の治療，排尿障害，11（1）：31-37，2003.
9） 前掲書 1），p.121-130.
10） 荻野智美：手術後に起こるせん妄，消外 Nurs，19（5）：526-528，2014.
11） International Association for the Study of Pain：http://s3.amazonaws.com/rdcms-iasp/files/production/public/1_GY%202020%20Japanese%20Preventing%20Pain-%20An%20Introduction.pdf（最終アクセス日：2021/11/18）
12） 町永弘美：疼痛ケア，消外 Nurs，11（4）：57-68，2006.
13） 米山多美子：術後疼痛をどうとるか，Expert Nurse，29（5），2013.
14） 前掲書 1），p.99-100.
15） 堀田訓久，瀬尾憲正：術後鎮痛におけるこれからの選択；末梢神経ブロックを活用した術後鎮痛，日臨麻会誌，29（5）：620-626，2009.
16） 中村美知子監，坂本文子指導：周手術期看護；安全・安楽な看護の実践，インターメディカ，2017，p.147.
17） 前掲書 1），p.71-94.
18） 弓削孟文監，古家仁，他編：標準麻酔科学，第 7 版，医学書院，2018，p.206-209.

参考文献

・奥津芳人：気管支喘息（喘息重積も含む），救急集中治療，20（3-4），2008.
・長坂信次郎：ここにご用心　呼吸器ケアのピットフォール；急性期術後呼吸管理（3），呼吸ケア，4（2）：180-185，2006.
・畠山勝義監，北野正剛，他編：標準外科学，第 15 版，医学書院，2019.
・弓削孟文監，古家仁，他編：標準麻酔科学，第 7 版，医学書院，2018.
・日本循環器学会，他：肺血栓塞栓症および深部静脈血栓症の診断，治療，予防に関するガイドライン（2017 年改訂版）．http://www.j-circ.or.jp/guideline/pdf/JCS2009_andoh_h.pdf（最終アクセス日：2021/10/8）
・日本麻酔科学会・周術期管理チーム委員会編：循環管理〈周術期管理チームテキスト〉，第 4 版，医学書院，2021.
・松本悠：術中の薬剤って呼吸・循環にどう影響するの？　OPE nursing，31（3）：196-217，2016.
・森田潔監，横山正尚編：麻酔科医のための周術期危機管理と合併症への対応〈新戦略に基づく麻酔・周術期医学〉，中山書店，2016.
・金澤典子：脳神経外科術後・摂食嚥下障害看護のポイント，BRAIN，13（1）：70-78，2013.
・落合芙美子監：リハビリテーション看護〈新体系看護学全書別巻〉，第 2 版，メヂカルフレンド社，2015.
・菊池章史，他：イレウス，消外 Nurs，15（6）：588-592，2010.
・鎌倉やよい，深田順子：周術期の臨床判断を磨く；手術侵襲と生体反応から導く看護，医学書院，2008.
・中素子，中島進：そのときどうする？トラブル別・栄養管理 & 食事指導のポイント　イレウスが起こった場合，消外 Nurs，10（8）：810-815，2005.
・別府直仁，冨田尚裕：結腸・直腸のしくみ＆術前術後看護，消外 Nurs，20（4）：309-316，2015.
・甲田賢一郎，北村享之：術中糖投与の是非，臨麻，39（11）：1505-1509，2015.
・日本麻酔科学会・周術期管理チーム委員会編：基礎疾患を有する患者の評価；糖尿病〈周術期管理チームテキスト〉，第 4 版，2021.
・大川晶未，他：心臓血管外科術後の筋蛋白量の変化，第 28 回東海北陸理学療法学術大会誌，98，2013.
・加藤光宝編：整形外科〈新看護観察のキーポイントシリーズ〉，中央法規，2011.
・厚生労働科学研究補助金（長寿科学総合研究事業）高齢者における加齢性筋肉減弱現象（サルコペニア）に関する予防対策確立のための包括的研究研究班：サルコペニア；定義と診断に関する欧州関連学会のコンセンサスの監訳と Q&A．https://www.jpn-geriat-soc.or.jp/info/topics/pdf/sarcopenia_EWGSOP_jpn-j-geriat2012.pdf（最終アクセス日：2021/10/8）
・長寿科学振興財団：健康長寿ネット サルコペニアとは．https://www.tyojyu.or.jp/net/byouki/sarcopenia/about.html（最終アクセス日：2021/10/8）
・荻野智美：せん妄発症後の看護，消外 Nurs，19（5）：536-541，2014.
・荻野智美：術後せん妄を予防するための術前・入院後の対応，消外 Nurs，19（5）：529-535，2014.
・鶴田良介：精神疾患　せん妄（精神興奮状態を含む），救急集中治療，20（3-4）：，2008.
・畑啓昭，志馬伸朗：術後肺合併症のリスク評価，日外感染症会誌，13（3）：201-208，2016.
・種池禮子，他編：パーフェクト看護技術マニュアル；実践力向上をめざして，照林社，2004.
・永井秀雄，中村美鈴編：臨床に活かせるドレーン＆チューブ管理マニュアル，学研メディカル秀潤社，2011.
・福田昌子：ドレーン管理，ナーシング，36（13），2016.
・日本看護科学学会監，看護ケア開発・標準化委員会編：看護ケアのための摂食嚥下時の誤嚥・咽頭残留アセスメントに関する診療ガイドライン，南江堂，2021，p.23-40.

第6章 術後回復過程における患者・家族の看護

この章では

- 術後回復過程における患者・家族のアセスメントを理解する。
- 術後回復過程における患者・家族に必要な看護の内容を理解する。
- 術後回復過程における患者・家族のセルフケア獲得のための看護について理解する。
- 退院後の生活調整への支援とそのために必要な退院調整について理解する。

I 患者・家族の看護

手術侵襲に対する生体反応について，フランシス・ムーア（Moore, F. D.）は，第 1 相の傷害期（手術による侵襲開始～術後 2 ～ 4 日），第 2 相の転換期（術後 2 ～ 6 日），第 3 相の筋力回復期（術後 1 ～数週間），第 4 相の脂肪蓄積期（第 3 相後～数か月）に分類した（本編 - 第 1 章 - Ⅱ -A-4「周術期にある患者の特徴」参照）。

本章では，第 3 相において患者と家族に必要な看護を記述する。第 3 相は，手術侵襲による生体反応が不安定な状態から平静化していく時期である。患者は，無事に手術が終わったという安堵感を感じると共に，悪心・嘔吐，痛みといった不快な症状が軽減することで，歩行ができ日常生活動作（ADL）が拡大するといった体験から，回復を実感する。

この時期のケアは，患者の回復を共に喜び，術前・術後の患者の体験をねぎらい，退院に向けてのセルフケアを確立するように支援する。そのために，患者の手術目的の達成と手術方法を理解したうえで，患者自身が手術による形態機能の変化をどのように受け止め，どのような生活を送ろうとしているのかを知り，患者の描く退院後の生活を共有し，目標を調整する。そして，患者が目標とする生活を送るための準備状態，必要とされるセルフケアとその習得状況をアセスメントし，必要な知識や技術を提供する。これらは，患者が術後の生活を再構築し，社会復帰に向かうための看護の第一歩となる。

また，セルフケアの確立がうまくいかない場合や，療養環境が整わないなどの理由から退院に伴い困難が予想される場合は，退院調整部門と連携をとり，スムーズな移行ができるように支援する。

A 情報収集とアセスメント

1 患者に行われた手術の侵襲度，目的，手術方法を知る

手術においては，根治性とともに，術後の QOL を維持することが重要視されるようになった。しかし，実際に手術が行われると，術前の想定と異なる術式に変更される場合もある。術後回復期は形態機能の変化を正しく理解して，患者に必要なセルフケア習得の援助を行う必要があるため，患者に行われた手術は術前に予定されていたものと同様のものであったかを確認し，手術の侵襲度，目的，手術方法を理解するための情報収集を行う。

手術は目的からみると，治療を目指す手術，症状緩和と QOL 改善のための手術（姑息手術），予防的手術，美容や整容のための手術などがある[1]。術前に目的としていたことが達成できたかについて情報収集を行う。これらは，予定されていた手術だったのか緊急手術だったのかも把握し，手術が患者と家族に与える影響を理解するために役立てる。

また，手術の侵襲度と併せて，臓器や組織が摘出されたのか，移植されたのか，修復・再建されたのか，置換されたのかについても理解する。移植，修復・再建，置換の場合は，

患者本人の組織なのか，他者のものか，人工のものかについても情報収集する。

2 術後に予定されている治療計画を知る

疾病の状態によって，術後に治療が行われる場合がある。入院中に術後の治療がわかる場合もあれば，病理検査の結果によって，術後の外来で追加治療の有無を患者に伝える場合もある。医師と連携をとり，患者の病態を踏まえて，術後治療を理解する。また，乳房の再建術などでは，手術が複数回にわたる場合もあることを理解する。

3 術後の傷害期・転換期に生じた合併症やその影響を知る

術後の経過を把握し，合併症が生じていれば，その影響の有無を把握する。身体的苦痛が十分に取り除かれているか，あるいは残存しているかを理解する。身体的苦痛が継続していれば患者の関心が現在の苦痛にあるため，退院後の生活を話題にしようとしても，看護師と患者の間にずれが生じる。退院指導やセルフケア支援のタイミングを知るためにも，身体的苦痛と患者の関心が何であるのかを理解することが重要である。

また，合併症予防や合併症が起きた場合の患者の取り組みや医療者の説明についての理解度は，患者のセルフケア能力をアセスメントする際の情報として生かすことができる。

4 患者の回復を促進している要因，阻害している要因を知る

回復過程において，患者の支えや励ましになっていることは何かを把握する。術後の生活での目標や社会的役割の遂行（すいこう），ソーシャルサポートの状況など患者の生活に即して理解する。

また，回復を阻害するものが何かを明らかにする場合には，医療者の立場から理解しようとするのではなく，患者の立場に立って，どのような状況にあるのかを理解することが重要である。

5 患者の形態機能の変化と影響，およびそれらに伴う対処を包括的に把握する

患者は，手術による臓器摘出やそれに伴う機能の喪失や変化に伴い，術前とは異なる形態機能の変化に適応した術後の生活を再構築していかなければならない。

喪失・変化した機能を自分のからだとして理解し，自分らしく生活するための準備ができるのかを見きわめる。機能回復のためのリハビリテーションへの取り組みや，生活の変更を余儀なくされる事柄への取り組みをアセスメントする。

形態機能の変化は，患者のからだに変化をもたらすだけでなく，ボディイメージや自己概念など心理社会的な側面にも影響を及ぼすため，個々の患者の状態について，包括的にアセスメントすることが必要である（表6-1）。

表6-1 手術による形態機能の変化を理解するための包括的アセスメント

- 手術によりどのような形態機能の変化が起こったのか（解剖学的な変化，生理学的な変化）
- 形態機能の変化でからだはどのように変わるのか
- 形態機能の変化で生活はどのように変わるのか
- 形態機能の変化で気持ちはどのように変わるのか
- 形態機能の変化を少なくするために，患者はどのような取り組みをしているのか
- 制限や変更を余儀なくされる場合，そのことは患者にどのような意味をもつのか
- 形態機能の変化に対して，どのような医療的処置・セルフケアをしなければいけないのか
- セルフケア能力・実行力はどうか
- 生活の変更は患者にどのような影響を及ぼすのか
- 術後のからだの回復の見通しはどうか
- 術後に治療が予定されていないか
- 経済的な問題は生じないか
- 社会資源の活用は必要か
- 支援者はいるか
- 家族に変化を及ぼすのか

6 退院・退院後の生活に向き合う患者の準備状態をアセスメントする

身体的苦痛の軽減が図られ，退院・退院後の生活について患者の関心が拡大すれば，患者が術後にどこでどのような生活を送りたいと考えているのか，患者の希望，経済的な状態，家族のサポート状況，現在のからだの状態などを総合的に考えていく必要がある。しかし，術前と生活が変化する場合や，患者自身のセルフケアが困難な場合には，退院支援や退院調整が必要となり，患者・家族を中心にして多職種，多部門で連携し支援する。

退院支援や退院調整の際には，患者・家族が様々な意思決定を行うことが求められる。そのために，患者･家族が生活で大事にしているもの，価値観を理解することが重要である。

7 患者のセルフケア能力をアセスメントする

術後の形態機能の変化に伴い，健康状態を維持していくためには，患者がセルフケアを行うことが求められる。セルフケア能力とは，セルフケアを引き起こす力である。セルフケア能力をより理解しやすくした項目を表6-2に示した。

セルフケア能力をアセスメントするときには，できる・できないで判断するよりも，どのような状態なのかを明らかにすることにより，患者のもつ力を強みとして理解できる。

セルフケア能力のアセスメントの際には，セルフケア能力として備えている患者の強みが発揮できないのはなぜかを明らかにする。強みを発揮できない場合は，その理由を理解し，どのようにしたら強みを発揮できるのかを併せてアセスメントすることが重要である。

B 看護問題

術後回復期における看護問題は，「A 情報収集とアセスメント」であげた①患者に行われた手術の侵襲度，目的，手術方法，②術後に予定されている治療の有無，③術後の傷害期・転換期に生じた合併症やその影響，④回復の促進・遅延阻害要因，⑤患者の形態機能の変化とその影響，およびそれらに伴う対処，⑥退院・退院後の生活に向き合う患者の準

表6-2 患者のセルフケア能力に関するアセスメントの視点

セルフケア能力として強みになる点を明らかにする

- セルフケアに対する動機付けはどうか
- 自分のからだに注意や関心が向けられるか
  —知識があるか，自我（心）のエネルギーはどうか，自分のからだと対話できているか
- 理解力があるか
- 医療者とコミュニケーションをとる能力があるか
  —自分のからだや治療に関すること，疑問点を表現して伝えられるか
- セルフケアを実行できるか
  —知識や技術をもっているか，それを使えるか
- セルフケアを日常生活に取り入れていけるか…継続性も考慮する
- 支援者がいるか

セルフケア能力としての強みが発揮できないのはなぜか明らかにする

- セルフケアの実行のバリアになっていることは何か
- どのようになれば，強みが発揮できるのか
- セルフケア要求は適切か
  —医療者が患者に要求しているセルフケアはそれでよいか

出典／荒尾晴恵，田墨惠子編：スキルアップがん化学療法看護：事例から学ぶセルフケア支援の実際，日本看護協会出版会，2010，p.45．一部改変．

備状態，⑦患者のセルフケア能力，に加えて⑧退院後の療養環境を総合的にアセスメントすることで導き出される。

看護問題の設定にあたっては，常に患者の立場に立ち，患者の価値観を理解して患者が思い描く術後の生活，退院後の生活に向けて，それが実現するように医療者と調整を行うことが重要である。また，症状緩和が目的となった手術や術後に継続する治療がある場合には，現在の問題のみにとらわれるのではなく，長期的な視野で患者の生活を描き，現在優先すべき問題を明確にしていくことが必要になる。

C 患者への看護

1 回復の体験を理解し，退院・退院後の生活に向き合う患者の準備状態に沿ってケアする

短い入院期間のなかで回復に伴う支援と共に退院後の生活の見通しを立て，患者が退院後の生活をセルフケアしていけるための知識や情報を提供する必要がある。しかし，回復の実感は患者自身が体験している主観であり，同じ術式でも回復過程の受け止めは患者によって異なることを念頭に置き，術後日数で判断するのではなく，目の前の患者がどのような状態にあるのかを見きわめながらケアを行う必要がある。

身体的苦痛が続いている場合や，ボディイメージの変化が生じて，その事実を受け止められない状況など患者の準備状態が整わない場合は，段階を設けて少しずつ対話を進める。必要に応じて院内の資源（緩和ケアチーム，心理職，医療ソーシャルワーカー［MSW］など）を活

用する。また，家族やキーパーソンとなる人とともに支援を行う。

一方，手術の体験をポジティブにとらえている患者もいる。術前に長期間にわたる化学療法を乗り越え，やっと手術を終えて回復過程にいるのであれば，これまでの体験を振り返り，目標としていた手術を乗り越えた達成感を感じている。このような場合は，手術までの過程の努力をねぎらい，回復を共に喜ぶケアが重要である。化学療法，手術を乗り越えた体験は，今後の退院後の生活の再構築においても患者の自信になる。

2 術後合併症の身体的苦痛が患者に与える影響を理解し，緩和する

術後の合併症による身体的苦痛は，退院後の生活を送る際の不安の要因となるため，まず身体的苦痛の緩和に努める。

たとえば，結腸切除でみられる下痢は，消化管への負担を軽減し，適切に整腸薬を服用することで軽減できる。下痢の回数と性状を聞くだけでなく，1日に複数回の下痢があることが患者の生活にどのような影響を与えているのかを知り，ケアを考えることが重要である。夜間の下痢は睡眠を妨げ，便失禁しそうな体験は患者の自尊感情を傷つける。また，食べるとすぐ下痢をする体験は，食欲にも影響する。

術後の疼痛(とうつう)は，機能回復のためのリハビリテーションへの取り組みに影響を与える。患者は知識としてリハビリテーションをしなくてはいけないと理解していても，患肢を動かすと痛みがあれば，動かすことをためらう。意欲がないわけではなく，疼痛によって患者がもっている回復意欲が生かされない状態であるということを理解する。疼痛が自制できる範囲内であるかどうかを聞くのではなく，いつどのように痛いのか，どうしたら和らぐのか，その患者にとって疼痛の閾値(いきち)を上げるケアは何なのかを考える。そのうえで，どうしたら疼痛が和らぎ，患者がリハビリテーションを行えるようになるのかを考え，そのケアを実践していくことが重要である。

3 退院後の生活の目標を知る対話をする

患者は，手術による形態機能の変化をどのように理解して，現在の自分のからだをとらえているのかを知り，どのような生活をしていきたいと思っているのかを理解する。患者が望む生活と医療者が望ましいと考える生活にずれがあれば，調整することが必要である。術前のインフォームドコンセントにより，からだの機能変化について情報を得ていても，それが術後の生活でどのようになるのかを具体的にイメージできていない場合もあるため，具体的にイメージできるように対話をもつ。家庭内役割の遂行(すいこう)にあたっては，家族の協力を得るための家族への働きかけや社会資源を活用することなども検討する。

4 セルフケアの獲得を支援する

❶退院後に必要となる医学的管理に関するセルフケア

「A 情報収集とアセスメント」で述べたように，臓器や組織が摘出されたのか，移植さ

れたのか，修復・再建されたのか，置換（ちかん）されたのか，移植，修復・再建，置換の場合は，本人の組織なのか，他者のものか，人工のものかにより，退院後も継続的に行う必要がある医学的管理に関するセルフケアは異なる。

アセスメントを基に，必要とされる医学的管理に関するセルフケアを明らかにする。次に優先順位を決め，それらを実行する患者のセルフケア能力を検討する。患者自身が実行できないと考えられる場合には，家族や訪問看護師など，だれが患者のセルフケアを代替するのかを検討する。

医学的管理のなかでも，患者が自分のからだに起こる異常の早期徴候や起こり得る後遺障害の徴候に気づく力や，セルフモニタリングができる力を身に付けるように支援することも重要である。

❷形態機能の変化に応じた生活を送るためのセルフケア

形態機能の変化により，食事，排泄，活動といったADLが変化する。たとえば胃全摘術後は，食事習慣の変更が必要になる。生活習慣は個別性が強く，変更を余儀なくされることが，患者にとってどのような意味をもつのかを理解し，患者のセルフケア能力に合わせたケアを考える。回復過程において，変更や制限事項を患者がどのように理解しているのか，実行性はどうかなどを把握しておき，セルフケア能力のアセスメントをして，習得すべきセルフケアを考えて提供する。その際は,患者がどのような生活を維持したいのか，また目指しているのかを共有する。

セルフケアの確立で重要なことは，患者の負担が強く不安にならないように，制限や禁止事項を伝えるのではなく，患者がこれならやっていけると，生活への見通しが立てられるように支援することである。

❸退院指導

退院指導は，退院後に必要となる，医学的管理に関するセルフケアや形態機能の変化に応じた生活を送るためのセルフケアについて，患者に理解し習得してもらうためケアに取り入れられている。退院指導は，患者の準備状態をアセスメントし，段階的に行う。指導内容（表6-3），指導方法は，患者の個別性に即したものとする。

効果的に知識や情報を提供するものとして，パンフレット，チェックリストやDVDな

表6-3 退院指導内容（例）

- からだの形態機能の変化を理解するための知識
- 医学的管理が必要な内容
- 異常の気づき，早期発見のためのセルフモニタリング
- 異常があった場合の対処法
- 服薬について
- 生活について（食事，活動と安静，排泄など）
- 社会生活について
- 社会資源について（患者会，医療費支援など）
- 緊急時の連絡方法

どがある。患者の情報リテラシーにより，専門的な学会や信頼できる団体が作成したホームページなども紹介することができる。セルフケア技術の習得には，実際に患者にその技術を行ってもらうことが重要である。必要に応じて，家族やキーパーソンと一緒に指導を行う。

また，退院指導は評価をすることが重要であり，指導を実施したのちの患者の反応からどの程度達成できたのかを評価する。セルフケアの不足が著しく課題が残る場合や退院指導をとおして新たな問題が生じた場合には，どのように対応するのかを再度検討する。入院中にセルフケアが確立せず，ケアの必要性が継続する場合には，外来看護師や訪問看護師と連携し継続的な支援ができるようにする。

❹回復過程にある患者のセルフケア能力を引き出すための看護師のかかわり

(1) 患者に関心を寄せ，患者-看護師関係を土台にケアを行う

患者がセルフケアできるように，退院指導において知識や技術を提供するのは，看護師である。しかし，看護師の患者への関心が薄いと，患者の生活や本当の困りごとをとらえることができず，表面的で一般的な指導で終わってしまう。患者は，自身の生活に関心をもってもらっていると実感できることで，自身の体験や気がかり，困り事を話すことができる。回復過程の援助においては，土台に患者-看護師関係が構築されていることが重要である。

(2) 保証，承認，評価のフィードバックを行う

患者のセルフケアを促進するためには，患者が習得できたことに対して，それで良いという保証や，そのとおりで良いという承認をして，患者に言葉で伝えることが重要である。知識や技術を伝えて終わりではなく，それがどのようにできているのか実際の様子を確認して，それで良い，あるいはもう少しこうするとさらに良いなどと評価して，その患者のセルフケアをより良いものにするためのフィードバックを意図的に行うことが必要である。

❺社会とつながることを支援する

形態機能の変化が患者のボディイメージに影響を与えている場合には，患者にとっての喪失の意味を知り，必要に応じて専門家を交えた支援を行う。外見の変化に対しては**アピアランスケア***が有効なこともある。患者がどのような状態にあるのかを把握し，その苦しみや悲しみに寄り添うケアを行う。配偶者やパートナーがいる場合には，協力を得ることができる状態かどうかを判断して，ケアに協力してもらうこともできる。

患者は，看護師が外見の悩みからくる社会的問題や，女性性，男性性の悩みなどについても支援できることを知らない場合も多い。そのため，看護師としてできることを具体的に伝え，患者の気がかりを語ってもらえるよう，まず話題にすることが重要である。

---

* **アピアランスケア**：アピアランスとは，広く外見を指す。アピアランスケアとは，外見を整えることで，社会とのつながりを維持・回復させるという考え方に基づく。また，女性性や男性性の象徴とされる臓器の喪失では，自己価値や自尊感情も低下する。

❻社会資源について情報提供を行う

退院後は，喪失・変化した機能を代替したり，補ったりするために社会資源を活用することで，生活を整えることが可能になる。身体障害者福祉制度において，身体障害のある人が術後に交付申請すれば，障害の状態により障害の認定が行われ，身体障害者手帳が交付される。障害の認定が行われれば，等級による支援内容を活用できる。身体障害者手帳の障害の種類は，視覚障害，聴覚または平衡機能の障害，肢体（したい）不自由，内部障害である。

また，経済的な支援として，高額療養費制度や障害者自立支援医療などの医療費の制度も適応になる場合がある。介護保険制度も 65 歳以上であれば活用できる。40 歳以上の場合でもがんの末期であれば申請ができる。看護師はこれらの知識をもつと共に，院内の MSW と連携をとり，患者に必要な知識を提供する。

❼ピアサポート，患者会について情報提供を行う

ピアサポートとは，同じ経験をもつ者どうしが支え合うことであり，自然発生的なものや組織的なものがある。形態機能の変化や喪失は，患者にとっては人生を揺るがす体験となる場合もあり，この苦しみはだれにもわかってもらえないと孤独になることもある。そのような場合に，同じ体験をしている患者どうしの支え合いにより救われると感じることもある。ピアサポートや患者会では体験の共有だけでなく，生活を再構築するまでのプロセスにおける困難への対処法や様々な情報交換も行えるため，必要に応じて患者に情報提供する。

D 家族への看護

術後回復期の家族は，患者の退院を前にして，回復に安堵しつつも患者と同様に今後の生活を再構築せざるを得ない状況に置かれている。家族の発達段階や個々の家族員のもつ力をアセスメントし，家族を 1 つのまとまり，ユニットとしてとらえてケアをすることが重要である。

❶家族のライフサイクルを知る

家族のライフサイクルは新婚期に始まり，養育期，教育期，分離期，成熟期，完結期に至る。各期には達成すべき課題があるが，病気や手術は危機となり，家族の発達課題の達成に影響をもたらすため，危機を乗り越えられるような支援を行う。

術後回復期は，療養の場が病院から在宅に移行するための準備の時期でもあり，家族を患者のソーシャルサポートとしてとらえ，在宅移行後に患者を支援する役割への期待がある。家族がそれまでの危機をどのように乗り越えてきたのかを知ることは，家族のもつ力を理解することにもなる。

❷家族員間の関係性を理解して，家族を 1 つのユニットとしてとらえて支援する

家族員が複数いる場合には家族のなかにサブシステムが構成される。サブシステムにおける家族員間の関係性を理解して支援するために，家族員間のコミュニケーションの状態や情緒的関係をアセスメントする。そうすることにより，家族員間の相互理解が明らかに

なる。症状緩和やQOL維持の手術では，患者を思いやるために，たとえば開腹のみで終わった手術であっても，手術ができなかったことについて真実を告げられないといったことも生じる。在宅療養や今後の生活において，家族員間で後悔が残らないようにするためにはどうしたらよいかを共に考える。

また，家族を1つのユニットとしてとらえるには，家族内の役割分担や，どの家族員が力をもっているのか，家族の凝集性といった視点で理解することが重要である。

術後回復期においては，患者の退院を見すえての調整や療養場所の決定，今後の治療の決定など，家族として意思決定にかかわることが多くある。困難な意思決定をしなければならない場合には，家族のもつ顕在・潜在的能力を引き出すかかわりをする。必要に応じて社会資源を用いて，家族の外部から働きかけるように調整を行う。

❸患者のセルフケアの支援者となる家族を支援する

手術による形態機能の喪失や変化による影響は，患者だけではなく，家族にも様々な影響を及ぼしていることを念頭に置いてかかわるよう心がける。患者のセルフケアが十分でない場合には，家族にその支援が求められる。その場合には，家族のセルフケア能力をアセスメントし，セルフケアが代償できるような指導を行い，評価する。しかし，家族のセルフケア能力も十分でなく，患者のセルフケアが代償できないと判断される場合には，社会資源を活用したり，療養の場所を再検討するなどの調整を行う。

家族には長年培ってきた家族固有の関係性があるため，複数の家族員がいれば複数の様々な反応がある。看護師が考える「あるべき家族」の姿を基にケアを行うのではなく，目の前にある実際の家族の姿を理解することが重要である。

E 退院調整

1 退院調整の必要性

厚生労働省は，2025年の超高齢社会の地域医療構想を提示した（図6-1）。これは，医療の機能分化を促進しようとするものであるが，患者と家族は自らの希望で病院を選択することが難しくなり，病院の機能に応じて退院し，そのたびにどのような生活をどこで送るのかを考え続けなければならなくなる。

医療の進歩や手術手技の発展により，高齢者や様々な既往をもつ人も手術適応となった。しかし，在院日数は短縮化され，医学的管理を継続したまま退院となる場合がある。そのため，患者や家族は自宅において医学的管理を実施しなければならず，様々なセルフケアが求められる。患者自身で，あるいは家族が代償してセルフケアできる状態であれば，退院指導を行い，自宅へ戻ることができる。しかし，継続する医学的管理に対して患者や家族のセルフケアが十分に確立できない場合は，自宅での生活が困難となる。独居，高齢，家族の介護力不足なども自宅での医学的管理の継続を困難にし，療養の場所の検討を含めて，退院の調整をすることが必要になる。

○「医療介護総合確保推進法」により，平成27年4月より，都道府県が「地域医療構想」を策定。平成28年度中に全都道府県で策定済み。
※　「地域医療構想」は，二次医療圏単位での策定が原則。
○「地域医療構想」は，2025年に向け，病床の機能分化・連携を進めるために，医療機能ごとに2025年の医療需要と病床の必要量を推計し，定めるもの。
○都道府県が「地域医療構想」の策定を開始するにあたり，厚生労働省で推計方法を含む「ガイドライン」を作成。平成27年3月に発出。

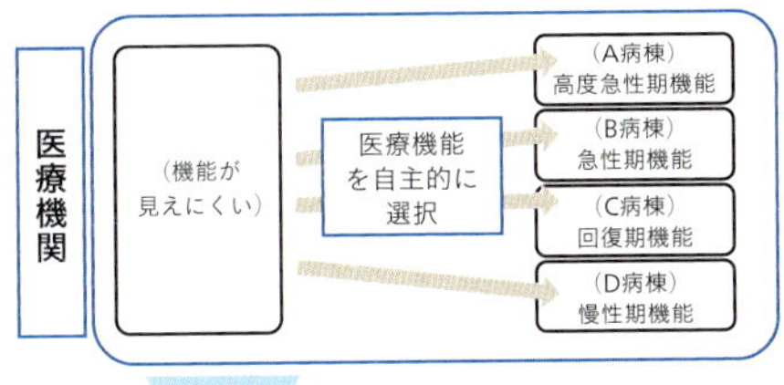

病床機能報告　医療機能の現状と今後の方向を報告（毎年10月）

都道府県　医療機能の報告等を活用し，「地域医療構想」を策定し，更なる機能分化を推進

「地域医療構想」の内容
1．2025年の医療需要と病床の必要量
・高度急性期・急性期・回復期・慢性期の4機能ごとに医療需要と病床の必要量を推計
・在宅医療等の医療需要を推計
・都道府県内の構想区域（二次医療圏が基本）単位で推計
2．目指すべき医療提供体制を実現するための施策
例）医療機能の分化・連携を進めるための施設設備，在宅医療等の充実，医療従事者の確保・養成等

○　機能分化・連携については，「地域医療構想調整会議」で議論・調整。

資料／厚生労働省：地域医療構想より抜粋．http://www.mhlw.go.jp/stf/seisakunitsuite/bunya/0000080850.html（最終アクセス日：2021/6/3）

図6-1　地域医療構想

また，術前と比較して術後のADLが著しく変化し，自宅の療養環境が整わない場合においても，退院調整が必要となる（表6-4）。

退院調整においては，まず，患者と家族の「どこでどのような生活を送るのか」という意思決定までのプロセスを支援する（図6-2）。次に，患者や家族が意思決定したことを実現していく。近年では，独居の高齢者，家族の介護力不足などソーシャルサポートが脆弱（ぜいじゃく）な患者が増加し，退院調整を困難にしている。このような背景を踏まえて，2008（平成20）年4月の診療報酬の改定で「退院調整加算」が設けられた。これを受け，病院では，退院調整を行う部門やセンターを設けて，専従の看護師を配置するなどの支援体制をシステムとして構築した。こうした部門をとおして，地域の病院，診療所や訪問看護，訪問介護などと連携して患者と家族が希望する場所で療養ができるように，退院調整が行われている。

様々な理由から自宅での療養を希望しない患者と家族もいて，退院調整における療養先の選択は，自宅のほかに施設への転院がある。

表6-4　退院調整が必要な場合

- 継続した医学的管理や医療処置があり，患者と家族のセルフケアでは対応ができない
- 入院前と比べてADLに低下がみられ，自立した生活を送ることが難しい
- 術後に疾患の進行が予測され，症状の悪化が予測される
- 術後の治療やそれに伴う副作用が予測される
- 術前も何らかの疾患で入退院の繰り返しがあった

退院支援・調整スクリーニングシート

評価日　年　月　日(　)
退院予定日　年　月　日(　)

氏名	様	性別	男・女	生年月日	明・大・昭・平	年齢	(　)歳
入院日	年　月　日	介護保険	1. 介護保険認定済み→要支援(1 2) 要介護(1 2 3 4 5) →介護度変更申請の必要性：有・無 2. 申請中 3. 必要あるが未申請 4. 不要または非該当				
病棟							
特定疾患	無・有(　)	身障手帳	無・有(　級)(種類　:　)				
保険種別	1. 健保(政府・組合・日雇) 2. 国保 3. 共済(国・地・私学) 4. 生保 5. 労災 6. 自費 7. 公費						
入院前場所	1. 自宅 2. 他病院 3. 老健 4. 特養 5. 有料老人ホーム・グループホーム 6. その他(　)						
かかりつけの医師はいますか？	1. いる(往診可／不可) 2. いない	ケアマネジャーは決まっていますか？	1. はい 2. いいえ				

■第一段階(48時間以内に記入)：(病棟看護師が記入) ＊BPSDは「認知症に伴う行動・心理障害」をさす。

区分	項目(当てはまるものすべてに○)	記入日：　／
主疾患	1. 悪性新生物 2. 脳血管障害 3. 難治性神経疾患 4. 心疾患 5. 骨折 6. 慢性呼吸器疾患 7. 糖尿病 8. うつ病 9. 認知症 10. その他	
症状	1. 意識レベル低下 2. 終末期 3. 麻痺 4. 摂食・嚥下障害 5. 低栄養 6. 褥瘡 7. 脱水 8. BPSD 9. 疼痛またはその他の苦痛症状 10. その他(　)	
医療処置(退院後予測される)	1. 気管カニューレ 2. 人工呼吸器 3. 吸引 4. HOT 5. 注射・点滴 6. 中心静脈栄養 7. 経管栄養 8. 腎ろう 9. 膀胱カテーテル 10. 尿管皮膚ろう 11. CAPD 12. ストーマケア 13. 褥瘡処置 14. 疼痛(麻薬)管理・症状のコントロール 15. リハビリテーション 16. その他(　) 17. 特になし	
入院形態	1. 再入院(1か月以内 2か月以内 半年以内) 2. 緊急入院 3. その他(　)	
ADL	1. 移動要介助 2. 排泄要介助	コミュニケーション障害：1. 言語障害 2. 視力障害 3. 聴力障害 4. その他(　)
家庭・環境	1. 独居・介護者不在 2. 高齢者世帯 3. 日中独居 4. その他(　)	
希望する退院先 本人	1. 自宅 2. 他病院 3. 老健 4. 特養 5. 有料老人ホーム・グループホーム 6. その他(　) 7. 未確認	
希望する退院先 家族	1. 自宅 2. 他病院 3. 老健 4. 特養 5. 有料老人ホーム・グループホーム 6. その他(　) 7. 未確認	
経済的問題	1. あり 2. なし	社会復帰への支援：1. 必要 2. 不要
退院後の生活についての ーご希望 ー不安なこと		

■在宅医療移行支援の必要性について：(病棟看護師が記入)

支援の必要性 ※○は1つ	1. 在宅医療移行支援担当者が中心となり対応 2. 病棟看護師が中心となり対応 3. 不要
支援が必要な理由 ※○はいくつでも可	1. 再入院を繰り返している患者 2. 褥瘡処置など退院後も高度で熟練的医療が必要な患者 3. 入院前に比べADLが低下し，退院後の生活様式の再編が必要な患者 4. 独居あるいは家族と同居であっても必要な介護を十分に提供できる状況にない患者 5. 現行制度を利用しての在宅への移行が困難あるいは制度の対象外の患者 6. その他(　)

■在宅医療移行支援の必要性について：(在宅医療移行支援担当者が記入)

在宅医療移行支援担当者	職種(　) 部署名(　)
支援の必要性 ※○は1つ	1. 在宅医療移行支援担当者が中心となり対応 2. 病棟看護師が中心となり対応 3. 不要
支援が必要な理由 ※○はいくつでも可	1. 再入院を繰り返している患者 2. 褥瘡処置など退院後も高度で熟練的医療が必要な患者 3. 入院前に比べADLが低下し，退院後の生活様式の再編が必要な患者 4. 独居あるいは家族と同居であっても必要な介護を十分に提供できる状況にない患者 5. 現行制度を利用しての在宅への移行が困難あるいは制度の対象外の患者 6. その他(　)

出典／「緩和ケア普及のための地域プロジェクト：OPTIM study(厚生労働科学研究がん対策のための戦略研究)」から許可を得て転載，http://gankanwa.umin.jp/pamph.html(最終アクセス日：2021/8/17)

図6-2 退院支援・調整スクリーニングシート(例)

2 退院調整における看護師の役割

退院調整では，施設内において患者のケアを担っている病棟看護師と，退院調整部門の看護師が連携をとって取り組む。病棟看護師は，術前の患者の状態と介護力を基に術後を予測して退院調整が必要かどうかをアセスメントし，早期から主体的に取り組むことが必要である。そのためには，患者と看護師だけではなく，医師や家族も一緒に話し合う。医師と退院の時期，継続する医療的管理について確認し，術前後での ADL の変化と変化した ADL での生活の見通しを立て，看護やリハビリテーションをとおして，どこまでセルフケアの獲得が目指せるのかを意識しながら周術期の看護を実践する。また，入院中に ADL や認知機能が低下しないようなケアも併せて行い，入院に伴うリスクを最小限にする。継続する医学的管理については，服薬を患者に合った方法にするなど，患者と家族のセルフケア能力に応じた方法への変更を検討する。周術期の看護では，核となる手術の目的を達成する支援とその支援プロセスをとおして，退院を見すえて患者の在宅での情報を得るとともに，患者が術後の生活をどのように描いているのかを情報収集し，患者の希望の確認を行い，現実とのずれを明らかにしていくことが必要とされている。

退院に向けてアセスメントシート（図 6-3）を活用し，術前の患者の生活状況，家族の状況，介護力，術後の患者の理解度，現状の認識，患者指導後の評価について，情報を整理する。

退院後の生活を予測して退院調整が必要と判断される場合には，退院調整部門と連携をとり，退院カンファレンスを開催する（図 6-4）。退院調整看護師や MSW と共に患者の希望する術後の療養が実現するように調整を図る。患者の希望する療養場所，ソーシャルサポート，医療的管理，経済的な状況などを確認し環境を整える。

アセスメントシート　第二段階（約1週間後に記入）　在宅医療移行支援担当者

区　　分	項　　目		記入日：　　／
疾患・症状 ※○はいくつでも可	1．意識レベル低下　2．終末期　3．麻痺　4．摂食・嚥下障害　5．低栄養　6．褥瘡　7．脱水 8．BPSD　9．疼痛またはその他の苦痛症状 10．その他（　　　　　　　）		
医療処置 ※○はいくつでも可	1．気管カニューレ　2．人工呼吸器　3．吸引 4．HOT　5．注射・点滴　6．中心静脈栄養 7．経管栄養　8．胃ろう　9．膀胱カテーテル 10．尿管皮膚ろう　11．CAPD　12．ストーマケア 13．褥瘡処置　14．疼痛(麻薬)管理・症状のコントロール 15．リハビリテーション　16．その他（　　　　　） 17．特になし	服薬状況	具体的内容（自由記述）

日常生活動作　※○は各々１つ

排便	1.自立　2.時々失敗　3.失禁，おむつ
排尿	1.自立　2.時々失敗　3.失禁，おむつ
整容	1.自立（用具は準備してもらう）　2.全介助
トイレ動作	1.自立　2.一部介助　3.全介助
食事	1.自立（食事は用意してもらってよい）　2.一部介助　3.全介助
起居・移動	1.自立　2.一部介助　3.全介助だか座位はとれる　4.起居不能
歩行	1.自立（補助具を使用してもよい）　2.一部介助　3.車椅子にて自立　4.全介助
更衣	1.自立　2.一部介助　3.全介助
階段昇降	1.自立　2.一部介助　3.全介助
入浴	1.自立　2.何らかの介助が必要

認　知	0）正常 1）軽度（通常の家庭内行動ほぼ自立，日常生活上助言や介助は必要ないか，あっても軽度） 2）中等度（知能低下のため日常生活が1人ではちょっとおぼつかない，助言や介助が必要） 3）高度・最高度（日常生活が1人では無理，多くの助言や介助が必要，あるいは逸脱行為が多く目が離せない）	
ｺﾐｭﾆｹｰｼｮﾝ障害	1．言語障害　2．視力障害　3．聴力障害　4．その他（　）	
希望する退院先	本人	1．自宅　2．他病院　3．老健　4．特養　5．有料老人ﾎｰﾑ･ｸﾞﾙｰﾌﾟﾎｰﾑ　6．その他（　　　） 7．未確認
	家族	1．自宅　2．他病院　3．老健　4．特養　5．有料老人ﾎｰﾑ･ｸﾞﾙｰﾌﾟﾎｰﾑ　6．その他（　　　） 7．未確認
家族/介護者の状況（家族の介護力，退院に対する不安など）		
その他の状　況	（社会資源・入院前の在宅サービス利用状況等）	
支援の必要性 ※○は１つ	1．在宅医療移行支援担当者が中心となり対応 2．病棟看護師が中心となり対応 3．不要	
支援が必要な理由 ※○はいくつでも可	1．再入院を繰り返している患者 2．褥瘡処置など退院後も高度で熟練的医療が必要な患者 3．入院前に比べADLが低下し，退院後の生活様式の再編が必要な患者 4．独居あるいは家族と同居であっても必要な介護を十分に提供できる状況にない患者 5．現行制度を利用しての在宅への移行が困難あるいは制度の対象外の患者 6．その他（　　　　　）	

出典／「緩和ケア普及のための地域プロジェクト：OPTIM study（厚生労働科学研究がん対策のための戦略研究）」から許可を得て転載，http://gankanwa.umin.jp/pamph.html（最終アクセス日：2021/8/17）

図6-3　退院支援・調整アセスメントシート（例）

ステップ1

目的

退院後に予測される症状の変化とそれに伴う医療の必要性について医療者のなかで検討し，退院後必要な医療・介護サービスの提供方法について選択肢を準備する。

メンバー

- □ 退院調整担当者（連携室医師・看護師，リンクナース，緩和ケアチーム，医療ソーシャルワーカーなど在宅医療経験者が担当するのが望ましい）
- □ 主治医
- □ 病棟看護師
- □ そのほか

ポイント

- □ 退院後継続が必要となる医療を洗い出す。
  →提供方法は？　外来／在宅／施設
- □ 退院後継続が必要となる介護を洗い出す。
  →提供方法は？　居宅／施設／家族
- □ 本人と家族の病気と療養方法についての受け止め方は？
- □ 専門チームへの依頼の必要性は？

■ 調整を要する事項を整理し，全体のコーディネートを含め，医師，看護師，そのほかそれぞれの担当を割り振り，タイムスケジュールを立てる。

←「入院時診療計画書」を作成し，退院支援を実施する。

ステップ2

目的

ステップ1以降，情報を集め検討した内容を整理し，病院内および地域における医療・福祉等関係者で最終的な役割分担の確認を行う。

メンバー

- ■ ステップ1でのメンバーに以下を加える。
- ■ 患者
- ■ 家族
- □ 地域の医師・看護師
- □ ケアマネジャー
- □ 薬剤師
- □ 理学療法士・作業療法士
- □ 管理栄養士
- □ 保健師
- □ その他

→□は患者の状況に合わせて召集する。
→■は必須メンバー

ポイント

- □ タイムキーパーを決める。
- □ 病院・在宅スタッフが状況説明をする。
- □ 参加者それぞれが意見を言える環境をつくる。特に患者・家族の心配事を聴き，対応策を提示することが重要。
- □ 関係機関の連絡先を確認する。
- □ 決定事項について，参加者それぞれが理解していることを確認して閉会する。

退院時共同指導料
加算記録を共有

退院シートに記載し，
患者・家族に渡す。

退院

出典／「緩和ケア普及のための地域プロジェクト：OPTIM study（厚生労働科学研究がん対策のための戦略研究）」から許可を得て転載，http://gankanwa.umin.jp/pamph.html（最終アクセス日：2021/7/27）

図6-4　退院カンファレンスの流れ

Ⅱ 回復過程における生活の調整

手術による形態機能の変化や喪失は，患者の日常生活に様々な影響を及ぼし，患者が術前に送っていた生活の変更・再構築を行う必要が生じる。このことは，患者のみならず家族にも影響を与える。看護師は，患者と家族が個々の生活様式を再構築し，その人らしい生活が送れるようになるための支援を行う。

1 リハビリテーション

手術により，病巣だけでなく周辺組織も切除されると，形態の変化がもたらされる。そのため，残存機能の維持・向上を目指した**リハビリテーション**が必要となる（表6-5）。これらは，回復的リハビリテーションに分類され，術後に残存する機能や能力をもった患者に対して，最大限の機能回復を目指した包括的訓練を意味する。その内容は，下肢切断術後や人工関節置換（ちかん）術後の歩行練習，乳がんや頭頸部領域がん術後の上肢運動機能障害の改善を目的とする運動，代用音声の獲得などである[2]。

患者の高齢化や入院期間の短縮により，術後回復期におけるリハビリテーションはその重要性が高まっている。患者の状態に合わせて，適切にリハビリテーションを進めるためには，多職種で連携することが必要である。

リハビリテーションを進める過程においては，患者の心理的な側面にも注意を払う必要がある。手術はしたものの，病気や機能を喪失した事実を受け止めきれずに抑うつ状態になる患者もいる。そういった場合は，多職種によるカンファレンスをもち，支援のあり方

表6-5 原発巣別の周術期リハビリテーションプログラム（例）

周術期（手術前後の）呼吸リハビリテーション
•食道がん：開胸開腹手術症例では全例が対象。摂食・嚥下障害に対する対応も行う •肺がん・縦隔腫瘍：開胸手術症例では全例が対象 •消化器系のがん（胃がん，肝がん，胆嚢がん，大腸がんなど）：開腹手術では高リスク例が対象
頭頸部がんの周術期リハビリテーション
•舌がんなどの口腔がん，咽頭がん：術後の摂食・嚥下障害，構音障害に対するアプローチ •喉頭がん：喉頭摘出術の症例に対する代用音声（電気喉頭，食道発声）訓練 •頸部リンパ節郭清術後：副神経麻痺による肩運動障害（僧帽筋筋力低下）に対する対応
乳がん・婦人科がんの周術期リハビリテーション
•乳がん：術後の肩運動障害への対応，腋窩リンパ節郭清術後のリンパ浮腫への対応 •子宮がんなど婦人科がん：骨盤内リンパ節郭清後のリンパ浮腫への対応
骨・軟部腫瘍の周術期リハビリテーション
•患肢温存術・切断術施行：術前の杖歩行練習と術後のリハビリ。義足や義手の作成 •骨転移（四肢長管骨，脊椎・骨盤など）：放射線照射中の安静臥床時は廃用症候群の予防，以後は安静度に応じた対応。長管骨手術（人工関節，骨結合）後のリハビリ
脳腫瘍の周術期リハビリテーション
•原発性・転移性脳腫瘍：手術前後の失語症や空間失認など高次脳機能障害，運動麻痺や失調などの運動障害，ADLや歩行能力について対応。必要あれば，術後の全脳照射・化学療法中も対応を継続

出典／辻哲也編：がんのリハビリテーションマニュアル；周術期から緩和ケアまで，医学書院，2011，p.23-37.

を再検討する必要がある。

▶**リンパ浮腫**　術後の後遺障害への看護としてリンパ浮腫の予防は重要である。リンパ浮腫は発症すると難治性が高く，浮腫に伴う重だるい感じ，外見の変化や日常生活への支障などから，患者のQOLに大きな影響を与える。リンパ浮腫は発症すれば完治が困難であるが，適切なリスク管理を行うことにより，発症が抑止される。2008（平成20）年4月の診療報酬改定によってリンパ浮腫指導管理料が保険適用となり，適応となる疾患の手術前後に，医師または医師の指示に基づき看護師が，リンパ浮腫に対する適切な指導を個別に実施した場合に，診療報酬点数が算定されることとなった。たとえばリンパ浮腫発症のリスクとなるがん治療を受けた患者に対して設定されているリンパ浮腫指導管理[3]は，

❶リンパ浮腫の原因と病態
❷発症した場合の治療選択肢の概要
❸日常生活上の注意
❹肥満・感染の予防

などを網羅して個別に指導を行う（手術のための入院時と退院後外来でそれぞれ1回ずつ100点の診療加算が認められている）。

看護師が術後の患者に対してリンパ浮腫の予防指導を行うことで，局所の技術面重視のケアではなく，全人的なケアを提供することができ，リンパ浮腫の発症のリスクが高い患者の生活に即した指導が行える。患者が早期に異常に気づけるように，リンパ浮腫の初期徴候の見方，計測方法などのセルフチェックやセルフモニタリングの方法，異常を感じた場合の早期の医療機関受診，日常生活においてこれらの予防行動をどのように取り入れていけるか，一緒に考えていくことが重要である。

2　ボディイメージの変化に対する支援

手術による外見の変化は，患者が抱いている自己のイメージに影響を及ぼす。自己イメージの一つに**ボディイメージ**がある。ボディイメージは，自分のからだに対してもつ意識的あるいは無意識的な認識であり，自己概念の一部である。ボディイメージの変化は，自尊感情や対人関係，社会活動，セクシュアリティ，QOLなどに影響を及ぼす。また，外見の変化によって，衣服の選択への影響，恥ずかしさなどから対人関係の変化を引き起こす。さらに，手術による臓器の切除は，外見の変化の有無にかかわらず，不完全な感覚や機能的な変化も起こすため，コミュニケーションやセクシュアリティにも変化を与える。喪失した臓器によっては，女性性・男性性という自己概念を象徴することもあり，その喪失の意味は患者個々によって異なる。

患者がどのように自分自身のボディイメージをとらえているのかを理解し，肯定的なボディイメージがもてるような支援を行う。ボディイメージは，他者の反応にも影響されるため，パートナーからも支援が得られるように，必要に応じて調整を行う。これらの支援をとおして，患者が，からだの外観や機能が変化しても自分自身であるという，変化した

からだに新しい価値を見いだすような支援が必要である。

近年は，アピアランスケアという概念が医療の現場に導入されている。ボディイメージの変化があっても，患者が術前と同様に社会とつながることができるよう支援するアピアランスケアセンターを病院内に設置するなどの取り組みも行われている。

3 就労支援

手術を受けるための入院により，仕事をもつ人はその仕事を中断しなければならなくなる。術後の回復が順調であれば仕事に復帰することができる。しかし，術後に継続する治療があったり形態機能の変化があったりすると，仕事の変更を余儀なくされる場合もある。そこで国は，ほかの疾患にも配慮しつつ，がん患者に対して2013（平成25）年度より厚生労働省による「がん患者の就労に関する総合支援事業」を開始した。これは，がん対策基本法に基づいて国が策定するがん対策推進基本計画の見直しによって，「働く世代や小児へのがん対策の充実」が重点的に取り組む課題とされたことによる。患者の抱く，仕事と治療の両立の仕方や仕事への復帰時期への不安に対して，就労を維持するための情報提供や相談体制の整備がなされることになった。すべてのがん連携拠点病院のがん相談支援センターに，社会保険労務士や産業カウンセラー，キャリアコンサルタントなどの就労の専門家を配置することを目指し，がん患者が抱える就労に関する問題を汲み上げ，就労に関する適切な情報提供と相談支援を行うことを目的とした取り組みである。

病院内にこのような相談機能をもたせることによって，診断の早期から相談支援センターに患者を案内することができ，診断直後の心理状態で相談場所もわからず，離職する必要のなかった患者が相談する前に離職してしまっている現状を防ぐことができる。術後における職場の配置転換の希望などを職場にどのように交渉するかなど，具体的な内容を相談することができ，患者の回復過程や機能に応じた仕事を見つける支援が得られる。

治療には医療費や生活費も必要であり，経済的課題への対応は不可欠である。身体面・精神面に加えて，社会面でのニードをとらえて必要な機関と連携し，多職種で支援することが必要である。

4 セルフヘルプグループ

セルフヘルプグループとは，共通の障害や病気，生きていくうえでの問題を抱えた人どうしが，自ら進んで自分の気持ちや体験，情報などを分かち合うために集まったグループのことをいう[4]。

セルフヘルプグループには，専門職の関与がなく，共通の問題やニードをもった仲間が自発的に集まり運営する形態のものと，医療者などの専門職者がガイド役となり，問題解決に向けて支援する形態のものがある。後者の場合，セルフヘルプグループが本来もつ参加者相互の援助機能を発揮するためには，参加しているグループメンバーの自律性が重要であることを理解して，運営について医療者が主体となることのないようにすることが重要である。

同じ困難をもちながら生活している人々と出会い，気持ちや体験・情報などを分かち合うことができれば，励まされ，情報を得て，患者が抱えている生活上の困難に自分自身で向き合い，自分らしい生活のありようを考えていけるようになる。セルフヘルプグループには，一方が支える・支えられるという一方通行ではなく，同じ経験を有するメンバーどうし，相互に支え合うというピアサポートが機能している。

また，グループのメンバーには，経験上で培った知識や生活上のコツを習得している者もいるため，自身の経験知を生かして，ほかのメンバーを援助することで自尊感情が高まり，エンパワメントされる場合もある。

セルフヘルプグループに参加することで，前向きな変化や自己の肯定的評価，すなわち明るくなり，勇気や意欲がわいてきた，安心感や心のゆとりがもてるようになったなど，情緒面が安定することが明らかになっている[5)]。

文献

1) 中島恵美子編：成人看護学（4）周術期看護〈ナーシング・グラフィカ〉，第3版，メディカ出版，2017，p.50-51.
2) 森恵子：リハビリテーション看護の特徴，がん看護，18（2）：235-239，2013.
3) 日本癌治療学会：リンパ浮腫診療ガイドライン．http://jsco-cpg.jp/guideline/31.html（最終アクセス日：2021/11/12）
4) 谷本千恵：セルフヘルプ・グループ（SHG）の概念と援助効果に関する文献検討；看護職はSHGとどう関わるか，石川看誌，1：57-64，2004.
5) 高橋育代，他：がん体験者のQOLに対する自助グループの情緒的サポート効果，日がん看会誌，18（1）：14-23，2004.

第7章

内視鏡下手術を受ける患者の看護

この章では

- 内視鏡下手術を受ける患者の周術期看護を理解する。

I 内視鏡下手術の概要

内視鏡下手術とは，創部を大きく切り開くことなく，内視鏡を使用することにより外科手術を行う方法である。内視鏡下手術は，国内では 1990（平成 2）年に初めて胆嚢摘出手術に用いられた。最近では，医療工学技術や映像機器の進歩に伴い，膀胱鏡，関節鏡，鼻内視鏡など，様々な内視鏡下手術が行われるようになってきている。また，低侵襲手術であるため術後の回復も早く，内視鏡下手術を希望する患者も増加している。

具体的な手術方法について，代表的な内視鏡下手術である腹腔鏡下手術および胸腔鏡下手術を例にあげて，次に述べる。

従来の外科手術では，胸部や腹部を大きく切開し，外科医が臓器に直接手で触れる形で手技が行われていた。内視鏡下手術では，体腔に内視鏡などの器具を通せるだけの小さな穴を胸壁や腹壁に 4 ～ 5 個開けて二酸化炭素を送気し，内視鏡で撮影された映像をテレビモニターに映し出して手術操作を確認しながら，器具を遠隔的に操作して手術を行う（図 7-1）。

内視鏡は，内視鏡本体に光学系を内蔵し，先端を体内に挿入することによって内部の映像を手元で見ることができる。図 7-2 ～図 7-4 は結腸切除術を例にあげた内視鏡下手術の模様である。

通常の外科手術における開腹・開胸も，内視鏡下手術における穴の切開も，それ自体は外科的治療で避けては通れない「人為的な外傷」を作ることであり，人体にとっては傷にほかならない。しかし，内視鏡下手術は，手術のために作られる傷をより小さなものにとどめることができる（図 7-4）。傷が小さければからだへの負担も小さく，順調な経過をたどれば早期の回復が期待されるわけである。実際，熟達した外科医が内視鏡下手術を行う

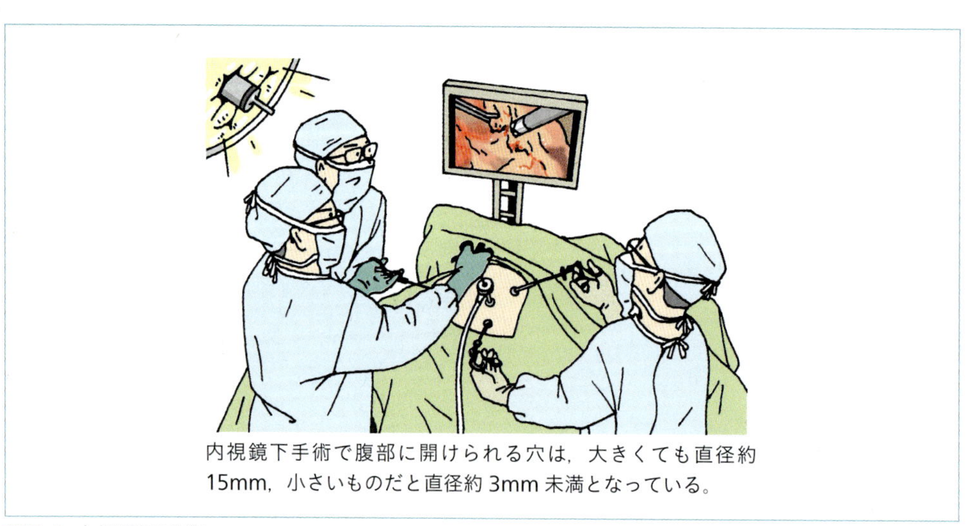

内視鏡下手術で腹部に開けられる穴は，大きくても直径約 15mm，小さいものだと直径約 3mm 未満となっている。

図 7-1 内視鏡下手術

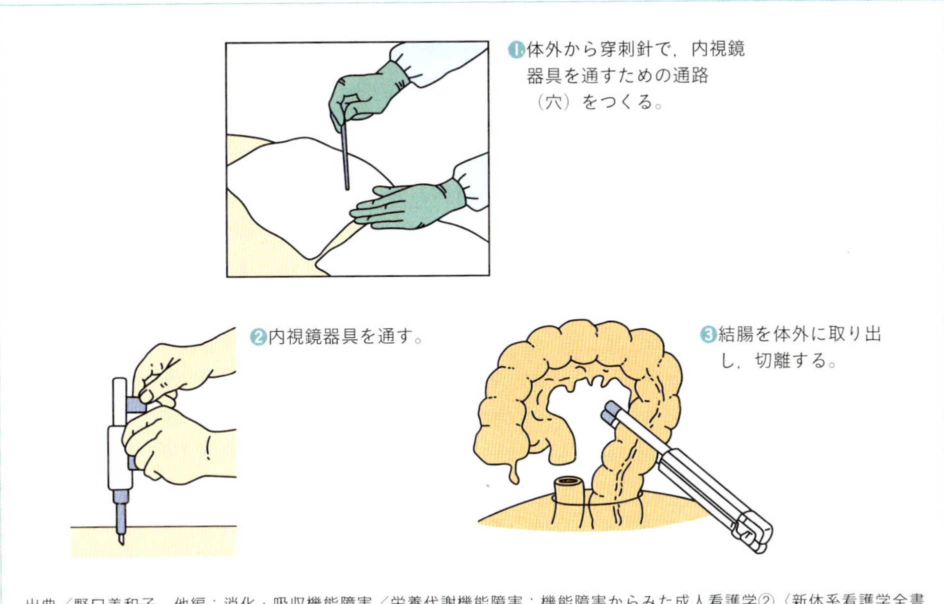

出典／野口美和子，他編：消化・吸収機能障害／栄養代謝機能障害：機能障害からみた成人看護学②〈新体系看護学全書別巻〉，メヂカルフレンド社，2013，p.128，一部改変.

図7-2 内視鏡下手術の手順（結腸切除術の場合）

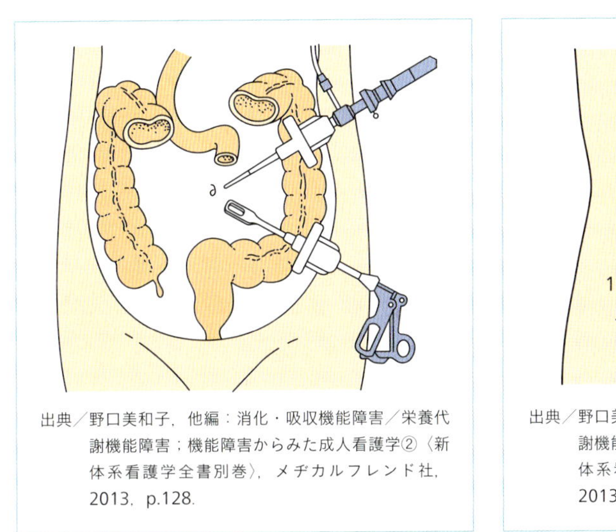

出典／野口美和子，他編：消化・吸収機能障害／栄養代謝機能障害：機能障害からみた成人看護学②〈新体系看護学全書別巻〉，メヂカルフレンド社，2013，p.128.

図7-3 腹腔内に手術器具を挿入し遠隔操作を行う

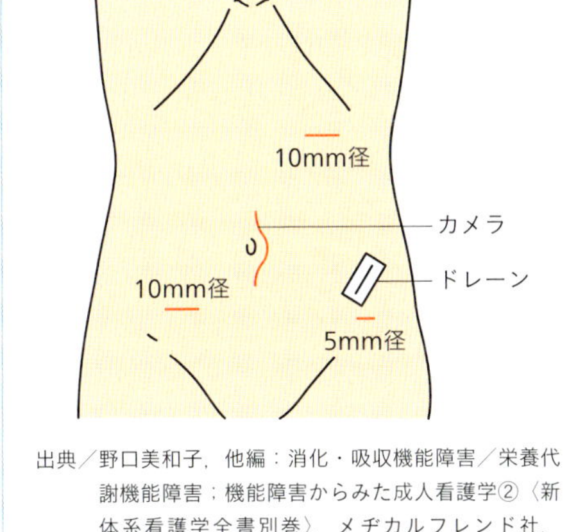

出典／野口美和子，他編：消化・吸収機能障害／栄養代謝機能障害：機能障害からみた成人看護学②〈新体系看護学全書別巻〉，メヂカルフレンド社，2013，p.127.

図7-4 内視鏡下結腸切除術の切開創

と，平均的に手術時間は開腹手術より短い。その結果，麻酔時間は短縮され，麻酔侵襲・手術侵襲が小さく傷口も小さいため，術後は開腹手術よりも患者の身体的負担が少なく，回復過程の進みが早いとされる。

さらに，手術にもよるが術後の入院期間も約4～7日と開腹手術より短い[1)]。そのため，日常生活への復帰までの日数も，順調な回復であれば約2週間である。これらの理由から，内視鏡下手術は低侵襲であるといわれる。

表7-1 腹腔鏡下手術のメリット・デメリット

メリット	デメリット
• 切開創が小さい(3～10mm) • 術後疼痛が少ない • 入院期間の短縮につながる • 早期の社会復帰が可能である	• 気腹を必要とする • 特異な合併症がある(出血，$PaCO_2$の上昇，血圧の上昇・下降，不整脈，皮下気腫) • 病巣を十分検索できない • 病変の見落としが生じやすい

出典／野口美和子，他編：消化・吸収機能障害／栄養代謝機能障害；機能障害からみた成人看護学②〈新体系看護学全書別巻〉，メヂカルフレンド社，2013，p.127．一部改変．

一方，内視鏡下手術にも，デメリットはあるため，術前の医師から患者へのインフォームドコンセントでは，メリットとデメリットを十分に説明し，患者が納得して意思決定したうえで，内視鏡下手術に臨むように支援していく必要がある。表7-1に腹腔鏡下手術のメリット・デメリットを示す。

II 適応となる疾患

医療技術の急速な発展により，様々な臓器の手術に対して内視鏡下手術の適応が拡大している。手術件数は，毎年増加傾向にあり，2017(平成29)年のすべての領域を合わせた症例数は24万8743例である[2]。現在行われている内視鏡下手術の種類別分類を表7-2に，領域別・年度別の件数を図7-5に示す。

表7-3には，腹腔鏡下手術の適応となる主な臓器と術式を示す。特に，呼吸器系の疾患では肺がんが増加傾向にあり，胸腔鏡下手術も増加している。肺がんでは近年，ビデオ補助下胸腔鏡下手術(video-assisted thoracic surgery；VATS)が注目されている。食道がんに対する胸腔鏡下食道切除術も行われている。

表7-2 内視鏡下手術の種類別分類

手術の分類	代表的な手術
腹腔鏡下手術	大腸切除術，胃部分切除術，胃内粘膜切除術，胆囊摘出術 子宮筋腫核出術，卵巣部分切除術など
胸腔鏡下手術	肺部分切除術，食道がん部分切除術など
膀胱鏡下手術	経尿道的膀胱腫瘍切除術，経尿道的前立腺切除術など
関節鏡下手術	肩関節鏡下手術，膝関節鏡下手術など
内視鏡下耳科手術	副鼻腔手術，経外耳道的内視鏡下耳科手術など

出典／野口美和子，他編：消化・吸収機能障害／栄養代謝機能障害；機能障害からみた成人看護学②〈新体系看護学全書別巻〉，メヂカルフレンド社，2013，p.127．

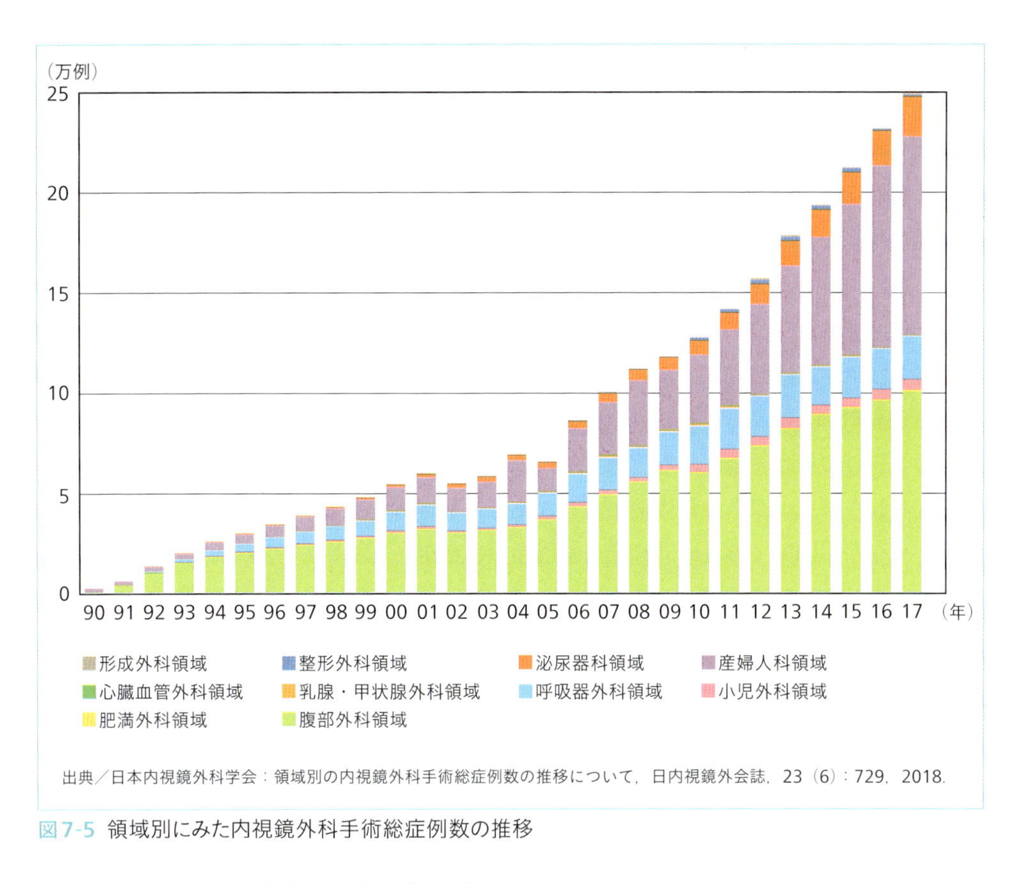

出典／日本内視鏡外科学会：領域別の内視鏡外科手術総症例数の推移について，日内視鏡外会誌，23（6）：729，2018．

図7-5 領域別にみた内視鏡外科手術総症例数の推移

表7-3 腹腔鏡下手術の適応となる主な臓器と術式

	主な臓器	術式名
消化器外科	食道	食道抜去術，食道部分切除術
	胃	全層胃部分切除術，胃内粘膜切除術，胃瘻造設術，胃バイパス術，幽門側切除術
	小腸	部分切除術
	大腸	部分切除術，虫垂切除術，がんに対する根治術
	肝臓	囊胞開窓術，系統的切除術
	胆道	胆囊摘出術，総胆管切開，ドレナージ術
	膵臓	膵頭十二指腸切除術
	脾臓	脾臓摘出術
婦人科		子宮筋腫核出術，異所性妊娠手術，子宮内膜症病巣除去術，卵巣部分切除術
その他		ヘルニア根治術，大網充塡術，癒着剝離術，副腎摘出術，腎臓摘出術

Ⅲ 術後合併症の概要

1 内視鏡下手術に伴う合併症の特徴

術中に発見される合併症と，術後に発見される合併症がある。術中に発見される合併症としては，器具の挿入による血管損傷や臓器損傷がある。これに加えて，気腹を必要とする腹腔内の手術では，二酸化炭素の注入や腹腔内圧上昇に伴う合併症が起こり得る。これらは発見され次第，止血，ドレナージ，再手術などの処置が行われる。術後の経過観察中に発見される合併症としては，術中操作に関連した組織の損傷に伴う出血，臓器損傷，皮下気腫，消化管手術後の消化液の漏(も)れなどがある。ドレナージによる経過観察を行い，改善が見込めない場合には，再手術となることがある。

2 合併症の種類

❶手術操作に伴う合併症

(1) 出血（血管損傷）

術中の視野の狭さや遠隔的な手術操作によって血管損傷が起きやすく，また，止血が十分に行われないことがあり，術後出血をきたすことがある。術中に血管損傷が判明し，対処しても止血が困難であれば，術式が開腹手術に変更となることもある。術後，短時間に大量の出血，血腫形成が認められた場合は，再手術による止血・血腫除去を行う。

(2) 臓器損傷

臓器損傷は，血管損傷と同じく手術操作に伴って発生する。術中に発見され速やかに修復が試みられた場合は予後が良いが，術後に発見された場合には，すでに腹膜炎や敗血症を併発していることもあり全身状態が重篤化(じゅうとくか)する懸念が生じる。

❷腹腔鏡下手術の気腹に伴う合併症

腹腔鏡下手術では，気腹のため腹腔内に二酸化炭素を注入する。二酸化炭素が組織内に浸透すると，呼吸機能や循環機能に影響を与え，術中や術後に次のような合併症を起こすことがある。

(1) 高二酸化炭素血症

高二酸化炭素血症は，腹腔内から体内への二酸化炭素の吸収，代謝の亢進，肺胞の死腔(しくう)増加や残気量の低下によって，血中二酸化炭素濃度が上昇することにより生じる。まれではあるが，術中の血管損傷部位から二酸化炭素が血管内に流入することによって，二酸化炭素塞栓(そくせん)症を起こすこともある。

(2) 無気肺

気腹によって横隔膜が挙上すると，肺の拡張と空気の取り込みが妨げられるため，術後に無気肺を引き起こしやすい。また，無気肺の状態で喀痰(かくたん)の喀出(かくしゅつ)が不十分となると気道分泌物が気道内に停滞し，肺炎を併発することもある。

(3) 血圧変動・不整脈

気腹操作による腹腔内臓器と交感神経への刺激や，腹腔内圧の上昇によって，静脈還流障害や心拍出量の低下が起こることがある。その結果，血圧の変動や不整脈がみられることがある。

(4) 皮下気腫

気腹のために送気した二酸化炭素が，皮下組織に吸収されることにより生じる。経皮的に握雪感（雪を握りつぶすような感触）がある。通常は数日以内に自然消失するが，範囲が広くなると二酸化炭素の体内吸収によってアシドーシスを起こすことがある。

IV 術前・術後患者の特徴と看護

手術は外科的治療であり，成功がゴールである。そのため，前述した合併症が予防できるように，術前には患者の全身の評価を行い，心身ともに最善の状態で手術に臨めるように，全身のコンディションを整えていく看護が重要である。ここでは，特に腹腔鏡下手術を受ける患者の特徴と看護について記述する。

1 術前患者の特徴と看護

❶術前患者の評価

腹腔鏡下手術の術前評価として，開腹手術の場合と同様の術前検査を行う。また，大半は全身麻酔での手術であるため，特に術前の呼吸器機能・循環器機能には留意が必要である。

❷術前患者の看護

一般的な術前の看護は，開腹手術の際と同様である。手術の性質から気腹が必要なため，横隔膜挙上による無気肺を引き起こす場合がある。そのため，術後の呼吸訓練の必要性について術前から教育的にかかわり，患者に理解を促す必要がある。また，肥満により内臓脂肪が多い場合は，手術操作に難渋し術式が開腹手術に変更されることがあるため，対応できるように準備する。

このように，術後の合併症を予測し，術前の評価から予防的な看護を個別に実践する。

2 術後患者の特徴と看護

❶術後患者の特徴

腹腔鏡下手術後患者の特徴として入院期間の短縮化があるため，早期離床による術後の回復を図ると同時に，患者の日常の生活適応に向けて意図的にかかわる。

また，腹腔鏡下手術に伴い引き起こしやすい術後合併症に対して予防的な看護実践を行う。

❷術後患者の看護

一般的な看護は開腹手術の際と同様であるが，特に留意しなくてはならないのが，次の3つである。

(1) 術後出血に対する看護

呼吸・循環動態の観察を綿密に行うと同時に，ミルキングなどドレーン管理を十分に行い，体液バランスを考慮して適切な輸液・輸血を行う。ドレーンからの排液を観察し，1

時間に 100mL 以上の血性の排液を認める場合は術後出血が疑われるため，医師にすぐに報告する。

(2) 術後無気肺・肺炎に対する看護

予防としては，自己排痰の促進，気道の清浄化を行う。また，適切な抗菌薬の予防投与を必要とするため，処方された抗菌薬を正確に投与する。さらに，早期離床は喀痰喀出にも有効である。実際は，患者の全身状態の回復に合わせて早期離床を促進し，できるだけ早く元の生活に戻れるようにかかわる。

(3) 皮下気腫に対する看護

皮下気腫が生じると，患者は痛みを伴うため，観察とともに注意が必要である。皮下気腫は自然と組織に吸収されるため特に治療はなされないが，その部位の経過観察を十分に行う。患者にも皮下気腫の原因と経過を説明し，不安を軽減させる。

文献

1) 野口美和子，他編：消化・吸収機能障害／栄養代謝機能障害；機能障害からみた成人看護学②〈新体系看護学全書別巻〉，メヂカルフレンド社，2013，p.127.
2) 日本内視鏡外科学会：領域別の内視鏡外科手術総症例数の推移について，日内視鏡外会誌，23（6）：729，2018.

第1章

脳・神経系の手術を受ける患者・家族の看護

この章では

- 未破裂脳動脈瘤の手術を受ける患者の周術期看護を理解する。
- 脳腫瘍の手術を受ける患者の周術期看護を理解する。

Ⅰ 脳血管障害（未破裂脳動脈瘤）

未破裂脳動脈瘤は聞き慣れない病名かもしれないが，近年の画像診断の進歩や脳ドックの普及により，徐々に認知されるようになった疾患である。また，未破裂脳動脈瘤に対する血管内手術は，比較的新しい治療法であるが，その適応は拡大しつつあるため，血管内手術を中心に解説する。

1. 疾患の概要

ここでは，**脳血管障害**（cerebrovascular disease；**CVD**，**脳血管疾患**ともいう）全般の概要，未破裂脳動脈瘤の概要および手術療法の解説をしたのち，未破裂脳動脈瘤により血管内手術を受ける患者の看護について述べる。

1 脳血管障害全般

CVD は**脳卒中**と同義語として扱われることがあり，脳動脈に異常が起こることにより突然神経症状が発現した疾患の総称である。CVD は，脳血管の狭窄や閉塞による虚血性疾患と，脳血管の破綻による出血性疾患に分けられる。このうち，虚血性疾患には**脳梗塞**（こうそく）や一過性脳虚血発作（TIA），出血性疾患には**脳出血**，**クモ膜下出血**などがある（図 1-1）。

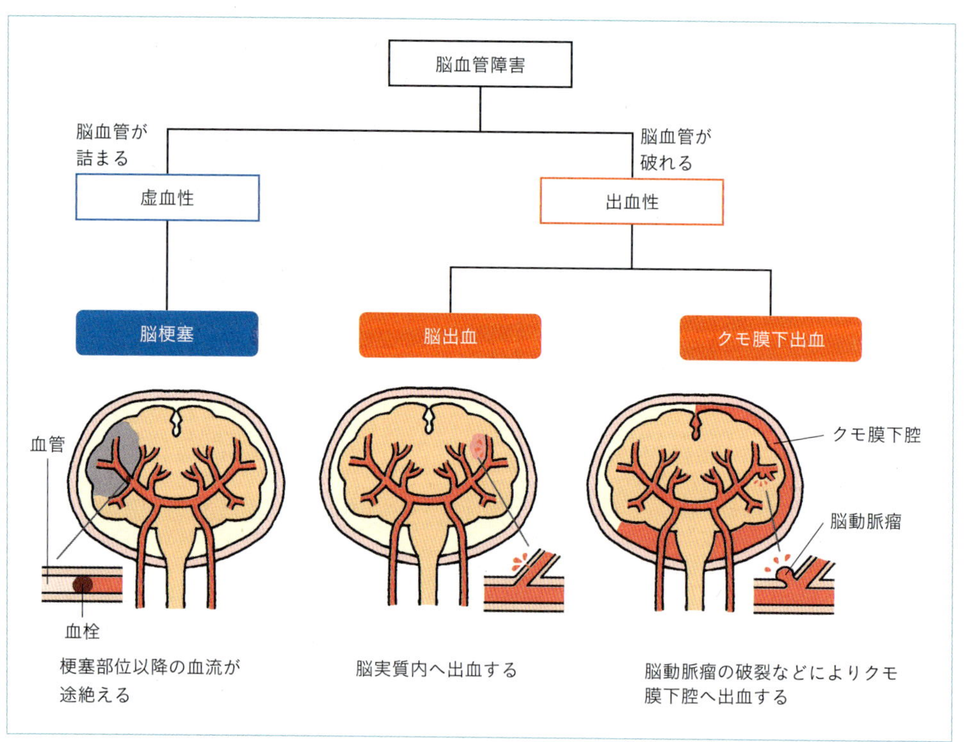

図 1-1 脳血管障害の分類

▶**脳梗塞**　脳梗塞の危険因子には，高血圧，糖尿病，脂質異常症，心房細動，喫煙，メタボリックシンドローム・肥満などがあげられる。病型によって頻度は異なるが，片麻痺，感覚障害，失語などの皮質症状や意識障害がみられる。

▶**脳出血**　脳出血の危険因子には，高血圧，喫煙，大量飲酒があげられる。血腫の部位や大きさにより様々な程度の頭痛，意識障害，局所神経症状および頭蓋内圧亢進症状がみられる。

クモ膜下出血の危険因子には，喫煙，高血圧，大量飲酒があげられる。

▶**クモ膜下出血**　クモ膜下出血の最大の原因は未破裂脳動脈瘤（80%以上）で，次いで脳動静脈奇形，脳出血，もやもや病と続く。片麻痺などの局所神経症状はほとんど出現せず，突然の激しい頭痛で発症することが多い。ただし，比較的軽度の頭痛（警告頭痛）が突然に生じることもあるため，早めに受診することが大切である。そのほか，悪心（おしん）・嘔吐（おうと），意識障害，痙攣（けいれん），項部硬直，ケルニッヒ（Kernig）徴候などがみられる。

2　未破裂脳動脈瘤

1. 概念・定義

未破裂脳動脈瘤とは，脳動脈瘤が破裂しないままの状態である。以前は脳動脈瘤といえば，クモ膜下出血を起こしたり，脳動脈瘤の増大による脳の圧迫症状で見つかることが多かった。しかし，画像診断の発達や脳ドックの普及とともに，破裂する前の状態で発見されることが多くなった。

2. 誘因・原因

未破裂脳動脈瘤の危険因子は，クモ膜下出血と同様に，喫煙，高血圧，大量飲酒，一親等以内の脳動脈瘤保有者の家族歴，人種（日本，フィンランド），女性があげられる。先天的な原因は明確にされていないが，遺伝的要因も否定できない。

3. 病態生理

脳動脈瘤は，脳動脈の中膜が先天的に欠損しているところに，高血圧などの後天的な因子や血管内皮の修復障害が長年にわたって加わり，脳動脈のある部分がコブ状に膨らんで形成されると考えられている。中膜欠損は動脈分岐部に存在することが多いが，分岐部とは関係のない部分にできることもある。膨れた球状（球部）の部分を球部（ドーム：dome），球部の根元の部分を頸部（ネック：neck）という。未破裂脳動脈瘤が破裂すると，クモ膜下出血を引き起こす。

4. 症状・臨床所見

未破裂脳動脈瘤は無症候性のことが多いが，大型脳動脈瘤や巨大脳動脈瘤の場合，神経圧迫による症状を呈することもある（症候性未破裂脳動脈瘤）。

症候性未破裂脳動脈瘤の場合，瘤が周囲の神経を圧迫して，脳動脈瘤の部位に応じた症状が出現する（表1-1）。

5. 検査・診断・分類

スクリーニングを目的とする脳ドックでは，侵襲が少ないMRI/MRAやCT血管撮影（3D-CTA）を行うことが多い。未破裂脳動脈瘤が発見されたのちに，頭蓋内の血行動態の評価を行う場合は，デジタルサブトラクション血管造影（DSA）を用いることが多い。

未破裂脳動脈瘤は，形，大きさ，症状の有無，部位によって分類される。形による分類は，嚢状，紡錘状，解離性がある（図1-2）。大きさによる分類は，瘤の最大径が10mm未満のものを小型脳動脈瘤（75%以上），10～24mmのものを大型脳動脈瘤（20%），25mm以上のものを巨大脳動脈瘤（5%）という。症状による分類では，脳動脈瘤による神経圧迫症状がみられるものを症候性未破裂脳動脈瘤，無症状のものを無症候性未破裂脳動脈瘤という。症候性の場合，切迫破裂の徴候と考えられ，緊急手術の適応となる。

6. 治療

未破裂脳動脈瘤の治療には，開頭手術（**脳動脈瘤頸部クリッピング術**），血管内手術（**コイル塞栓術**），経過観察がある。治療方針は，年齢，健康状態などの患者背景，脳動脈瘤の大きさ，部位，形状，自然歴（破裂リスク），術者の治療成績などにより検討される。しかし，無症候性未破裂脳動脈瘤においては，健康な人への手術となるため，患者・家族のなかには治療選択の意思決定に苦慮する人も多くいる。また，脳動脈瘤が大きいほど，手術による合併症のリスクも高くなるというジレンマもある。そのため，治療方針の決定に関しては，十分なインフォームドコンセントが必要であり，患者・家族の精神状態，意思を踏まえ，慎重に検討していく必要がある。

インフォームドコンセントにおいて説明すべき内容は，①自然歴（表 1-2），②治療の必要性（経過観察の危険性），③手術方法（開頭手術または血管内手術）とその利点・欠点（表 1-3），④治療の危険性が柱となる。

未破裂脳動脈瘤の自然歴（破裂リスク）から考察すれば，次の特徴を有する病変はより破裂の危険性の高い群に属し，治療などを含めた慎重な検討をすることが推奨される[1]。

①大きさ 5 ～ 7mm 以上の未破裂脳動脈瘤

②上記未満であっても，

a. 症候性の脳動脈瘤

b. 前交通動脈，内頸－後交通動脈分岐部などの部位に存在する脳動脈瘤

c. aspect（dome/neck）比が大きい瘤，サイズ比（親動脈に対する動脈瘤サイズの比）の大きい瘤，不整形・ブレブを有するなどの形態的特徴をもつ脳動脈瘤

表 1-1 症候性未破裂脳動脈瘤の部位別神経症状

脳動脈瘤の部位	圧迫される神経	症状
内頸－後交通動脈分岐部 脳底動脈－上小脳動脈分岐部	動眼神経（第Ⅲ脳神経）	複視，眼瞼下垂，散瞳
内頸－眼動脈分岐部	視神経（第Ⅱ脳神経）	視力・視野障害
内頸動脈海綿静脈洞部	動眼神経（第Ⅲ脳神経） 外転神経（第Ⅳ脳神経）	複視，眼瞼下垂，散瞳

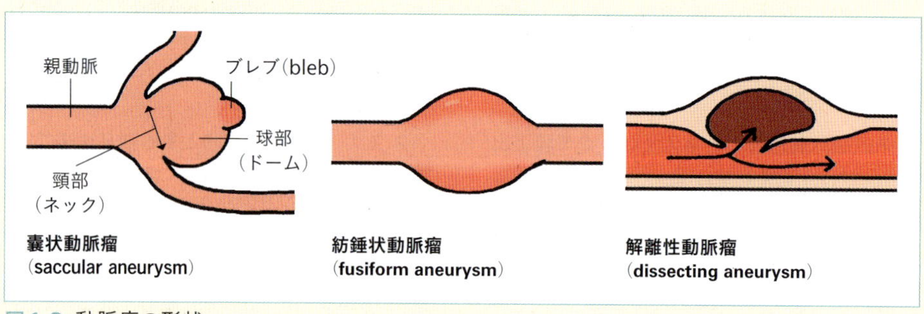

図 1-2 動脈瘤の形状

表 1-2 未破裂脳動脈瘤の自然歴

未破裂脳動脈瘤の保有率	5％前後 （保有危険因子：年齢，女性，家族歴，動脈硬化，多発性嚢胞腎症など）
未破裂脳動脈瘤の破裂率	年間 1.2～1.9％
破裂危険因子：大きな瘤	＞ 10mm 年間 7.1～4.0％，＞ 25mm 年間 43.1％
後方循環の瘤	年間 3.1～4.4％
症候性	年間 6.5～8.0％
女性	年間 2.6％（男性は年間 1.3％）
年齢	60～79 歳で年間 5.7％，40～59 歳で年間 3.5％

出典／根來眞監，中原一郎，他編：脳動脈瘤血管内治療のすべて；基本から最新治療まで，メジカルビュー社，2010，p.74.

表1-3 クリッピング術とコイル塞栓術

	開頭手術（脳動脈瘤頸部クリッピング術）	血管内手術（コイル塞栓術）
利点	• 根治性が高い • 長い治療の歴史がある • 術中の出血や閉塞の予防，対応の選択肢が多い	• 手術侵襲が少ない • 入院期間が短い（約5～7日） • 高齢者なども適応 • 創は穿刺部のみ • 脳実質の圧迫がない • 神経損傷のリスクはまれ • 局所麻酔が可能
欠点	• 手術侵襲が大きい • 創が大きい • 入院期間が長い（約10日～2週間） • 脳実質への圧迫がある • 神経損傷のリスクがある	• 根治性が不確実（再治療の可能性） • 開頭手術に移行する場合がある • 治療の歴史が浅く，長期成績が不明確 • 施設・術者が限定される

2. 術式・術後合併症の概要

未破裂脳動脈瘤に対する手術療法は，破裂の予防を目的として行われる。術式には，**開頭手術**と**血管内手術**の2種類がある。

1 開頭手術

❶開頭手術の方法

一般的に，専用のクリップで脳動脈瘤の頸部をはさんで脳動脈瘤への血流を遮断する**クリッピング術**（脳動脈瘤頸部クリッピング術，図1-3）が行われる。まれに，脳動脈瘤が発生している動脈（親動脈）の前後を閉塞する**トラッピング術**（図1-3）や親動脈近位部閉塞術が行われることがある。親動脈近位部閉塞術とは，親動脈の近位部を閉塞して脳動脈瘤にかかる血圧を低下させ，破裂を予防するものである。手術に先立ち，近位親動脈閉塞試験（バルーン閉塞試験，balloon occlusion test；BOT）を行い，虚血症状の出現がないかを確認する。虚血症状がみられる場合は，親動脈閉塞前に側副血行路（バイパス）を作製する。

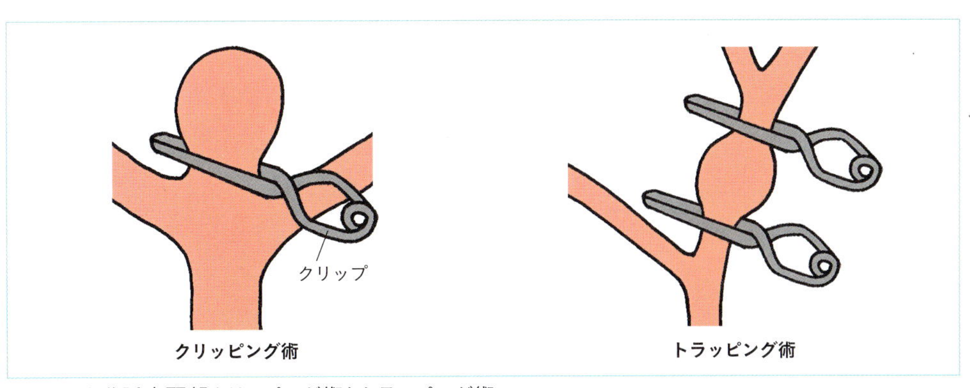

図1-3 脳動脈瘤頸部クリッピング術とトラッピング術

❷開頭手術による術後合併症

未破裂脳動脈瘤に対するクリッピング術やトラッピング術では，全身麻酔，開頭，脳動脈瘤周囲の主幹動脈・穿通枝(せんつうし)・脳神経などとの剝離(はくり)，クリッピング，硬膜閉鎖および閉頭，術後管理というプロセスのどの段階でも合併症が起こり得る。脳動脈瘤の部位により起こり得る神経障害は異なるが，虚血性合併症である穿通枝障害は，脳動脈瘤の部位にかかわらず起こる可能性があり，永続的な障害を残したり重篤化(じゅうとくか)したりすることがある。そのほか，開頭手術による術後合併症として，後出血，脳浮腫，痙攣(けいれん)などがあげられる。

クリッピング術の利点は，確実な止血と長期の再発予防という根治性である。しかし，治療した脳動脈瘤の再発や新生脳動脈瘤の破裂などによるクモ膜下出血の発生率は，10年で1.4％，20年で12.4％[2]との報告もあり，長期の経過観察が必要である。また，高次脳機能低下が認められることもあり，特に高齢者では高率に発生する[3]ことが報告されている。

2 血管内手術

❶血管内手術の方法

未破裂脳動脈瘤に対する血管内手術には，コイル塞栓術，親動脈閉塞術などがある。

コイル塞栓術では，大腿動脈からカテーテルを挿入し，脳動脈瘤内にプラチナコイルを詰め，脳動脈瘤の内腔を血栓化する（図1-4）。カテーテルによる操作を行うため，必然的に術前より抗血栓療法が行われる。コイル塞栓術は，その低侵襲性(ていしんしゅう)により適応範囲が拡大しており，コイル塞栓術を第一選択にする施設が増加している。

親動脈閉塞術は，BOTにより虚血症状の出現がないかを確認したのち，バルーンやコイルを用いて閉塞する。

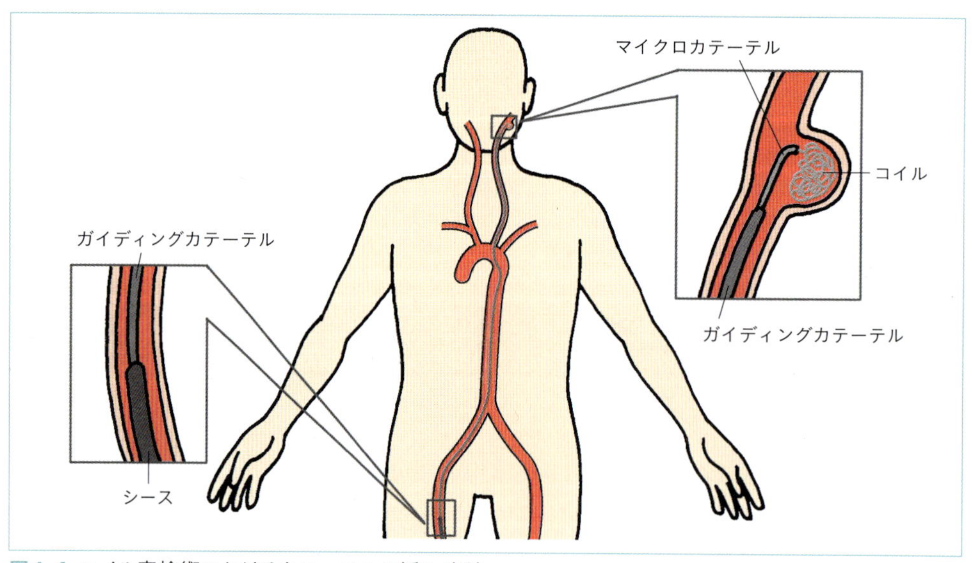

図1-4 コイル塞栓術におけるカテーテルの挿入方法

❷血管内手術による術中・術後合併症

血管内手術は，X線透視下で，カテーテルやガイドワイヤーを操作，造影しながら治療を進めていく。そのため，頭蓋内の合併症だけでなく，穿刺(せんし)部合併症や放射線被曝，造影剤による腎臓への負担にも注意していかなければならない。

(1) 術中合併症

コイル塞栓術においては，ガイドワイヤーやカテーテルが脳動脈瘤壁を穿通(せんつう)し，術中破裂をきたすことがある。その場合，コイルでの止血にこだわると致死的状況を招く危険性があるため，開頭術へ切り替えることもある。また，術前から抗血栓療法が行われ，術中も全身ヘパリン化を行うが，カテーテルやコイルの頻回の出し入れにより，術中，血栓塞栓症が起こることがある。

(2) 血栓塞栓症（脳梗塞）

脳動脈瘤周辺に血栓が形成されて起こる**血栓塞栓症**は，コイル塞栓術で最も注意すべき合併症である。2.5～11％に生じ，これによる永続的合併症は2.5～5.5％と報告されている[4)]。脳動脈瘤の球部（ドーム）の大きさに比べて頸部（ネック）が相対的に広いワイドネックの場合（図1-5）や親動脈と瘤の角度などにより，瘤内にコイルが安定しやすい場合としにくい場合がある。後者の場合，コイルを瘤内に収める補助手段として，マイクロバルーンカテーテルやステントが用いられる。そのため，コイルの親動脈への露出・逸脱，マイクロバルーンカテーテルやステント併用時には，特に注意が必要である。

(3) 脳動脈瘤増大による圧迫症状

脳動脈瘤の大きさにもよるが，瘤内にコイルを充塡(じゅうてん)し血栓化する過程で，瘤はわずかに大きくなる。その際，瘤に接している脳神経や動脈が圧迫されて，神経症状が出現する可能性がある。

(4) 穿刺部合併症

穿刺部の出血・皮下血腫や仮性動脈瘤は，比較的頻度の高い合併症である。多くは，不適切な穿刺や抜去，止血に由来する。また，ガイドワイヤーなどによる術中の血管損傷や

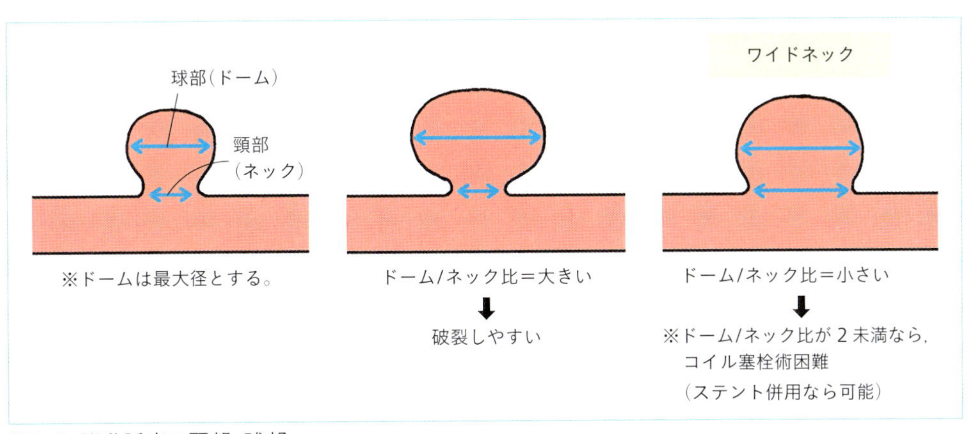

図1-5 脳動脈瘤の頸部・球部

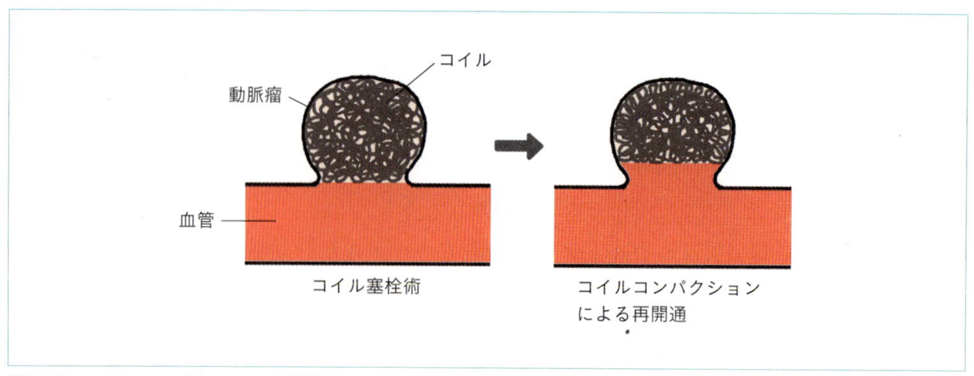

図 1-6 コイルコンパクション・再開通

穿刺(せんし)部の不完全止血により，後腹膜血腫が起こる可能性がある。体表からその有無を判断できないため，ショック症状を呈して初めて気づかれることがある。

(5) 造影剤による副作用

造影剤使用によりアナフィラキシーショックや造影剤腎症を起こすことがある。危険因子としては，術前より血清クレアチニン値の高値（特に糖尿病腎症），脱水，高齢（70 歳以上）などがあげられる。腎機能低下は，造影剤投与翌日より血清クレアチニン値の上昇としてみられるが，多くは 1 ～ 2 週間以内に回復する。特に，造影剤使用量が 3 ～ 4mL/kg を超える場合は注意が必要である。

(6) 放射線合併症

3Sv の被曝線量により一過性の脱毛が起こり得る。放射線が短期間に繰り返し使用されるため，重症化することもある。

(7) コイルコンパクション・再開通

治療に用いられるプラチナ製のコイルは非常に柔らかく，様々な形に形状記憶されるが，どうしても瘤内に隙間は残る。この隙間は血液が固まり血栓で埋められるが，常に血流がコイルにかかっている状態である。そのため，術後一定期間が過ぎた頃，血圧でコイル塊が圧縮・縮小する緻密化現象（**コイルコンパクション**）が起こり，再開通，再増大をきたすことがある（図 1-6）。特に，十分にコイルが充塡(じゅうてん)できず隙間が大きいと起こりやすい。再開通が起こった場合，再治療が必要になることもある。再開通と再治療は，クリッピング術でも起こり得るが，その確率はコイル塞栓術のほうが明らかに高い。

3. 看護目標

- 未破裂脳動脈瘤に対する各治療（自然経過観察，クリッピング術，コイル塞栓術）の特徴について理解できる。
- 治療選択の自己決定ができ，治療後も折り合いをつけながら生活できる。

4. 術前の看護

1 患者のアセスメント

❶患者基礎情報の把握

既往歴，現病歴，検査データなどの患者基礎情報を把握する。特に，未破裂脳動脈瘤に対するコイル塞栓術を受ける患者においては，高血圧，糖尿病，心疾患，腎機能，止血機能，アレルギーの有無，クモ膜下出血・脳動脈瘤の家族歴などに注意する。

❷内服薬の確認

コイル塞栓術を受ける患者は，手術前日に入院になることが多い。血管内手術では，術者の判断によるが，前投薬として抗血小板薬などを服用することが多い。これらの前投薬は外来で処方され，手術数日前から服用が開始される。そのため，入院時に指示されたとおりに服用しているか確認する。

❸平常時の状態の把握

バイタルサイン，意識レベル，認知機能，脳動脈瘤の部位に応じた症状の有無に関するフィジカルアセスメントやコミュニケーション方法など，平常時の身体機能の状態を把握する。

2 手術に対する意思決定支援

未破裂脳動脈瘤の手術は未病の段階で行う予防的手術であり，健康な人が今後発症しないために治療をするという特殊性があるため，一般的な治療のあり方とは異なる。つまり，何も症状がない人が予防的手術を受けることで身体機能が120％になるわけではなく，100％以下になり得る[5]ことを意味する。そのため，患者・家族にとって，この治療選択は非常に難しいことである。また，未破裂脳動脈瘤が診断された人の多くが抱いているのは「破裂への恐怖心」であり，診断により不安が高まることやQOLが低下する[6,7]ことが報告されている。患者は，このような心理状態のなかで意思決定をして治療に臨（のぞ）もうとしていることを看護師は理解し，患者・家族の決断を支えていく。

未破裂脳動脈瘤が発見された患者は，自然経過や治療適応，治療法の選択などについて医師より説明を受けるが，破裂リスク，治療のリスクについて患者は非常に高くとらえる傾向がある[8]。一方で，脳血管内手術は低侵襲（ていしんしゅう）であるため，脳血管撮影の延長線上にあるようにとらえている患者もいる。脳血管内手術は傷が残らない，頭を切らない，からだへの負担が少ないという利点はあるが，安全性が高いというわけではない。そのため看護師は，手術に関するオリエンテーションなどをとおして，患者が各治療法の利点・欠点，治療による合併症などをどのくらい理解しているのか，治療に対してどのように認識しているのかを確認する。また，医師が十分に説明したとしても，医師と患者との間にはギャップがあることを念頭に置く。

3 術前オリエンテーション

一般的に，コイル塞栓術は**血管造影室**（interventional radiology 室；**IVR 室**）（図 1-7）で行われるが，患者は治療手技や IVR 室の様子をイメージすることが難しい。そのため，治療手技の一般的な流れや用いる医療器具，IVR 室の様子などをイラストや写真つきのパンフレットなどを用いて説明する。コイル塞栓術で用いるプラチナコイルは非常に柔らかいが，プラチナコイルと聞いた患者は「金属を頭に入れるのか」と恐怖心を抱く場合がある。そのため，カテーテルやガイドワイヤー，コイルなどの写真や実物を見せ，不安の軽減につなげるとよい。

治療に過度の不安を抱く患者に対しては，治療のリスクなど医師から説明された内容をどの程度理解しているか，どのように受け止めているかを確認する。そのうえで，起こり得る合併症を単に羅列するのではなく，体位や安静度，薬剤の副作用や合併症により発現する症状やその対処方法などを中心に説明し，患者が治療を正しく理解し，過度な不安を抱かないように努める。

4 手術に向けた準備

❶術前訓練

コイル塞栓術では，穿刺（せんし）部合併症を予防するため，術中から術後は安静保持に加えて下肢屈曲が禁止される。「血管内手術で最もつらいのがこの安静保持だ」と患者は言う。そのため，腰痛の有無や体位の変形などを把握し，体位の保持が可能かどうかを判断する。必要に応じて，その体位を試行したり体位変換の方法を訓練したりする。

❷前処置・準備

コイル塞栓術でのカテーテル挿入は，大腿動脈からのアプローチが最も汎用されている。事前に穿刺部位を医師に確認し，必要であれば穿刺部の除毛を行う。血管撮影と異なり，除毛は基本的に両側行う。

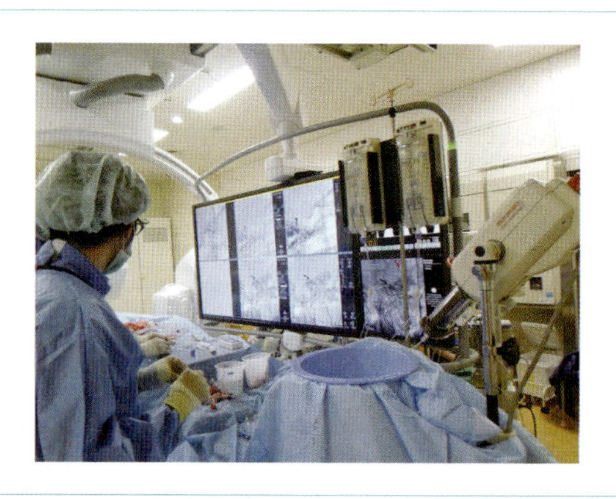

図 1-7 血管造影室（IVR 室）

食事に関しては，通常，治療前1食が絶食になることが多い。血管内手術では，虚血性合併症予防のためにも，水分は積極的に摂取することが望ましい。

❸穿刺部動脈触知の確認

穿刺部の過度の圧迫や血管閉塞の早期発見のために重要である。穿刺部の末梢（足背，内果，膝窩，橈骨）動脈の触知，左右差，強弱を確認し，術後すぐに確認しやすいようマーキングしておく。

5. 術後の看護

1 術後の観察と合併症の早期発見

❶血栓塞栓症（脳梗塞）

術直後に明らかな神経症状がなくても，帰室後しばらくしてから急速に麻痺や意識障害などを呈することもある。特に，術直後から数時間の意識状態は，麻酔覚醒の遅延との鑑別が難しく，発見が遅れる危険があるため注意する。また，**脳梗塞の予防**のためには，適切な輸液管理，血圧管理が重要となる。血圧管理に関しては，原則として積極的な降圧はしない。評価の指標として，血圧，脈拍，IN/OUTバランスなどを観察し評価する。また，

- バイタルサイン（血圧，脈拍，呼吸数・呼吸様式，SpO_2，体温）
- 意識レベル（JCSやGCS）
- 瞳孔所見（瞳孔の左右差，対光反射の有無）
- 運動障害
- 感覚障害
- 言語障害などの神経学的症状
- 悪心・嘔吐などの自覚症状

を，帰室時，1時間後，2時間後など適宜測定し，異常の早期発見に努める。ただし，下肢の運動障害の観察については，安静解除までは下肢屈曲禁止であるため，足関節の底背屈運動で代用する。

症状が認められた場合，早急に医師に報告し，早期の診断につなげる。脳梗塞を疑うときには，頭部CTや頭部MRIなどの画像診断が必須である。頭部CTでは，超急性期（発症から24時間以内）の脳梗塞を抽出できないことが多いが，まずは出血性か虚血性かの鑑別のために頭部CTが施行され，脳出血が否定されたら，頭部MRIを施行することが多い。頭部MRI（拡散強調像）は，超急性期の脳梗塞の検出に有用である。画像診断により脳梗塞が確認されたら，早期に治療が開始され，梗塞巣の拡大を防止する。広範囲の脳梗塞を生じた場合は，脳浮腫を伴い頭蓋内圧が亢進する危険性がある。抗血栓療法や，脳浮腫軽減のための高浸透圧利尿薬の投与，脳浮腫軽減・脳梗塞進行抑制のための脳保護薬などが使用される。看護師は，症状の進行および薬剤などの治療効果と副作用を経時的に観察し，前回と比べて悪化しているか改善しているかをアセスメントする。

❷脳動脈瘤増大による圧迫症状

脳動脈瘤の部位に応じた圧迫症状を観察する。圧迫症状が出現したとしても，その多くは経過観察となる。しかし，これらの圧迫症状は，患者の日常生活に支障をきたすだけでなく，「この症状はずっと続くのだろうか」といった不安など精神面にも影響する。そのため，安全に歩行できるような支援や，今後の症状の見通しを説明するなどの支援を行う。

❸穿刺部合併症

穿刺部の止血状態の観察を行う際は，出血によるガーゼ汚染だけでなく，穿刺部の膨隆，血腫の有無を確認する。血腫がみられた場合は，バイタルサインを確認し医師に報告するとともに，圧迫止血の調整を行ってもらう。また，血腫のサイズをマーキングし，経時的増大の有無をチェックする。術後も抗血栓療法を行っている場合は，特に注意が必要である。

一方で，血腫や過度の圧迫固定により循環不全が起こる場合があるため，足背(そくはい)動脈の触知，左右差，強弱を観察する。両側で比較し，拍動が弱い場合やチアノーゼ様の皮膚色，末梢冷感，下肢腫脹などがある場合は，圧迫固定を緩める。

後腹膜出血に関しては体表から判断できないため，術後に腰背(ようはい)部の痛みや頻脈，血圧低下，尿量減少を認めた場合は後腹膜出血を疑い，厳重な観察を行う。

❹造影剤による副作用

アナフィラキシーショックを起こすことがあるため，呼吸困難，血圧低下，冷汗，頻脈，SpO_2 低下，顔面浮腫，悪心(おしん)・嘔吐，咳，腹痛，蕁麻疹(じんましん)，発赤(ほっせき)などを観察する。

また，術前の腎機能にもよるが，IN/OUT バランスや，尿量，腎機能を確認する。

2　身体的・精神的苦痛の緩和

穿刺部合併症予防のための下肢屈曲禁止は，患者にとって苦痛が強く腰痛を訴える者も多い。そのため，下肢を屈曲しないよう注意しながら，体位変換枕などを用いて軽度の側臥位をとり，安静保持内での体位を工夫するようにする。それでも腰痛が緩和されないようであれば，鎮痛薬（湿布含む）の使用を検討する。

安静解除前に食事が再開される場合は，臥床したままでの飲食になるため，食物は手でつかめるものに変更し，飲み物はストローを使用して摂取しやすいように工夫するとともに，誤嚥(ごえん)に注意する。

6. 回復過程における支援

退院から退院後の日常生活への支援には，次のようなものがある。

1　退院後に注意すべき合併症・後遺症

❶放射線合併症へのケア

脱毛の可能性は術前に説明されているが，患者は忘れていることも多い。放射線被曝による脱毛は約3週間後に現れるため，治療の影響であることを退院後の患者が認識できるように，退院前に再度説明することも必要である。

❷コイルコンパクション・再開通，新生脳動脈瘤に関する精神的苦痛へのケア

コイルコンパクション・再開通は，コイル塞栓術を受けた患者が最も懸念することである。コイル塞栓術においては，治療後も再開通や新生脳動脈瘤の発生などについて経過を観察するため，退院前には，今後の経過観察の必要性や方法，頻度を説明しておく。現段階で，術後の経過観察の方法や頻度に明確な基準はなく，施設により異なる。一例を紹介すると，術後3か月で頭部単純X線撮影を行い，術後半年で頭部MRI/MRA，術後1年をめどに脳血管撮影を実施し，コイルの変形を観察する。ただし，脳血管撮影は侵襲が大きい検査であり，短期間ではあるが入院が必要となるため，抵抗感を示す患者もいる。したがって，検査の実施に関しては患者の意向を知るように努め，代替方法がないか（頭部MRI/MRAや3D-CTAなど），その場合の利点・欠点について説明・検討していく。

また，脳動脈瘤やクモ膜下出血の家族歴のある者は，新生脳動脈瘤が発生する頻度が高い[9]ことが知られており，術後のフォローアップ中に新たに未破裂脳動脈瘤が発見されることがある。再開通も新生脳動脈瘤の発見も，患者にとっては精神的苦痛となるため，情緒的支援と意思決定支援を行う。

❸情緒的支援と意味付けの促進

血管内手術の利点でもあるが，回復の早さは患者自身が驚くほど早い。しかし，それゆえ周囲の状況も目に入ってしまい，ほかの患者より元気なことを理由に，他患者や医療者に遠慮し，わからないことや聞きたいことがあっても，聞けないまま退院してしまう場合がある。疑問を抱えたまま退院する，すなわち医療者側の支援が不足すると退院後，過度に日常生活を制限したり，頭痛がするとコイルに何かあったのではないかと不安を抱いたりすることにつながる。未破裂脳動脈瘤患者のQOLは，コイル塞栓術後，短期的に低下し，術後1年間で相当に回復するもののQOLの低下が持続することもあることが報告されている[10]。そのため，コイルを守るために患者の日常生活への対処方法を吟味し，その必要性を判断すること，また曖昧な身体症状へのアセスメントと緩和方法の指導などにより，過度な生活制限を予防することも大切である。

また，未破裂脳動脈瘤には再開通，新生脳動脈瘤の問題があり，治療後も脳動脈瘤破裂のリスクと再治療の可能性が排除されたわけではないことに苦悩する患者がいる。そのため，患者の思いを傾聴し，治療に期待したことや体験を振り返り意味付ける機会を意識的につくることは，看護師の重要な役割である。未破裂脳動脈瘤に対するコイル塞栓術は，術後も治療効果の曖昧さなど不確かさをはらんでおり，医学的治療評価だけでは予防的手術が有効であったとはいい切れない[11]。患者が自己の決断に満足し，手術してよかったと感じながら生活できるように支えていく。

Ⅱ 脳腫瘍

1. 疾患の概要

1. 概念・定義

脳腫瘍は，脳組織から発症する原発性脳腫瘍と他臓器がんが脳に転移した転移性脳腫瘍に分かれる。原発性脳腫瘍は良性と悪性の2種類がある。

良性には髄膜や脳神経から発生する髄膜腫(meningioma)・下垂体腺腫（表1-4）・神経鞘(しょうしゅ)腫があり，周囲組織との境界が明瞭で全摘出が可能な腫瘍である。

悪性には脳実質内に発生する神経膠(こうしゅ)腫(glioma)・悪性リンパ腫などがあり，周囲組織との境界が不明瞭で全摘出が困難な腫瘍である。術後，放射線療法や化学療法を行う。

2. 誘因・原因

原発性脳腫瘍は原因不明であるが，一般的腫瘍の発生機序と同じく，遺伝子が変化することにより発生するといわれている。転移性脳腫瘍は，他臓器がんが頭蓋内に転移することが原因である。

3. 病態生理

原発性脳腫瘍のうち，脳組織から発生する脳実質内腫瘍は，神経膠腫・悪性リンパ腫・胚細胞腫瘍などがあり，頭蓋内を構成する組織（硬膜・頭蓋骨・脳神経）から発生する脳実質外腫瘍は，髄膜腫・下垂体腺腫・神経鞘腫などがある。

原発性脳腫瘍の発生頻度は髄膜腫（26.3%）が最も多く，次いで神経膠(こうしゅ)腫（24.1%），下垂体腺腫（18.9%，表1-4），神経鞘腫の順となっている[12]。

転移性脳腫瘍の主な原発巣は，肺がん，乳がん，直腸がん，腎がん，胃がん，大腸がんなどである。

4. 症状・臨床所見

腫瘍は脳組織内に浸潤して発育する。腫瘍増大や脳浮腫・静脈還流障害による頭蓋内圧亢進症状（頭痛・嘔吐・うっ血乳頭），腫瘍による圧迫や浸潤による神経脱落症状（運動麻痺・失語・知覚障害・視野障害など），痙攣(けいれん)発作などの脳局所症状が現れる。

視床下部や下垂体など脳実質以外に発生する腫瘍では，内分泌障害をきたす。

下垂体腺腫は，視交叉部の圧迫による両耳側半盲がみられる。

5. 検査・診断・分類

- CT・MRI検査：脳腫瘍の部位・性状の撮影，転移性脳腫瘍の原発巣検索
- 胸部単純X線検査：感染症スクリーニング
- 頭部X線検査：頭蓋骨の骨肥厚，石灰化，血管溝増大などの評価
- 脳血管撮影（DSA・MRA）：血管増生や血管走行の撮影
- 核医学検査（SPECT・PET）：ラジオアイソトープの集積を撮影し，脳腫瘍の性状・血流・代謝を測定し悪性度を評価する。
- 脳波：症候性てんかんの原因となる脳波異常のスクリーニング
- 病理組織診断：手術による組織摘出により最終的な診断を行う。
- 血液検査：全身状態の評価（肝機能・腎機能・貧血・炎症・栄養状態）
- 腫瘍マーカー

脳腫瘍は組織学的所見や臨床悪性度によりWHO分類Grade Ⅰ～Ⅳに分けられる（表1-5）。

6. 治療

- 手術：全身麻酔下開頭術を行い脳機能を温存しつつ，腫瘍を最大限摘出する。出血，脳浮腫，後遺障害などを考慮し，腫瘍を完全に摘出するのではなく，のちの化学療法や放射線療法との併用で根治を目指す。悪性膠腫の場合，術中，腫瘍切除面に抗悪性腫瘍薬カルムスチンを留置する場合がある。また，病理診断が目的の生検術がある。
- 放射線療法：術後の残存腫瘍，深部脳腫瘍，転移性脳腫瘍に放射線を照射する。
- 化学療法：神経膠腫や悪性リンパ腫に対して抗がん剤を投与し，がん細胞を死滅させる。

表1-4 下垂体腺腫分類

分類		症状	
非機能性下垂体腺腫		視野障害	
機能性下垂体腺腫	成長ホルモン（GH）産生腺腫	末端肥大症 下垂体巨人症	外見上の変化 高血圧 糖尿病
	プロラクチン（PRL）産生腺腫	プロラクチノーマ	乳汁分泌 月経異常
	副腎皮質刺激ホルモン（ACTH）産生腺腫	クッシング病	中心性肥満 満月様顔貌 高血圧 糖尿病

表1-5 WHO Grade分類

Grade Ⅰ	増殖能が低い腫瘍。全摘出により治癒が期待できる。
Grade Ⅱ	増殖能は低いが浸潤性。悪性に転化する傾向がある。
Grade Ⅲ	核異型や核分裂像がみられ，組織学的に悪性像を呈する。
Grade Ⅳ	核分裂像が目立ち壊死もみられ，急速に増大する。

出典／国立がんセンター内科レジデント編：がん診療レジデントマニュアル，第5版，医学書院，2010，p.293.

2. 術式・術後合併症の概要

1 術式

❶開頭術

全身麻酔下に専用固定ピンで頭部を固定し，頭蓋骨を切開して顕微鏡下で頭蓋内病変にアプローチする方法である。病変部位により，前頭・側頭・後頭下開頭と異なる。そのため，術中体位も仰臥位，側臥位（パークベンチ），腹臥位と様々である。

ナビゲーションを併用して術中に病変部位の確認を行い，腫瘍摘出率の向上と合併症リスクの軽減を図る。また，術前に光線力学診断用薬5ALA（aminolevulinic acid）を内服し，術中に顕微鏡下で青色光線を照射することで腫瘍の可視化を図る。術後後遺症である麻痺の予防のため，MEP（motor evoked potential）などの神経モニタリングも併用する。

言語領野付近の手術では，覚醒下手術を行う。術中に覚醒し，会話をすることで言語機能を確認したり，手足を動かし運動機能を確認したりしながら手術を行うものである。

❷経鼻内視鏡手術

内視鏡下で鼻孔から鼻腔，副鼻腔を経由して脳下垂体病変へ到達し，アプローチする。

❸定位脳手術

脳深部である大脳基底核や視床，脳幹など，開頭術では困難な部位に対して行われる。術前に頭部に金属フレームを装着して画像を撮影し，腫瘍の座標を正確に決定する。手術当日，座標を基に腫瘍にアプローチする。

2 術後合併症

▶ **痙攣**　脳実質操作や電解質バランスの変化により起こる。

▶ **創部出血**　抗血小板薬を服用していたり，縫合不全や皮下ドレナージ不良があったりする場合に起こる。

▶ **脳梗塞**　血管損傷などにより起こる。

▶ **血腫形成**　腫瘍摘出に伴う減圧，死腔形成により硬膜外血腫や硬膜下血腫，摘出腔血腫を形成する。

▶ **創部・眼瞼腫脹**　皮膚切開や皮膚翻転，術中体位によるうっ血により起こる。

▶ **脳浮腫**　悪性腫瘍，術中操作により起こる。

▶ **頭痛，悪心・嘔吐**　頭蓋内圧亢進や術中の小脳操作により起こる。

▶ **局所神経症状**　運動麻痺，言語障害が出現する。

▶ **そのほか**　創部感染，髄膜炎，皮下髄液貯留などが起こる。

▶ **尿崩症，低ナトリウム血症**　下垂体腺腫術後には下垂体ホルモン分泌障害，抗利尿ホルモン（ADH）分泌障害により起こる。

▶ **脳神経症状**（顔面麻痺，嚥下障害，嗄声など）　脳神経から発生する神経鞘腫術後に起こる。

▶ **髄液漏**　下垂体・神経鞘腫術時に，硬膜を切開するために起こる。

3. 看護目標

- 頭痛や悪心，神経症状の悪化を看護師に伝えることができる。
- 脳神経系の機能障害や治療の副作用の程度に合わせて，ADLを拡大することができる。
- 退院後の生活をイメージし，必要に応じた支援を受けることができる。

4. 術前の看護

脳腫瘍による症状は，腫瘍の部位や大きさなどにより異なる。脳腫瘍の部位や大きさなどにより意識レベルや神経学的所見，自覚症状の程度は様々である。意識レベルや神経学的所見をていねいに観察して把握し，安全に入院生活が送れるよう支援する。また，腫瘍の増大に伴い，新たな症状が出現したり症状が変化したり，脳浮腫により頭蓋内圧亢進を起こす可能性が高い。予測される病態や症状をアセスメントし，異常の早期発見と迅速な対応が求められる。

脳に腫瘍があると診断され，さらに手術を受けることとなれば，患者のみならず家族の不安や恐怖は大きい。症状だけでなく患者や家族の気持ちを受け止め，精神状態を把握し，説明に対する理解度や反応を確認しながら手術の準備を進めていくことが大切である。

1 患者のアセスメント

患者の状態を把握することにより，急変の危険性が高いのか，また，どのような症状が起こり得るのかを予測して観察やケアを行い，状態の変化時に迅速に対応することができる。さらに，術後の意識状態など神経症状の観察時に，術前の状態と比較することで，術後の変化を把握することができる。

- **自覚症状**：頭痛，悪心・嘔吐，しびれ（有無・範囲・程度），視力・視野障害，頭蓋内圧亢進症状の有無，痙攣の有無，口渇・耳鳴・めまいの有無，1日尿量，食事摂取量と嚥下状況
- **意識状態**：意識レベル（JCS，GCS），瞳孔異常の有無，対光反射の有無，会話に対する反応，説明への理解度，記憶障害の有無，高次脳機能障害の有無
- **神経脱落症状の有無**：腫瘍の発生部位と大きさ，四肢麻痺の有無と程度，歩行状態，ADL
- **バイタルサイン**：体温，脈拍（性状），血圧，呼吸状態（深さ・回数・規則性），SpO_2（動脈血酸素飽和度）
- **精神状態**：疾患の受け止め，手術の受け止め，疾患や手術の説明への理解度，表情と言動，食事摂取状況，睡眠状況
- **家族の反応と支援体制**：家族の疾患や手術の受け止め，説明への理解度，家族構成，家族の協力体制，キーパーソン
- **現病歴と既往歴**
- **検査結果**：血液検査，CT，MRI，X線撮影，核医学検査（SPECT・PET），呼吸機能

2 手術に対する意思決定支援

患者は脳腫瘍と診断され，さらに開頭での手術を受けることに対して，様々な不安や恐怖感を抱えて入院してくる。患者・家族は病気や手術をどのように受け止めているのかをアセスメントし，入院時より患者・家族と信頼関係を築けるようかかわる。医師からのインフォームドコンセント時は同席し，不安な点や疑問点があればいつでも相談に乗ることや，医師から再度説明を聞けるよう連携をとっていくことを伝え，患者が説明内容を十分理解し納得したうえで手術を受けられるようにする。

3 手術オリエンテーション

患者の意識レベルに合わせて，患者・家族が理解できるよう反応をみながら行う。手術の準備，特に術前の絶飲食や術前内服が確実に守れるよう，随時声かけをしながら進めていく。また，脳腫瘍があることや開頭術を受けること，全身麻酔の手術を受けることなどにより，**術後せん妄**をきたしやすい。できるだけ術後の状態をイメージできるようていねいに説明し，家族に対しても，せん妄への予防策を共にとってもらえるよう説明する。

4 手術に向けた準備

頭痛や悪心・嘔吐は，頭蓋内圧亢進の特徴的な症状である。静かに休めるよう環境調整を行い，頭蓋内の静脈還流を促すために30°頭側を挙上するとよい。頭痛は早朝に起こることが多いため，特に注意する。程度が強い場合は指示された鎮痛薬を使用し，疼痛コン

トロールを図る。また，頭蓋内圧亢進がある場合は浣腸を行わない。嘔吐時は吐物を速やかにかたづけ，含嗽(がんそう)を介助し，不快感や精神的負担を軽減させる。

視力・視野障害，四肢麻痺やしびれの程度，ADLに合わせて，安全・安楽に手術を迎えられるよう，清拭や洗髪など清潔への支援や，検査時に車椅子(いす)で担送するなど身辺の介助を行う。嚥下(えんげ)障害があるときは誤嚥(ごえん)性肺炎に注意し，食事形態の変更を行う。症状の進行によりADLレベルが下がることがあるため，症状に合わせた支援を行えるよう随時アセスメントを行い，援助内容を変更する。痙攣(けいれん)がある，あるいは起こる可能性が高いときは，抗痙攣薬の内服や，浮腫緩和の目的で副腎皮質ステロイド薬や浸透圧利尿薬（D-マンニトール，濃グリセリン・果糖）の投薬による治療が行われることがある。その副作用症状により頻尿や夜間の不眠，精神症状をきたすことがあるため，観察と支援を行う。また，下垂体腫瘍摘出術を行う患者は術後，口呼吸となるので，口呼吸の練習やリップクリームの準備を促す。

5. 術後の看護

1 術後の観察と合併症の早期発見

開頭術後は，術後出血や脳浮腫による頭蓋内圧亢進により，意識レベルや神経学的所見は変化しやすく，状態によっては再手術が行われることもある。術後合併症を早期に発見するために，患者の細かな変化も見逃さず，慎重に観察し状態をアセスメントすること，異常発見時は迅速に対応することが大切である。しかし，術直後や夜間は，覚醒状況により意識レベルの低下や神経脱落症状が生じているのか判断しにくいこともある。寝ているから「問題ない」と安易に判断するのは危険である。

❶観察項目

- **バイタルサイン**：体温，脈拍（性状），血圧，呼吸状態（深さ・回数・規則性），呼吸困難感，痰の有無，SpO_2，クッシング（Cushing）症状（血圧上昇と徐脈）の有無
- **意識状態**：意識レベル（JCS，GCS），瞳孔異常の有無，対光反射・眼振の有無，痙攣の有無と出現時の部位・程度や出現時間
- **神経脱落症状の有無**：四肢の運動障害・感覚障害の有無・程度
- **自覚症状**：創部痛，頭痛，悪心(おしん)・嘔吐，薬剤の効果，腸動の有無，尿量・比重
- **創部・ドレーン**：創部の状態，ドレーン挿入部位と排液量や性状，感染徴候
- **精神状態**：不穏状態，術後せん妄の有無，自覚症状や神経脱落症状に対する受け止め方，回復や麻痺残存への不安，表情と言動，睡眠状況

❷合併症予防のためのケア

術後の意識レベルをより正確に判断するため，JCS・GCSを併用して，神経脱落症状や眼症状など，ほかの症状の有無や程度と併せて評価する。急に変化することもあるため，全身の細かな観察を行う。また，脳室ドレナージ（図1-8）が行われる場合もあるため，ドレーンの管理と出血に注意する。

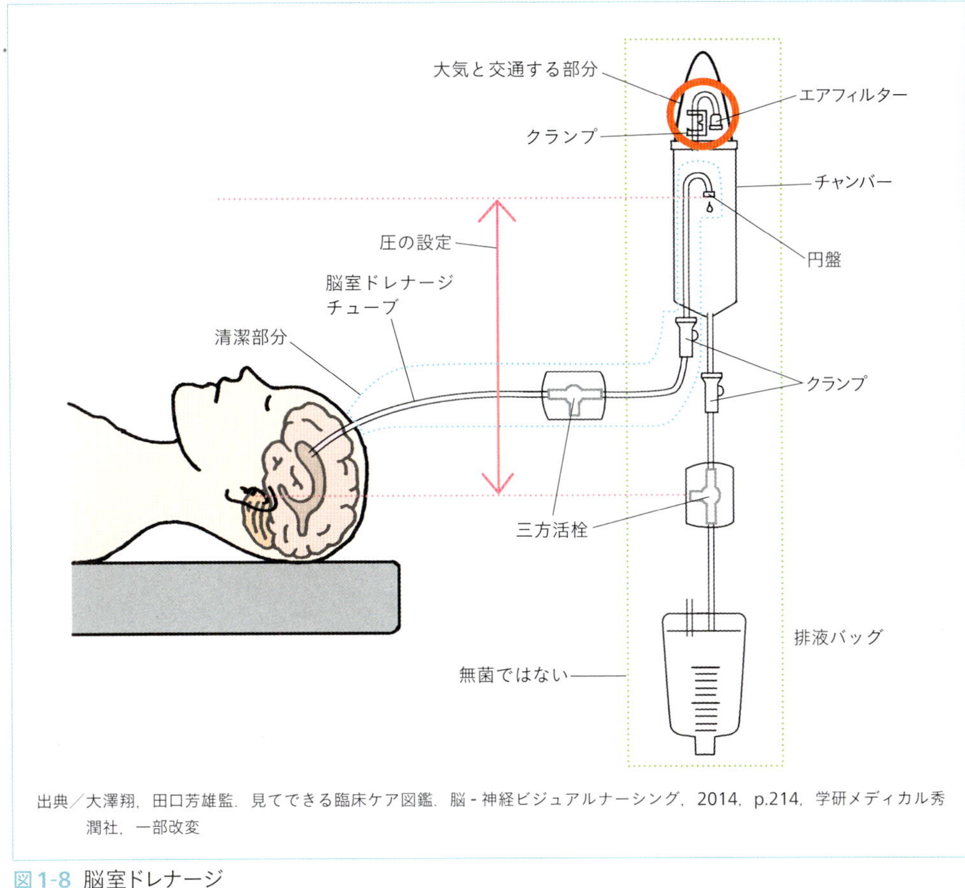

出典／大澤翔，田口芳雄監．見てできる臨床ケア図鑑．脳 - 神経ビジュアルナーシング，2014，p.214，学研メディカル秀潤社，一部改変

図 1-8 脳室ドレナージ

脳室ドレナージの目的は頭蓋内圧のコントロールおよびモニタリングである。髄膜炎や脳室炎などを合併している場合には薬物投与目的で留置されることもある。ドレナージの際は頭部の高さを一定に保つ必要があり，患者は床上安静となるためADL介助を行うとともに，安静による苦痛の軽減に努める。

脳室ドレーンは開放式であり，回路はチャンバー上部のフィルターを介し大気に開放している。外耳孔の高さを0とし，チャンバー内の円盤の高さが設定圧となる。フィルターの汚染やクランプの開放忘れがあると設定圧が大きく変化してしまうため注意する。

また脳室は無菌と考えられるため，挿入部の清潔を保つとともに，三方活栓からの髄液採取は厳密な無菌操作が求められる。下垂体腺腫の場合は尿崩症をきたすことがあり，尿量や比重を経時的に観察する。肺合併症予防として，2時間ごとの体位変換や体位ドレナージを行い，痰の吸引が必要なときは頭蓋内圧亢進に注意して行う。深部静脈血栓症（DVT）が生じやすいため，間欠的空気圧迫装置や弾性ストッキングの正しい装着，早期の離床を促す。イレウスや便秘への対応として，離床や緩下剤(かんげ)の使用など排便へのケアを行う。尿路感染症予防として，膀胱留置カテーテル挿入部の清潔と逆行性感染に注意して取り扱う。髄液鼻漏時の鼻腔吸引は，逆行性感染により髄膜炎を引き起こすため禁忌である。

2 身体的・精神的苦痛の緩和

❶神経脱落症状に合わせたADL拡大へのケア

意識レベルや神経脱落症状の部位や程度に合わせ，段階的に離床を進めていく。意識レベルが低下している場合や神経脱落症状が受け入れられていない場合，自分で動けると判断して転倒や転落などの事故が起こりやすい。あるいは，せん妄症状である意識の混乱から不穏状態がみられると，安静が保てず事故につながったりすることもある。患者の状況に合わせた安全確保への対策を行う。

❷患者・家族の身体的・精神的苦痛の緩和と受容への支援

術後は身体症状による苦痛が大きいが，急性期を過ぎると，あるいは身体症状が軽度である場合は，麻痺などの機能障害に対する回復への不安が大きくなる。身体症状がある場合は鎮痛薬などの使用や体位の工夫などにより緩和（かんわ）する。睡眠障害に対する睡眠薬や鎮静薬の使用は，術後の意識レベルの変化が判断しにくくなるため，医師と相談して用いる。不安に対しては患者だけでなく家族の話も聞き，疾患に対する受け止め状況や理解度に応じて，退院に向けて継続的な支援を行う（詳細は次項参照）。

6. 回復過程における支援

1 放射線療法を受ける患者の看護

❶放射線療法の概要

神経膠腫（こうしゅ）やリンパ腫などの浸潤性に増大する腫瘍に対し，腫瘍の再発や増大を予防するために，多くは手術療法と併用して**放射線療法**が行われる。放射線療法の方法は大きく2つに分けられ，腫瘍を中心としたある程度広い範囲や全脳に放射線を照射する通常外部照射法と，MRIやCTなどの画像を基に放射線の照射範囲を細かく計算し，多方向から腫瘍に対して集中的に放射線療法を行う定位的放射線療法がある。ここでは，通常外部照射法を受ける患者への看護を示す。

❷副作用に対する看護

腫瘍の部位や大きさなど，患者によって放射線の照射範囲（全脳または部分），照射線量，照射回数などの放射線の治療計画は大きく異なるため，放射線治療を予定している場合には，これらを事前に把握する。

放射線療法による副作用は，治療開始直後から出現するものと，治療開始後数週間を経過してから出現するものがある。それぞれの副作用の出現時期を把握し，予想される症状に注意しながら，症状の予防・緩和に努める。

(1) 放射線宿酔（放射線療法開始直後から出現）

頭痛，悪心（おしん）・嘔吐，めまい，倦怠感などの**放射線宿酔（しゅくすい）**が出現する。悪心・嘔吐に伴う食欲不振に対しては，食事の工夫を行う。ゼリーやプリン，果物など口当たりがよく食べやすいものや患者が希望するものを，食べられるときに摂取できるよう，準備を家族へ依頼したり，管理栄養士へ相談したりする。

(2) 頭蓋内圧亢進症状（放射線療法開始2～3日目頃から出現）

脳浮腫による頭痛，悪心・嘔吐，めまいやふらつきなどが出現する。脳浮腫が強い場合には意識障害をきたす場合もあり，注意して観察を行う。症状出現時には医師へ報告し，脳浮腫に対して副腎皮質ステロイド薬や浸透圧利尿薬が処方された場合には，確実に投与する。倦怠感やめまいがある場合には，臥床を促し，転倒・転落に注意し，環境整備を行う。

(3) 皮膚障害（放射線療法開始2週目頃から出現）

皮膚発赤（ほっせき），熱感，瘙痒感（そうよう），びらん，脱毛などが生じやすく，放射線療法を受ける患者の大半に出現する。皮膚障害を観察し，皮膚への刺激を避け清潔に保つようにする。頭皮は照射によってもろく弱くなっており，手術創から感染を引き起こす可能性があるため，注意して観察を行う。洗髪の際は爪を立てず指の腹で洗うよう説明し，かゆくても掻かないよう伝える。熱感がある際にはクーリングすることで軽減されるが，刺激が強くならないようタオルなどで調整する。皮膚症状が強い場合には，副腎皮質ステロイド外用薬が処方されることがあり，確実に塗布（とふ）する。皮膚保護のため外出時にはスカーフや帽子を使用する。脱毛は副作用のなかでも患者にとって精神的苦痛が強いものであり，ボディイメージの混乱に対する精神的援助が必要となる。放射線療法終了後には再び髪が生えてくることを説明する。患者の希望にもよるが，治療前に髪を短く切っておくことで脱毛時の処理が簡便になる。

2 化学療法を受ける患者の看護

❶化学療法の概要

手術療法や放射線療法による治療効果を向上させ，腫瘍の再発を予防するために行われる。抗がん薬の副作用には特有なものがあり，それぞれ種類も出現する時期も異なる。したがって，それらを把握したうえで，症状の観察や症状緩和に努める。

腫瘍の種類によって使用される薬剤が異なるが，ここでは，神経膠腫に使用される経口抗悪性腫瘍薬テモゾロミド（テモダール®）について示す。テモゾロミドは，腸管からの吸収効率を高めるために空腹時間に内服する。たとえば，6時30分にグラニセトロン塩酸塩（カイトリル®），7時にテモゾロミドを内服してもらい，8時に朝食を配膳するなどである。

❷副作用に対する看護

(1) 骨髄抑制（7～14日後に最低値，21日で回復）

抗悪性腫瘍薬は，骨髄機能を抑制し造血幹細胞に障害を与えるため，白血球，赤血球，血小板などが減少する。一般に7～14日で最低値となり，21日で回復するため，血液データの推移を確認する。

白血球，特に好中球の減少は重篤（じゅうとく）な感染症に罹患（りかん）する可能性が高く，**感染予防**が最も重要である。手洗い・含嗽（がんそう），口腔内保清，身体保清など，日常生活上での感染予防行動を説明して協力を得る。病棟外へ出る際はマスク着用を促す。

血小板が減少すると出血傾向となるため，硬い歯ブラシを使わないことや，転倒や外傷などに注意することを伝える。麻痺や意識障害がある場合には，患者だけでなく家族の協力を得る。

(2) 悪心・嘔吐（内服開始日から出現）

悪心（おしん）・嘔吐の出現を予想し，予防的に制吐薬を使用する。テモゾロミドは長期内服を要するため，軽度の悪心を経験し続けることによって予測性の嘔吐に至り，内服困難となる場合もあるため，軽度の症状でも見過ごさないように注意する。悪心・嘔吐による食欲不振への対応については，前述の「放射線療法を受ける患者の看護」を参照。

(3) 脱毛（内服開始2週間目頃から出現）

前述の「放射線治療を受ける患者の看護」を参照。

3 退院に向けた援助

❶リハビリテーション

部位や種類により異なるが，術後にみられる症状は，意識障害，感覚障害，運動障害，呼吸機能や体温調節の障害，言語障害，嚥下（えんげ）障害，視聴覚障害，排泄障害などの生命機能にかかわる障害や，高次脳機能障害や知能低下，情緒不安定といった精神症状など，その症状は極めて多様である。術後の安静による廃用や，放射線療法・化学療法による症状も加わることで，障害はより複雑なものとなり，程度は異なるが，患者は障害を抱えて生活していくこととなる。障害の回復程度の予測は困難であるが，障害を抱えながらも患者自身の能力を最大限に発揮し，その人らしく地域社会で生活できるよう支援を行う。そのためには早期からリハビリテーションを開始し，ADL拡大に向けて介入していく。

リハビリテーションを進めるにあたり，まずは目標を設定することが重要である。患者や家族にどんなニードがあるのか，たとえば「自分でトイレへ行きたい」など，個々の希望を確認しながら目標を設定する。その目標をリハビリテーションチームと共有し，協働しながらリハビリテーションを進めていく。訓練室での活動だけでなく，病棟でのADLに訓練動作を盛り込みながら，たとえば臥床で行っていた清拭を座位で行う，床上で行っていた含嗽や洗面を洗面所で行うなど，徐々に活動の範囲を広げ，「できるADL」を「しているADL」へ移行していく。必要時には医師，リハビリテーションスタッフ，看護師などの多職種でリハビリテーションカンファレンスを開催し，訓練状況の把握，治療方針の確認，目標の調整を行う。

❷退院に向けた支援

▶ **患者の希望の聞きとり**　退院に向けた支援を行うにあたり，患者・家族が現状や今後の展望をどのように受け止め，どのような生活を希望しているかを確認する。そのために，患者・家族が思いや希望を表出できる関係性を築いておく。また，入院時から患者・家族を取り巻く社会的，経済的，環境的な状況を把握し，退院後の生活を見すえた介入を行っていく。

▶ **退院後の生活への指導**　退院にあたっては，服薬管理や定期受診，日常生活の調整などの退院指導を行う。脳腫瘍患者の多くは抗痙攣（けいれん）薬の内服を続けることが多いため，確実な内服，車の運転や高所での作業を避けること，痙攣発作時の対応などの指導を行う。患者だけでなく家族も含めて指導を行い，協力を得る。また，入院が長期にわたる場合やADL援助が必要な場合は，試験外泊を検討し，患者が退院後の生活をイメージできるようにしたり，住宅改修が必要な箇所の選定などを行ったりしておく。

▶ **医療資源の活用**　社会的，経済的，環境的に自宅退院が困難と予測される場合には，入院時に情報を得た時点で，医療ソーシャルワーカーと退院調整を開始する。介護保険の申請，在宅サービスの利用などに関し，情報提供や地域施設との調整を行う。場合によっては各地域施設とのカンファレンスを開催し，退院後の支援体制を整える。

患者・家族が安心し，その人らしく地域で生活していくためには，入院時より退院後の生活を見すえて介入を行うようにする。

文献

1）日本脳ドック学会脳ドックの新ガイドライン作成委員会編：脳ドックのガイドライン 2019，改訂・第5版，響文社，2019.
2）Tsutsumi, K., et al.：Risk of subarachnoid hemorrhage after surgical treatment of unruptured cerebral aneurysms, Stroke, 30（6）：1181-1184, 1999.
3）Wiebers, D.O., et al.：Unruptured intracranial aneurysms ; natural history, clinical outcome, and risks of surgical and endovascular treatment, Lancet, 362（9378）：103-110, 2003.
4）Workman, M.J., et al.：Thrombus formation at the neck of cerebral aneurysms during treatment with Guglielmi detachable coils, AJNR Am Neuroradiol, 23（9）：1568-1576, 2002.
5）益田美津美：知るとケアがもっとよくなる！ どうなっている？ 患者さんのこころの中，エキスパートナース，32（9）：87-93，2016.
6）van der Schaaf, I.C., et al.：Quality of life, anxiety, and depression in patients with untreated intracranial aneurysm or arteriovenous malformation, Stroke, 33（2）：440-443, 2002.
7）van der Schaaf, I.C., et al.：Psychosocial impact of finding small aneurysms that are left untreated in patients previously operated on for ruptured aneurysms, J Neurosurg Psychiatry, 77（6）：748-752, 2006.
8）Otawara, Y., et al.：Anxiety before and after surgical repair in patients with asymptomatic unruptured intracranial aneurysm, Surg Neurol, 62（1）：28-31, 2004.
9）Bor, A.S.E., et al.：Long-term, serial screening for intracranial aneurysms in individuals with a family history of aneurysmal sabarachnoid haemorrahage：a cohort study, Lancet Neurol, 13（4）：385-392, 2014.
10）Raaymekers, T.W.：Functional outcome and quality of life after angiography and operation for unruptured intracranial aneurysms ; on behalf of the MARS Study Group, J Neurol Neurosurg Pschiatry, 68（5）：571-576, 2000.
11）益田美津美：血管内治療を選択した未破裂脳動脈瘤患者が抱く不確かさの構造と経時的変化に基づく看護支援の検討，日クリティカルケア看会誌，8（3）：1-14，2012.
12）日本脳神経外科学会：Neurol med-chir, 49（Supplement）：2, 2009. https：//www.jstage.jst.go.jp/article/nmc/49/Supplement/49_Supplement_S1/_pdf（最終アクセス日 2021/10/8）

参考文献

・日本脳卒中学会 脳卒中ガイドライン委員会編：脳卒中治療ガイドライン 2015，協和企画，2015.
・医療情報科学研究所編：病気がみえる vol.7　脳・神経，メディックメディア，2011.
・黒田敏，他：特集／教えてドクター！会話形式で学ぶ，わかる　新人ナースが知りたい脳神経疾患と治療　超きほん＆厳選ポイント 25，Brain Nurs，32（4），2016.
・百田武司，森山美知子編：エビデンスに基づく脳神経看護ケア関連図，中央法規，2014.
・服部光男監：全部見えるスーパービジュアル　脳・神経疾患，成美堂出版，2014.
・甲田英一，菊地京子監，岩渕聡，他編：脳・神経疾患；疾患の理解と看護計画，学研メディカル秀潤社，2011.
・高橋淳，他：特集／脳神経外科手術のキホンが，ここにある！開頭術の知識とケア　黄金の掟，Brain Nurs，31（8），2015.
・田口芳雄：見てできる臨床ケア図鑑．脳 - 神経ビジュアルナーシング，学研メディカル秀潤社，2014.

第2章

頸部の手術を受ける患者・家族の看護

この章では

- 咽頭がん・喉頭がんの手術を受ける患者の周術期看護を理解する。
- 甲状腺がんの手術を受ける患者の周術期看護を理解する。

I 咽頭がん・喉頭がん

1. 疾患の概要

1 咽頭がん（中咽頭がん）

咽頭(いんとう)がんは，発生する部位によって**上咽頭がん，中咽頭がん，下**(か)**咽頭がん**に分けられ，それぞれ症状や治療方法が異なる。上咽頭がんの標準治療は化学療法と放射線療法であり手術適応は少なく，下咽頭がんは食道がんとの合併が多いため，ここでは中咽頭がんを取り上げる。

1. 概念・定義

発生部位により，側壁（口蓋扁桃(こうがいへんとう)，扁桃窩(か)，口蓋弓(きゅう)，舌扁桃溝），前壁（舌根，喉頭蓋谷），上壁（軟口蓋），後壁（咽頭後壁）の4つの亜部位に分類される。近年，ヒトパピローマウイルス（HPV）に関連したがんが増加傾向にある。男女比は2：1で中高年の男性に多い。重複がんや多発がんの発生率が高く，下咽頭がんや食道がんを併発していることが多い。

2. 誘因・原因

HPVが関与し，飲酒・喫煙が誘因となる。

3. 病態生理

口蓋扁桃がんが最も多く，扁平上皮がんが大半を占める。比較的早期から頸部リンパ節に転移がみられ，悪性リンパ腫との鑑別が必要である。

4. 症状・臨床所見

初期症状は咽頭痛，咽頭違和感，嚥下(えんげ)時痛であり，腫瘍の増大に伴い，構音障害，開口障害，嚥下(えんげ)障害，呼吸困難感などが出現する。頸部リンパ節への転移では，頸部腫瘤が初発症状のこともある。

5. 検査・診断・分類

間接喉頭鏡(こうとうきょう)（口の中に入れた鏡に映る像を額帯鏡の光を反射させて観察）・喉頭ファイバー，造影CT，造影MRI，頸部超音波検査，病理組織検査などが行われる。病期診断にはTNM分類*によるステージ（病期）分類が用いられる。

6. 治療

手術療法，化学放射線療法，放射線療法が中心であり，発生した亜部位，病期，進展範囲，患者の年齢や全身状態などにより選択される。

手術療法は，Ⅰ～Ⅱ期では口内法，外切開による部分切除が適応となる。Ⅲ～Ⅳ期では拡大根治術や遊離皮弁，有茎筋皮弁などを用いた再建術を行う。頸部リンパ節転移には頸部郭清(かくせい)術が行われる。

放射線療法は60～70Gy外照射が一般的である。進行がんでは，化学放射線療法が行われることが多く，シスプラチンや分子標的薬（セツキシマブ）を併用した治療も有効である。

7. 予後

発生部位により予後が異なる。最も予後が良いのは扁桃がんで，予後が不良なのは舌根がんである。

---

* **TNM分類**：T（原発腫瘍：primary tumor）はがんがどこまで広がっているか，N（所属リンパ節：regional lymph nodes）はリンパ節転移があるか，M（遠隔転移：distant metastasis）は他臓器への転移があるかを表す。T，N，Mの状態によって，Ⅰ～Ⅳの病期分類を行う。

2 喉頭がん

1. 概念・定義

侵襲（しんしゅう）部位によって，声門上がん，声門がん，声門下がんに分けられる。喉頭がんは60～70歳代の男性に多く，約90％を占める。

早期発見への取り組みとして，全国の自治体を中心に喉頭がん検診が普及している。

2. 誘因・原因

喫煙が最大の危険因子であるが，飲酒の関与も指摘されている。

3. 病態生理

扁平上皮がんが大半を占める。白板症（はくばんしょう）*から段階的にがん化することもある。

4. 症状・臨床所見

声門上がんは，嚥下時痛や呼吸困難感・リンパ節転移による頸部腫瘤を発症し，進行がんで見つかることが多い。

声門がんは，早くから嗄声（させい）が症状として現れるため早期に発見されることが多い。

声門下がんは，喉頭がんのなかで発生率が最も低い。自覚症状は乏しいが，腫瘍の増大に伴い呼吸困難感を生じる。

5. 検査・診断・分類

喉頭ファイバースコープ，病理組織検査，CT・MRI・PET-CT・超音波検査などが行われる。病期診断はTNM分類が用いられる。

6. 治療

早期がんでは放射線療法か喉頭温存手術が行われる。進行がんでは喉頭全摘術か化学放射線療法が行われる。

2. 術式・術後合併症の概要

1 咽頭喉頭食道摘出術

下咽頭と喉頭は隣接しているため，下咽頭がんは喉頭に浸潤する場合が多い。重複がんとして食道がんが存在している場合や，食道入口部に浸潤している場合は，下咽頭・喉頭・食道全摘術が必要となる。この手術では遊離空腸により食道再建を行う（遊離空腸移植術）ことがある。**遊離空腸移植術**とは，空腸を一部切除し，下咽頭や食道摘出後の欠損部に，採取した空腸の上下部位を縫合（ほうごう）する手術である。同時に血管の吻合（ふんごう）を行う。欠損部位が小さい場合は，遊離皮弁（皮下組織筋肉，骨なども含めた大きな組織）を移植する手段が選択されることもある（図2-1）。

2 喉頭全摘術

喉頭の枠組みを一塊にして切除・摘出する術式である。喉頭温存手術が適応とならない進行がんに対して，様々な後遺症を勘案しても有意と考えられ，根治を目指して行われる。喉頭摘出後は喉頭を縫合閉鎖し，気管の切除断端を前頸部下方の皮膚に縫合して気管孔を設置する。これを**永久気管孔**という（図2-2）。このため摂食と呼吸の経路が完全に分離される。

***白板症**：口腔内の白斑・白色の病変で，こすってもはがれず，ほかの確定した疾患に鑑別できないものを示す臨床診断名。

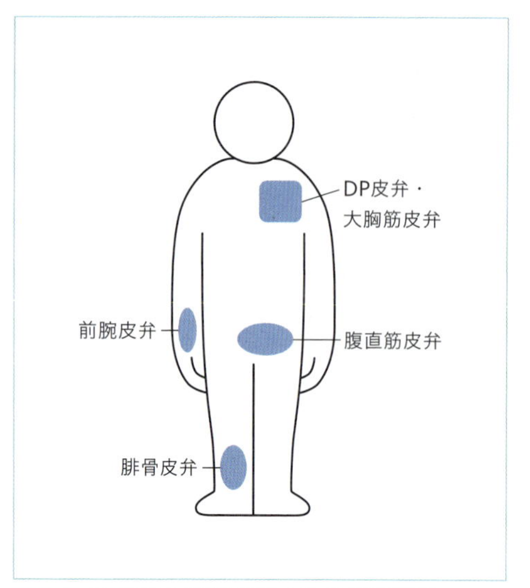

図2-1 遊離皮弁移植術時の皮弁採取部位

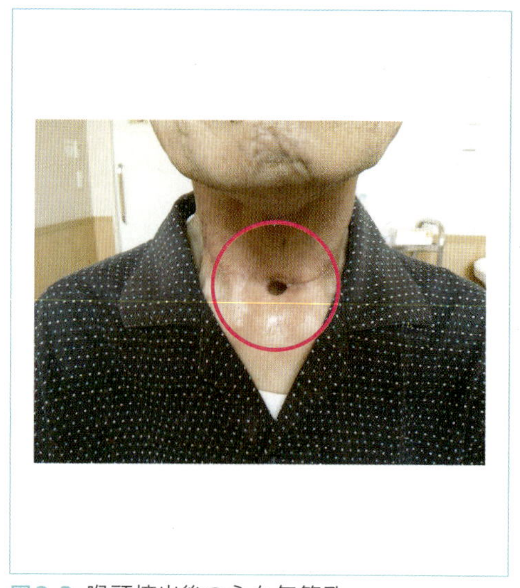

図2-2 喉頭摘出後の永久気管孔

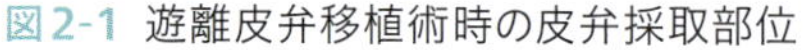

3 頸部郭清術

頭頸部悪性腫瘍の頸部リンパ節転移に対して行われる手術である。頭頸部がん手術の際に予防的に行われることもある。リンパ節を周辺組織と一塊にして郭清(かくせい)する。郭清範囲により，根治的頸部郭清術と保存的頸部郭清術に分けられる。

❶根治的頸部郭清術

術前に頸部リンパ節転移を認める場合，胸鎖乳突筋(きょうさにゅうとつきん)・内頸静脈・副神経などをリンパ節と一塊にして摘出する。舌下神経・迷走神経・頸動脈は温存される。

❷保存的頸部郭清術

主に内頸動脈に沿ったリンパ組織を一塊にしてそいで，摘出し，残せるものは残し，機能の温存を図る手術である。

4 術後合併症

❶頭蓋内圧亢進

頸部血管を操作することによって，頭蓋内圧亢進症状が出現することがある。

❷術後出血，縫合不全

持続する出血の量を把握するために，口腔内にとどまる唾液や血液を吐き出すよう指導する。出血が減少しないようであれば医師に報告する。創部に挿入されたドレーンから有効に吸引されているか，頸部腫脹の有無，排液の量・色・性状などを観察する。ドレーンの吸引効果が得られないと，血腫が形成され，膿瘍による感染リスクが高まる。

❸血流障害

遊離皮弁移植術では移植した皮弁（前出図2-1）の観察を行う。動脈血栓は，皮弁の色調が蒼白で張りがなく，圧迫時に色調の変化が乏しい。静脈血栓は初め赤みを帯び，しだいに点状出血斑が散在する。術後24～48時間経過しても植皮部が青紫色の場合は生着していない可能性がある。医師によりピンプリックテスト（植皮部に針を刺し，良好な出血がみられるか確認する）が施行される。

❹気道閉塞

術後浮腫による気道閉塞が起こる可能性がある。

❺呼吸器合併症

特に，咽頭喉頭食道摘出術の場合は，長時間の手術や，術前の喫煙歴による気道分泌物の増加，術後のベッド上安静などにより，肺炎のリスクが高い。

❻イレウス

遊離空腸移植術を行った場合は腸閉塞が生じる可能性がある。

❼術後せん妄

咽頭喉頭食道摘出術と遊離空腸移植術併用では，長時間手術に加え，術後はICU管理となることがある。患者は高齢者が多く，ドレーン類がつながった状態であり，ICU退室後もベッド上安静が続く。これにより，精神的ストレスやコミュニケーション障害，不安などから，術後せん妄になるリスクが高い。

❽顔面神経麻痺

頸部郭清術では多くの神経組織に注意を要し，時に顔面神経下顎縁枝を損傷することがある。

❾リンパ漏・乳び漏

創の縫合不全から，リンパ漏・乳び漏が起こる可能性がある。

3. 看護目標

- 苦痛症状が緩和され，安楽に生活することができる。
- 退院後の生活をイメージし，発声機能の喪失による不安や問題点を解決できる。
- 手術によって生じたボディイメージの変容（気管孔や皮弁採取部位）を受容できる。

4. 術前の看護（喉頭全摘術）

1 手術オリエンテーション

喉頭全摘術前には，一般の術前看護に加え術後の機能喪失を受容する過程をサポートする必要がある。日常生活の変化や療養過程を説明し，喉頭摘出無声障害者発声指導ボランティア団体の見学をとおして，術後の状態をイメージできるよう手術までに計画的に支援する（図2-3）。

手術オリエンテーションでは，次の内容について説明する。

〔 喉頭摘出術 〕

入院・検査・退院など		入院1日目（手術前日）	入院2日目（手術当日）		入院3～4日目（術後1～2日）	
		月　　日	月　　日		月　　日	
看護目標		• 手術の必要性が理解でき必要な準備ができる • 手術や疾患に対する不安や疑問を表出することができる • 予定どおり手術を受けることができる	• 苦痛があれば医師や看護師に伝えることができる • 安静や指示を守ることができる			
治療	処置	身長・体重測定			ガーゼ交換 → 吸引 →	→
	内服	医師の指示で必要時，入院前の内服薬を継続 就寝前に下剤の服用			胃管から注入 →	→
	注射			術後は終日点滴を行う →	→	
	その他	麻酔科医診察		• 医師の指示により酸素吸入 • 積極的に深呼吸を行い排痰		
検査		血液検査 X線撮影			血液検査 X線検査 （必要時）	
観察（呼吸・循環・体温）		バイタルサイン測定	出棟前バイタルサイン測定	麻酔科医の指示により1～3時間ごとに測定	1日3回 バイタルサイン測定 →	→
食事		普通食	絶食：手術6時間前まで軽食可 絶飲：手術2時間前まで飲水可	術後絶飲食	経管栄養	
排泄		トイレ →	→	膀胱留置カテーテル	トイレ	
活動		病院内自由	歩いて手術室へ	ベッド上安静	看護師介助で離床 病室内程度	
清潔		マニキュアは落とす 洗髪・シャワー浴 爪切り，髭剃り		看護師介助でうがい	清拭 口腔ケア →	→
教育・指導説明		医師による手術説明，看護師による手術物品，時間の説明 患者会紹介・見学		指示あるまで頸部過伸展禁止		
その他		身障者手続き案内				

図2-3 喉頭摘出術の看護計画と経過（例）

❶喉頭摘出による気道の構造変化

気道と食道が完全に分離され，呼吸は気管孔から行うことになる（図2-4）。

❷術前の禁煙

無気肺などの呼吸器合併症リスクが高いため，禁煙を指導する。

❸術後の食事と経管栄養

術後感染・誤嚥（ごえん）予防のため，しばらく経管栄養管理となる。経管栄養と管理方法について説明する。

❹体位と安静

血流障害や出血を予防するため，頸部を安静に保つ。

❺喉頭脱落症状

手術によって発声機能が失われることにより声を出すことができなくなる。気管孔を設置することによる影響として次のようなことがある。

	入院5～6日目（術後3～4日） 月　日	入院7～8日目（術後5～6日） 月　日	入院15日目頃（術後13日頃） 月　日	入院22日目頃（術後20日頃） 月　日	入院　日目（退院日） 月　日
	→	ドレーン抜去　抜糸	嚥下造影後，嚥下食摂取問題なければ胃管抜去	気管カニューレ抜去	
	→	→	→		
	抗菌薬の点滴を朝・夕施行 →	→			
	血液検査		嚥下造影	血液検査	
→	→	1日1回バイタルサイン測定 →	→	→	→
	→	→	嚥下造影を行い造影剤漏れや誤嚥がなければ嚥下食を開始		嚥下状態に合わせた食事形態
	病院内				
→	→	→	→	シャワー浴（気管孔に湯が入らないよう）	
			必要時，食事形態について管理栄養士と栄養相談	患者会参加 → 気管孔管理 →	→
					諸手続き進捗確認

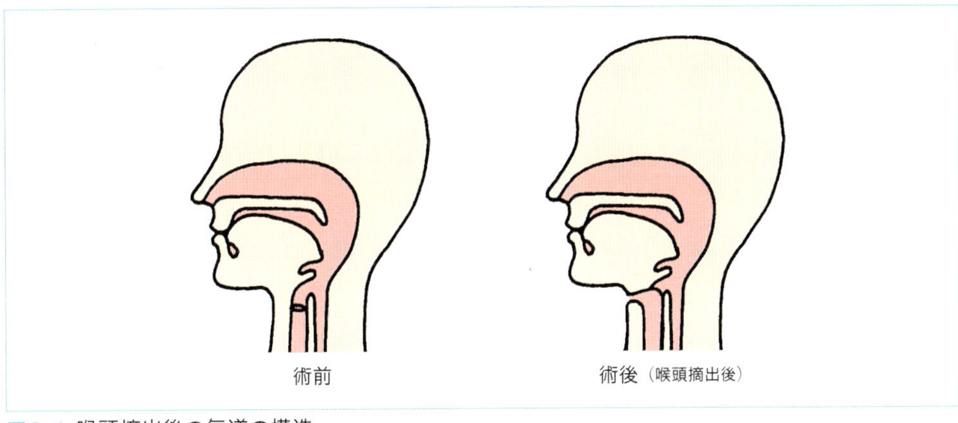

図2-4 喉頭摘出後の気道の構造

- 気管孔から呼吸をするため，鼻から息を吸うことができなくなる。このため，今までより，においがわかりづらくなる。
- 嚥下時，鼻へ逆流することがある。これは，鼻をつまむことで防止できる。
- 麺類をすすることができなくなる。
- 熱い料理を吹いて冷ますことができなくなる。
- 息こらえ，怒責が難しくなる。気管孔が常時開いているため，力を入れるときに息を止めることができなくなる。重い物を持つときに力が入らない。排便時の怒責ができなくなるため，食事の工夫などで排便コントロールが必要になる。

❻術後の留置物

- **気管カニューレ**：気管孔という「瘻孔状態」になるまで，医師の指示により留置する。
- **酸素チューブ**：術後数時間は，医師の指示により気管孔から酸素投与を行う。
- **胃管**：縫合不全や誤嚥・感染予防として経管栄養剤を注入する。
- **膀胱留置カテーテル**：ベッド上で安静の指示がある間は留置し，歩行可能となれば抜去する。
- **ドレーン**：皮下や体腔に貯留した血液・滲出液を排液するために留置する。
- **点滴**：水分や栄養補給，抗菌薬や制吐薬，鎮痛薬などの与薬のため必要となる。

❼身体障害者手帳の申請

喉頭機能が失われることによって，身体障害者３級の認定を受けることができる。申請書類は居住地の福祉課で取り寄せる。申請は術後に行うが，申請に必要な写真は術前に準備する。

❽喉頭摘出無声障害者発声指導ボランティア団体の紹介

喉頭摘出により発声機能を喪失した身体障害者で組織された団体を紹介し，会員相互の親睦ならびに交流を図るとともに，食道発声法および電気式（ラリンクス）発声法を指導し，社会復帰を支援する活動が展開されていることを説明する。

2　手術に向けた準備

術後の発声機能の喪失に備え，術前からホワイトボード，メモ帳，スマートフォンなどを使用し，コミュニケーションがとれるようにしておく。術直後は半覚醒状態であり疲労感が強く，発声障害があるため意思疎通が困難となる。50音表や「痛い」「苦しい」などよく使う単語をあらかじめボードに準備しておき，指し示すなどの工夫をする。

5. 術後の看護

1　術後合併症の予防と異常の早期発見

❶頭蓋内圧亢進

頭痛・悪心・顔面浮腫の有無，意識レベルの低下を観察する。

❷術後出血，縫合不全

創の縫合不全予防のため，仰臥位，かつ頸部過伸展禁止，ベッド上安静，自己による体位変換禁止，頭側ベッド軽度挙上となる。縫合不全や誤嚥リスクが低減したと判断されるまでは，胃管からの経管栄養管理となる。

❸血流障害

植皮部を直接観察できない場合は，発熱，滲出液の量・性状・臭気，植皮部周囲の発赤・腫脹・圧痛の有無から感染徴候を観察する。異常があれば直ちに医師に報告する。

❹気道閉塞

呼吸状態を観察し，術後は痰の分泌が多いため頻繁に吸引する。内管を洗浄しても狭窄音があれば，医師に内視鏡による確認を依頼する。

❺呼吸器合併症

気道浄化を図るケアを行う。口腔内にある唾液や血液は吐き出すよう伝える。痰は気管カニューレから吸引し取り除く。咳をすると気管カニューレから痰が出しやすくなるため，創部痛をコントロールしながら咳を促すのも有効である。また，可能な範囲で体位を変えると，痰が移動し効果的に喀出しやすくなる（体位ドレナージ）。必要時，吸入を行う。離床が可能となれば介助をしながら離床を進めていく。

❻イレウス

術後は縫合不全・誤嚥予防の観点から経管栄養管理となる。腹痛・腹部膨満，悪心・嘔吐などの消化器症状と腸蠕動の有無・亢進，排ガスや排便の有無などを観察する。

❼術後せん妄

リスクが高い患者は，早期に専門医に相談し，せん妄となる原因を取り除き，十分な休息と安全確保に努める。

❽顔面神経麻痺

顔面神経麻痺の徴候（口角の位置やしわの左右非対称，閉眼困難など）を観察する。

❾リンパ漏・乳び漏

ドレーンの排液の性状・量に注意する。透明〜黄色はリンパ漏の可能性がある。500mL/日でリンパ管結紮術の適応になる。乳汁様・混濁は，乳び漏の可能性がある。食事開始後にみられた場合は絶食となる。創部感染と低栄養状態に注意が必要であり，検査データを確認する。

2 栄養ケア

経管栄養時は，悪心・嘔吐の有無，下痢や腹部症状の有無を観察する。経管栄養量を記録する。内服薬は胃管から与薬する。経口摂取は，創部が落ち着いてから透視検査を行い，造影剤漏れや誤嚥などの問題がなければ流動食から開始となる。看護師も水飲みテストなどで嚥下評価を行う。

3 清潔ケア

全身清拭・陰部洗浄を行う。経口摂取ができない期間も，誤嚥性肺炎・上気道感染予防のため，口腔内の清潔を保つ。創部に唾液や吐物が触れると感染や唾液瘻・創部離開の危険性が高くなるため，口腔内の唾液や血液の吸引が必要であり，可能であれば指導を行い，患者自身による自己吸引を促す。

6. 回復過程における支援

術後は翌日から歩行可能となる。早期から気管孔の管理やケアの方法を説明し，自己管理が確立するよう支援する必要がある。「気管切開術・喉頭摘出術を受けた患者のチェックリスト」（図 2-5）を作成し，だれもが同様に術後看護を進めることができるような工夫を行っている施設もある。

1　入浴・洗髪方法

❶入浴方法

気管孔に湯が入らないように胸から下だけ浴槽に入り（肩までつかりたいときは，鏡を見ながら片側ずつ入る），気管孔はしっかりと絞ったタオルで拭き，清潔に保つ（肩・首筋など湯につかることができない部分も同様に，清潔を保つ）。

❷洗髪方法

気管孔より上にタオルやケープを巻き，前かがみで行う。気管孔に湯が入った場合は，あわてずに咳をして排出させる。

2　便秘予防

息こらえができないので怒責ができず，便秘になりやすい。日頃から運動・腹部マッサージを行い，果物・野菜・水分を多く摂り，便意がなくても毎朝トイレに行く習慣をつける。便秘が続くようなら，外来受診時に相談する。

説明項目	説明日
機能障害の理解	
入浴・洗髪方法	
気管孔の加湿と管理	
吸引物品説明と吸引指導	
栄養指導・栄養相談	
便秘予防	
緊急カード	
身体障害者手帳（術前に手続きを説明し，退院までに完了を確認）	
喉頭摘出無声障害者発声指導ボランティア団体の紹介と参加	

図 2-5　患者指導用チェックリスト（例）

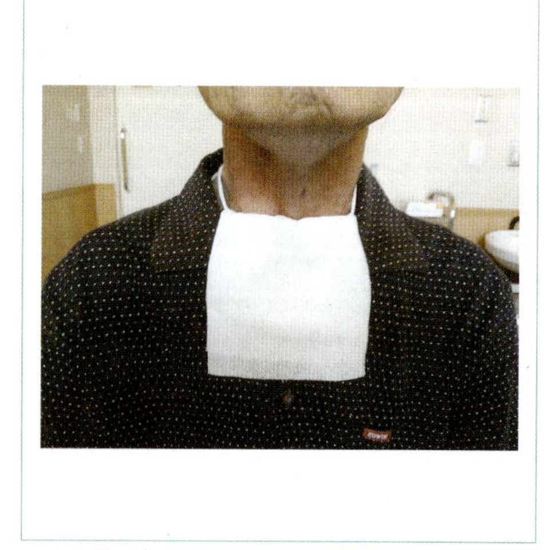

図 2-6　エプロンガーゼによる気管孔の保湿

3 気管孔の保湿

エプロンガーゼを着用する（図2-6）。スプレー類（ヘアスプレー，制汗スプレー，日焼け止めスプレーなど），エアコンなどの乾燥した空気は，気管を刺激しやすいので注意し，冬季の外出時は，乾燥した冷気を吸わないようにスカーフなどで軽く覆う。

4 吸引物品説明と吸引指導

在宅で吸引する場合は，吸引指導，必要な手続きを行う。

5 気管孔の痂皮除去

痂皮（かひ）や汚れの取り方について以下の手順を説明する。

❶鑷子（せっし）と鏡を準備する。
❷入浴時に湿らせたタオルで拭く。
❸汚れたときはティッシュペーパーなどで拭き取り，切り込みガーゼを使用している場合は汚れたら交換する。
❹鏡を見て，気管孔周囲に付いた痂皮や乾燥した痰を鑷子で取り除く。
❺気管孔の周囲の皮膚の荒れ，出血がみられたときは受診する。

6 退院後の自己管理

緊急カード（図2-7）の準備や身体障害者手帳の手続きに関する進捗状況の確認，栄養指導，ボランティア団体への参加など，必要な事項に応じて支援を行う。

《 緊急カード 》

私は喉頭を摘出した者です。
＊声帯がないため声が出せません
＊首にある気管孔より呼吸をしています
連絡場所：○○市○○区○○町
△△病院　耳鼻咽喉科
電話　××－××××

診察券番号	－　－　－
氏名	
生年月日	年　月　日
血液型	型
（連絡先）氏名	続柄
電話	

図2-7 緊急カード（例）

II 甲状腺がん

1. 疾患の概要

1. 概念・定義

❶甲状腺の形態・機能

甲状腺は，気管の前面，甲状軟骨の下部に蝶が羽を広げたような形で付着した左右両葉からなり，重さは約15～20gの臓器である。甲状腺からは，小児の成長促進や全身の新陳代謝にかかわる甲状腺ホルモン（FT4，FT3）とカルシトニン（CT）が分泌される。

❷甲状腺腫瘍の分類

甲状腺腫瘍は良性と悪性に大別できる。良性には甲状腺腫と腺腫様甲状腺腫があり，悪性腫瘍（甲状腺がん）は，その組織型により，乳頭がん，濾胞（ろほう）がん，髄様（ずいよう）がん，未分化がん，リンパ腫などに分類される。

①**乳頭がん**：甲状腺がんの90％以上を占め，女性に多い。比較的進行が緩徐な腫瘍であり，年齢が若いほうが予後は良い。リンパ節転移をきたした場合，リンパ節郭清（かくせい）を含む手術を中心とした治療が行われる。一部には，やや予後が悪い低分化型や未分化型が含まれる。

②**濾胞（ろほう）がん**：甲状腺がんの約5％を占め，女性に多く，肺や骨に血行性転移を起こしやすい傾向にある。転移していない場合の予後は良い。

③**髄様がん**：CTを分泌する傍濾胞（ぼうろほう）細胞のがんで，甲状腺がんの約1～2％と少ない。腫瘍マーカーとして血中CTやCEAが増加する。また，約30％は遺伝性に発症し，血液検査で遺伝子（*RET*遺伝子）を調べて診断することが可能である。リンパ節転移がある場合の予後は，やや悪い。

④**未分化がん**：甲状腺がんの約1～2％にみられる。最も悪性度が高く，進行が速い。反回神経，気管，食道などへの浸潤，骨や肺への転移を起こしやすく，予後が不良である。

⑤**悪性リンパ腫**：甲状腺がんの約1～5％を占め，中高齢女性に多く，橋本病のある甲状腺から発生する場合が多い。化学療法や放射線療法の効果が期待できる。

2. 誘因・原因

甲状腺がんの発生原因は明らかではない。甲状腺がんの危険因子として，科学的立証がなされているものとして，放射性被曝（被曝時年齢19歳以下，大量）・遺伝があげられている。

一部の甲状腺がんは遺伝により発生することがわかっており，遺伝する甲状腺がんの代表格が髄様がんである。

海外の研究では，BMI増加に伴う有意なリスク増加が男女共に認められており，体重増加は，甲状腺がんの発症リスクを増加させると考えられている。

3. 病態生理

乳頭がんと濾胞がんは，甲状腺ホルモンをつくる濾胞上皮細胞に由来し，髄様がんはCTを分泌する傍濾胞細胞に由来する。未分化がんのなかには，乳頭がんや濾胞がんが長い年月を経て，未分化がんに転化するものもある。悪性リンパ腫は，慢性甲状腺炎（橋本病）などによって甲状腺に浸潤したリンパ組織に由来する。

甲状腺がんは，周辺臓器である反回神経や気管，食道などに浸潤したり，リンパ節や血行性に肺や骨などに遠隔転移を起こしたりする。

4. 症状・臨床所見

初期段階では，無症状，前頸部や側頸部の腫瘤などがある。さらに進行したがんでは，嗄声（させい），呼吸困難，嚥下（えんげ）困難，誤嚥，頸部の圧迫感・疼痛，血痰（けったん）などの症状が出現する。

5. 検査・診断・分類

甲状腺がんは，頸部の腫瘤に気づき受診する場合や，自覚症状がない状態で健康診断や人間ドック時に発見される場合が多い。甲状腺がんが疑われたら，問診，視診，触診，超音波検査，血液検査などの検査が行われる。血液検査では，甲状腺機能や甲状腺自己抗体，サイログロブリンのチェックを行う。穿刺吸引細胞診により，悪性か良性かの識別，組織型を判別する。未分化がんや悪性リンパ腫が疑われた場合，病理組織生検を行うことがある。また，甲状腺がんの腫瘍の描出や周辺他臓器浸潤や遠隔転移の有無について確認するため，CT，MRI，シンチグラフィー（タリウムシンチ，ガリウムシンチ，PET，骨シンチなど）などの検査が行われる。

甲状腺がんの病期分類は，組織型や年齢によって異なり，UICC（国際対がん連合）による病期分類で判定する。

6. 治療

甲状腺がんの治療は，がんの組織型や病期によって方針が異なる。甲状腺がんの大部分を占める乳頭がん，濾胞がん，髄様がんは手術療法（甲状腺の片葉切除，全摘）が中心であり，頸部リンパ節郭清術を行う場合もある。また，乳頭がんと濾胞がんは，術後補助療法として，放射線ヨード内用療法を行うこともある。再発の危険性が高いと予測される場合は，甲状腺ホルモン療法（TSH抑制療法）を行う。未分化がんは，手術・化学療法・放射線外照射などが検討されるが，発見された時点で有効な治療法がない場合があり，腫瘍による気道閉塞を緩和する目的で，気管切開などの対症療法を行うこともある。2014（平成26）年以降，根治切除不能な甲状腺がんに対し，適応をもつ分子標的薬が認可されているが，特徴的な有害事象があり，使用に関しては十分な検討が行われる。

悪性リンパ腫の場合は，放射線療法や化学療法が行われる。

2. 術式・術後合併症の概要

1 術式

❶甲状腺がんの手術

甲状腺がんに対する手術の様式には，片方の甲状腺と峡部を切除する**片葉切除**，すべてを切除する**全摘**がある。腫瘍の性質や進展度によって選択されるが，基本となるものは片葉切除である。

乳頭がんや濾胞がんのような分化がんの治療の基本は根治切除であり，一側に限局している場合は，片葉切除を行う[1)]。頸部リンパ節転移を伴わない場合は，同時に甲状腺や気管周囲のリンパ節郭清が施行される。リンパ節転移がある場合は，広範囲の頸部リンパ節郭清が施行される。

がんが両葉に及ぶ場合やすでに遠隔転移を認める場合，リンパ節転移が著明な場合は，甲状腺の全摘出を行う。気管に浸潤がある場合は，気管の一部を含めて合併切除を行う。遠隔転移をきたしている場合は，術後に放射線ヨードによるアイソトープ治療が予定される場合がある。

なお，転移や浸潤の徴候のない超低リスク乳頭がん（腫瘍径が1cm以下で画像上明らかなリンパ節転移や遠隔転移がない）患者が十分な説明を受けたうえで，非手術，経過観察を希望する場合には，適切な診療体制のもとで行うことを勧める。

❷手術創

甲状腺がんの手術の場合，通常，鎖骨上に皮膚のしわに沿って左右対称に**頸部襟状切開**（えりじょう）（頸部の皮膚を横に切開する）が行われ，手術創は通常，片葉切除では5cm，全摘で7～8cmとなる。

縫合創に創傷被覆材（ひふく）を貼付（ちょうふ）し，術後1週間程度で抜糸されることが多い。抜糸後は創傷閉鎖用テープが使用されることが多い。

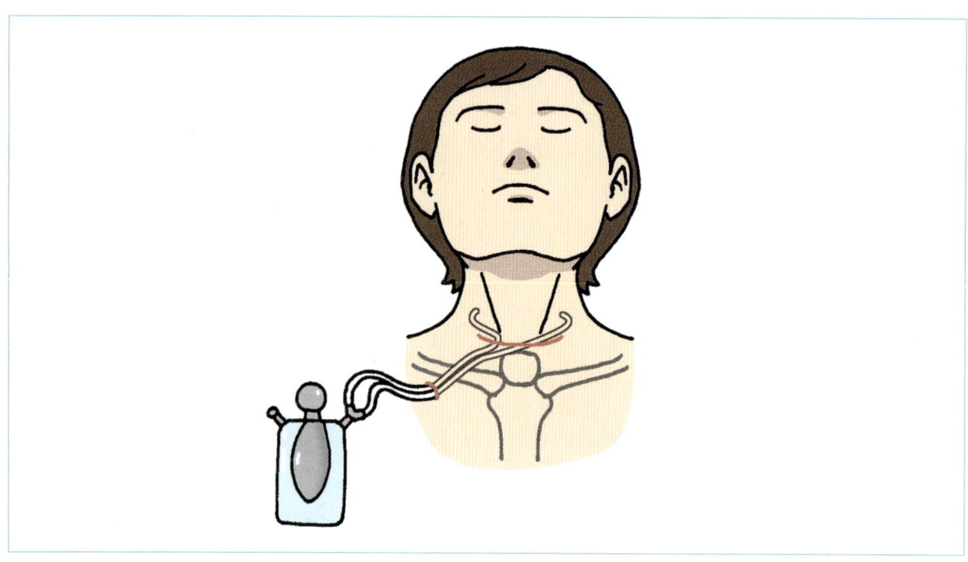

図 2-8 甲状腺手術の創部とドレーン挿入

❸術後のドレーン留置

甲状腺手術後の創内に貯留する血液やリンパ液などの滲出液を創外へ排出するために，ドレーンを留置する。

閉鎖式ドレーンと低圧持続吸引システムを用いて，創部内を陰圧に保ち排液を行う。頸部は少量の出血でも呼吸状態が悪化する危険性があるため，血液の貯留を防ぐために予防的にドレーンが挿入される。創部に貯留した血液や滲出液は感染の原因となるため，創部内を陰圧に保ち貯留を防ぐことで，治癒を促進することにもつながる。

ドレーン留置の適応は，甲状腺の摘出範囲，頸部リンパ節の郭清範囲などに応じて異なる。ドレーンは，片葉切除では 1 本，全摘では 2 本挿入する。頸部郭清を行った場合は外側頸部にもドレーンを挿入する（図 2-8）。

2 術後合併症

❶術後出血

甲状腺は血流量が豊富であり，手術に際しては出血しやすい臓器である。術後は麻酔覚醒後の血圧上昇や体動，嘔吐や咳嗽などにより出血のリスクが高まる。頸部に血液が貯留すると気管が圧迫され，呼吸困難となり窒息に至る可能性もあるため，注意が必要である。

頸部は，腹腔や胸腔のように生理的スペースが存在しないため，少量の出血が起こっても皮下や組織間に血腫が形成されやすい。頸部に出血が生じた場合は，両側の内頸静脈が圧迫閉鎖し静脈還流が障害され，うっ血が生じることにより声帯に浮腫が生じ，閉塞する。

❷反回神経麻痺

反回神経は，迷走神経の枝であり，声帯の運動を司る。走行は長く複雑で左右非対称である。腫瘍が神経と癒着している場合は，剝離の際に一時的に神経を圧迫することがある。また，腫瘍が浸潤している場合には，神経を合併切除することがある。

片側麻痺では，声門閉鎖不全となり，嗄声，誤嚥をきたす。両側麻痺では，左右の声帯が正中で固定され，呼吸困難を起こすことがあるため，気管切開を行う場合もある。

❸低カルシウム血症

甲状腺全摘術の場合には，術中に副甲状腺が温存された場合でも，一時的な副甲状腺機能低下により，血清カルシウムが低下することが考えられ，術直後から**低カルシウム血症**による口元のしびれや手先のこわばり（テタニー症状）が出現する可能性がある。治療としては，採血データを参考に，静脈内投与ではグルコン酸カルシウム，経口投与では乳酸カルシウム，活性型ビタミンD製剤を内服する。重度となると，呼吸筋や喉頭の痙攣を引き起こす場合もあるため注意が必要である。

片葉切除においても副甲状腺ホルモンは減少することがある。また，副甲状腺が摘出されなくても，手術操作として副甲状腺を甲状腺から剝離する操作で血流障害が生じることにより，一時的に副甲状腺の働きが弱まり，低カルシウム血症が出現することがある。

術中，複数の副甲状腺が温存された場合は，副甲状腺機能の回復に伴い血清カルシウムの値は正常化し，補充を必要としなくなることが多い。

❹リンパ漏および乳び漏

頸部リンパ節郭清を行う際に，リンパ管が損傷するとリンパ液が頸部に漏出することがある。術後，食事が開始されると，腸管で吸収された脂肪がリンパ液に混じるため，乳白色となる。局所の圧迫，ドレナージなどの保存的加療で改善を認めない場合は，外科的手術を必要とする場合もある。

3. 看護目標

- 低カルシウム血症について知識を得て，手指のしびれなどテタニー症状出現時，看護師に異常を伝えることができる。
- 甲状腺機能低下，低カルシウム血症の知識をもち，自己にて服薬管理ができる。
- 創部の保護に関するセルフケアができる。

4. 術前の看護

1 手術オリエンテーション

術前・術後のスケジュールについて説明を行う。具体的な内容は，術前の飲食指示，必要物品，ドレーンの挿入部位とその目的，点滴や酸素投与など，術後の一般的な経過などである（図2-9）。また，創部に伸展がかからないよう，術直後の一定時間は過度に頸部を動かさないように安静を保つ必要性があることも説明する。そのほか，安静時の喀痰方法，含嗽方法についても説明を行う。

甲状腺手術（片葉摘出）を受けられる患者様へ

	入院～手術前日まで	手術当日（術前）	手術当日（術後）
処置	手術着・弾性ストッキングを渡します 手術時に必要な物品の確認をします	手術着へ着替えます 弾性ストッキングをはいて手術室へ向かいます	ドレーン・おしっこの管・点滴が入っています 心電図・酸素マスクが付いています 医師の指示に従ってはずしていきます
点滴			点滴します
内服	飲んでいるお薬を確認させていただきます	術前に飲むお薬については，別途お伝えします	術前に内服していたお薬の再開については別途お伝えします
食事	手術前日の 21 時以降は絶食です	手術予定 2 時間前まで水は飲むことができます	術後 3 時間で水が飲めるようになります 初回は看護師が見守ります
活動	制限はありません	制限はありません	術後はベッド上になります 術後 2 時間からトイレ歩行できます
清潔	制限はありません	制限はありません	からだ拭きのお手伝いをさせていただきます
説明	病棟の案内・術後の流れを説明します 手術時に必要な物品・足の静脈血栓・術後の痛みについて説明します 家での生活についてお話を聞かせていただきます	金属類・入れ歯がある場合ははずしてください 手術室へは歩いていきます 手術中，家族の方は 5 階のフロアでお待ちください	痛みや気分不快があれば我慢せずにお伝えください

図 2-9　甲状腺片葉摘出術を受ける患者に向けたオリエンテーション用紙（例）

2　手術に向けた準備

❶術前処置

手術前日は入浴を行い，全身の清潔が保てるようにする。

❷精神的支援

甲状腺切除術は頸部の手術であることから，ボディイメージの問題や，呼吸・発声・摂食機能に変化をもたらす可能性があるため，患者が大きな不安を抱いていることがある。手術オリエンテーションを行い，術後の様子をイメージできるようにして，疑問点の解消につなげる。また，患者の話をよく聞いて，表情や言動に変化をきたしていないか注意し，患者が心身の安静を保つことができるように支援する。

ボディイメージに関しては，首の創はできるだけ目立たないように切開をするため，時間がたつとほとんどわからなくなることを説明し，不安の軽減に努める。

5. 術後の看護

1　術後合併症の予防と異常の早期発見

術後は合併症の早期発見が重要となる。甲状腺がんにおける甲状腺全摘術と頸部リンパ

	術後1日目	術後2～3日目	術後4日目以降	退院時
	しっかり歩行できるようになったら，弾性ストッキングは脱ぎます	経過良好であればドレーンが抜けます	抜糸します 抜糸後は白色のテープを貼ります	白色のテープを貼ったまま退院します 傷跡が残りにくいよう，茶色のテープを貼ることがあります
	食事が半分以上食べられたら点滴は終了です			
	食事再開です 痛みなどで食べづらいときはお伝えください 食べやすくなるよう調整していきます			
	制限はありません 積極的に動いていきましょう			
		ドレーンが抜けたら首から下のシャワーができます	抜糸翌日より傷口を含め，全身の入浴・シャワーができます	
				退院後の生活について説明します

節郭清(かくせい)術の術後合併症としては，術後出血，反回神経麻痺，低カルシウム血症，リンパ漏および乳び漏(ろう)があげられる。次にそれぞれの観察点と注意点について述べるとともに，手術当日・術後1日目・術後2～3日目・術後1週間の経過に分けて表に示す（表2-1）。

❶術後出血

創部の腫脹やドレーンからの排液量・性状に注意し，出血の徴候を見逃さない。創部の腫脹は出血のサインであるため，腫脹の有無を観察する。

創内に貯留する血液やリンパ液などを排出するために，ドレーンが留置される。挿入部から排液ボトルまでドレーンチューブが屈曲していないかなど，陰圧が十分にかかっていることを確認する。また，ドレーンチューブが抜けないよう固定を確実に行う。皮膚にはテープを用いて固定し，寝衣にも安全ピンなどを用いて固定する。

❷反回神経麻痺

術直後に麻痺を認めない場合でも，術後しばらくしてから麻痺をきたすことがあるので注意する。嗄声(させい)は1～2か月継続する場合があるため，継続的に観察する。

❸低カルシウム血症

口の周囲や手指のしびれ感など，**テタニー症状**の有無を観察する。

カルシウム製剤の点滴投与は徐々に乳酸カルシウムと活性型ビタミンD製剤の内服に切り替えられていくが，血清カルシウム値が安定するまでの期間は，血清カルシウム値を

表2-1 甲状腺がん術後合併症の観察点および注意点

観察点および注意点		手術当日	術後1日目	術後2～3日目	術後1週間
術後出血① 創部の状態		創部の腫脹の有無			
術後出血② ドレーンからの排液	性状	血液が主体である	淡血性より徐々に漿液性となる（食事開始後乳白色となる場合は乳び漏が懸念される）		術後1週間以内にドレーンは抜去されることが多い
	量	頻回に観察し，出血量が多い場合は医師に報告する	排液量は徐々に少なくなる（食事開始後乳白色となり，排液量が増えた場合は，乳び漏が懸念される）		
呼吸状態		嗄声の有無，吸気性喘鳴の有無			嗄声は継続する場合がある
低カルシウム血症		口の周囲や手指のしびれ感などテタニー症状の有無	内服薬に切り替えられても，テタニー症状の観察は継続する		

測定し，テタニー症状の観察を継続する。内服に関しては，血清カルシウム値との関連で増減されるため，その都度十分な説明を行う。

2 飲水および食事開始に伴う注意点

術後3時間から飲水が許可される場合が多い。術中・術後の所見から反回神経麻痺が心配される場合は，誤嚥（ごえん）に注意が必要である。飲水開始時は，誤嚥がないかを必ず医師もしくは看護師が観察する。

術後1日目に食事が開始される場合が多い。乳び漏を生じた場合は，脂肪制限食または絶食とする。

3 不安や痛みへの対応

患者は，術前に術後の状態について十分な説明を受けていても，ドレーンや点滴が挿入され，痛みがある状態に直面すると不安を抱く。ドレーンや点滴などについては必要性を説明し，患者の不安を和らげることが重要となる。また，痛みに対しては鎮痛薬を使用し，痛みの緩和に努める。

6. 回復過程における支援

1 服薬指導と自己管理の説明

甲状腺の摘出術を受けた患者は，術後，甲状腺機能低下および副甲状腺機能低下をきたすことがある。その場合，退院後も甲状腺ホルモン製剤，カルシウム製剤・活性型ビタミンD製剤の服用が必要となる。甲状腺ホルモン値や血清カルシウム値を安定的に管理するためにも，継続した服薬の必要性・服薬量・服薬方法などを説明する。甲状腺ホルモンは半減期が長いため，服薬忘れがすぐに症状として現れにくいが，カルシウム製剤やビタミンD製剤については，服薬忘れが症状に反映されやすいため注意が必要となる。また，定期的に受診することの必要性や，甲状腺機能低下，低カルシウム血症の症状が発現したときは早急に受診することを説明する。

2 ボディイメージへの影響に対するケア

甲状腺がんは，切除部位が頸部の下方であり，日常生活において周囲の目に触れやすい部位となる。手術創は通常6か月程度で目立たなくなるが，瘢痕化（はんこんか）・ケロイドの予防のために，3～6か月間は創傷閉鎖用テープを貼付（ちょうふ）する。

退院時は，このテープを貼付したまま退院となるケースが多く，テープは無理にはがさないよう説明する。退院後は，市販のスキントーンサージカルテープ貼付の方法や期間について説明を行う。

甲状腺の手術（片葉）を受けられた患者様へ

○退院後は以下の点に注意してください。
- 活動量や食事内容に制限はありません。
- 内服薬は自己判断で減量や中止をしないでください。
- 外来受診日は必ず来院しましょう。
- 傷口は泡立てた石けんでなでるように優しく洗い，シャワーの圧は弱めで洗い流しましょう。
- 傷口に貼られている白いステリテープは，自然にはがれてくるまで無理にはがさないようにしましょう。

当院では傷口がきれいになるように，マイクロポアテープをお勧めしています。
医療用売店で購入することができます。
・マイクロポアテープ　11mm 幅（5m）　○○○円＋税
はがれたら必要分をカットして，傷口に沿って貼っておいてください。

以下のような場合は，病院へ連絡をしてください。
- 傷口に痛みや赤み，腫れが現れたとき
- 38℃以上の発熱があるとき
- 外来受診日を変更したいとき
- その他，気になる症状や不明な点があるときなど

○連絡先　診察券をご準備ください。患者番号（ID）を伺うことがあります。
平日（8：30～17：00）：○○○－○○○－○○○○　耳鼻科外来へ
土日・祝日・夜間：○○○－○○○－○○○○　に電話。音声ガイダンスで流れる電話番号へかけて，○○病棟へつないでもらってください。

お大事にしてください。

○○病院　耳鼻咽喉・頭頸部外科　看護スタッフ一同

図2-10 甲状腺片葉摘出術を受けた患者に向けた退院後の生活に関する説明書（例）

また，創部を目立たなくするために，襟（えり）のある服装やスカーフなどで覆うなどの工夫についても説明を行う。

3　患者を支える支援システムと継続看護

病院から在宅への退院とは，管理されていた環境から解き放たれる喜びと不安が入り混じる時期となる。一般的に，退院後，日常生活は可能となることを説明する（図 2-10）。しかし，患者のライフステージにより不安の内容は異なるため，早期の段階から患者の家族・生活背景を共有し，退院後の患者を支える支援システムを構築していく。

また，甲状腺がんにおける周術期の入院期間は約 1 ～ 2 週間前後と短い。症状軽快とともに退院となることが多く，疾患への受け止めや再発への不安など，がんサバイバーとしての思いを表出する機会がないままに退院することが多い。そのため，退院後でも症状・再発への不安などを相談できる窓口の情報なども伝えておく必要がある。取り組みの例として，がん治療と生活をつなぐことを目的としたリボンズハウスや，がんサバイバーとしての様々な悩みを相談できる患者会などの情報提供などがあげられる。

文献

1）甲状腺腫瘍診療ガイドライン作成員会：甲状腺腫瘍診療ガイドライン 2018，内分泌甲状腺外会誌，149（35），2018.

参考文献

- 岸本誠司編，池田勝久，他編著：耳鼻咽喉科・頭頸部外科のため臨床解剖〈耳鼻咽喉科診療プラクティス 8〉，第 2 版，文光堂，2002.
- 落合慈之監，中尾一成編：耳鼻咽喉科疾患ビジュアルブック，学研メディカル秀潤社，2011.
- 岸本誠司：ENT 臨床フロンティアがんを見逃さない；頭頸部がん診療の最前線，中山書店，2013.
- 久保武，他：耳鼻咽喉科ナーシングプラクティス，文光堂，1998.
- 多久嶋亮彦監，尾崎峰編著：形成外科・美容外科看護の知識と実際，メディカ出版，2010.
- 長谷川泰久：愛知県がんセンター頸部郭清術，金芳堂，2016.
- 日本頭頸部癌学会編：頭頸部癌診療ガイドライン 2013 年版，第 2 版，金原出版，2013.
- 森山寛，小島博己編：耳鼻咽喉科エキスパートナーシング，改訂第 2 版，南江堂，2015.
- 日本甲状腺外科学会：甲状腺癌取り扱い規約，第 7 版，金原出版，2015.
- 国立がん研究センターがん情報サービス：甲状腺がん〈がんの冊子　各種がん 117〉. http://ganjoho.jp/data/public/qa_links/brochure/odjrh3000000ul06-att/117.pdf.（最終アクセス日：2021/9/10）
- がん研究会有明病院ホームページ：甲状腺がん. https://www.jfcr.or.jp/hospital/cancer/type/thyroid.html（最終アクセス日：2021/6/7）

第3章

呼吸器系の手術を受ける患者・家族の看護

この章では

- 肺がんの手術を受ける患者の周術期看護を理解する。

I 肺がん

1. 疾患の概要

1. 概念・定義

肺がんは，肺に発生する上皮性悪性腫瘍であり，主に原発性肺がん（肺に発生する悪性腫瘍）と転移性肺がん（肺に転移する悪性腫瘍）がある（本節では原発性肺がんについて述べる）。

2. 誘因・原因

肺がんの最も大きな原因は**喫煙**（受動喫煙を含む）であり，**ブリンクマン**（**Brinkman**）**指数***が高いほど肺がんのリスクが高くなる。喫煙以外の原因は，**慢性閉塞性肺疾患**（chronic obstructive pulmonary disease；COPD），職業的有害物質，大気汚染などである。

3. 病態生理

肺がんは，肺の気管，気管支，肺胞の一部の細胞が何らかの原因でがん化する病態である。肺がんは，組織型により**非小細胞がん**（腺がん，扁平上皮がん，大細胞がん）と，**小細胞がん**に大きく分類できる。非小細胞がんは，肺がんの約80～85%を占め，組織型によって，がんが発生しやすい部位，症状，がん細胞の増殖速度などは異なる。非小細胞がんは，化学療法や放射線療法の感受性が低いため，治療は手術療法が中心となる。小細胞がんは，肺がんの約15～20%を占め，転移の速度が速く，悪性度が高い。小細胞がんは，化学療法や放射線療法の効果が得られやすい。

4. 症状・臨床所見

肺がんは進行するまで症状が出現しにくく，検診などで無症状の状態で発見される場合も少なくない。肺がんに特徴的な症状はないが，咳嗽（がいそう），喀痰（かくたん），血痰，発熱，呼吸困難，胸痛といった呼吸器症状が多い。また，転移した部位の症状（たとえば脳転移であれば頭痛や痙攣（けいれん））が出現する。

5. 検査・診断・分類

胸部X線検査や胸部CT検査では，がんの陰影・大きさや周囲臓器への浸潤を確認する。喀痰細胞診（パパニコロウ［Papanicolaou］染色）では，喀痰からがん細胞を確認する。気管支鏡検査では，気管・気管支内とその周囲を観察し，がんが疑われる組織を採取し，がん細胞の有無と種類を確認する。そのほかの検査として，腫瘍マーカー検査，胸水穿刺（せんし），胸腔（きょうくう）鏡検査がある。転移の有無や程度を調べるために，脳のMRI，腹部CT，骨シンチグラフィー，FDG-PET/CTなどもある。

非小細胞がんの病期分類は，TNM分類を用いてⅠ～Ⅳ期に分類される。小細胞がんの病期分類は，非小細胞がんの病期分類のほかに，限局型と進展型に分類される。組織型別のがんの特徴を表3-1に示す。

6. 治療

肺がんの治療には，手術療法，化学療法（細胞障害性抗がん剤，分子標的治療），免疫チェックポイント阻害薬，放射線療法がある。手術適応例の化学療法は，術前にがんを縮小し，術後の再発や転移を減少させる目的で手術前後に行われる場合がある。

7. 予後

肺がんは，5年相対生存率*が全症例で46.5%[1]であり，予後の悪いがんといえる。肺がんは，日本人のがん死亡原因の第1位であり，死亡率は現在も増加傾向にある。

***ブリンクマン指数**：1日の喫煙本数×喫煙年数で示される喫煙指数である。400以上が肺がん危険群，600以上が肺がん高度危険群とされる。

***5年相対生存率**：がんと診断された場合に，治療でどのくらい生命を救えるかを示す指標である。100%に近いほど治療で生命を救えるがん，0%に近いほど治療で生命を救いにくいがんであることを意味する。

表 3-1 肺がんの各病期の特徴と主な治療方法

	病期分類	I 期	II 期	III 期	IV 期
非小細胞がん	特徴	• がんは肺の中にとどまり，大きさが 4 cm 以下でリンパ節への転移がないもの	• リンパ節転移はないが，がんの大きさが 4～ 5cm 以下のもの • がんの大きさが，5 ～ 7cm 以下，あるいは 5cm 以下で同側の肺門リンパ節に転移があるもの	• がんの大きさが 7cm を超える，あるいは大きさは問わず，がんが周囲の臓器（横隔膜，縦隔，心臓，大血管，気管，食道など）にも広がり，リンパ節にも転移している	• がんの大きさは問わず，胸膜または心膜への転移，悪性胸水（がん細胞を含む胸水）などがあるもの • 反対側の肺やほかの臓器（脳や肝臓など）に単発あるいは多発転移があるもの
	主な治療方法	• 手術療法単独 • 手術療法＋術後細胞障害性抗がん剤	• 手術療法＋術後細胞障害性抗がん剤	• 手術療法＋術後細胞障害性抗がん剤 • 化学療法＋放射線療法 • 化学療法または放射線療法	• 化学療法
小細胞がん	分類	限局型			進展型
	主な治療方法	• 手術療法＋化学療法（手術療法は限局型の一部のみ） • 化学療法＋放射線療法			• 化学療法
予後（5 年相対生存率）		84.6%	50.2%	25.1%	6.3%

注）5 年相対生存率は全国がんセンター協議会の生存率共同調査（2020 年 11 月集計）より．
出典／中尾将之，他：特集／主要な 12 がんの診療の流れ，肺がん，プロフェッショナルがんナーシング，3（1）：9-15，2013．日本肺癌学会編：臨床・病理肺癌取扱い規約，第 8 版，金原出版，p.4，6，2017．日本肺癌学会編：肺癌診療ガイドライン；悪性胸膜中皮腫・胸腺腫瘍含む 2020 年度版，第 6 版，金原出版，2021．をもとに作成．

2. 術式・術後合併症の概要

1 術式

肺がんの術式には，切除範囲により**肺部分（楔状）切除術**，**肺区域切除術**，**肺葉切除術**（標準手術），**肺全摘術**がある。それぞれの特徴を表 3-2 に示す。

肺がん手術のアプローチの方法は，開胸手術，胸腔鏡手術がある。開胸手術は，10cm 以上の切開創で開胸器を使って行う直視下手術である。胸腔鏡手術は，胸腔鏡というカメラを使用し，テレビモニターに映し出された画像を見ながら手術を行い，**胸腔鏡下手術**（video-assisted thoracic surgery；VATS）とよばれる。VATS には，2 ～ 4 か所のポート孔の

表3-2 肺がんの手術術式と特徴

術式	肺部分（楔状）切除術	肺区域切除術	肺葉切除術（標準手術）	肺全摘術
特徴	肺区域よりもさらに小さい肺の表面にできたがんを部分（楔状に）切除する。	肺葉よりもさらに小さな区域というブロックにがんが存在した場合，あるいは通常の手術に耐えられない高齢者などに適応となる。肺葉切除と同様，肺門縦隔のリンパ節郭清をする。肺の袋の真ん中の肺実質を切除するため，術後のエアリークの頻度が高い。	肺がん手術の標準手術であり，がんのある肺葉ごと切除するとともに，肺門縦隔のリンパ節郭清をする。肺葉単位で切除できるため，技術的にも容易である。がんの状況によって，2つの肺葉を切除する場合もある。	片肺を全摘するため，術後肺活量が大きく低下するとともに，術後合併症の頻度が高くなる。
術前と比べた肺機能	部分 95%	区域 約90%	肺葉 約85%	全摘 右摘出40% 左摘出60%

●：がん　●：リンパ　◯：切除・郭清範囲

出典／特集術前術後看護のための 術式理解べんり帳．プロフェッショナルがんナーシング，2（5）：512-517，2012．をもとに作成．

皮膚切開を行い完全にモニター視のみで手術を行う完全胸腔（きょうくう）鏡下手術（complete VATS, pure VATS）と，小開胸創からの肉眼視とポート孔からのカメラをとおして見たモニター視を併用して手術を行う胸腔鏡補助下手術（hybrid VATS）がある。図3-1に，開胸手術とVATSの特徴と皮膚切開を示した。

VATSは開胸手術に比べ，術者にとっては術野の奥の細かいところや胸腔の裏を見ることができ，患者にとっては手術創が小さいため，術後疼痛が少なく，美容面が良いこと，術後回復が早いなどのメリットがある。一方，開胸手術は，術者が直接病変に触れることができ（hybrid VATSでは開胸ほどではないが，病変に触れることは可能），肺動脈損傷時などの緊急時には，すぐに開胸創から術者による用手的圧迫止血が可能である。しかし，皮膚・筋肉の切開が大きく，肋骨切離をするため，術後の咳嗽（がいそう）や体動時に強い疼痛が生じやすい。

これら以外の手術のアプローチ方法として，2018年に新たに保険適用となったロボット支援下胸部手術（robot-assisted thoracoscopic surgery ; RATS）がある。これは，術者が患者から数m離れた操作卓でロボットを操作して，胸腔鏡手術を行う方法である（第1編-第1章-Ⅰ-A-3-3「アプローチ方法による分類」参照）。RATSは新しい手術アプローチのため歴史が浅く，この方法を推奨するだけの根拠がまだ十分にないが，VATSを超える低侵襲手術となり得る可能性を秘めている。

肺がん手術は，患側が上になるように側臥位で行う。内腔が2つある特殊な気管内チューブを使用し，患側肺を虚脱させ，対側肺のみ換気する片肺換気を行う。

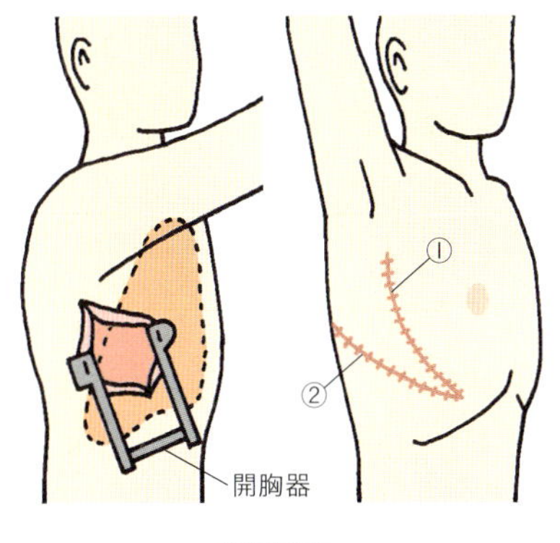

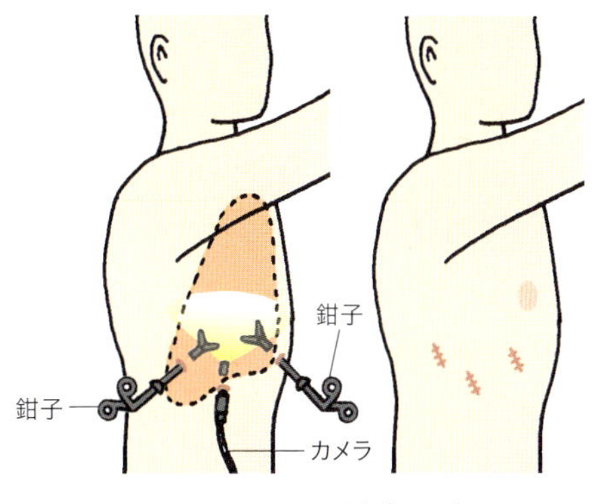

開胸手術

①前方腋窩切開：筋肉をほとんど切開しない。10～20cm 程度の皮膚切開をする。
②後側方切開：皮膚・筋肉の切開が大きい。肋骨を1本切離する。20～40cm 程度の皮膚切開をする。

胸腔鏡下手術（VATS）

- 施設によって切開の位置や創の大きさ・数は多少異なる。

①胸腔鏡補助下手術では，10cm 以下の小切開と2か所に 2cm 程度の切開（ポート孔）をする。
②完全胸腔鏡手術では，3～4か所に 4cm 以下の切開（ポート孔）をする。

出典／名古屋大学医学部附属病院 ICU：科別にわかる ICU での術後ケア：主要手術の術後看護がまるわかり！．メディカ出版，2014，p.150．をもとに作成．

図3-1 開胸手術と胸腔鏡下手術（VATS）の特徴と皮膚切開

2 術後合併症

術後合併症の発生頻度は，術式や切除範囲，患者の予備能力などによって異なる。

❶（胸腔内）出血

手術操作による血管の損傷や，血管縫合（ほうごう）部からの出血により起こる。

❷無気肺・肺炎

肺がん術後の肺炎は，致命的となることもある。既往に気道内分泌物の増加や肺機能低下を起こす喫煙，咳嗽力の低下を伴う COPD，高齢者，腹部の脂肪により横隔膜の運動を阻害する肥満者，術前の肺機能検査で異常がある場合は，術後無気肺や肺炎のリスクが高くなるため，特に注意が必要である。片肺全摘術の場合は，呼吸器合併症を回避し，残存肺を守ることが重要である。

無気肺では経皮的動脈血酸素飽和度（Spo_2）の低下，呼吸困難，呼吸音減弱・消失があり，肺炎では膿性喀痰（かくたん），体温・炎症データの上昇を認める。胸部X線検査では無気肺像や肺炎像を認める。無気肺が疑われる場合は，気管支鏡で確認し喀痰の吸引を行うこともある。

❸皮下気腫

胸腔内に漏（も）れ出た空気が，開胸部の創部や胸腔ドレーン挿入部周囲の皮下組織内に漏れ出ることによって起こる。また，胸腔内に貯留した空気が，胸腔ドレーンの閉塞で効果的にドレナージされていない場合にも起こる。

皮下気腫を触診すると，握雪感（あくせつかん）（雪を握ったときに感じる感触）をもつ膨隆を認め，自覚症状は鈍痛や不快感がある。重症例では，皮下気腫が頸部や顔面に及ぶことがある。皮下気腫は，数日から 10 日前後で自然に消失することが多い。ドレナージの効果が不十分の場合は，胸腔ドレーンの入れ替え・追加，吸引圧の変更も検討される。皮下気腫が持続する場合や急激な増悪がみられる場合は，胸腔ドレーンの閉塞や気管支断端瘻の可能性がある。

❹気管支断端瘻・肺瘻，膿胸

気管支断端瘻と肺瘻は，気管支や肺の切除部分からの空気漏れ（エアリーク）によって起こる。気管支断端瘻部や肺瘻部と胸腔が交通し，ここから空気や痰が胸腔内に入り，胸膜に感染が生じると膿胸になる。肺瘻よりも気管支断端瘻のほうが膿胸を起こしやすい。膿胸の場合は，再手術をすることもある。

❺乳び胸

リンパ節郭清時の胸管損傷が原因で起こる。術後，食事開始とともに乳白色の排液が胸腔ドレーンに大量（約 1 ～ 2L/ 日）に流出した場合，乳び胸を疑う。

❻反回神経麻痺

リンパ節郭清時の反回神経損傷，接触，一時的な圧迫などで起こる。症状は，嗄声，むせ，誤嚥がある。一時的な麻痺の場合は 3 ～ 4 か月程度で回復するが，切除した場合は永久麻痺となる。

❼肺塞栓症

長期臥床，高齢，肥満，糖尿病などの危険因子によって，下肢の深部静脈に生じた血栓が，術後の初回歩行により遊離し，肺動脈を閉塞することで起こる。

❽不整脈

肺切除後の 10 ～ 30％の患者に，心房細動，心房粗動，発作性上室性頻拍などの上室性不整脈を主とする不整脈が起こる。片肺全摘術後では，ほかの術式よりも出現しやすい。不整脈は一過性に自然治癒することが多いが，抗不整脈薬を使用することもある。不整脈の既往がある患者に起こりやすいため，術前に 12 誘導心電図で異常の有無を確認する。

❾肺水腫

片肺全摘術後では，片肺への血流量が増加するため，肺水腫が生じやすい。症状は，SpO_2 の低下，呼吸困難，肺野全体に水泡音の聴取，ピンク色の泡沫状の喀痰である。酸素化改善のための酸素投与，肺水腫を改善するための利尿薬投与により治療する。

3 術後の疼痛

手術による肋骨切断，肋間神経損傷，筋肉損傷が原因で，術後は咳嗽や体動時に疼痛が起こる。術後疼痛によって，呼吸リハビリテーションや早期離床などの活動が十分に行われないと，無気肺や肺塞栓などの合併症のリスクが高くなる。術後疼痛は，通常時間経過とともに緩和される。開胸術後に創部に沿った疼痛（ピリピリした感覚，しびれ，瘙痒感など）が少なくとも 2 か月以上持続あるいは繰り返す場合は，**開胸術後疼痛症候群**とよばれる。

3. 看護目標

- 呼吸・循環機能を回復させ，術後呼吸器合併症を予防することができる。
- 退院後の自己管理として，禁煙，感染予防を徹底し，呼吸機能に応じた活動を取り入れて日常生活を送ることができる。

4. 術前の看護

1 手術に対する意思決定支援

肺がんは予後が悪いため，患者や家族にとっては，死を予期させる。看護師はこのような患者や家族の気持ちを理解するとともに，病気や治療に対する受け止め，治療への期待，予後への理解，不安の内容と程度などを患者や家族の反応からアセスメントし，必要な情報提供と誠実な対応で，患者と家族の精神的支援を行う。

2 手術オリエンテーション

術前処置，検査，術後の経過や，術後に装着される医療機器，必要物品の準備について説明する。術後疼痛に関しては多くの患者が不安を抱くため，術中から鎮痛薬が硬膜外あるいは静脈から持続投与されること，痛みは我慢しなくてよいこと，いつでも調整できることを事前に説明しておく。

3 手術に向けた準備

❶禁煙指導

術前4～8週間程度の禁煙期間が必要であることを説明する。

❷術前の内服管理

医師から抗凝固薬の内服中止が指示された場合は，確実に中止できるように指導する。

❸呼吸リハビリテーション

麻酔や肺の切除による呼吸機能低下，呼吸器合併症の予防のために，術前からリハビリテーション部と協力し，呼吸を行う筋肉の維持・増強や喀痰（かくたん）の喀出力を高める呼吸訓練と運動療法を行う。肺葉切除術，肺全摘術を受けた患者は，退院後も息切れや易疲労感といった不快症状を抱えることが多いため，術前からの呼吸リハビリテーションの意義は大きい。呼吸リハビリテーションには，深呼吸法（腹式呼吸），インセンティブスパイロメトリー（コーチ2®，トライボールTMZなど），排痰法（咳嗽（がいそう）法，ハッフィング），胸郭可動域運動（図3-2），下肢筋力トレーニング，歩行などがある。

❹感染予防

術前に感染症に罹患すると手術延期になる。特に，術前に化学療法を受けた患者は，免疫能が低下していることがあるため注意する。外出後の含嗽（がんそう），手洗い，口腔ケアの励行を

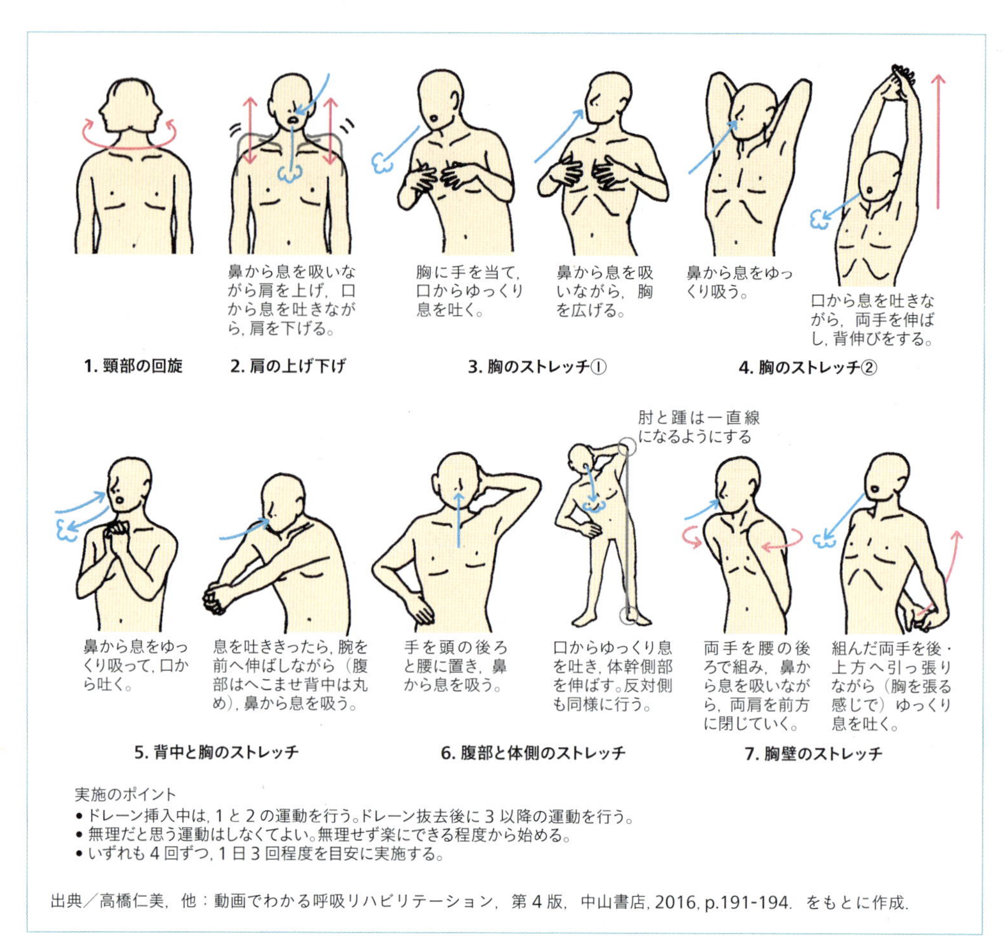

図 3-2　胸郭可動域運動

指導する。

5. 術後の看護

標準手術の場合で，入院期間は 1 週間程度である。術後は回復期への移行も考慮し，患者自身が早期からセルフケアできるように，患者の身体・精神的回復に合わせ，教育的ケアを段階的に行っていく。

1　術後の観察と合併症の早期発見

肺がんの術後合併症の出現時期を図 3-3 にまとめた。

❶（胸腔内）出血

頻脈，血圧低下，尿量減少（0.5 ～ 1mL/kg/ 時未満），胸腔（きょうくう）ドレーンに 100mL/ 時以上の持続する血性排液を認めた場合，止血のための再手術の可能性があるため，観察を行う。

❷無気肺・肺炎

無気肺・肺炎を疑う症状を観察し，早期発見に努める。また，疼痛管理を確実に行い，排痰法，体位ドレナージ，早期離床，ネブライザーによる吸入を実施し，指示された抗菌薬と輸液の投与を行う。

❸皮下気腫

胸腔ドレーンの閉塞，胸腔ドレーン挿入部や開胸した皮膚周囲の皮下気腫の有無を確認する。皮下気腫が確認された場合には，皮下気腫の範囲を皮膚上にマーキングし，皮下気腫の変化を継続的に観察する。

❹気管支断端瘻・肺瘻，膿胸

大量の喀痰，持続する皮下気腫，胸腔ドレーンからの連続的なエアリーク，胸腔ドレーンの排液の混濁や発熱などの感染徴候の有無を観察する。胸腔ドレーン抜去後に起こることが多いため，胸腔ドレーン抜去後の皮下気腫，喀痰の増加や性状の変化を観察することは重要な看護となる。

❺乳び胸

乳び胸は，食事を低脂肪食へ変更，絶食にするなどの管理で軽快するが，長期化する場合は再手術の可能性がある。食事開始後は，胸腔ドレーンへの排液の色・性状・量を観察する。

❻反回神経麻痺

反回神経麻痺の症状が認められた場合は，誤嚥を避けるためにヘッドアップ，水分や食事の形態の変更，嚥下訓練などを行う。

❼肺塞栓症

肺切除後に肺塞栓症が起こった場合には，重篤な呼吸不全に陥る可能性がある。深部静脈血栓症を予防するため，術前から弾性ストッキングを装着，術後1日目から挿入中の胸

出現時期[注1]	術後						
	当日	1	2	3	4	5	6
（胸腔内）出血							
肺塞栓症							
不整脈							
肺水腫							
心不全							
無気肺							
肺炎							
皮下気腫							
気管支断端瘻・肺瘻							
膿胸							
創感染							
カテーテル感染							
• 胸腔ドレーン							
• 末梢静脈カテーテル							
乳び胸							
反回神経麻痺							

注1）出現時期：━━ は - - - - よりも，特に注意が必要な時期を示す

図3-3 肺がんの術後合併症の出現時期

腔ドレーンの抜去を検討し，疼痛管理を行いながら早期離床を進める。下肢の腫脹，発赤，ホーマンズ（Homans）徴候などの深部静脈血栓症の徴候の有無を観察する。

2 疼痛管理

継続的に疼痛を評価し，硬膜外麻酔や内服薬で疼痛緩和を行う。開胸手術に伴う胸背部痛では，呼吸抑制や不整脈などに注意し，十分な疼痛緩和を行う。鎮痛が不十分な場合は，鎮痛薬の追加，種類の変更などを医師と検討する。開胸術後疼痛症候群の予防や治療には，硬膜外麻酔，プレガバリンやガバペンチンの投与が行われる。肺がん術後患者の多くは，退院後の生活上の支障として創部痛をあげている。適切に疼痛管理が行われないと，呼吸リハビリテーションや早期離床も困難になる。

3 疾患・術式に特有の術後管理

❶呼吸リハビリテーション

呼吸リハビリテーションは，呼吸器合併症の予防，手術により低下した呼吸機能の回復に加え，残存肺や虚脱肺の再拡張の促進，上肢や胸郭の可動域の維持・改善につながる。また，肺がん術後患者は手術の侵襲と肺の面積の減少により，正常な人よりも少ない活動量で息切れや動悸が生じる。肺の切除範囲が大きい，あるいは術前から循環・呼吸機能に問題がある患者ほど，そのリスクが高い。肺の切除範囲によっても，肺活量の低下する割合が異なり（表3-3），右肺全摘術を行った場合のほうが左肺全摘術を行った場合よりも肺活量の低下が大きい。手術後の活動に対する耐性を高めるためにも呼吸リハビリテーションは有用である。

呼吸リハビリテーションの実施前後には，血圧・脈拍・Spo_2や呼吸困難の主観的評価である修正ボルグ（Borg）スケール（3～5の運動が目安）（表3-4）などを活用し，実施に対する安全性を確保しながら，運動負荷を段階的に調整し，進めていく。退院後の住環境や職場環境，通勤手段，仕事内容，日常生活のなかでよく行う動作などの情報収集も行い，患者に必要な呼吸リハビリテーションの内容を検討する。たとえば，術中体位の影響や後・側方開胸により上腕の挙上困難が生じた場合は，上肢・肩の運動や胸郭可動域運動を取り入れる。生活環境に階段があれば階段昇降訓練を取り入れる。

❷感染予防

創部・胸腔ドレーン刺入部，末梢静脈カテーテルの感染徴候の観察と口腔ケア，清拭などの清潔管理を行う。

表3-3 肺切除範囲による肺活量の低下割合

	上葉切除	中葉切除	下葉切除
肺活量の低下	右：14%　左：24%	右：10%　左：―	右：29%　左：24%

出典／足羽孝子，伊藤真理編著：術前術後ケア　ポイント80：チェックリスト＆図解でサクッと理解！，メディカ出版，2013，p.114．をもとに作成．

表3-4 修正Borgスケール

Borg CR10 スケール（修正 Borg スケール）			
0	何も感じない	nothing at all	"No P"
0.3			
0.5	非常に弱い	extremely weak	just noticeable
1			
1.5			
2	弱い	weak	light
2.5			
3	中程度	moderate	
4			
5	強い	strong	heavy
6			
7	とても強い	very strong	
8			
9			
10	非常に強い	extremely strong	"Max P"
～			
●	絶対的最大	absolute maximum	highest possible

"P"：perception

出典／高橋仁美，他：動画でわかる呼吸リハビリテーション，第4版，中山書店，2016.

❸胸腔ドレーンの管理

手術で開胸することにより，胸腔内には空気が入り，肺は虚脱する。また，肺や気管支を切除した部分から漏出（ろうしゅつ）した空気，肺や血管を切除することによる出血・滲出液（しんしゅつえき）・胸水といった排液が胸腔内に貯留する。これらの空気と排液を体外に排出するために胸腔ドレーンを挿入し，胸腔内の陰圧維持，肺の虚脱を予防する。このときに用いる低圧持続吸引器の主な管理と観察のポイントを図3-4に示した。肺全摘術を行った胸腔内は死腔となるため，陰圧になると切除側に縦隔偏位（じゅうかくへんい）を起こし循環状態に影響を及ぼす。これを予防するために，肺全摘術の場合は，胸腔内の死腔にある空気が胸腔外に出ないように持続吸引はせず，ドレーンをクランプする。

6. 回復過程における支援

看護師は，術前・術後の患者・家族とのかかわりや生活に関する情報のなかから，退院後に問題になることをアセスメントし，解決に向かうよう支援する。

1 退院後に注意すべき合併症，後遺症

術後に放射線療法を行った場合，放射線照射に伴う肺組織の傷害により，治療中から終了後約6か月以内に放射線肺炎を発症しやすい。程度には差があるが，一般的には，総照射線量が40Gyを超過すると1か月後には約80％に放射線肺炎を認める。放射線療法を開始する前には，放射線肺炎の概要と，発熱，乾性咳嗽（がいそう），全身倦怠感などの症状が出現し

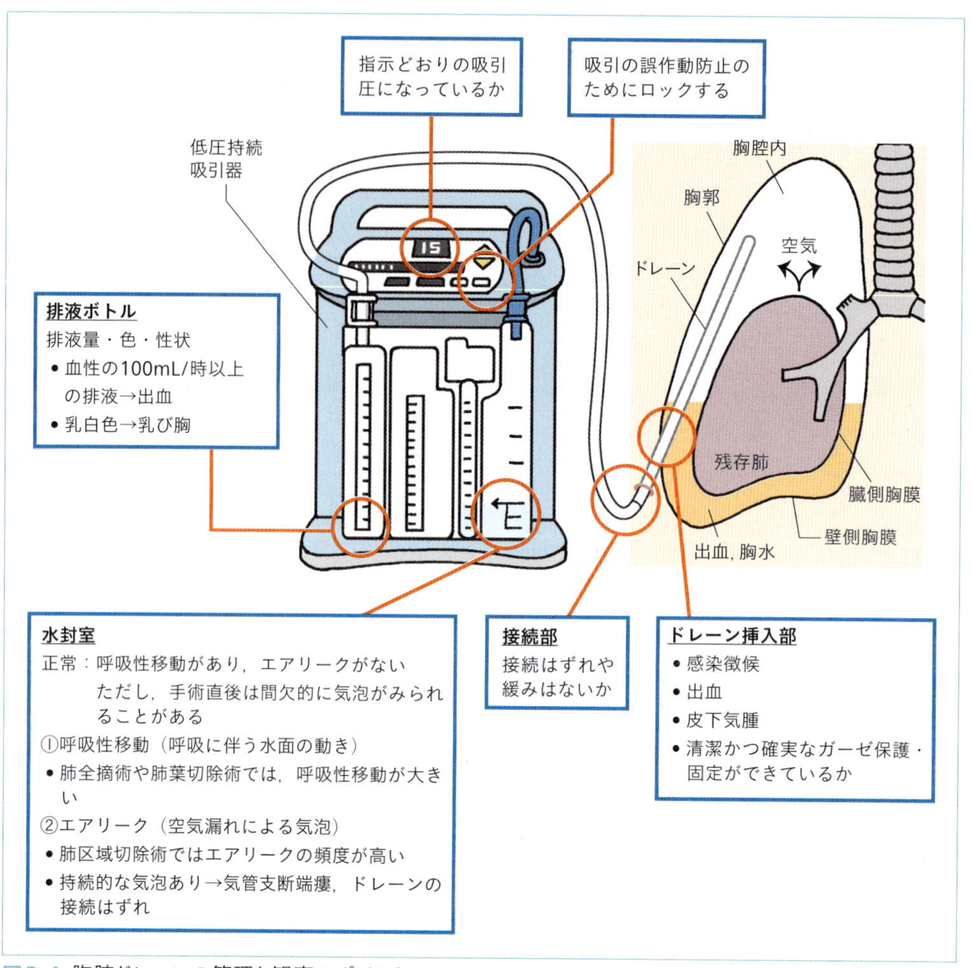

図3-4 胸腔ドレーンの管理と観察のポイント

た場合には早期に主治医に報告・相談することを説明する。

2 退院後の自己管理

❶禁煙の継続

喫煙歴のある患者は，禁煙を徹底するよう説明する。

❷感染予防の継続

呼吸器感染症に罹患すると重症化することがある。人混みを避ける，インフルエンザの予防接種を受けるなど注意点を説明する。

❸運動・活動

退院後，活動範囲が拡大することによって，息切れや易疲労感を感じ，活動耐性の低下を自覚する患者もいる。これらの症状は，患者の社会生活や余暇活動への制約につながる可能性もあり，呼吸機能の回復を促すためにも呼吸リハビリテーションを継続する。散歩や軽い動作から始め，息切れや疲労を感じたら休息し，活動に対する自分のからだの反応をみながら，徐々に活動量を増やすようにする。仕事復帰については医師と相談するように説明する。

❹異常の早期発見と受診

創部の感染徴候，高体温の持続，喀痰量の増加，血痰の出現を認めたら，定期受診日以外でも早めに受診するよう説明する。

再発を早期発見するためには，患者には腫瘍マーカー検査，喀痰(かくたん)細胞診，胸部X線検査を3か月ごとに，CT検査（必要があれば内視鏡検査も）を6か月ごとに受けることを推奨する。

3 精神的支援

手術を無事に終えても，患者と家族は，再発・転移，術後補助療法に対する不安やつらさを抱えて生活している。患者によっては，退院後も創部痛，息切れ，咳嗽，患側肩部の症状といった不快症状を感じながら生活している。看護師は，このような患者・家族の思いや状況を理解し，患者・家族だけで抱え込まず，周囲に思いを伝えること，療養生活をするうえで外来において医療者のサポートがいつでも受けられることを説明する。看護師は，必要に応じて，術前からの緩和チームと連携し，継続的に患者・家族を支援できるように調整する。

文献

1) 全国がんセンター協議会：生存率共同調査（2020年11月集計）．https://www.zengankyo.ncc.go.jp/etc/seizonritsu/seizonritsu2012.html（最終アクセス日：2021/10/6）

参考文献

・厚生労働省：令和元年（2019）人口動態統計（確定数）の概況．http://www.mhlw.go.jp/toukei/saikin/hw/jinkou/kakutei19/dl/11_h7.pdf（最終アクセス日：2021/3/15）
・皆川智子，他：肺がん体験者の生活上の障害に関する研究，弘前大保健紀，3：1-7，2004.
・板東孝枝，他：術後肺がん患者の退院時から術後6カ月までの身体的不快症状の実態，日がん看会誌，29（3）：18-28，2015.

第4章

循環器系の手術を受ける患者・家族の看護

この章では

- 虚血性心疾患の手術を受ける患者の周術期看護を理解する。
- 心臓弁膜症の手術を受ける患者の周術期看護を理解する。
- 末梢動脈疾患の手術を受ける患者の周術期看護を理解する。

I 虚血性心疾患（狭心症／心筋梗塞）

1. 疾患の概要

心筋を栄養する血管を冠動脈という。冠動脈は右冠動脈，左前下行枝，左回旋枝と，主に３枝に分類される。右冠動脈は心臓の下面を，左前下行枝は心臓の前面を，左回旋枝は心臓の後面をそれぞれ栄養している。冠動脈が何らかの原因（アテローム［粥腫］など）により狭窄・閉塞すると，そこから先に血液が十分に送られなくなることにより，心筋が酸素欠乏に陥り虚血状態になる。この病態を示す疾患を**虚血性心疾患**または**冠動脈疾患**とよぶ。冠動脈狭窄により一時的に酸素不足に陥るのが**狭心症**，心筋が壊死すれば**心筋梗塞**である。表4-1に虚血性心疾患の分類を示す。

1 狭心症

1. 概念・定義

冠動脈が何らかの原因により狭窄することで，心筋に十分な酸素供給ができず，心筋虚血が起こり痛みを生じる疾患である。心筋は一時的に虚血状態に陥っているが，壊死は起こしていないため，可逆性である。

2. 原因

アテローム動脈硬化によって形成されたプラークにより，冠動脈内腔が狭窄することや，冠動脈の攣縮（スパズム）などが原因となり，冠動脈が一過性に狭窄・閉塞することで心筋虚血が起こる。喫煙，脂質異常症，糖尿病，高血圧が４大危険因子とされている。そのほかの危険因子として，加齢，男性，肥満，運動不足，

表4-1 虚血性心疾患の分類

	慢性冠動脈疾患		急性冠症候群（ACS）	
	労作性狭心症	異型（冠攣縮性）狭心症	不安定狭心症	急性心筋梗塞（AMI）
狭窄・閉塞機序と分類	アテローム（粥腫）	攣縮	血栓	
	冠動脈にアテロームによる狭窄があり血流が障害され心筋虚血を生じる。	狭窄はそれほどではなく冠動脈の攣縮による一過性の収縮が起こる。	アテロームが破綻し，血栓が形成され狭窄を生じる。	アテロームが破綻して血栓を生じ，内腔が完全に閉塞。
臨床経過	安定狭心症		不安定狭心症	
発作発現様式	労作性狭心症	安静時狭心症		
胸痛発作	• 労作時に出現する前胸部圧迫感・絞扼感 • 3～5分程度	• 夜間～早朝，安静時に出現する前胸部痛 • 数分～15分程度	• 3週間以内に新たに出現または徐々に増悪 • 安静時にも出現 • 数分～30分程度	• 激烈な胸部痛 • 20分以上継続
発作時心電図のST変化	ST低下	ST上昇	ST低下	ST上昇
硝酸薬効果	著効		有効（高リスク時は無効）	無効

高尿酸血症，ストレス，家族歴，メタボリックシンドロームなどがある。

3. 病態生理

❶**労作性狭心症**：症冠動脈に器質的な狭窄が存在すると，労作時(ろうさじ)心筋酸素消費量が増大した際，十分な酸素が供給できずに胸部痛（狭心発作）が生じる。安静によって酸素消費が軽減し，痛みは消失する。

❷**安静時狭心症**：冠動脈狭窄部に血栓が形成されたり冠動脈が攣縮したりして一時的に血流が遮断され，安静時にも虚血をきたす状態。不安定狭心症，異型（冠攣縮性）狭心症に分類される。

不安定狭心症は，非閉塞性の血栓に動脈硬化性プラークの破綻やびらんが誘因となり起こる。放置すれば急性心筋梗塞に進展する可能性がある。異型狭心症は，器質性の狭窄はそれほどなくても冠動脈が痙攣(けいれん)性に収縮して起こる。

狭心症を起こす冠動脈硬化の程度に関しては，血管内腔の75％以上の狭窄があると，狭心症を発症するとされている。

4. 症状・臨床所見

胸骨後方の胸痛，前胸部絞扼(こうやく)感，前胸部圧迫感，胸内苦悶(くもん)感，左肩から左上肢・顎にかけての放散痛（関連痛），呼吸困難，失神などの狭心症状を生じる。胸部症状は前胸部の広い範囲として感じられることが多い。

労作性狭心症は，労作時に出現する前胸部痛が特徴であり，安静によって症状は3～5分で寛解する。

安静時狭心症の場合は，発作は深夜から早朝（ピークは午前4～6時）の睡眠中に起こることが多く，発作は数分以内に寛解し，30分以上続くことはない。

糖尿病による神経障害により心臓の痛覚が鈍麻していると，虚血状態でも痛みを自覚しないことがあり無症候性心筋虚血とよばれる。

5. 検査・診断・分類

- 12誘導心電図：発作時の心電図所見は，ST低下，ST上昇（異形狭心症・急性心筋梗塞），陰性T波があげられ，安静時の心電図は正常なことが多い。
- 運動負荷心電図：トレッドミル法や自転車エルゴメーターで運動負荷を徐々に上げ，狭心発作や有意なST変化が出現した場合に，診断が確定する。
- 核医学検査：心筋血流シンチグラフィーにより，心筋虚血の判定や心機能の測定が行われる。
- ホルター（Holter）心電図：日常生活中のSTの解析や，夜間に起こりやすい異型狭心症発作時のST上昇などの検出に優れている。
- 心エコー検査：左室壁の運動評価に優れており，虚血性心疾患の診断に適している。
- 冠動脈造影検査：冠動脈のどの血管に病変があるのかを診断する。

6. 治療

狭心症では，抗狭心症薬（硝酸薬，カルシウム拮抗薬，β遮断薬）を中心とした薬物療法を行う。労作性狭心症の発作予防には，心拍数や心収縮力の増加を抑えることで労作時の心筋酸素需要を低下させるβ遮断薬が有用である。経過をみながら経皮的冠動脈形成術（percutaneous coronary intervention；PCI*）や冠動脈バイパス術（coronary artery bypass grafting；CABG）を考慮する。発作症状に対しては，すぐに安静にし，冠動脈拡張作用のあるニトログリセリン舌下錠または，ニトログリセリン（ミオコール®）スプレー（噴霧薬）をすぐに投与する。

2 心筋梗塞

1. 概念・定義

冠動脈の動脈硬化性プラークが破綻(はたん)し，冠動脈内腔の血栓性閉塞を起こすことにより，その冠動脈が灌流している心筋が虚血し，壊死することをいう。心室細動，心不全，ショック，心破裂などにより30～40％が突然死する。

＊ **PCI**：血行再建を目的にカテーテルを介して狭窄・閉塞部位の血管をバルーンやステントを用いて拡張する内科的な治療法である。施行より数か月以降に，新生内膜の増殖などにより再狭窄がみられることがある。

2. 原因

動脈硬化性プラークの危険因子として，高血圧，糖尿病，脂質異常症，高尿酸血症，喫煙，肥満があげられる。

3. 病態生理

心筋梗塞（こうそく）が起こると，梗塞による心筋細胞の壊死が心筋収縮能の低下を引き起こし，心拍出量の低下や左心室の拡張終期圧の上昇をきたす。左房から左心室への血液流入が障害されると，肺うっ血などによる低酸素血症をきたし，さらに心筋収縮能を低下させる。

また，心拍出量の低下により血圧，冠動脈への血液量が低下，さらに心筋収縮能が低下し，心不全や心原性ショックなどをきたす。

心筋梗塞による虚血部位によっては，心室性期外収縮が生じやすく，心室細動などの致死性不整脈から心停止を起こすリスクもある。

4. 症状・臨床所見

前駆症状として，発症1か月以内に狭心症状がみられる。心筋梗塞発症時の症状は，突然の前胸部の激烈な疼痛が20分以上持続する。発症は午前中に多い。

左肩，左上腕，背中，頸部などに放散痛を伴うことがある。糖尿病患者や高齢者では，胸痛が乏しい，または胸痛を伴わないこともあり（無症候性心筋虚血），診断や治療が遅れやすいため，注意が必要である。また，冷汗（れいかん），悪心（おしん）・嘔吐などの自律神経症状を伴うことが多く，心窩部痛から消化器疾患が疑われることがある。

5. 検査・診断・分類

- 心電図検査：心筋梗塞では，ST上昇，異常Q波，冠性T波などの変化が特徴としてあげられる（ST上昇は発症早期に出現する重要な所見で，異常Q波は発症2～3日後に現れ，数日後にST上昇が基線に戻ると冠性T波が出現する）。
- 血液検査：心筋の壊死・破壊によって放出される血清酵素（逸脱酵素のクレアチンキナーゼ［CK］とそのアイソザイムであるCK-MB・アスパラギン酸アミノトランスフェラーゼ［AST］・乳酸脱水素酵素［LDH］，トロポニンTなど）が上昇する。血液検査により心筋壊死（えし）の発生を知ることができる。
- 核医学的検査：シンチグラフィーにより，心筋梗塞の部位診断が可能である。
- 心エコー検査：発作後数時間以内でも，左心室壁の運動低下が認められることが多い。
- 冠動脈造影検査：冠動脈のどの部位で梗塞が生じているのかがわかる。

6. 治療

薬物療法（硝酸薬の持続点滴，抗血小板薬投与）や，PCI，CABGが行われる。心筋梗塞の発作症状の場合，硝酸薬（ニトログリセリン）は無効で，モルヒネ塩酸塩で胸痛が軽減する。

2. 術式・術後合併症の概要

1 術式

虚血性心疾患の外科的治療には，**冠動脈バイパス術（CABG）**がある。CABGは冠動脈の狭窄・閉塞部分を迂回（うかい）して，血液を流す経路つまりバイパスを新たに作成し，心筋への血流を再開・維持させる外科的血行再建方法である。表4-2にCABGの適応基準を示す。

CABGの術式には，人工心肺を使用するオンポンプ（on-pump CABG）と使用しないオ

表4-2 CABGの適応基準

❶左冠動脈主幹部（left main coronary trunk：LMT）病変（50％以上の狭窄例）
❷PCI施行困難例
❸冠動脈末梢枝の血液の流れが良好（径＞1.5mm）であるもの
❹左心機能が次の状態であるもの
駆出率（EF）20％以上，左室拡張終期圧（LVEDP）20mmHg以下

表4-3 オンポンプCABGとオフポンプCABGの利点と欠点

	利点	欠点
オンポンプCABG	• 心臓を停止させて手術操作を行うため，血管吻合が容易である。 • ていねい，かつ安全に手術を行うことができる。	• 人工心肺装置回路に全身の血流が循環するため，赤血球減少，血小板凝固因子の減少による出血傾向，リンパ球減少による免疫力低下が起こり得る。 • 大動脈操作により，脳梗塞の合併症を起こす可能性が高くなる。 • 心停止そのものや，再灌流障害による心拍出量低下や不整脈の出現もみられる。
オフポンプCABG（OPCAB）	• 出血が少ない。 • 手術時間，挿管時間が短縮できる。 • 全身の炎症反応が少ない。 • 脳梗塞，高次機能障害が減少する。 • ICU在日数の短縮，早期退院が可能である。 • 腎機能障害が軽減できる。	• 心臓後面への吻合の際，心臓を脱転するため，心拍出量が維持できず循環血液量が不安定になることがある。

出典／山中源治，他編：特集／徹底ガイド心臓血管外科：術後管理・ケア，重症患者ケア，4（2）：296，2015．一部改変．

フポンプ（off-pump CABG）がある。オンポンプCABGとは，人工心肺下に心臓を停止させて，CABGを施行する方法であり，オフポンプCABG（OPCAB（オプキャブ））とは，心拍動下にCABGを施行する方法である。日本では60%以上でOPCABが選択される。それぞれに利点・欠点があり（表4-3），患者の状態に合わせて術式が選択される。

CABGに使用されるバイパスグラフトには動脈グラフトと静脈グラフトがあり，主に内胸動脈，右胃大網（みぎいだいもう）動脈，大伏在（だいふくざい）静脈，橈骨（とうこつ）動脈などの血管が用いられる。動脈バイパスのほうが開存性に優れ，静脈グラフトは約10年で血栓を生じるなど，耐久性がないとされている。内胸動脈が最も安定した長期開存が見込まれる。しかしながら，動脈グラフトは静脈グラフトと比べると血管平滑筋が豊富である分，血管攣縮（れんしゅく）を起こしやすい。また，右胃大網動脈は胃を灌流する動脈の一部であり，術後は消化器症状の出現に注意する。

2 術後合併症の概要

CABGを受ける患者は，動脈硬化が進行しており，糖尿病や腎不全などの合併症も多いため，通常の心臓手術よりも次の合併症に特に注意する必要がある。

❶術後出血

抗血小板薬（アスピリンの内服）を継続したまま手術を行うことも多く，術中にもヘパリンの投与が必要なことから出血の可能性が高くなる。術後も塞栓（そくせん）症を予防する目的で，早期に抗凝固療法を再開することも多く，出血には注意が必要である。

❷心タンポナーデ

心タンポナーデは，心臓吻合部からの出血などにより，心嚢（しんのう）内に大量の液体が貯留し，心臓の拡張障害，静脈環流障害により心拍出量が低下している状態である。

❸低心拍出量症候群（low output syndrome：LOS）

LOSは，術後出血や人工心肺使用に伴う血管透過性の亢進，毛細血管圧の亢進により体液がサードスペースへ移行することをいう。周術期心筋梗塞による心臓の運動低下などにより，心拍出量が低下する病態である。

❹不整脈

術直後は，術中の出血や輸液などにより電解質のバランス異常や循環血液量の減少が起こりやすい。特に心房細動は約15～20％の心拍出量の低下を引き起こすとされている。

❺周術期心筋梗塞（perioperative myocardial infarction：PMI）

PMIは，冠動脈の狭窄部位やグラフト吻合部の血流の乱れや内皮の損傷，また術後低血圧が持続した場合に，冠動脈の攣縮が引き起こされることで発症する。

❻呼吸器合併症

手術侵襲や，人工心肺の使用による血管透過性の亢進や膠質浸透圧の低下，肺毛細血管圧の亢進，手術侵襲による心臓ポンプ機能の低下によって，肺うっ血から肺水腫を引き起こしやすい。また，術直後は，麻酔の影響による呼吸抑制や挿管の物理的刺激に伴う気道内分泌物の増加や咳嗽反射の低下，創部痛に伴う咳嗽抑制などにより，無気肺などを起こしやすい。術後24～36時間で利尿期に移行すると，血管透過性が正常化しサードスペースの水分は血管内へ戻るため，循環血液量が増加し，心不全や肺水腫を引き起こしやすく呼吸状態が悪化するリスクが高くなる。

❼脳梗塞

術中低血圧による脳の低灌流，人工心肺使用時の大動脈クランプ操作によるアテロームの飛散などにより，脳梗塞発症のリスクがある。また，術直後は循環血液量の低下によって血栓が生じやすいことに加え，心房細動に伴う心拍出量の低下や血液うっ滞による血栓形成なども，脳梗塞の要因としてあげられる。さらに，利尿期には血液の粘稠度が高まり，血栓形成のリスクが高まるため注意する。

❽術後感染

術後は，免疫力が低下することや手術侵襲に伴う高血糖状態などから，易感染状態となり，術後感染を起こすリスクが高まる。また，手術創に加え，各種ドレーンやカテーテルなどの長期留置は感染リスクを上昇させる。

3. 看護目標

- 冠動脈バイパス術後特有の合併症である周術期心筋梗塞やそのほかの合併症を起こさず，早期離床・退院ができる。
- 早期より退院後を見据えて，内服・食事・運動などの自己管理や，異常を早期発見するための健康管理行動を自身の生活のなかに取り入れることができる。

4. 術前の看護

1 患者のアセスメント

術前には，手術に耐え得る全身状態であるかどうかを判断するために，心機能検査や冠動脈造影，呼吸機能検査などの術前検査を行う。その検査結果を確認し，術後の状態を予測し介入していく。また，患者にとって手術とは，死を認識するような恐怖心を抱くため，手術に対する受け止め方や理解度，精神的フォローも看護師の役割となってくる。また，高齢者の手術患者も年々増加しており，心疾患以外の疾患を合併している場合も多く，それが術後に影響を及ぼすこともある。そのため，術前の複合疾患をコントロールすることや，術前より退院支援の必要があるのかなど，家族構成や社会資源の活用状況などの情報を収集し，早期より退院支援の介入を検討する。

2 手術に対する意思決定支援

冠動脈病変の程度，狭心症の重症度，予後およびCABGの方法，人工心肺使用の危険度，術後経過および合併症の発現などについて，術前に必ず主治医から説明が行われる。看護師は，医師の手術説明に対する患者・家族の受け止め方や理解度を確認し，疑問や不安な点をできるだけ軽減し，安心して手術に臨めるように介入する。

3 手術オリエンテーション

術後に患者の協力を得るため，また不安を軽減するためにも，術前パンフレットを用いて，ICUへの入室や人工呼吸器の役割，各種モニターの重要性，多くの薬剤の点滴投与，ドレーン（心嚢（しんのう），縦隔（じゅうかく），胸腔（きょうくう））が留置されることを説明する。また，術後合併症を予防するためには，術後の早期離床が大切となる。術前から早期離床の重要性や必要性を説明し，術後につなげていく。

4 手術に向けた準備

❶血糖コントロール

術後の高血糖は，免疫力低下による術後感染症のリスク，創部治癒の遅延，血流障害からの低酸素，神経障害の悪化などを招く。また，術後に急速に血糖値を元に戻そうとすることで，血漿浸透圧の低下から脳浮腫をきたす危険もある。このため，既往に糖尿病がある患者は，術前から血糖コントロール強化を行う。患者にも，血糖コントロールの重要性についての指導を行い，厳格な術前血糖コントロールができるように介入する。

❷呼吸器合併症の予防

術後は無気肺などの呼吸器合併症を起こすリスクがあるため，術前から口すぼめ呼吸やコーチ2®などを使用した呼吸筋訓練を実施する。また，喫煙者に対しては禁煙の必要性を説明し，禁煙に取り組めるように支援する。

❸内服管理

虚血性心疾患をもつ患者は，抗血小板薬や抗凝固薬を内服していることが多い。術後出血のリスクを避けるため，術前にこれらの内服薬を中止する場合がある。抗血小板薬のアスピリン（バイアスピリン®），チクロピジン塩酸塩（パナルジン®），シロスタゾール（プレタール®），サルポグレラート塩酸塩（アンプラーグ®），ベラプロストナトリウム（ドルナー®）などや，抗凝固薬のワルファリンカリウム（ワーファリン®）などを継続するか，術前中止するか，医師に確認する。

また，糖尿病をもつ患者は血糖降下薬の内服をしている場合がある。手術前日の夕方より絶食となるため，血糖降下薬の内服の中断やインスリン投与について医師に確認し，術前の血糖値にも注意する。

5　心筋虚血の予防

術前は，労作により酸素供給量が増加する。動脈硬化により冠動脈が狭窄している部分では十分な血流（酸素量）は確保できなくなり，一時的な心筋虚血が生じるリスクがある。医師に術前の日常生活，入院生活における活動範囲や注意点を確認し，患者に説明する。

6　胸部症状出現時の対応

胸部症状出現時は，まず狭心症と心筋梗塞の鑑別のため，12 誘導心電図検査を行う。労作性狭心症では ST が低下するが，異型狭心症・急性心筋梗塞では ST が上昇する特徴がある。その後，硝酸薬（ニトログリセリン）の舌下投与を実施し，医師へ報告する。ニトログリセリンは舌下投与直後から血圧低下が起こりやすいため，座位か仰臥位で服用させ，バイタルサインに注意する。また，評価のため 15 分後に再度 12 誘導心電図検査を行い，必要時は血液検査も実施する。

急性心筋梗塞時は，ニトログリセリンの舌下投与では胸部症状が消失しないため，胸部症状に対してはモルヒネ塩酸塩などの持続投与を実施し，血栓溶解療法（t-PA やウロキナーゼなど）を行う。

7　術前処置

手術前日の処置として，感染予防の目的で除毛・臍処置・保清などを実施する。また，心臓血管の手術は 6 時間を超えることが多く，術中の同一体位などにより褥瘡などのリスクがある。仙骨部に褥瘡予防のためのフィルム保護を行う。また，るいそうや骨突出が著明である場合や，術前より褥瘡がみられる場合などは，術前に手術室の看護師へ情報を提供し，他部署と協力して患者の安全を守れるような取り組みを実施する。

5. 術後の看護

術後は，患者の全身状態の観察が重要であり，変化を把握しケアすることが看護師に求められる。一般的に，手術翌日には ICU から一般病棟へ戻る。酸素チューブや各種ドレーン類，ルート類が挿入された状態であり，自己抜去などを予防し早期離床を進めるうえで，ドレーン・ルート類の管理は看護師の重要な役割である。一般病棟帰室時の患者の状態を図 4-1 に示す。

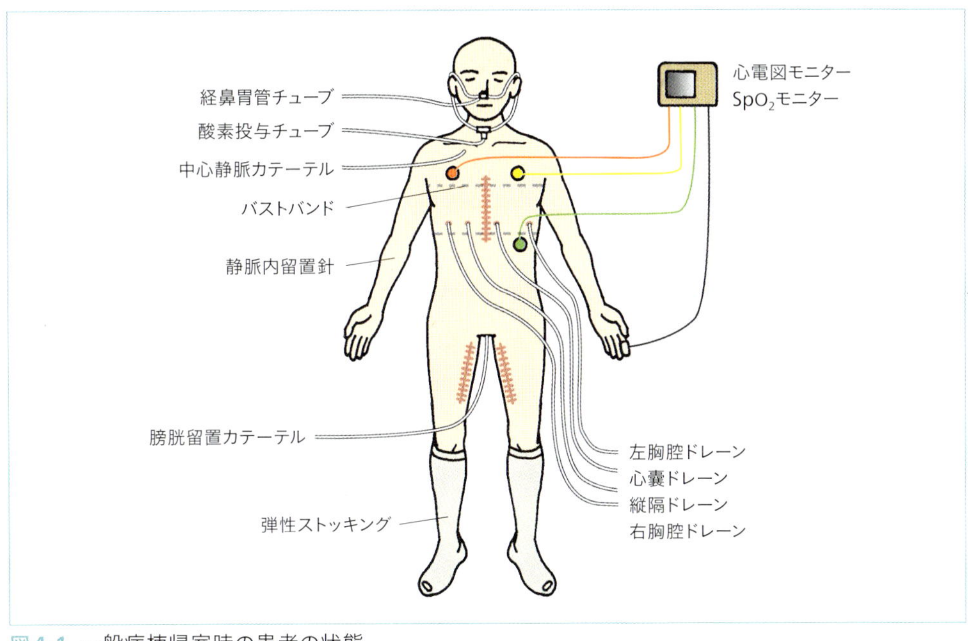

図4-1 一般病棟帰室時の患者の状態

1 術後の観察と合併症の早期発見

❶術後出血

術後出血は，術後24時間以内に出現することが多い。急激なドレーン排液の増加（または排液200mL/時間以上）や，血性度増強などが出現した際には，術後出血が疑われる。また，出血時には，脈拍数の増加，血圧低下，末梢冷感，気分不快などの症状出現がみられるため，バイタルサインの変動や患者の状態を観察し，異常の早期発見に努める。血液データから，凝固系データの異常やヘモグロビンの低下がみられた際には，出血のリスクが高いため，医師へ報告する。

また，術後出血の予防として血圧コントロールが重要となる。CABG後はグラフト開存のため血圧をやや高めにコントロールするが，術後高血圧は，グラフト吻合（ふんごう）部への物理的負荷の上昇などにより，出血リスクを高めてしまう。ニカルジピン塩酸塩などの降圧薬を使用し，血圧を120～140mmHg台でコントロールしていく必要がある。術後高血圧の要因の一つとして創部痛があるため，適切な鎮痛薬を使用し，疼痛コントロールを行う。

❷心タンポナーデ

術後は心嚢（しんのう）・縦隔（じゅうかく）ドレーン排液の急激な減少や，挿入部からの漏（も）れの有無，止血薬投与後の粘性増加などの性状の変化に注意する。縦隔内に血液が貯留することで，胸腔が圧迫され，呼吸状態に変調をもたらすため，呼吸状態の変化にも注意する。また，心臓の拡張障害を起こすことにより，血圧の低下，**CVP**（中心静脈圧）の上昇，脈拍数の増加，不整脈，急激な尿量低下が生じるため，バイタルサインの変化や心電図の波形に注意して観察する。

術後の看護ケアとしては，術直後は特にドレーン排液の血性も強く，凝血塊などでドレーンが閉塞しやすい状態であるため，適宜ドレーンチューブのミルキングを実施し，ドレーンが閉塞しないよう注意する。しかし，ミルキング時はドレーン先端に高い陰圧がかかることでバイパス部分に損傷のリスクがあるため，特に右冠動脈吻合（ふんごう）をした場合は，ミルキング実施の可否を医師に確認する。

❸低心拍出量症候群（LOS）

LOS 出現時には，末梢冷感と発汗を伴う末梢循環不全や，肺うっ血による酸素化低下，腎血流低下に伴う乏尿，心係数の低下がみられるため，全身状態の観察に努める。強心薬や血管拡張薬などを使用するなど，**フォレスター**（Forrester）**分類**（図 4-2）に沿って治療が行われる。

❹不整脈

心電図モニターを常時観察して，早期発見に努める。血液データから電解質の値を観察し，不整脈出現時の血圧・心拍数の変化に注意する。また，脱水や低酸素により冠動脈の攣縮（れんしゅく）が起こりやすいため，IN/OUT バランスや血液データ，酸素化，脱水症状の有無を観察する。不整脈出現時は，輸液により循環血液量を増加させたり，抗不整脈薬などを投与したりして対処する。抗不整脈薬の使用時は循環動態の変調をきたしやすいため，バイタルサインに注意して投与する。

❺周術期心筋梗塞（PMI）

心電図上で ST の低下・上昇や，異常 Q 波の出現，胸部症状の有無，血液データから CK-MB，CK などの酵素データの観察を行い，PMI の早期発見に努める。CABG の術後では，再建したグラフトの閉塞や狭窄に注意が必要であり，右胃大網動脈や橈骨（とうこつ）動脈をグラフトに使用した場合は，冠動脈の攣縮を起こしやすいといわれているため特に注意する。

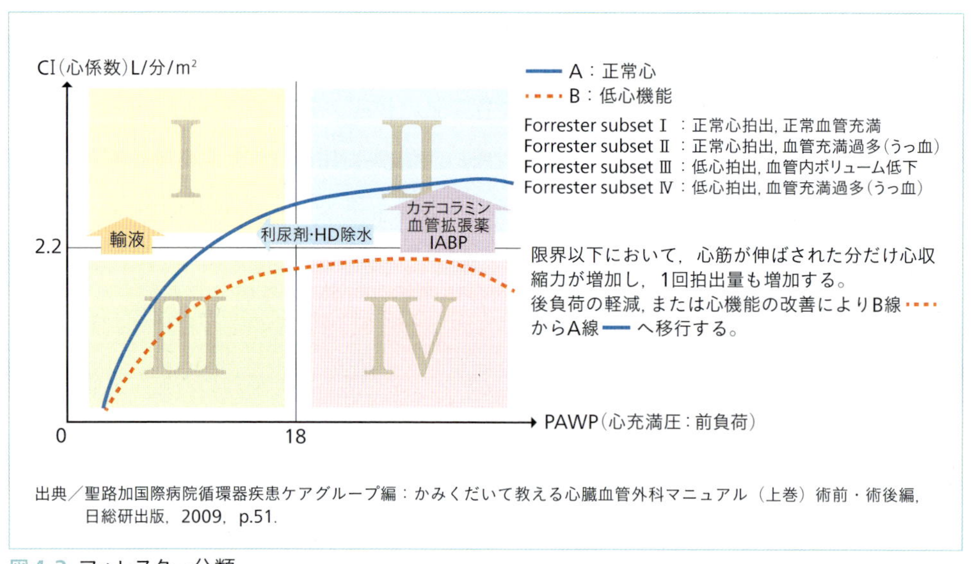

出典／聖路加国際病院循環器疾患ケアグループ編：かみくだいて教える心臓血管外科マニュアル（上巻）術前・術後編，日総研出版，2009，p.51.

図 4-2 フォレスター分類

PMIの予防として，術中あるいは術直後からニコランジル（シグマート®）の持続投与が開始され，その後，点滴から内服薬へ移行していく。また，胸部症状やST上昇・低下などがみられた場合は，12誘導心電図検査などを実施し，担当医師へ報告する。

❻呼吸器合併症

呼吸状態が悪化し低酸素状態が続くと，冠動脈の攣縮が生じる可能性があるため，十分な酸素投与を実施し，酸素化を維持することが大切となる。SpO_2値や血液ガスデータ，呼吸数，分泌物の観察を行うとともに，補液量や尿量などを観察し，IN/OUTバランスの管理を行っていく。また，呼吸器合併症の予防として早期離床が推奨されているため，十分な疼痛コントロールを実施し，歩行練習などを実施するとともに，日中はなるべく端座位などで過ごせるように介入する。また，体位ドレナージなどの介入も行う。

❼脳梗塞

意識レベルや四肢運動の異常，瞳孔所見，神経症状出現の有無に注意して観察し，脳血流量を維持するため，適正血圧の保持に努めるとともに予防的に抗凝固薬を使用する。

❽術後感染

手術侵襲に加え，人工心肺を使用した際には，人工心肺回路などの異物への接触や血液の空気への曝露（ばくろ）により，術後の血液データの炎症反応は一時的に上昇する。術後72時間経過しても炎症所見が持続する場合は，術後感染の可能性を疑う。創部の状態や熱型（ねつけい），血液データなどに注目し観察するとともに，感染徴候を認めた場合には，早期にドレーンやカテーテル類の抜去もしくは入れ替えを行う。また，術後は高血糖状態となりやすく，易感染状態となっているため，術後の血糖コントロールは重要となる。特に，糖尿病を合併する患者は，術後侵襲により血糖コントロールが不良となりやすく，内胸動脈グラフトを使用した場合は縦隔炎などのリスクが高まることから，注意する。

2 創部の保護

下肢から静脈を採取した場合，大腿部に創が形成される。創部保護の方法としては，出血や創部からの滲出液（しんしゅつえき）がある場合はドレッシング材による保護を実施する。創部治癒が進み滲出液などがなくなったのちは，創部の観察がしやすいドレッシング材へ変更していく。

創部の発赤（ほっせき）・腫脹・熱感・浸潤の有無，感染や癒合不全の有無などを観察する。

3 早期離床へのケア

術後の早期離床は，術後合併症（呼吸器合併症，イレウス，深部静脈血栓症，せん妄（もう）など）の予防の観点からも重要である。しかし，術後急性期は循環動態の変動なども激しいことや，初回離床時は肺塞栓症などのリスクが高いため，慎重に実施する。

離床は，ベッド上座位→端座位→立位→足踏み運動→歩行の順で実施し，離床前後のバイタルサインや離床中の患者の反応などに注意しながら進めていく。また，創部痛などは離床の妨げとなりやすいため，離床前に鎮痛薬を使用するなど適切な疼痛コントロールを行う。

さらに，術後は心嚢縦隔ドレーンや中心静脈カテーテル，膀胱留置カテーテルなど様々なルート・ドレーン類が挿入されており，自己抜去などのリスクがある。離床前には，ルート・ドレーン類を整理するとともに，患者にも挿入されているルート・ドレーン類を説明し，患者自身が注意できるようにする。

また，廃用症候群や再発の予防，QOL の改善を目的として，段階に応じて心臓リハビリテーションを行う。

4 食事摂取へのケア

術後の低栄養状態は，心機能の低下や呼吸予備力の低下，創部治癒の遅れなどの観点からも改善が重要であり，手術侵襲からの回復を促進する目的でも，早期に経口摂取を開始することが望ましい。しかし，胸部手術後は，術中操作などの影響などにより左反回神経麻痺などを生じるリスクがあり，嚥下障害などを引き起こす可能性がある。抜管後の嗄声の有無を確認し，抜管 8 時間後には，覚醒の状態を確認し飲水テストを実施し，むせや口腔内のため込みなどの有無を確認する。むせなどがなければ，通常，術後 1 日目の昼より術後開始食から開始し，嚥下の状態を評価しながら徐々に術前同様の食事形態に戻していく。むせなどが認められた場合は誤嚥のリスクが高いため，言語聴覚士の介入を依頼し，経口摂取ができるようになるまでは，高カロリー輸液や経管栄養などによって栄養状態を維持する。

胃を灌流する右胃大網動脈をグラフトに使用した場合は，術後消化管の機能が低下するため，食事開始後の消化器症状に注意する。

5 術後せん妄の予防

手術侵襲が大きく術後の状態が不安定で ICU 在室が長期化することになれば，術後せん妄を発症するリスクが高まる。せん妄の発症は離床の遅延やルート・ドレーン類の自己抜去などにつながるとともに，退院後の QOL 低下などにも影響を及ぼすため，予防的介入を行う。

6. 回復過程における支援

術後急性期を脱したら，退院に向けた生活指導を行う。虚血性心疾患は，動脈硬化や高血圧などにより引き起こされることが多く，生活習慣の見直しが必要となる。虚血性心疾患の再発予防のためにも，次のことを指導する。

1 食生活

塩分の摂り過ぎは高血圧を招くため，減塩食の工夫をすることや，過度のエネルギー摂取は肥満の原因となり動脈硬化の進行や心負荷につながるため，コレステロールの摂取や暴飲暴食などを控えるように説明する。また，手術により抵抗力や免疫力の低下がみられるため，規則正しくバランスの良い食事を摂取するように指導を行う。食事の指導に関しては，患者本人だけでなく家族（調理者）の協力も必要となるため，指導する際は，指導対象者をアセスメントして実施する。また，制限ばかりでは患者のやる気を減退させてしまうため，代替方法の工夫など，おいしく食事ができる工夫について栄養士などの専門職から指導してもらう。

2 運動，復職

体力の維持や，生活習慣病予防のためにも適度な運動が必要である。術後は，体力が低下しており，過度な運動は心負荷をかけることから，まずは軽い散歩などの有酸素運動から始めるように指導する。また，手術では正中切開をしており，胸骨が完全に癒合するまで約3か月かかるといわれている。体幹をひねる動作などは，胸骨動揺を引き起こし癒合不全につながるため，術後は体幹をひねる動作をしないこと，重い物を持ち上げないこと（上限の目安約10kg），車の運転を避けること，術後3か月間はバストバンドを着用することなどを指導する。

復職については，運動耐容能を考慮し，医師と相談するよう説明する。

3 排便コントロール

排便時の怒責（どせき）は，血圧上昇をもたらし心負荷がかかるため避けるように説明する。便秘予防には，起床時に冷たい水を飲む，腹部のマッサージを行うなどの工夫をするよう説明する。便秘が続く場合には医師に相談するように説明し，下剤の内服を勧める。

4 ストレス対策と睡眠の確保

ストレスやいらいらは血圧上昇をもたらすため，規則正しくゆとりある生活を心がけ，趣味，娯楽，適度な運動でストレス解消を図るように説明する。また，夜間はきちんと睡眠をとり，体の疲れをとるように説明する。

5 心不全徴候や，血圧・脈拍の異常，創部異常

心臓の手術後は心不全のリスクがあることを説明し，異常の早期発見ができるよう毎日セルフモニタリングすることを指導する。心不全徴候としては，体重増加・尿量減少・下肢浮腫などがあげられる。また，自己検脈し，不整脈などがあれば安静にすることを説明する。

シャワー時は創部の発赤（ほっせき）・腫脹・滲出液（しんしゅつえき）の有無などを観察してもらい，異常が認められた場合は医療機関を受診するよう説明する。

6 気温の変化，入浴時の注意

急激な気温の変化は，血圧変動（ヒートショック）をもたらすため，次のような工夫をして避けることを説明する。

- 室外気候に合った衣服を着用する。
- 脱衣所と浴室の温度差を少なくするため，脱衣所に暖房器具を設置する。
- 浴槽に入るときは，かけ湯をし，温度に慣れながら徐々に下半身から入浴する。

また，長時間の入浴は心負荷がかかるため，術後1か月はシャワー浴のみとするよう説明する。入浴の許可が出た場合は，心負荷を軽減するためにぬるめの湯温とし，長湯しないよう説明する。

7 内服薬の管理

内服薬は指示されたとおり正確に服用し，勝手に変更しないように指導する。術後に開始された薬剤について，作用，副作用を説明するとともに，入院期間中の内服管理行動を評価し，必要時一包化などを行う。自己管理が難しい患者に対しては家族に指導する。

Ⅱ 心臓弁膜症（大動脈弁狭窄症／感染性心内膜炎）

心臓弁膜症とは，心臓にある4つの弁に障害が起こり，狭窄や閉鎖不全をきたした状態である。

 大動脈弁狭窄症

1. 疾患の概要

1. 概念・定義

心臓には4つの弁がある。そのうち大動脈弁は左心室と大動脈の間に存在し，左心室の収縮期に開き血液を大動脈へ拍出させ，拡張期に閉鎖して血液の左心室への逆流を防ぐ。**大動脈弁狭窄症**（aortic stenosis：AS）は，弁口が狭窄して収縮期に左心室から大動脈への血液の駆出が障害される疾患である。

2. 誘因・原因

大動脈弁口の狭窄は，退行変性（老人性）や先天性二尖大動脈弁，リウマチ，炎症性変化などによって弁尖が肥厚・石灰化，あるいは癒合することによって起こる。近年では，人口の高齢化に伴って，退行変性による大動脈弁狭窄症が増加してきている。

3. 病態生理（図4-3）

左心室から大動脈へ血液を拍出するには，狭窄した大動脈弁口を通過させる必要がある。そのため，左心室は常に高い圧負荷を受け，代償性に肥大（求心性肥大）する。肥大した心筋は，柔軟性が低下して拡張しにくく，左心室内腔に

充満できる血液量が減少する。また，収縮力も低下するため，心拍出量が低下する。さらに，心筋が肥大すると心筋の酸素需要量が増加するが，心拍出量の低下から冠動脈血流も低下し，酸素の需要と供給が見合わなくなる。

4. 症状・臨床所見

心筋虚血による狭心痛，脳循環血液量低下による失神，心拍出量低下や左心室圧上昇によるうっ血から心不全，遅脈，小脈といった症状を呈するようになる（図4-3）。

5. 検査・診断・分類

症状や臨床所見から大動脈弁狭窄症が疑われる場合，心電図，胸部X線撮影のほか，心エコーで大動脈弁口面積の減少，左心室圧と大動脈圧の圧較差（かくさ）により診断される。

6. 治療

通常，狭心痛，失神，あるいは心不全の症状が出現するまでには，心肥大による代償機構が働くために長い無症状の期間があり，内科的治療をしながら病変の進行を注意深く経過観察する。症状出現後の予後は悪く，突然死する危険性も高くなる。そのため，できるだけ早期に手術を行うことで生命予後および症状出現の頻度や運動・活動の制限を改善し，患者のQOLの向上が期待できる。近年増加している高齢の大動脈弁狭窄症患者においては，併存症も多く，手術に伴うリスクも高くなる。そのため，外科的手術の適応は，患者の身体活動度，精神状態，およびQOLを含め，手術自体のリスクと術後の予後を考慮して決定される。

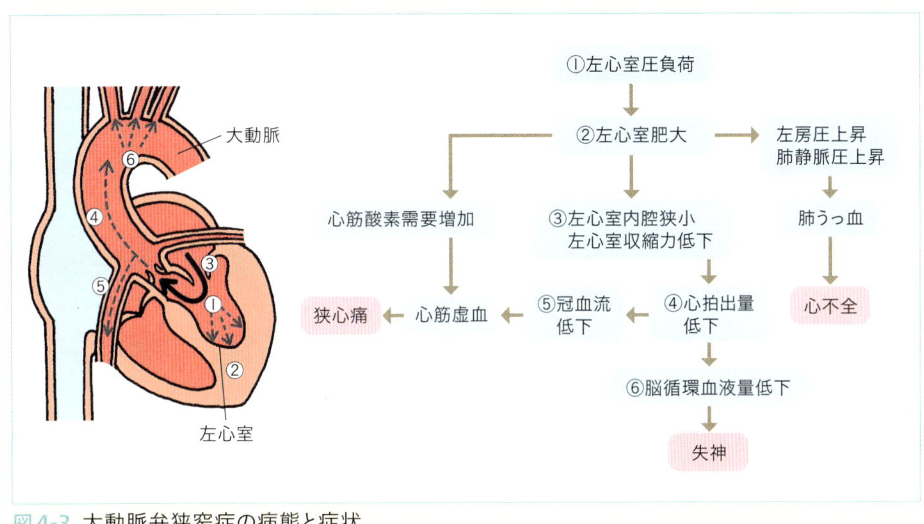

図4-3 大動脈弁狭窄症の病態と症状

2. 術式・術後合併症の概要

1 術式

❶大動脈弁置換術

大動脈弁狭窄症に対する術式は人工弁を用いた**大動脈弁置換**（ちかん）**術**（aortic valve replacement：**AVR**）（図4-4）が一般的である。通常，全身麻酔下で胸骨正中切開（図4-5）により手術視野を確保して行われる。人工心肺装置を使用し心停止させた状態で，大動脈を切開，弁尖を切除し，弁輪のサイズに合った人工弁を縫い付ける手術である。

▶ 人工弁の種類　使用される人工弁には生体弁と機械弁がある。それぞれに利点・欠点が

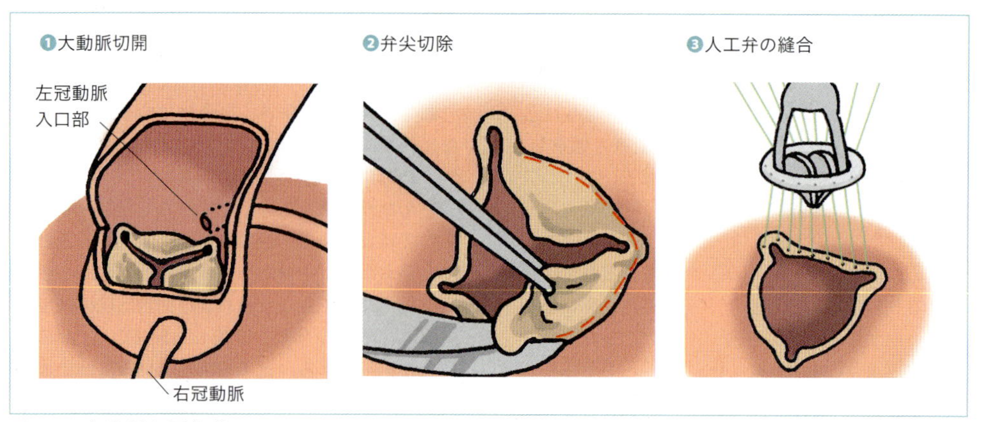

図4-4 大動脈弁置換術

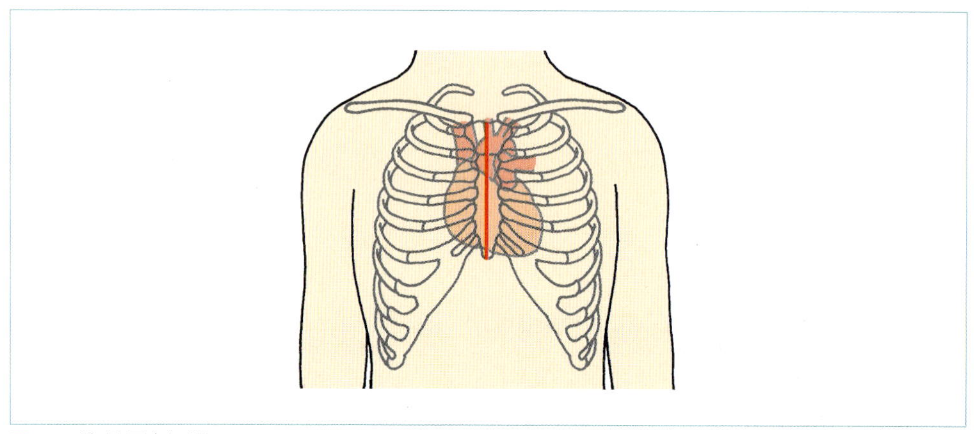
図4-5 胸骨正中切開

あり，患者のライフスタイル，年齢などに合わせて選択する（表4-4）。

❷経皮的大動脈弁形成術

経皮的大動脈弁形成術（percutaneous transluminal aortic commissurotomy；**PTAC**）は，バルーンカテーテルを経皮的に狭窄大動脈弁まで進め，バルーンを拡張させて大動脈弁口を広げる方法である。PTACは，術後早期から弁閉鎖不全や再狭窄を生じやすいこともあり，AVRまでの一時的・緊急的処置として行われる。

❸経カテーテル大動脈弁植え込み術

経カテーテル大動脈弁植え込み術（transcatheter aortic valve implantation；**TAVI**）は，カテーテルを用いて人工弁を大動脈弁に留置する方法である。開心術に比べて，胸骨正中切開や人工心肺使用下での心停止状態が不要であり，比較的低侵襲（しんしゅう）の治療である。一方，伝導障害，大動脈弁輪周囲・基部破裂，弁周囲逆流などの危険やTAVI弁の耐久性の問題もある。そのため，外科的AVRかTAVIかの選択は，手術手技のリスク，解剖学的特徴，年齢，フレイル，依存症，心臓再手術のケースなどから死亡率や合併症の起こる可能性を心臓外科と循環器内科を中心としたハートチームで検討し，患者の希望も考慮して決定される。

表4-4 人工弁の種類と選択

	生体弁	機械弁
利点	• 血栓を生じにくい • 心房細動がなければ抗凝固療法は術後 3～ 6 か月間	• 耐久性に優れている
欠点	• 耐久性が低い • 石灰沈着しやすい • 10～ 15 年程度で再手術が必要	• 血栓を生じやすい • 抗凝固療法が必要 • 開閉音が響きやすい
適応	• 高齢者 • 妊娠・出産を希望する女性 • 出血性素因がある患者 • 抗凝固療法が困難な患者	• 生体弁が適応とならない患者 • 透析患者

2 術後合併症

大動脈弁狭窄症の術後管理において，特に注意すべき合併症をあげる。

❶術後出血，心タンポナーデ

人工心肺使用による心臓手術では，凝固成分の消費やヘパリン化，低体温による血小板機能異常などにより，術後出血をきたしやすい。さらに大動脈弁狭窄症の術後は，心肥大の影響から血圧が上昇しやすく，出血を助長する危険性がある。ドレーンの排液が鮮血で，100～150mL/時間以上の出血が持続する場合には，再開胸止血術を行うことがある。また，留置されたドレーンから有効な排液ができないと，心嚢（しんのう）腔内に心膜液（出血による血液）が貯留して**心タンポナーデ**を引き起こす危険がある。

❷低心拍出量症候群，うっ血性心不全

手術によって大動脈弁の狭窄は解除されるが，肥大した心筋は改善していない。左室内腔は狭く，柔軟性は低いため，1 回拍出量は低下しており，わずかな流入血液量（前負荷）の変化，心拍数の変化によって心拍出量が左右される。術後の生体反応や出血に伴い循環血液量が減少すれば，心拍出量も低下し，容易に末梢循環不全が起こる。一方で，循環血液量が拍出しきれないほどに過剰となれば，うっ血性心不全を呈しやすい。

❸不整脈

出血や脱水，電解質異常，術操作による伝導障害などによって，術後は種々の不整脈が起こりやすい。特に弁置換術後には，心室性期外収縮，心室頻拍や心室細動，第 3 度房室ブロック，洞不全症候群，心房細動が起こりやすい。

❹脳合併症

人工心肺使用による低灌流や空気塞栓が生じた場合，大動脈弁同様に大動脈も石灰化が強い場合などでは，アテローム塞栓による脳合併症のリスクがある。

3. 看護目標

- 術後の血行動態モニタリングを受けながら離床を開始し，心臓の機能や症状に合わせて日常生活動作が行える。
- 心不全の増悪を予防するための自己管理方法を習得して，退院後の生活に組み込むことができる。

4. 術前の看護

狭心痛，失神，心不全などの出現を誘発することなく循環管理を行い，症状出現や心臓手術に直面する患者の心理状態を理解して，不安を軽減できるようケアを行う必要がある。

1 患者のアセスメント

❶自覚症状と身体所見の観察

具体的な観察項目を表 4-5 に示す。

❷バイタルサインと心電図の経時的モニタリング

症状出現の早期発見と対処のためにも，患者の自覚症状とともに，バイタルサイン，心電図・SpO_2 などを継続してモニタリングし，循環動態の変化を把握する。大動脈弁狭窄症では，左室の求心性肥大や心筋虚血によって心室性不整脈の出現を招きやすく，突然死をきたすことがある。また，心房細動の出現によって著明な心拍出量低下を招くため，不整脈の監視は重要である。急変時に備えた蘇生カートや除細動器の日常点検・準備も行う。

2 手術オリエンテーション

心臓手術では多くの場合，術後に ICU へ入室する。麻酔から覚醒後には多くの医療機器やモニターに取り囲まれ，からだに多種多様なルートが取り付けられた状態を経験する。術後の経過や治療を予測し，患者がイメージできるように説明する。

表 4-5 大動脈弁置換術前の自覚症状と身体所見の観察

狭心症	胸部症状（胸痛・圧迫感・絞扼感（こうやくかん）），呼吸困難，冷汗	
失神	めまいやふらつき，意識レベル，血圧，末梢動脈拍動	
心不全	左心不全	肺うっ血による労作性・発作性夜間呼吸困難，息切れ，起座呼吸，湿性肺ラ音，心拍出量低下による血圧低下，全身倦怠感，尿量減少，異常心音（Ⅲ，Ⅳ音）
	右心不全	頸静脈怒張（けいどちょう），浮腫，胸水，腹水，体重増加，肝腫大，食欲不振，悪心（おしん）・嘔吐，腹部膨満感

3 手術に向けた準備

❶確実な治療継続

狭心発作や心不全を予防するため，酸素投与や薬物療法（内服，点滴静脈内注射）が行われている。心筋への酸素供給を助け，心臓の負担を緩和するための治療であり，理由を把握し，確実に継続できるようにする。

❷安静度に応じた日常生活援助

病状によって，術前の安静保持，身体活動の制限を行う。安静度に応じて，安静度範囲外の日常生活（清潔・排泄・移動など）に必要な支援を行う。なかでも排泄時の怒責（どせき）は，血圧上昇や心拍数の増加によって，心筋酸素需要が増大して狭心発作を誘発したり，心拍出量が低下して失神を招いたりしやすいため，必要に応じて緩下剤（かんげ）を使用し，排便を調整する。

❸心理的サポート

術前の患者は，病状からくる症状出現や突然死への恐怖に加え，心停止を伴う心臓手術を無事に終え再び目を覚ますことができるだろうかと，大きな不安や緊張を抱えている場合も多い。患者の認識と心理状態を意図的にとらえ，不安の軽減に努める。

5. 術後の看護

AVR後のケアにおいては，術前病態の影響と手術に伴う生体反応の影響を併せてアセスメントし，合併症を予防し，異常を早期発見し，対処する。

1 術後の観察と合併症の早期発見

❶術後出血・心タンポナーデ

AVRでは，心嚢ドレーン，胸骨下（前縦隔）ドレーンが留置される（図4-6）。さらに開胸を伴った場合は胸腔ドレーンも留置される。有効なドレナージを行うためには，確実なドレーンの固定を行い，チューブの屈曲やからだの下への巻き込みなどがないように整理したうえで，指示に沿った持続吸引圧の設定，閉塞予防のためのミルキングを行う。ミルキングは，挿入されているドレーンの性状により，アルコール綿やミルキング鉗子（かんし）などを用いて実施する。術後出血は留置されたドレーンからの排液だけでなく，手術時に切開した創部，ドレーンやペースメーカーワイヤーの挿入部などからも生じる場合があり，併せて観察する。ドレーンからの排液量の観察においては，排液量の増加だけでなく，急激な減少にも注意する。ドレーンの閉塞はないか，心拍出量低下（血圧低下，脈圧低下），頻脈，呼吸困難，CVP上昇など心タンポナーデの徴候はないかを観察する。術後の急激なあるいは持続する血圧上昇は，出血を助長することから，術操作により切開した大動脈縫合部の保護や出血予防のためにも，至適血圧を維持する。血圧コントロールの条件に合わせた各薬剤の調節や苦痛・疼痛の積極的な除去，麻酔覚醒時（抜管前）のコミュニケーション

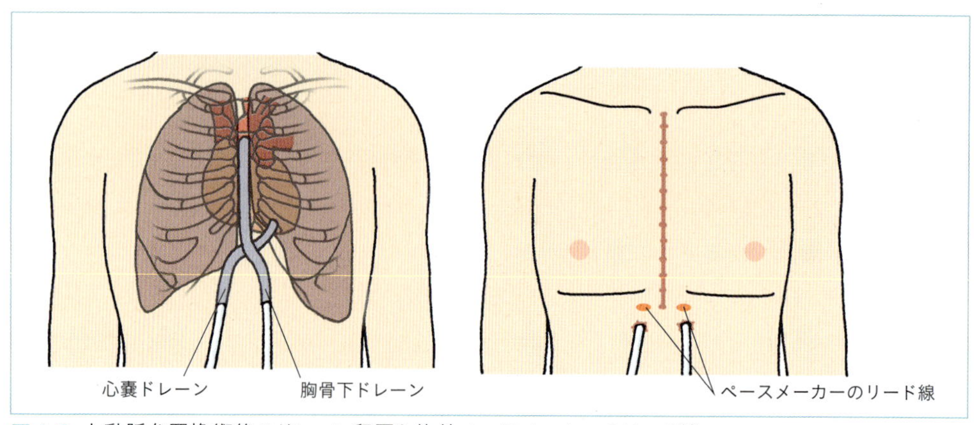

図4-6 大動脈弁置換術後のドレーン留置と体外ペースメーカーのリード線

により，急激な血圧上昇を避ける。

❷低心拍出量症候群，うっ血性心不全

大動脈弁狭窄症の術後では，心拍出量規定因子のうち心拍数や前負荷の低下によって，**低心拍出量症候群**に移行しやすい。そのため，心拍数，前負荷つまり流入血液量を十分に確保する。

心拍数の管理において，徐脈によって心拍出量が維持できない場合には，術中に留置しているペーシングリードに体外式ペースメーカーを接続し，一定以上に心拍数を維持する。心電図の注意深いモニタリングによって，設定された心拍数が維持できているか，ペーシング不全や自己心拍のセンシング不全はないか，自己心拍の頻度・変化を観察する。

前負荷の管理においては，術直後から起こる手術侵襲に対する神経・内分泌系の生体反応や輸液量，出血量が関係する。特に術後，血管内水分が血管外に移行する時期においては，同時に出血量の多い時期とも重なり，循環血液量減少によって心拍出量が低下しやすい。そのため，十分な輸液によって肺動脈楔入圧(せつにゅうあつ)15mmHgを目標として前負荷を維持する。ただし，過剰な輸液や血管外に移行していた水分が再び血管内に戻り始めると，急激に前負荷が増え，左室が拍出しきれずに**うっ血性心不全**を呈する場合がある。そのため，心係数や混合静脈血酸素飽和度，CVP，肺動脈楔入圧，血圧，尿量，末梢循環（脈の触知，皮膚の冷感や温かさ），皮膚の湿潤など継続的なモニタリング，および輸液，輸血，アルブミンなどの血液製剤，利尿薬など指示薬剤の確実な投与・厳重な流量調節を行う。

❸不整脈

不整脈の早期発見には，心電図の注意深いモニタリングが欠かせない。血管内脱水や電解質異常では不整脈が出現しやすいため，モニタリングと併せて，水分出納(すいとう)バランス，電解質の変化についても観察する。徐脈性不整脈では，ペースメーカーによって心拍数を維持する。また，頻脈，心房細動などのリズム不整では，心室が十分に血液充満しないまま収縮するため，1回拍出量は低下し，心臓の仕事量も増大するため，抗不整脈薬の使用や電気的除細動を行う場合がある。心房性期外収縮の出現から，徐々にその頻度が増え，心房細動に移行する場合や，心室性の場合には期外収縮から致死性不整脈に移行する場合もあることから，早めに報告し，対処を行う。

❹脳合併症

瞳孔，対光反射，麻痺や不随意運動の出現，麻酔覚醒遅延，意識状態などを慎重に観察し，鎮静薬などの薬剤の影響と併せてアセスメントする。

6. 回復過程における支援

心臓手術後の看護における重要な要素として，心臓リハビリテーションの支援がある。術後の過剰な安静臥床を避け，筋力低下や合併症の発症を予防するためにも，循環動態を評価しながら早期に離床を図り，日常生活への復帰を目指す。また，退院後の生活や心不全の急性増悪予防に向けた教育的支援も，心臓リハビリテーションの一環である。

1 退院後に注意すべき合併症

❶心不全の予防

大動脈弁狭窄症の術後の患者では，左心室肥大の影響から術後も心不全の予防が必要である。運動療法，食事療法（塩分・水分の管理），薬物療法の継続とともに，血圧や体重，心不全症状のセルフモニタリングが重要であることを説明し，退院後の生活に組み込めるように調整する。術後にはワルファリンカリウムによる抗凝固療法が必要であり，ビタミンK摂取制限，歯科的処置やほかの外科手術時の対処についての説明も行う。また，AVR後の感染性心内膜炎のリスクの観点から，口腔内衛生のための教育も実施する。

❷感染性心内膜炎の予防

AVR後の患者や心内膜炎の既往のある患者が自ら感染性心内膜炎を起こしやすいことを認識し，予防のための行動と発熱時の対処を身に付けられるよう，次の内容を説明する。

- 定期的に歯科を受診して，う歯や歯槽膿漏（しそうのうろう）を放置しない。
- 歯磨きや歯茎のケアを怠らないようにし，口腔内を清潔に保つ。
- 抜歯や歯槽膿漏の切開などを行う場合，必ず歯科医師に感染性心内膜炎になりやすい心臓病があることを伝え，適切な予防処置を受ける。
- 手術や処置を受ける前に，医師に感染性心内膜炎になりやすいことを伝える。
- 高熱が出て，原因が特定できない場合や速やかに解熱（げねつ）しない場合は，循環器内科の主治医に相談する。

2 運動療法の支援

心臓リハビリテーションは，心臓外科手術後の離床開始基準（表4-6）がクリアされている場合に，端座位，起立，足踏み運動から開始される。離床開始後は，胸痛や息切れ，めまい，ふらつき，冷汗，顔面蒼白などの症状や，呼吸数，心電図変化，血圧，心拍数などを継続して観察，アセスメントし，段階的に歩行距離を延長する。リハビリテーションの実施に際しては，夜間睡眠の状況や疲労の程度，疼痛の程度に合わせて時間を調整する。

表4-6 心臓手術後の離床開始基準

以下の内容が否定されれば離床を開始できる

❶低心拍出量症候群（low output syndrome；LOS）により
①人工呼吸器，大動脈内バルーンパンピング装置，経皮的心肺補助装置などの生命維持装置が装着されている
②ノルアドレナリンなどのカテコラミン製剤が大量に投与されている
③カテコラミン製剤の投与下で収縮期血圧が 80～90mmHg 以下
④四肢冷感，チアノーゼを認める
⑤代謝性アシドーシスを認める
⑥尿量 0.5～1.0mL/kg/時間以下が 2 時間以上続いている
❷スワン - ガンツカテーテルが挿入されている
❸安静時心拍数が 120/分以上
❹血圧が不安定（体位交換だけで血圧が下がる）
❺血行動態の安定しない不整脈（新たに発生した心房細動，Lown Ⅳ b 以上の心室期外収縮）
❻安静時の呼吸困難や頻呼吸（呼吸回数 30/分未満）
❼術後出血傾向が続いている

出典／日本循環器学会，他：心血管疾患におけるリハビリテーションに関するガイドライン（2021 年改訂版），p.50，表 39．より引用，https://www.j-circ.or.jp/cms/wp-content/uploads/2021/03/JCS2021_Makita.pdf（最終アクセス日：2021/8/20）

特に術後の疼痛は，胸骨正中切開部やドレーンの挿入部でみられることが多い。薬剤の使用などによる積極的な疼痛コントロールや起き上がりの介助などによって，疼痛がリハビリテーションの妨げとならないようにする。また，心臓手術後の急性期には，各種医療機器やモニター，ドレーンや点滴など重要なルートが多く存在する。周辺環境の整備や各種ルートの管理，ほかのスタッフへのリハビリテーション開始の周知，緊急時に備えた人員確保によって，安全に配慮した人的・物的環境を整える。

患者が獲得し，継続しなければならない療養行動は多岐にわたる。無理なく療養生活を継続していけるように，術後急性期の早い段階から回復期・維持期にわたり，特定の職種に限定せず多職種で患者をサポートする。

B 感染性心内膜炎

1. 疾患の概要

1. 概念・定義

感染性心内膜炎（infective endocarditis；IE）は，感染により心内膜に菌が定着，増殖し，疣腫（ゆうしゅ）（疣贅（ゆうぜい））を形成して，**菌血症**，心臓の機能不全，全身性塞栓症を引き起こす疾患である。

2. 誘因・原因

逆流性の弁膜症や AVR 後など基礎心疾患があり，抜歯処置や各種外科的処置，観血的カテーテル操作などを契機とした菌血症から発症することが多いが，なかには基礎心疾患がなく発症する症例も存在する。

原因菌には緑色レンサ球菌，黄色ブドウ球菌，腸球菌などがあるが，非細菌性のものもある。

3. 病態生理

弁逆流ジェットなどにより心内膜の損傷部位に血液中に侵入した菌が付着すると，弁や周囲組織を破壊することによって，弁閉鎖不全の進行による心臓の機能不全，さらに疣腫の一部がはがれ，血流に乗って全身性塞栓症や膿瘍を引き起こす。

4. 症状・臨床所見

代表的な症状を表4-7に示す。

5. 検査・診断・分類

血液培養で原因菌の同定を行い，心エコー検査で弁周囲の疣腫，膿瘍，弁破壊の程度を観察する。

6. 治療

- **内科的治療**：感染性心内膜炎の治療では，疣腫内の病原微生物を死滅させなければならない。そのため，十分な抗菌薬の血中濃度が必要であり，高用量の抗菌薬を長期にわたって投与する。心不全や塞栓症に対する治療も並行して行う。
- **外科的治療**：弁尖が高度に破壊されて心不全を合併した場合は，早期に外科手術が必要となる。また，抗菌薬に抵抗を示す炎症反応や塞栓症を繰り返す場合にも手術が適応となる。

表4-7 感染性心内膜炎の症状

菌血症に伴う症状	心臓の機能不全に伴う症状
発熱（弛張熱（しちょうねつ）），全身倦怠感，食欲不振，関節痛，筋肉痛	うっ血性心不全症状，心雑音，房室ブロック，脚ブロック

心臓外の合併症（全身性塞栓症など）に伴う症状	
脳塞栓症（そくせんしょう）（脳梗塞（こうそく）のほか，一過性脳虚血発作，出血性脳梗塞） クモ膜下出血（感染性脳動脈瘤破裂） 脳膿瘍 髄膜炎	意識障害，頭痛，痙攣（けいれん），嘔吐，麻痺，言語障害 （これらの症状が感染性心内膜炎の初発症状となることもある）
脾梗塞 脾膿瘍	左側腹部痛，背部痛，左上腹部痛ショック（脾破裂の場合）
腎梗塞	側腹部痛，血尿，腎機能障害
肺梗塞（三尖弁，肺動脈弁，右室流出路などの障害によって生じる）	呼吸困難 胸痛
四肢末梢動脈塞栓	四肢痛，四肢虚血
微小血管塞栓	眼瞼結膜，頬部粘膜，四肢の点状出血 爪下線状出血 オスラー（Osler）結節（指頭部にみられる紫色または赤色の有痛性皮下結節） ジェーンウェー（Janeway）結節（手掌と足底の無痛性小発赤斑） ロス（Roth）斑（眼底の出血性梗塞で中心部が白色）
心筋梗塞	胸痛
腸間膜動脈塞栓	腹痛，イレウス，血便

2. 看護目標

- 弁破壊による心不全の進行・塞栓症の症状を自覚した際には看護師に伝えることができる。
- 確実な抗菌薬治療により感染に伴う諸症状が緩和される。
- 長期間にわたる抗菌薬治療の必要性，再発リスクと予防について理解できる。

III 末梢動脈疾患

血液は酸素や栄養を全身の臓器に供給するために全身を循環しており，動脈が血液の供給，静脈・リンパ管が還流をそれぞれ担っている。その動脈が様々な原因によって狭窄・閉塞することにより，灌流している臓器に酸素や栄養が十分供給されず，臓器の機能や組織に障害が生じることとなる。そのなかで，四肢の末梢動脈に循環障害をきたす疾患は**末梢動脈疾患**（peripheral arterial disease；PAD）と総称されており，末梢動脈が拡張し，塞栓源や破裂の原因となる末梢動脈瘤（peripheral arterial aneurysm）や，末梢動脈の狭窄・閉塞により循環障害をきたす疾患である**末梢閉塞性動脈疾患**（peripheral arterial occlusive diseases；**PAOD**）などが含まれている。慢性のPAODのなかで最も頻度の高い疾患が，動脈硬化により末梢動脈が狭窄・閉塞する**閉塞性動脈硬化症**（arteriosclerosis obliterans；ASO）である。そのほかに，ASO以外の病態（**非閉塞性動脈硬化症**，**非**ASO）である，高安(たかやす)動脈炎やバージャー（Buerger）病，膝窩(しっか)動脈捕捉症候群などがあげられる（図4-7）。また，血栓などにより，急性に動脈が閉塞する急性動脈閉塞症などもあげられる。

Column 感染性心内膜炎の周術期看護

感染性心内膜炎に対する手術は，組織破壊や感染巣の拡大の程度に応じて，弁置換術，弁形成術，弁輪周囲の再建術が行われる。周術期に特に注意を要する点は，脳塞栓症や感染性脳動脈瘤破裂といった脳合併症の悪化または新たな発生があること，弁周囲逆流の発生率が高いこと，またその原因の一つとして感染が遷延する場合があることである。そのため，感染性心内膜炎によって起こる種々の症状の観察は，術前に限らず術後においても引き続き必要となる。これらのリスクを回避するため，術前から術後にかけて長期間（術後4週間，術前の感染巣の状況や手術結果によっては6～8週間）にわたって抗菌薬を投与する。

高用量で長期の抗菌薬治療においては，腎機能障害，薬疹，血球減少などのほか，アミノグリコシド系薬剤を投与する場合には副作用として第8脳神経障害があり，難聴，耳鳴(じめい)，めまいなどの症状出現にも注意して観察する。また，一定の血中濃度を維持するために，指示に沿った抗菌薬の確実な投与（1日に複数回，一定の時間間隔）は必須であり，投与時間と患者の予定（リハビリテーションや食事，シャワーなどの生活時間）をあらかじめ調整しておく。感染や手術侵襲(しんしゅう)からくる身体症状が改善したのちにも入院加療を要するため，患者のストレスが増大しやすく，治療の必要性や再発のリスクと予防について正しく理解して治療に臨むことができるように説明し，また，ストレスを軽減できるように支援する。

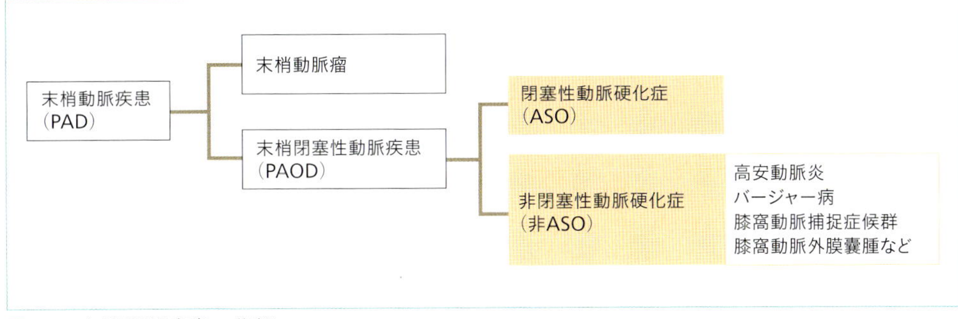

図4-7 末梢動脈疾患の分類

1. 疾患の概要

1 閉塞性動脈硬化症(ASO)

1. 概念・定義

ASOは粥状動脈硬化により四肢の末梢動脈が狭窄・閉塞し，慢性の循環障害をきたしている状態である。主に下肢の末梢循環障害であり，生活習慣病との関連性が極めて高い。

2. 誘因・原因

主な危険因子としては，高血圧，糖尿病，脂質異常症，喫煙などがあげられており，食生活の欧米化や人口構成の高齢化により，患者数は増加傾向にある。

3. 病態生理

動脈硬化は上肢と比べ下肢のほうに強く起こり，脳動脈，頸動脈，冠動脈など，ほかの全身の動脈にも合併して生じることが知られている。ASOでは，下肢とともに脳梗塞などの脳血管障害，狭心症や心筋梗塞などの虚血性心疾患，腎障害など全身臓器の循環障害を合併することが多い。そのため，ASOは全身の動脈硬化性血管病変の一部分症としてとらえられている。分類としては，国際的ガイドラインであるTASC-Ⅱ(Trans Atlantic Inter-Society Consensus Ⅱ)分類が用いられている(表4-8)。

4. 症状・臨床所見

ASOの典型的症状は，下肢動脈の拍動低下，下肢の冷感・色調不良(蒼白，チアノーゼ)，下肢の創傷の治癒遅延，間欠性跛行などがある。臨床分類としてはフォンテイン(Fontaine)分類やラザフォード(Rutherford)分類などがある(表4-9)。間欠性跛行は約30％の患者に認められる。間欠性跛行とは，運動することにより下肢の疼痛，倦怠感，こむら返りなどの筋肉の虚血症状が出現し，歩行困難となるが，約10分程度の休憩により，症状が軽減または消失するものと定義されている。症状出現部位は責任血管により異なるが，腓腹部に限局していることが多い。また，重症虚血がある場合においては末梢組織の潰瘍形成・壊疽を呈し，時には下肢切断などの対応が必要となる。

5. 検査・診断・分類

末梢(下肢)動脈疾患の基本的診察法は，動脈拍動の触知である。下肢動脈で触知が可能な部位は，大腿動脈，膝窩動脈，後脛骨動脈，足背動脈である。まず，これらの動脈が触知可能かどうか，左右差の有無を確認することにより，病変部位の特定はある程度可能である。しかし，足背動脈は低形成や走行異常などにより，約10％の頻度で触知できない可能性があり，注意が必要である。また，触知が困難である場合は，ドプラ血流計を使用し，血流の評価を行う。

診断に際して実施する検査には，主に足関節上腕血圧比(ankle-brachial pressure index；ABI)，血管エコー検査，CT，MRA，運動負荷試験，血管造影検査などがある(表4-10)。

6. 治療

無症候性ASO患者に対しては生活習慣の改善をはじめ，動脈硬化危険因子（高血圧，糖尿病，脂質異常症など）の管理・治療やフットケアを行い，動脈硬化症の発症予防と進行抑制が重要となる（表4-11）。また，患者教育を行うことが必要である。間欠性跛行を有する患者の場合，無症候性ASO患者に対する治療に加え，抗血小板薬や血管拡張薬などによる薬物療法や運動療法を行う。ASOに対する運動療法は，最大歩行距離の延長と症状の改善に有効であるとする多数の根拠が示されている。特に監視下運動療法は，在宅運動療法に比べ有意な最大歩行距離の延長が認められており，積極的に推奨されている。運動療法の偶発症として最も注意すべきことは，靴擦れなどによる潰瘍形成である。新しい靴や，足に合わない靴の使用を避け，履きなれた靴を使用するよう説明することが重要である。

重症下肢虚血を有する患者に対しては下肢を温存することを目的として血行再建術を行い，

表4-8 大動脈腸骨動脈病変のTASC分類（TASC IIより）の例

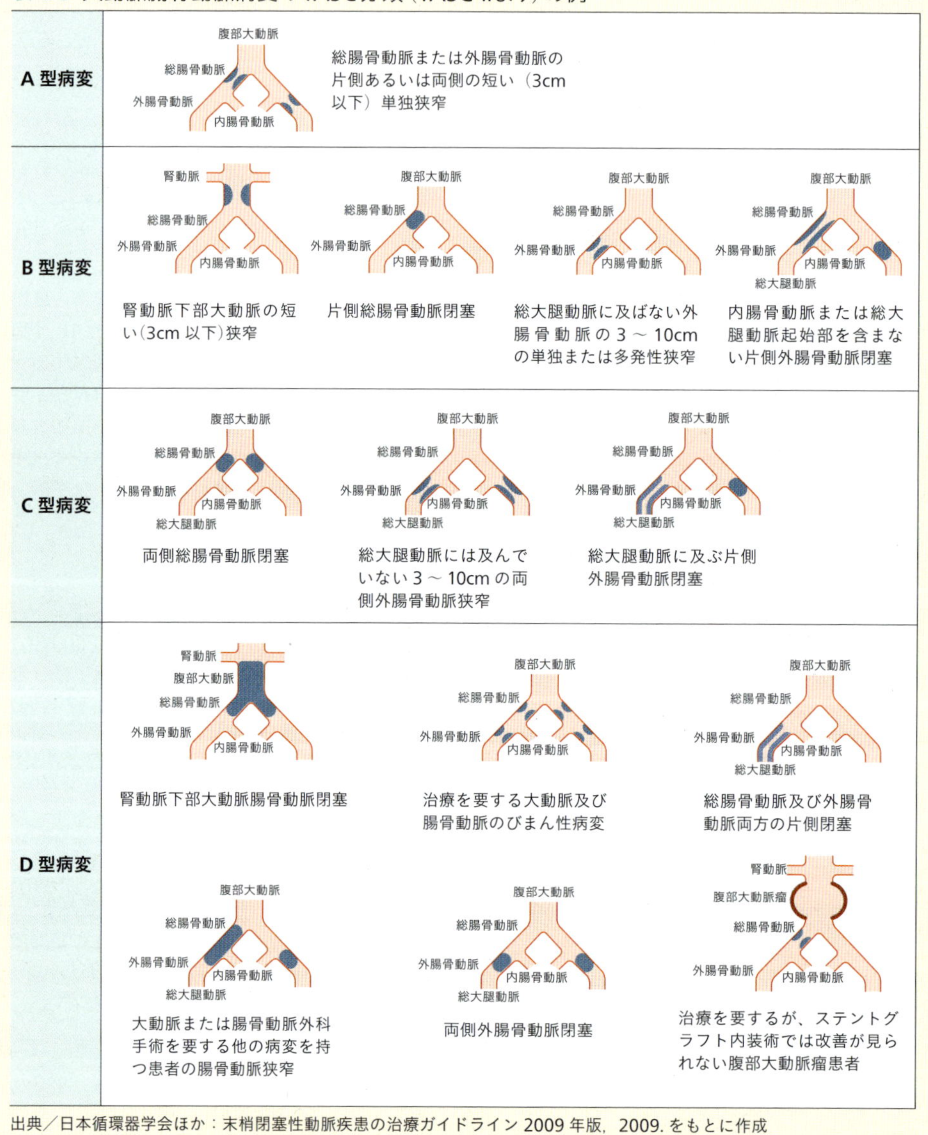

A型病変	総腸骨動脈または外腸骨動脈の片側あるいは両側の短い（3cm以下）単独狭窄
B型病変	腎動脈下部大動脈の短い（3cm以下）狭窄
	片側総腸骨動脈閉塞
	総大腿動脈に及ばない外腸骨動脈の3～10cmの単独または多発性狭窄
	内腸骨動脈または総大腿動脈起始部を含まない片側外腸骨動脈閉塞
C型病変	両側総腸骨動脈閉塞
	総大腿動脈には及んでいない3～10cmの両側外腸骨動脈狭窄
	総大腿動脈に及ぶ片側外腸骨動脈閉塞
D型病変	腎動脈下部大動脈腸骨動脈閉塞
	治療を要する大動脈及び腸骨動脈のびまん性病変
	総腸骨動脈及び外腸骨動脈両方の片側閉塞
	大動脈または腸骨動脈外科手術を要する他の病変を持つ患者の腸骨動脈狭窄
	両側外腸骨動脈閉塞
	治療を要するが，ステントグラフト内装術では改善が見られない腹部大動脈瘤患者

出典／日本循環器学会ほか：末梢閉塞性動脈疾患の治療ガイドライン2009年版，2009.をもとに作成

下肢血流の改善を最優先とする。また，補助療法として，LDLアフェレシス・高気圧酸素療法などを導入し集学的治療を行う。

7. 予後

ASOは全身の動脈硬化症の一部分症であり，脳血管疾患・冠動脈疾患・腎障害などを合併していることが多く，生命予後は不良である。

表4-9 ASOの臨床分類

フォンテイン分類	ラザフォード分類			
重症度	重症度	細分類	臨床所見	客観的基準
I	0	0	無症状ー有意な閉塞性病変なし	運動負荷試験は正常
Ⅱa	I	1	軽度の間欠性跛行	運動負荷試験は可能；負荷後APは50mmHg未満で血圧より25mmHg以上低下
Ⅱb		2	中等度の間欠性跛行	細分類1と3の間
		3	重度の間欠性跛行	運動負荷試験は終了できず。負荷後APは50mmHg未満
Ⅲ	Ⅱ	4	安静時痛	安静時APは40mmHg未満。足関節部や足背部でPVRはほとんど平坦。TPは30mmHg未満
Ⅳ	Ⅲ	5	小範囲の組織欠損ー足部全体の虚血に難治性潰瘍，限局性壊死を伴う	安静時APは60mmHg未満。足関節部や足背部でPVRはほとんど平坦。TPは40mmHg未満
		6	広範囲の組織欠損ー中足骨部に及び足部の機能回復は望めない	細分類5と同様

AP：足関節圧，PVR：pulse volume recording，TP：趾動脈圧，運動負荷試験：12％の勾配で毎時2マイルの速さで5分間歩く。

出典／日本血栓止血学会用語集：慢性閉塞性動脈硬化症（ASO）より引用，https://www.jsth.org/glossary_detail/?id=318（最終アクセス日：2021/10/6）

表4-10 末梢（下肢）動脈疾患の診断に用いる主な検査

検査名	概要	メリット	デメリット
ABI	ABI＝足関節収縮期血圧/上腕収縮期血圧 標準値：1.0～1.4 1.4以上：動脈の高度石灰化の存在が疑われる 0.91～0.99：ボーダーライン 0.9以下：軽度下肢動脈病変 0.6以下：中等度 0.3以下：重症	• 無侵襲検査である	• 糖尿病や慢性腎不全患者の場合，動脈硬化性変化が顕著であり，足関節血圧が偽上昇する場合がある（ABI≧1.4）
血管エコー検査	血管の狭窄や閉塞などの解剖学的情報だけでなく，狭窄部を通過する血液速度などの血行動態的情報や病変部のプラークの組織性状情報を得ることができる。	• 無侵襲検査である	• 検査実施者により，技術にばらつきがある
近赤外分光法	近赤外光のもつ優れた組織透過性を利用し，組織内のオキシヘモグロビンとデオキシヘモグロビンの形而的変化を測定する。 間欠性跛行の重症度評価あるいは治療効果の判定に用いられている。	• 無侵襲検査である • 簡便かつ連続的に直接モニタリングすることができる	• 定量化（数値化すること）には解決すべき問題がある
CT	マルチスライスCT（multi-detector row CT：MDCT）を用いることにより，下肢全体を一度に検査することが可能である。	• 検査時間が短い • 空間分解能が高い • 骨などの周辺組織との判別が容易である	• 放射線被曝がある • ヨード造影剤を使用する • 石灰化病変部の診断が困難である • ステント留置部の診断が困難である
MRA	MRIによる下肢動脈の撮影は，造影剤を使用した磁気共鳴血管造影（magnetic resonance angiography：MRA）により，広範囲の血管の描出が可能である。	• 放射線被曝がない • 石灰化に影響されにくい	• 検査時間が長い • MRI非対応のペースメーカーなど体内留置物がある場合は実施できない • ステント留置部の診断が困難である • 造影剤使用時，NSFの危険性がある
運動負荷試験	足踏み負荷試験，爪先立ち試験，トレッドミル歩行負荷試験など。トレッドミル歩行負荷試験が推奨されている。（速度2.4km/時間，勾配12%，負荷時間5分の固定負荷で実施）	• 負荷前後のABIの変化を比較できる • 負荷中の跛行の出現時期，跛行の程度の評価ができる • 最大歩行距離の算出などが可能である	• 負荷前の下肢症状により実施できない場合がある
血管造影検査	血管エコー検査の簡便性，CT・MRAの画像描出能の向上により，侵襲的である血管造影検査が診断のみを目的として実施されることは減少している。	• 血管内の圧較差を算出できる • 微細な側副血行路の状態を知ることができる	• 放射線被曝がある • ヨード造影剤を使用する

表4-11 臨床症状による治療法選択

無症候性ASO患者	• 生活習慣の改善を含めた動脈硬化疾患の発症予防と進行抑制
間欠性跛行を有する患者	• 生活習慣の改善を含めた動脈硬化疾患の発症予防と進行抑制 • 監視下運動療法 • 薬物療法（抗血小板薬投与） • 運動療法や薬物療法による間欠性跛行の改善が不十分である場合，もしくは不十分であると予測される場合は血行再建を考慮する
重症下肢虚血を有する患者	• 救肢のために，技術的に可能であれば血行再建を行う • 歩行可能な状態であっても，体重負荷のかかる下肢の深刻な壊死，治療不可能な関節拘縮，下肢の不全麻痺，血行再建不能な難治性安静時疼痛，敗血症患者，併存症のため余命が短いと推定される患者に対しては下肢切断を考慮する • 血行再建が不可能である場合はプロスタノイド治療を考慮する • 補助療法 　• LDLアフェレシス（血中LDLコレステロールやフィブリノゲンの除去による微小循環障害の改善など） 　• 高気圧酸素療法（主に糖尿病性下肢病変を対象としているが，重症化し虚血においても重症感染症・骨髄炎に対して効果が期待できる） 　• 血管新生療法（保険適用外，先進医療として末梢血幹細胞移植が登録施設で実施されている） 　• 脊髄電気刺激法（難治性疼痛に対して保険適用があるが，潰瘍治癒に対する効果は示されていない） 　• 和温療法（遠赤外線鑑識サウナ浴を利用した治療法。ASO患者において血管内皮前駆細胞であるCD34陽性細胞が末梢血中に誘導されることが示されている）

出典／日本循環器学会，他：末梢閉塞性動脈疾患の治療ガイドライン（2015年改訂版）．をもとに作成．https://www.j-circ.or.jp/old/guideline/pdf/JCS2015_miyata_h.pdf（最終アクセス日：2021/10/6）

2 非閉塞性動脈硬化症（非ASO）

❶高安動脈炎

高安動脈炎は，大動脈およびその主要分枝や肺動脈，冠動脈に閉塞性，あるいは拡張性病変をきたす原因不明の非特異的大型血管炎である。橈骨動脈脈拍の消失がよくみられるため，脈なし病ともよばれている。発症の機序は不明であり，ウイルスなどの感染が発症の原因となっている可能性がある。男女比は1：8と女性に多く，発症のピークは女性で20歳前後であるが，中高年での発症例もまれではない。高安動脈炎は，大動脈弓周囲に血管病変を生じることが多い。また，下肢血管病変は，腹部大動脈や総腸骨動脈などの狭窄により生じる。腹部血管病変も認められ，間欠性跛行などの下肢乏血症状を呈する。

❷バージャー病

バージャー病は閉塞性血栓血管炎（thromboangiitis obliterans；TAO）ともよばれ，四肢の主幹動脈に閉塞性の血管全層炎をきたす疾患である。特に下肢動脈に好発し，虚血症状として間欠性跛行や安静時疼痛，虚血性皮膚潰瘍，壊疽をきたす。しばしば表在静脈にも炎症をきたし（遊走性静脈炎），まれに大動脈や内臓動静脈にも病変をきたすことがある。原因は不明であるが，発症には喫煙が強く関与しており，喫煙による血管攣縮が誘因になると考えられている。最近の疫学調査では患者の93%に明らかな喫煙歴を認め，受動喫煙を含めるとほぼ全例が喫煙と関係があると考えられるが，発症の機序は不明である。

❸膝窩動脈捕捉症候群

腓腹筋の付着異常や異常筋・線維束などにより，膝窩動脈が捕捉あるいは圧迫される疾患である。捕捉の繰り返しによって膝窩動脈の内皮障害を生じ，最終的に閉塞，下肢の虚血性障害を引き起こす。

❹膝窩動脈外膜囊腫

外膜囊腫(のうしゅ)とは，動脈外膜の粘液変性により外膜と中膜間にコロイド様物質が貯留し，動脈内腔の狭窄もしくは閉塞をきたし，下肢の虚血症状を呈する病態である。膝窩動脈に好発し，間欠性跛行を主訴とする。

❺急性動脈閉塞症

急性動脈閉塞症は，迅速な診断および適切な治療法を選択しない場合，肢壊死や虚血再灌流障害（myonephropathic metabolic syndrome；MNMS）を併発し，多臓器障害により死に至る可能性がある重篤な疾患である。多くの症例において全身疾患があり，特に心血管疾患・脳血管疾患を併存する頻度が高い。90% 前後が心原性，約 10% がアテロームなど大動脈壁の血栓による塞栓症となっている。

2. 術式・術後合併症の概要

1 ASO に対する治療

現在，ASO に対しての外科的治療は，高齢化・高リスク症例の増加や血管内治療の進歩に伴い，急速に変化してきている。そのため，間欠性跛行が出現した時点で診断し，内服治療・運動療法を行い，症状が不変または悪化した場合には血行再建術として，血管内治療（カテーテル治療）や外科的治療（バイパス手術）を選択している。治療の選択としては，ASO 治療の国際的ガイドラインである TASC-Ⅱ分類（表 4-8 参照）に基づき判断されている。

❶血管内治療（endovascular treatment；EVT）

従来のバルーン拡張術に加え，ステント留置術が発達し，カテーテル治療が選択される症例は増加傾向にある。また，外科的治療に比べからだに切開を加えず局所麻酔下で穿刺(せんし)し手技を行うことができるため，全身麻酔を要さず全身にかかる侵襲(しんしゅう)が少ないことが利点である。

大動脈-腸骨動脈病変 TASC-Ⅱ分類による A 型や B 型病変では，第 1 選択の治療法となっている。また，C 型や D 型の一部病変に対してもカテーテル治療は可能となってきている。

大腿動脈-膝窩動脈病変では A 型・B 型の病変長 15cm 以下で狭窄，閉塞との複合病変に対してはカテーテル治療の適応とされている。C 型に対してもカテーテル治療は可能であるが，遠隔期の開存が不良であり，全身状態が不良である重症虚血肢にのみ実施するべきであるとされている。

合併症として，血管穿孔や末梢塞栓症などがあげられ，遠隔期の合併症としては，再狭窄や血栓塞栓症に伴う急性下肢虚血やステント離断などがあげられる。

❷外科的治療

現在，腹部大動脈-腸骨動脈病変では TASC-Ⅱ分類の D 型に対しては外科的治療を実施するとともに，C型に対しても外科的治療が推奨されている。しかし，先述のとおり，血管内治療の発達とともに，遠隔期の開存率が上昇し，外科的治療の適応は少なくなってきている。ただし，遠位側病変が総大腿動脈にまで及ぶ症例ではステント遠位端が屈曲することがあるため，総大腿動脈領域の血栓内膜摘除術とともに腸骨動脈領域へのステント治療を行うハイブリッド手術が選択される。

下肢動脈閉塞に対する血行再建術としては，腸骨動脈領域の閉塞に対して，大動脈-両

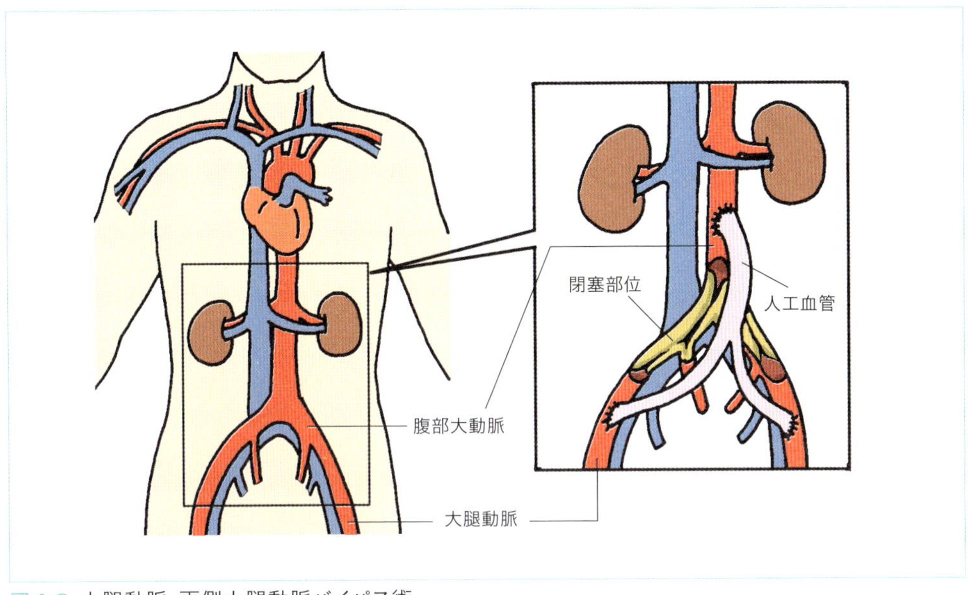

図4-8 大腿動脈-両側大腿動脈バイパス術

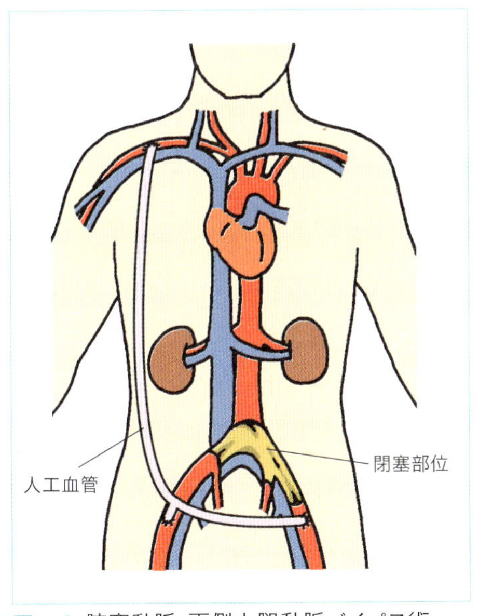

図4-9 腋窩動脈-両側大腿動脈バイパス術

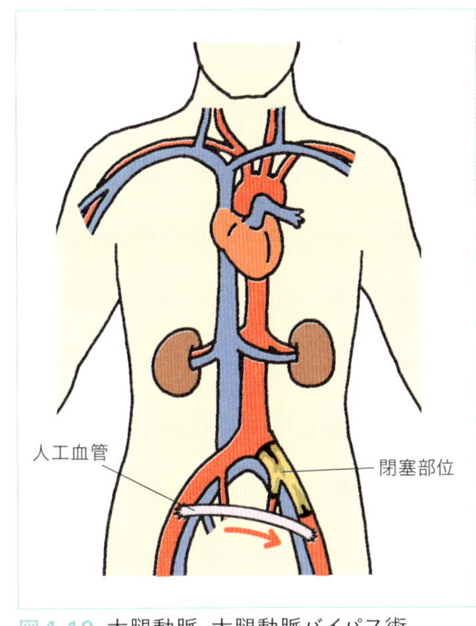

図4-10 大腿動脈-大腿動脈バイパス術

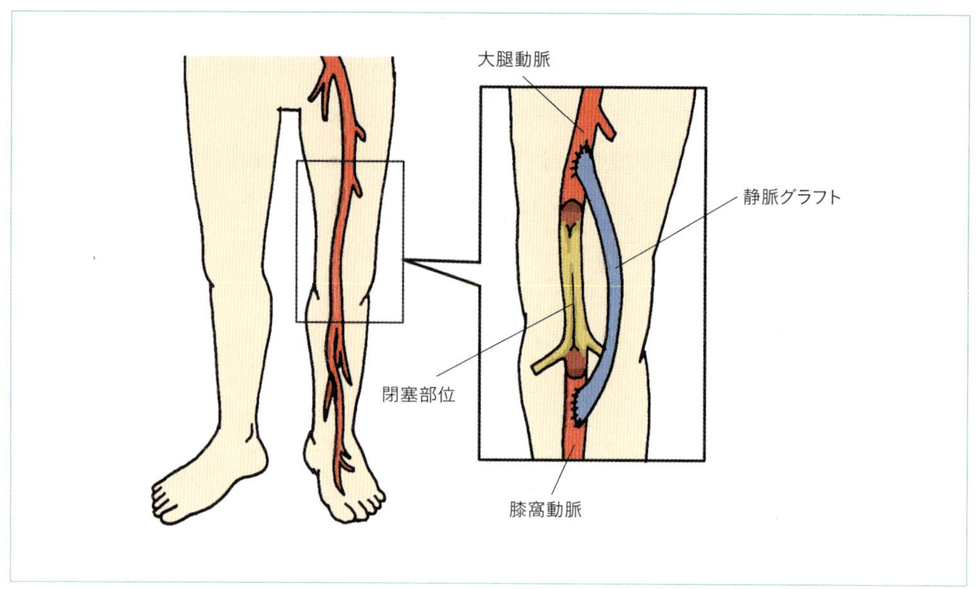

図4-11　大腿動脈-膝窩動脈バイパス術

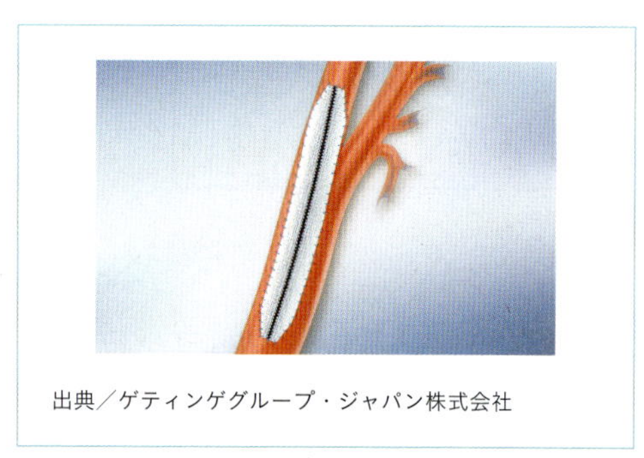

図4-12　パッチ形成術（Getinge）

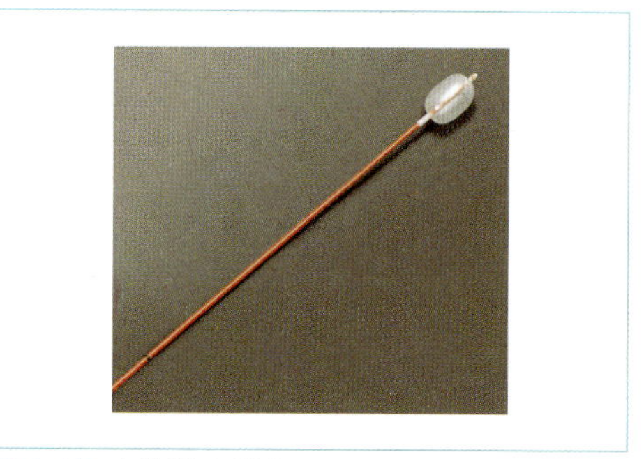

図4-13　血栓除去用カテーテル

側大腿動脈バイパス術（aorto-bifemoral bypass）（図4-8）や腋窩動脈-両側大腿動脈バイパス術（axillo-bifemoral bypass）（図4-9）などを行う。また，片側腸骨動脈閉塞に対しては総腸骨動脈-大腿動脈バイパス術や大腿動脈-大腿動脈バイパス術（femoral-femoral bypass；F-F bypass）（図4-10）を行う。大腿動脈から膝窩（しっか）動脈の病変に対しては，自家静脈を用いた大腿動脈-膝窩動脈バイパス術（femoral-popliteal bypass；F-P bypass）（図4-11）や，狭小化した大腿動脈の血栓内膜摘除後にパッチで拡大するパッチ形成術（図4-12）を行う。

合併症として，創部感染がみられる。特に人工血管使用症例では人工血管感染が主な合併症としてあげられる。リンパ瘻が原因となる場合や，足部に感染創がありリンパ行性（こうせい）に細菌感染する場合がある。特に，MRSA（メチシリン耐性黄色ブドウ球菌）感染では吻合（ふんごう）部が感染により破綻し，突然出血をきたす場合があるため，早期に再手術をすることが必要となる。MRSA以外の場合においても，保存的治療で治癒する可能性が低く，一定期間の保存的治療で治癒しない場合，グラフトを除去し再度血行再建術を実施する。

2 急性動脈閉塞に対する手術

❶外科的治療

急性動脈閉塞においては，大腿動脈を切開し，血栓除去用カテーテル（図4-13）を末梢動脈まで挿入し，先端のバルーンを膨らませカテーテルを引き抜き，血栓を除去する血栓除去術を行う。血管造影装置を備えた手術室（ハイブリッド手術室）ではオーバーザワイヤー血栓除去カテーテルを用い，血管造影を行いながら血栓除去を行うことができる。

主な合併症は創部感染や残存血栓などによる動脈の再閉塞があげられる。

❷カテーテル血栓溶解療法（catheter-directed venous thrombolysis ; CDT）

多孔式カテーテルを血栓内に留置し，最初の4時間でウロキナーゼ24万単位を動脈内に注射し，造影検査の結果によって適宜追加する。手術に比べ治療に時間を要するため，虚血時間に余裕がある場合に選択する。

❸経皮的血栓吸引療法（percutaneous aspiration thrombectomy ; PAT）

血栓溶解療法だけでは時間がかかるため，カテーテルで血栓を吸引し残存血栓をウロキナーゼで溶解することで虚血時間を短縮することができる。

3. 看護目標

- 創部より末梢側の疼痛，色調変化，冷感，動脈触知ができないなど異常がある場合，看護師に伝えることができる。
- 禁煙の実施や高血圧症，糖尿病，脂質異常症などの既往疾患に対する管理を適切に行うことができる。
- 患肢のケアとして洗浄方法・保護方法を理解し，日常生活の中で受傷を予防できる。

4. 術前の看護

1 患者のアセスメント

術前の観察項目として，次のようなものがあげられる。

- 自覚症状（しびれ，冷感，熱感，疼痛など）の有無
- 足背動脈，膝窩動脈の触知・拍動の強さ・左右差
- 間欠性跛行の有無，症状の程度
- 足趾の潰瘍や壊死の状況・感染徴候
- そのほか微細な外傷の有無，外傷がある場合は治癒の程度
- 糖尿病神経障害の有無
- 足趾の形や爪の肥厚・変形の有無
- 白癬などの皮膚トラブルの有無
- 皮膚色調・皮膚温・皮膚状態の左右差の有無

2 手術に対する意思決定支援

虚血肢に壊疽（えそ）を合併している場合，血行再建術だけでなく，足趾切断術が必要となる場合がある。足趾切断はボディイメージの変化をきたすだけでなく，生活上の不安，社会復帰に対する不安など様々な精神的不安があり，うつなどの精神障害が発現する場合もある。そのため，術前からの精神的援助が必要となる。

3 手術オリエンテーション

❶禁煙指導

喫煙は，酸化ストレスを増加させ，血管攣縮（れんしゅく）や血栓形成を促進する作用を有している。また，ニコチンには気道内分泌物を増加させ，気管支を収縮させる作用があり，全身麻酔時の気管挿管などによる呼吸器合併症を誘発させる危険性がある。そのため，術前より禁煙指導を徹底する。必要時，禁煙外来などを利用することも考慮する。

❷服薬指導

血管拡張薬や抗血小板薬を内服している場合，内服薬を自己中断しないよう指導する。また，出血が予想される手術の場合，術前の一定期間抗凝固薬の内服を中止する場合がある。入院前に抗凝固薬の内服を中止する場合があるため，服薬指導は必須である。

4 手術に向けた準備

❶感染管理（創傷処置）

虚血肢の清潔を保ち，適度に保湿する。壊疽がある場合は，弱酸性石けんを用いて洗浄し，創部を清潔に保つことにより感染予防に努める。

❷疼痛管理

皮膚の保護，機械的･物理的刺激を回避する。また，下肢への血流を良好にするために，下肢を心臓より低く保つ体位の工夫（椅子（いす）に座る，ベッドの頭側を挙上する，立位と臥位を交互にするなど）や，保温を行う。疼痛が強い場合は鎮痛薬の使用を考慮する。

❸合併症の予防

糖尿病，高血圧，脂質異常症などの既往をコントロールすることにより，重症化や術後合併症を予防する。また，脳梗塞などの脳血管障害，狭心症や心筋梗塞などの虚血性心疾患，慢性腎虚血や腎硬化症などの腎障害，大動脈瘤，下肢血行障害などの合併疾患が多いため，定期的な検査や合併症の説明，看護を併せて行う。

5. 術後の看護

1 術後の観察と合併症の早期発見

観察項目は術前と同様であるが，併せて手術部位の観察，ケアが必要となる。

術後の主な合併症は，出血，感染，動脈閉塞などである。

重症下肢虚血患者の多くは糖尿病を有しており，また慢性腎不全による維持透析患者も非常に多いため，創部の治癒遅延，感染症に対する抵抗性の低下など手術部位感染に対する観察が重要となる。

❶出血

術後出血の主な原因としては，バイパス術を行った血管からの出血，手術部位周辺の毛細血管からの出血，凝固障害によるものなどがあげられる。出血により，創部の腫脹，創部からの血液の漏出がみられ，出血量が多い場合は出血性ショックをきたすこともある。出血性ショックになった場合，四肢冷感，冷汗（れいかん），意識障害などを引き起こす場合があるため，全身状態を十分に観察する必要がある。処置としては，再手術による止血，輸血などがある。凝固障害の原因としては，抗凝固薬の作用によるもの以外に，全身麻酔の影響による血管拡張作用を誘因とした体温低下により，血小板機能が低下し，凝固障害を引き起こす場合がある。そのため，術後から保温に努める。

❷感染

重症下肢虚血患者の多くは糖尿病を有しており，周術期における血糖コントロールは重要である。糖尿病･非糖尿病患者共に周術期は血糖値200mg/dL未満でコントロールする。術後，定期的に血糖値をチェックすることが望ましい。ただし，低血糖や血糖値の大きな変動には注意が必要である。

抗菌薬の投与やドレナージなど，一定期間の保存的治療で治癒しない場合，グラフトを除去し必要に応じて再度血行再建術を考慮する。

❸動脈閉塞

人工血管や自家静脈などのグラフトに対する衝撃・圧迫・屈曲，あるいは術後の不十分な抗凝固療法によって，血管内に血栓を生じ，動脈閉塞を起こす場合がある。そのため，術後も自覚症状（しびれ，冷感，熱感，疼痛など）の有無や，足背動脈，膝窩動脈の触知・拍動の強さ・左右差，色調の変化など，観察を入念に行う必要がある。血栓閉塞した場合には，血栓除去術や抗凝固療法の見直しが行われる。

6. 回復過程における支援

1 退院後に注意すべき合併症

術後合併症の一つである人工血管感染について指導し，発熱が持続する場合，創部の異常がみられる場合には速やかに受診するよう教育することが重要である。人工血管感染の原因として，感冒や手術創からの感染があげられるため，日常的な感染予防に加え，創部の日々の観察を行うよう説明する。

2 退院後の自己管理

人工血管や自家静脈を使用したバイパス術を受けた場合，人工血管や自家静脈などのグラフトに対して強い衝撃や圧迫や屈曲を避ける必要があることを十分に説明する必要がある。衣服などはゆったりした物を着用し，グラフトの圧迫を避ける。日常生活においても，膝関節や股関節が屈曲するあぐらや正座，グラフト留置部位に負担がかかる運動を制限する，洋式トイレを使用するなど指導する。

3 社会資源の活用

下肢動脈閉塞の治療は，主に外科的治療や内服治療による血流障害の解除である。加えて，血流障害の解除だけではなく，再発予防や虚血趾の悪化予防を念頭に置いたケアが必要となる。特にASOを発症した高齢者や糖尿病患者は末梢神経障害や視力低下などがあり，下肢に傷ができていても疼痛などの自覚症状がなく，発見が遅れることがある。そのため，血管外科，血管内科，皮膚科，形成外科，義肢装具士と協働し，治療にあたる**フットケア**が重要である。

❶皮膚科

皮膚科医師による治療は，主に爪のケアである。外傷性の爪甲剝離や老化，物理的圧迫により生じる厚硬爪は長年かけて爪が肥厚し，硬くなっており，爪の一部が皮膚に刺入(しにゅう)し傷をつくり，その傷が壊疽の原因となることがある。また，巻き爪は爪白癬などが誘因となり爪甲の側縁が彎曲(わんきょく)し，皮膚を傷つけることがある。そのため，厚硬爪や巻き爪の治療，日常生活における爪の手入れの指導を行い，虚血趾の保護を促す。

❷形成外科

形成外科医師の役割は，動脈閉塞性潰瘍に対する治療である。重症下肢虚血により形成された潰瘍は血流が乏しく，組織の修復は困難である。そのため，血流障害の程度を評価のうえ，デブリートメントを行う。

❸看護師

皮膚科医師や形成外科医師による処置ののち，創部の観察とともに，処置や指導を日々行っていくこととなる。潰瘍処置後では，ポビドンヨードシュガーやカデキソマーなどの吸湿性のある外用薬を使用し，適切に湿潤環境を整えることが重要となる。ドレッシング材の交換など脆弱である皮膚に対するケアを細心の注意を払って行うとともに，患者自身が日々のケアを確実に実施していけるよう指導していく。

また高齢患者や視覚障害がある患者，末梢神経障害がある患者においては下肢のケアが不十分であることに加え，受傷していることに気づかず潰瘍を形成している症例もあるため，患者本人だけではなく家族も含めた下肢の観察，環境整備について指導する。

❹義肢装具士

ASOを発症した高齢者や糖尿病患者は末梢神経障害や視力低下などがあり，下肢に傷ができていても疼痛などの自覚症状がなく，発見が遅れることがあるため，下肢の保護を目的に靴の履き方や靴ひもの結び方などを指導する。場合によっては患者の足に合わせた靴型装具（オーダーメイドシューズ）や，中敷を作製することを検討する。

参考文献

・日本循環器学会，他：弁膜症治療のガイドライン（2020年改訂版），https://www.j-circ.or.jp/cms/wp-content/uploads/2020/04/JCS2020_Izumi_Eishi.pdf（最終アクセス日：2021/8/20）
・日本循環器学会，他：感染性心内膜炎の予防と治療に関するガイドライン（2017年改訂版），https://www.j-circ.or.jp/cms/wp-content/uploads/2017/07/JCS2017_nakatani_h.pdf（最終アクセス日：2021/8/20）
・日本循環器学会，他：心血管疾患におけるリハビリテーションに関するガイドライン（2021年改訂版），https://www.j-circ.or.jp/cms/wp-content/uploads/2021/03/JCS2021_Makita.pdf（最終アクセス日：2021/8/20）
・Bojar, R.M. 著，天野篤監訳：心臓手術の周術期管理，メディカル・サイエンス・インターナショナル，2008.
・日本血管外科学会：下肢アテローム硬化性閉塞性動脈疾患に対する診療ガイドライン；無症候性病変および跛行例の管理，https://www.jstage.jst.go.jp/article/jsvs/24/Supplement/24_15-supplement/_pdf/-char/ja（最終アクセス日：2021/8/20）
・重松宏：PADの新しい診断治療ガイドライン；TASC Ⅱ，第7回臨床血圧脈波研究会特別講演，2007，http://www.arterial-stiffness.com/pdf/no12/032-036.pdf（最終アクセス日：2021/8/20）

第5章

消化器系の手術を受ける患者・家族の看護

この章では

- 食道がんの手術を受ける患者の周術期看護を理解する。
- 胃がんの手術を受ける患者の周術期看護を理解する。
- 大腸がんの手術を受ける患者の周術期看護を理解する。
- 膵臓がんの手術を受ける患者の周術期看護を理解する。

I 食道がん

1. 疾患の概要

1. 概念, 定義

食道がんは，食道に発生した上皮性悪性腫瘍で，日本では90％以上を**扁平上皮がん**が占める。50～70歳代の男性に多い。近年，バレット（Barrett）食道*から発生する腺がんが増加している。内分泌細胞腫瘍は，カルチノイド腫瘍と内分泌細胞がん（小細胞型，非小細胞型）に大別される。

2. 誘因・原因

食道がんの誘因として，飲酒，喫煙，熱い食物，バレット食道，食道アカラシアなどがある。扁平上皮がんは，飲酒と喫煙の両方を習慣としている場合，発生のリスクが高まる。食生活では，栄養状態の低下や，果物・野菜を摂取しないことによるビタミン欠乏も誘因となる。

BMIや喫煙が関与しており，食生活の欧米化や肥満の増加から，腺がんは，今後，増加すると考えられる。

3. 病態生理

食道粘膜に発生したがん細胞が増加し，食道粘膜への浸潤および内壁側の膨張により，食物の通過を阻害する。好発部位は胸部中部食道である。食道内にがんが多発していることが多く，咽頭や喉頭，胃などにも重複がんが存在する場合も多い。がんの浸潤が食道壁を越えると，周辺臓器（気管，気管支，肺，心臓，胃，大腸など）に転移する。遠隔転移によって，骨や肝臓，脳に転移する危険もある。

4. 症状・臨床所見

食道がんは，気管，肺，心臓，大動脈などの重要臓器と近接しているため，診断時の周辺臓器への浸潤（T4）は13.1％に認められる。初発症状は，狭窄（27.3％），嚥下困難（21.1％），胸痛（6.0％），胸部違和感（4.8％）と続き，無症状（22.0％）が多い。発生部位は，中部食道（48.7％），下部食道（26.0％），上部食道（13.4％）である。

進行するにつれて，嚥下（えんげ）障害やつかえ感，体重減少，前胸部痛などの症状が強くなる。また，がんの浸潤や圧迫により反回神経麻痺が起こり，嗄声（させい）などがみられる。進行した胸部上部・中部食道がんでは，合併症として食道気管瘻（ろう）や食道気管支瘻，大動脈穿孔がみられる場合がある。

5. 検査・診断・分類

原発病巣の深達度やリンパ節転移・遠隔転移の検査を行い，病期を決定したのち，患者の全身を総合的に判断し，治療方針が決定される。外科，薬物療法科，放射線治療科，病理，放射線科がそれぞれの知見を基に検討し診断するのが望ましい。範囲は，狭帯域光観察（NBI）や色素内視鏡検査，食道造影（上部消化管造影）検査（図5-1）にて診断する。深達度は，拡大内視鏡検査，食道造影検査，超音波内視鏡検査，

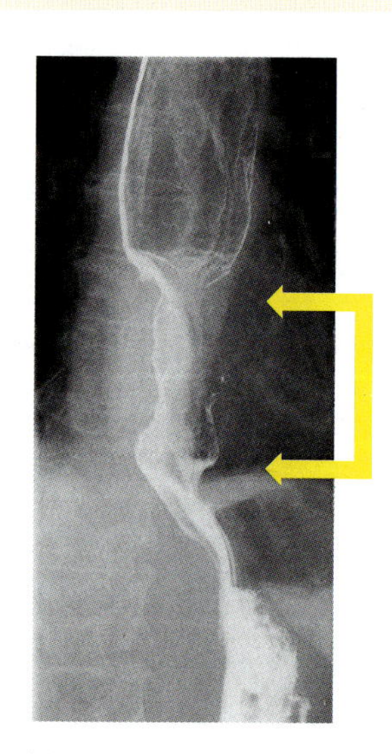

写真提供／愛知県がんセンター 安部哲也医師

図5-1 食道造影検査

***バレット食道**：胃食道逆流症との関連が深く，正常な食道粘膜（扁平上皮）が胃粘膜（円柱上皮）に置き換えられた状態をいう。

CT，MRIで診断する。リンパ節転移・遠隔転移は，CT，MRI，頸部ならびに頸部超音波検査，EUS，FDG-PET，骨シンチグラフィーなどの検査を行い，診断する。

TNM分類（表5-1）のStage別ではⅠ期（27.2％），ⅡA期（13.3％），ⅡB期（9.3％），Ⅲ期（28.8％），Ⅳ期（3.4％），ⅣA期（2.3％），ⅣB期（7.8％）である。転移は，リンパ節転移が52.2％と高く，次いで肝臓（16.0％），肺（15.7％）である。同時，維持性を含めた重複がんでは胃（43％），口腔内～咽頭（23.9％），大腸（11.3％），肺（4.9％）で認められ，食道がんでは重複がんの検索と診断は欠かせない。

6．治療

治療は，内視鏡的治療，外科的治療，化学療法，放射線療法を，状況に応じて組み合わせる集学的治療を行う。手術適応や術式，リンパ節郭清（かくせい）の範囲の決定には正確な術前診断が必要である。

- 内視鏡的粘膜切除：深達度が浅くリンパ節転移のない表在がん（粘膜内がん）が対象となる。しかし，その広さや場所に対して根治性を考慮し，適応からはずれる場合がある。
- 放射線療法，化学療法：扁平上皮がんは，比較的，放射線や抗がん剤の感受性が高い。また，食道がんの放射線療法は，化学療法と併用するとその効果が高まる。
- 外科的治療：食道切除＋所属リンパ節郭清＋食道再建を行う。術前・術後に化学療法や放射線療法が行われる場合もある。根治的切除が可能な場合は良好な予後も期待できる。しかし，同時に合併症が生じる危険性がある。

7．予後

食道壁は漿膜を欠き，リンパ液の流れも豊富であることから浸潤・転移しやすい。食道がんの予後は，一般的に胃がんや大腸がんに比べ不良である。食道がんの全国統計では，食道切除を受けた患者の臨床的病期別の1年生存割合は，Stage 0（94.1％），Ⅰ（91.7％），ⅡA（83.0％），ⅡB（81.7％），Ⅲ（65.8％），Ⅳ（57.3％）である。3年生存率の割合は，StageⅠで約65～80％，StageⅡ～Ⅲ（nonT4）では約40～50％とされる。

表5-1 TNM分類

臨床分類

T- 原発腫瘍

- TX　原発腫瘍の評価が不可能
- T0　原発腫瘍を認めない
- Tis　上皮内癌／高度異形成
- T1　粘膜固有層，粘膜筋板，または粘膜下層に浸潤する腫瘍
  - T1a　粘膜固有層または粘膜筋板に浸潤する腫瘍
  - T1b　粘膜下層に浸潤する腫瘍
- T2　固有筋層に浸潤する腫瘍
- T3　外膜に浸潤する腫瘍
- T4　周囲組織に浸潤する腫瘍
  - T4a　胸膜，心膜，横隔膜に浸潤する腫瘍
  - T4b　大動脈，椎体，気管など他の周囲組織に浸潤する腫瘍

N- 所属リンパ節

- NX　所属リンパ節の転移の評価が不可能
- N0　所属リンパ節転移なし
- N1　1～2個の所属リンパ節に転移あり
- N2　3～6個の所属リンパ節に転移あり
- N3　7個以上の所属リンパ節に転移あり

M- 遠隔臓器転移

- M0　遠隔転移なし
- M1　遠隔転移あり

遠隔転移の臨床的な評価は身体的検査のみで可能であるので，MXというカテゴリーは不適切と考えられる（MXというカテゴリーを使用すると病期分類ができない結果となることがある）。

病期分類

0期	Tis	N0	M0
ⅠA期	T1	N0	M0
ⅠB期	T2	N0	M0
ⅡA期	T3	N0	M0
ⅡB期	T1，T2	N1	M0
ⅢA期	T4a	N0	M0
	T3	N1	M0
	T1，T2	N2	M0
ⅢB期	T3	N2	M0
ⅢC期	T4a	N1，N2	M0
	T4b	Nに関係なく	M0
	Tに関係なく	N3	M0
Ⅳ期	Tに関係なく	Nに関係なく	M1

出典／日本食道学会編：臨床・病理　食道癌取扱い規約，第11版，金原出版，2015，p.50-52.

2. 術式・術後合併症の概要

1 術式

食道切除の方法には，食道抜去術（非開胸），右開胸胸部食道全摘術，開胸開腹食道亜全摘術がある。近年，手術創が小さいため患者の侵襲（しんしゅう）が少なくてすむ胸腔鏡・腹腔（ふくくう）鏡下食道亜全摘術も多く行われる（図 5-2）。

リンパ節郭清では，頸部・胸部・腹部のリンパ節を切除する。食道は胃，結腸，小腸を用いて再建する。再建経路は短い順に，胸腔内（後縦郭），胸骨後，胸骨前である。各再建経路の利点・欠点を表 5-2 に示す。

2 術後合併症

❶呼吸器合併症

(1) 無気肺, 肺炎

肺に空気が入らなくなり肺胞が虚脱した（つぶれた）状態を**無気肺**という。術中の気管挿管や人工呼吸器管理，麻酔吸入薬の影響で気道内分泌物は増加し，肺胞の虚脱が起こりやすい。また，食道全摘術の開胸操作中は，分離換気（右肺と左肺を別々に換気する方法）を行い開胸側の肺を一時的に虚脱させる。術後に十分な痰の喀出（かくしゅつ）が行えないと肺炎や無気肺を引き起こし，喫煙者はそのリスクが高い。

(2) 肺水腫

術直後は，血管透過性の亢進から体液がサードスペースに貯留する。術後 2 ～ 3 日目頃の利尿期に血管内に体液が戻ることで一過性に循環血液量が急激に増加するため，肺うっ血が起こり**肺水腫**をきたす。

❷反回神経麻痺

反回神経周囲はリンパ節転移の頻度が高く，十分なリンパ節郭清が必要である。がんの

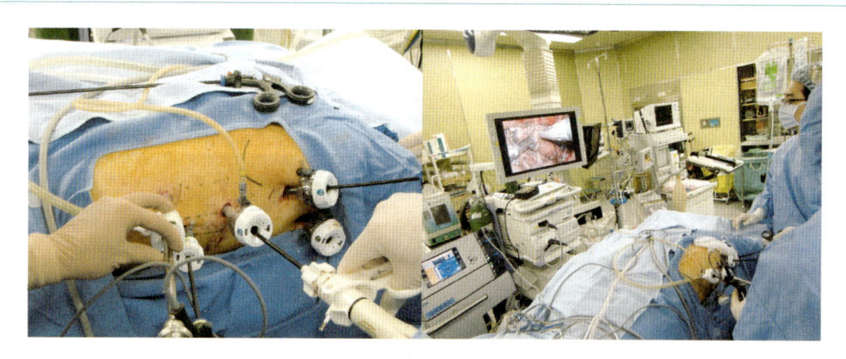

写真提供／愛知県がんセンター 安部哲也医師

図 5-2 胸腔鏡・腹腔鏡下手術

表5-2 食道再建術の利点と欠点

	胸腔内（後縦郭）	胸骨後	胸壁前
経路			
利点	●生理的な経路に最も近く，手術侵襲が少ない ●縫合不全が起こりにくい ●食物の通過障害が起こりにくい	●胸壁前経路より再建距離が短い ●胸腔内経路よりも縫合不全の処置がしやすい ●再建臓器がんに対処しやすい	●縫合不全に対して安全に処置しやすく，重篤化しにくい ●再建臓器がんに対処しやすい
欠点	●逆流が生じやすい ●縫合不全が起こると，重篤化する可能性がある ●潰瘍ができると穿孔し，重篤化する可能性がある ●再建臓器がんができた場合，手術が困難となる	●再建臓器が心臓を圧迫することがある ●再建臓器が圧迫壊死する可能性がある	●再建距離が長く，縫合不全を起こしやすい ●経路が屈曲しやすく，食物の通過障害が起こることがある ●美容上の問題がある（食物塊の通過が外観からみえる）

写真提供／愛知県がんセンター 安部哲也医師
出典／日本食道学会編：食道癌診療ガイドライン 2017 年版，金原出版，2017 をもとに作成.

浸潤があれば，切離する。

反回神経を損傷すると声帯の機能が損なわれ，嗄声，誤嚥，声門閉鎖不全を生じる。声門閉鎖不全があると不顕性誤嚥を起こすリスクがあり，十分な咳嗽が行えないため痰が自己喀出できず，術後肺炎や無気肺を引き起こすおそれがある。治療方法として，アテロコラーゲンの注射や反回神経の再建などがある。

❸循環不全

術後の循環不全は，傷害期の血管内脱水と利尿期の水分再吸収により起こり得る。また，手術操作で胸部大動脈からの剝離や心臓を圧迫する影響による不整脈を起こすことがある。血圧や酸素化の極端な低下は縫合不全のリスクとなる。

❹縫合不全

食道壁には創部治癒に必要な漿膜がない。食道の代わりに用いる臓器（胃管や結腸，小腸など）は挙上による血流障害を起こしやすい。これらによって食道がんの手術後は縫合不全が生じやすく，それにより縦隔炎や膿胸を起こすこともある。

▶ **経鼻胃管** 再建臓器の減圧目的で挿入するため，先端は吻合部のすぐ下あたりに留置される。縫合不全が急性期に起こると急な排液の増加と性状の変化を認める。

▶ **胸腔ドレーン** 胸腔内吻合で縫合不全をきたすと，エアリークや排液の混濁がみられる。

▶ **両頸～鎖骨下ドレーン** 術直後に挿入部の腫脹や血性の排液を認める場合は出血を疑う。術後日数を経過しても排液量の増加が続く場合は，頸部郭清によるリンパ漏を疑う。加圧バッグがしぼむ場合は，縫合不全や縦隔への唾液の誤嚥による縦隔炎の徴候に注意する。

❺乳び胸

縦隔リンパ節郭清を行う場合，血管操作のため胸管の本幹を結紮することがあり，そのときに胸管の枝から乳白色のリンパ液が胸腔内に流出することがある。術後，胸腔ドレーンの排液が増え，白濁している場合は乳び胸を疑う。

リンパ液の漏出が多いと低栄養と脱水を招き，循環動態の変調を起こしやすい。厳密な定義はないものの，約1000～1500mLの胸水が数日持続する場合は，再開胸し胸管結紮術を行う。術後，経口摂取開始後であれば，無脂肪食または絶食にして中心静脈栄養で栄養管理を行う。

3. 看護目標

- 症状による苦痛を緩和し，栄養状態を整えて手術に臨ことができる。
- 口腔ケア，早期離床を行い，肺炎や無気肺を予防できる。
- 術後に湿性咳嗽の増加や唾液でむせる場合は，医療者に報告できる。

4. 術前の看護

1 患者のアセスメント

❶活動状態

がん患者の全身状態を総合的に評価する，簡便かつ有用な指標としてECOG（Eastern Cooperative Oncology Group）活動状態スコア（Performance Status Score）を用いる（表5-3）。食道根治手術では，スコアは0～2を適応症例とするのが一般的である。

❷栄養状態

進行がんでは食事摂取が困難となり，栄養状態が悪化していることが多い。食事摂取状

表5-3 ECOG活動状態スコア

Score	定義
0	まったく問題なく活動できる。発病前と同じ日常生活が制限なく行える。
1	肉体的に激しい活動は制限されるが，歩行可能で，軽作業や座っての作業は行うことができる。 例：軽い家事，事務作業
2	歩行可能で自分の身の回りのことはすべて可能だが作業はできない。日中の50%以上はベッド外で過ごす。
3	限られた自分の身の回りのことしかできない。日中の50%以上をベッドか椅子で過ごす。
4	まったく動けない。自分の身の回りのことはまったくできない。完全にベッドか椅子で過ごす。

出典／Common Toxicity Criteria, Version 2.0 Publish Date April 30, 1999, http://ctep.cancer.gov/protocolDevelopment/electronic_applications/docs/ctcv20_4-30-992.pdf（最終アクセス日：2021/6/10）

況を把握し，BMI や血液生化学検査による血清総たんぱく値，血清アルブミン値を確認して栄養状態を評価する。

❸肺機能検査

食道がん患者は**慢性閉塞性肺疾患**（COPD）の罹患（りかん）頻度が比較的高い。スパイロメトリーによる％肺活量（% VC），1 秒率（$FEV_{1.0}$%），残気率（% RV/TLC），動脈血ガス分析を行う。胸部 X 線写真，CT 画像，喫煙歴，既往歴を考慮して総合的に判断する。

❹心機能検査

弁膜疾患や心筋症による心不全，重症不整脈，発症 3 か月以内の心筋梗塞は，原則として手術適応外とされている。安静時および運動負荷心電図検査を行い，異常所見を認めた場合は，ホルター（Holter）心電図，心エコー，心臓カテーテル検査を行う。術前に心機能異常がある場合や抗血小板療法を行っている場合は，循環器内科医師に相談する。

❺肝機能検査

重症肝炎や劇症肝炎は，原則として外科手術適応外とされている。慢性肝炎，肝硬変症例については，検査から総合的に評価される。HBs 抗原陽性例では，化学療法で B 型肝炎ウイルスが活性化することがある。

❻腎機能検査

一般尿検査，血清 Cr，BUN，電解質，クレアチニンクリアランス（CCr）が評価指標項目となる。術前化学療法による腎毒性で腎機能が低下することがある。

❼耐糖能検査

糖尿病，耐糖機能低下症例では，周術期の血糖コントロールを厳密に行う。

❽そのほか

精神障害の有無を含む中枢神経機能を総合的に評価する。受容や治療の過程で，約 60% のがん患者が適応障害になるといわれている。必要時には，サイコオンコロジーに精通した精神科医師やリエゾン看護師の支援を依頼する。

2 手術に向けた準備

❶口腔ケア

術前化学療法時から，周術期口腔ケアのため，歯科受診と歯科衛生士による口腔ケア指導を行う。口腔内全体を見渡せる X 線撮影（オルソパントモグラフィー）の評価，歯科衛生士による歯垢（しこう）（プラーク）や歯石のチェックと口腔ケアのセルフケア指導を行う。看護師は，指導後に口腔ケアが十分に行われているか確認し，術前から術後に至るまで，歯科衛生士と連携し，口腔内衛生の維持を図る必要がある。

挿管前である手術当日の朝は，患者が歯磨きを終えているか看護師が確認する。術後，患者自身で歯磨きが行えるまで看護師が口腔ケアを行うため，口腔ケア技術を習得するとともに観察を行う。

▶ **口腔内細菌による全身感染症**　プラーク中の細菌が，誤嚥性肺炎，心内膜症，敗血症を引き起こす可能性がある。

❷栄養管理

食道がんに罹患した患者の多くは，低栄養で脱水傾向にある。経口摂取が困難なほど狭窄がみられる症例では，経鼻胃管から経管栄養や，中心静脈から高カロリー輸液を行う。施設によっては，経口摂取が可能な場合，病院食のカロリーを調整しながら，インパクト®やGFO®の摂取をすすめる。

❸禁煙

喫煙者には，化学療法前に禁煙外来の受診を勧める。喫煙習慣が改善しない場合は，手術の延期・中止も必要となり得る。

5. 術後の看護

1　疾患・術式に特有の術後管理

❶呼吸管理

術後は，無気肺，肺炎，肺水腫と縫合不全による感染などを契機とする**急性呼吸窮迫症候群**（acute respiratory distress syndrome ; ARDS）を起こし得る。術直後は，麻酔の覚醒状態とともに胸郭運動の左右差や呼吸音の観察を行う。呼吸音や痰・ドレーン排液の性状は，患者の変化のサインとして起こり得る合併症と関連させながら，アセスメントする。同一体位による無気肺予防のため，体位変換は2時間程度の間隔で実施する。疼痛によって深呼吸や排痰が困難とならないように，十分な鎮痛を図る。咳嗽と痰の喀出に伴う苦痛の軽減には，柔らかい枕やクッションを用い，特に，胸部創を抑えて咳嗽をするよう指導を行う。口腔内の清浄化を図るため，歯磨きは看護師が実施し，起座位が保持可能になれば患者自身でブラッシングを行うよう促す。

Column

周術期口腔ケア

悪性腫瘍の手術においては，周術期外来や術前外来から口腔内環境を改善し，術後肺炎の予防のため，歯科医師，歯科衛生士による口腔ケアの介入をすることで周術期口腔ケア加算が算定される。食道がんの手術では，術前化学療法を行うことが多く，その場合には，抗がん剤投与の時点から血液データを参照し，薬剤投与とのタイミングを見計らい，専門的口腔ケアの介入と患者指導，ならびに術後の炎症や感染源となる歯牙の治療を行う。これらには，口腔ケアの必要性を患者が理解してセルフケアを継続することが重要である。そのため，ベッドサイドにいる看護師の，口腔内の観察と術後の口腔ケアの介助が必須となる。

❷循環管理

術後の血管内脱水（循環血液量の減少）による血圧低下と尿量減少がみられる時期では，医師の指示に基づいて昇圧薬や輸液を投与し，循環の維持に努める。血管内脱水による口渇には，歯磨きや，許可があれば含嗽で苦痛の緩和に努める。

早期の離床は，心臓リハビリテーションに準じて20%以上の血圧低下や心拍の上昇，不整脈，呼吸数の増加，皮膚の湿潤がないかを十分に観察し，術後1日目から実施する。また，利尿期には不整脈がみられ，尿量とともに喀痰も著明に増加するため，酸素化の低下にも注意する。不整脈では迅速に医師へ報告し，水分出納のバランスを維持する。

❸ドレーン管理

ドレーン排液の性状や急激な排液量の増加に注意し，バイタルサインや各種検査結果の変化を観察する。挿入部位の出血や縫合部の固定，接続のゆるみがないかを確認し，安全なドレーン管理を行う。食道がんの術後には数多くのドレーン（図5-3）が留置されるため，安楽に配慮したケアを行う。

2 身体的・精神的苦痛の緩和

食道がんの手術では創部が頸部・胸部・腹部の3領域に及ぶことがあり，術後は創部痛によって深呼吸や喀痰の喀出が困難になり，肺炎や無気肺を起こしやすい。また疼痛による苦痛や不眠は術後せん妄を誘発する。苦痛や不安からルートの自己抜去につながりかねない。これらの合併症や事故を予防するためにも疼痛コントロールが重要である。

疼痛は，部位や持続時間，疼痛スケールによってその程度を把握する。薬剤を投与し鎮痛した際は，鎮痛効果を確認し，薬剤の有用性や追加投与の必要性を評価する。十分な疼痛コントロールを行うとともに患者の苦痛がどのようなものかを傾聴し苦痛を軽減する。

開胸術が行われた場合は開胸側の腕を長時間挙上した状態で側臥位をとるため，開胸側の腕に重いだるさを訴えることがある。その場合は，術中の体位による影響であることを説明し，少しずつ腕を動かすようにする。

GFO®

経管栄養食品としてGFO®がある。Gはグルタミン，Fはファイバー（食物繊維），Oはオリゴ糖で，善玉菌とされているビフィズス菌の食糧を表す。

食物繊維には抗炎症作用があり，術後のCRPの上昇を抑制し，術後リンパ球の回復を有意に改善する。腸管は全身の50%にもあたる大きな免疫組織である。その免疫機能にかかわる絨毛に栄養を与えることで，抗炎症作用が発揮される。

免疫栄養剤は，従来の流動食に免疫力を上げるグルタミンや成長ホルモンの分泌を促進するアルギニン，炎症促進物質の生成を抑えるω3多価不飽和脂肪酸，白血球の働きを増強させる。

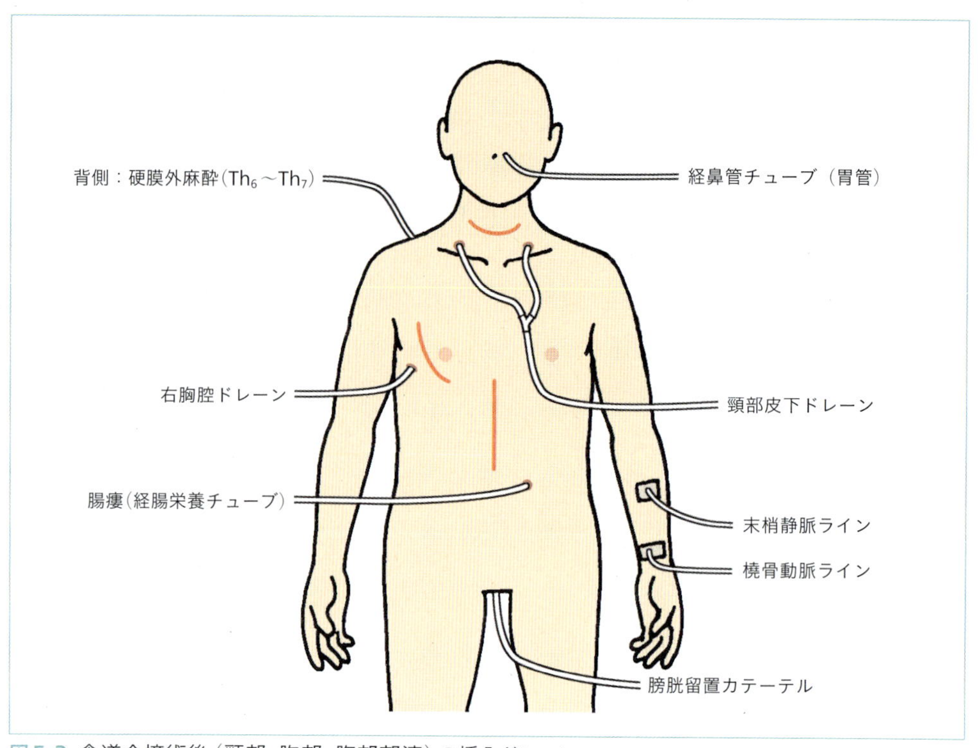

図5-3 食道全摘術後（頸部・胸部・腹部郭清）の挿入ドレーン

夜間もバイタルサインや血糖測定で患者を起こすため，不眠の予防として積極的に睡眠導入剤を投与する。また，不顕性誤嚥（ごえん）や消化液の逆流，縫合不全による消化液の誤嚥のリスクがあるため，術後は体位を問わず頭部を挙上した状態を保持する。患者にはその必要性を伝え，理解を得る。

3 日常生活の支援

❶栄養管理

正常な腸の統合性（正常な微絨毛，腸バリア，腸粘膜免疫性）を維持し，バクテリアルトランスロケーション*を抑制するために，術後は早期から経腸栄養を開始する。手術当日から少量の持続注入を開始し，輸液の減量とともに経腸栄養を増量して，カロリーと水分を維持する。開始後は下痢がみられることがあるため，便の性状を観察する。

❷早期離床

術後1～2日目に端座位や立位，ベッド周囲の歩行を実施する。血圧や心拍数，不整脈，呼吸数の増加，皮膚の湿潤や末梢の冷感に注意し，ドレーンが多いため，看護師2人で安全に介助をする。目安としては，心臓リハビリテーションを参考にバイタルサインが許容

＊バクテリアルトランスロケーション：腸管内の常在菌が腸管を脱出し，体内のほかの組織に再分布することである。術後感染のメカニズムとして静脈ラインからの感染以上に重要とされる。飢餓による腸粘膜，絨毛萎縮はバクテリアルトランスロケーションを惹起する。

範囲であるかを観察する。

6. 回復過程における支援

1 食事摂取と注意点

再建臓器にかかわらず，逆流やダンピング症状の予防のため，経口摂取は流動6回食から開始する。時期は施設により大きく異なるが，X線造影検査で誤嚥や吻合部（ふんごうぶ）の縫合不全がないことを確認してから開始する。また，吻合部の浮腫・狭窄による嘔吐・誤嚥に注意する。食事は少量ずつ摂取し，十分な咀嚼（そしゃく）をしてから口を閉じてゆっくり嚥下する。胸壁前経路による食道胃再建の場合は，消化管に食物が停滞するため，手で胸部をなで下ろすようにするか，嚥下時に頸部を前屈させる。食後は歯磨きを行い，その後30分以上は起座位またはセミファーラー位で過ごすよう指導する。退院後に一度に摂取できる食事量が増えれば，3回食にすること，水分は頻回に摂取し，脱水予防に努めるよう伝える。体重減少に驚く患者も多いため，事前に説明し，カロリーが摂（と）れるよう栄養のバランスに配慮することを家族にも伝え，必要時には栄養士から栄養指導を行う。

2 ボディイメージの変化

胸骨前再建では，再建部の膨隆に伴うボディイメージの変化や大幅な体重減少に起因する形態的変化に対し羞恥心から行動範囲を狭くしてしまうなど生活上の困難が生じやすい。術後の身体的変化に対する受容や生活行動の再獲得を援助する必要がある。

Ⅱ 胃がん

胃には，摂取した食物を蓄える貯蔵機能，食物と胃液を混ぜ合わせ粥状（かゆ）（糜粥（びじゅく））にする攪拌（かくはん）機能，酵素によってたんぱく質を低分子に分解する消化機能，食物に含まれる細菌をpH1～2の強酸で死滅させる殺菌機能，少しずつ消化・攪拌した食物を十二指腸へ流し出す蠕動（ぜんどう）機能がある。これらの機能は，食道との接合部の噴門による食物の逆流防止，十二指腸側の幽門による食物通過の調整，そして胃液（胃酸，ペプシノゲン*，粘液）の消化作用に関与している。

＊ **ペプシノゲン**：胃腺の主細胞から分泌される消化酵素。ペプシンに変化する。

1. 疾患の概要

1. 概念・定義

胃がんの90％以上は**腺がん**である。死亡数は全体では2位で，男性2位，女性5位（2020年）[1]である。好発部位は，**幽門前庭部**が最も多く，次いで胃体部，胃体上部となっている。50～60歳代の男性に多い。

2. 誘因・原因

胃がんの罹患リスクを上げる誘因・原因は，ヘリコバクターピロリ菌の感染や喫煙，塩蔵魚介類（塩辛，練りウニ，イクラ，タラコ）などである。他方，緑黄色野菜や果物，食品から摂るビタミンCなどは胃がんの罹患リスクを下げる。

3. 病態生理

胃がんは壁深達度によって分類が異なる。壁深達度が粘膜・粘膜下層までの場合，**早期胃がん**に分類される。固有筋層・漿膜下層・漿膜までに達した場合，**進行胃がん**に分類される（図5-4）。胃がんはリンパ行性転移が多い。左鎖骨上窩リンパ節への転移をウィルヒョウ（Virchow）転移という。腹膜播種によるダグラス（Douglas）窩転移をシュニッツラー（Schnitzer）転移という。卵巣への転移をクルッケンベルグ（Krukenberg）腫瘍という。これら3つの転移は，多臓器への転移を意味するため，根治術が適応できないことが多い。

4. 症状・臨床所見

早期胃がんでは，ほとんどが無症状（進行胃がんでも無症状のこともある）である。症状がある場合，心窩部痛やチクチクとした腹部の痛み，腹部の張り，不快感，胸焼け，噯気（ゲップ）の出現，悪心，食物のつかえ感，吐血，タール便などがみられる。進行胃がんでは上記に加え，体重減少や吐血，下血，貧血がある。

5. 検査・診断・分類

内視鏡検査で色調の変化や凹凸の変化などがみられた場合，その組織を生検し，病理診断する。上部消化管X線検査で陰影欠損や造影剤のたまりなどがみられた場合，隆起性や陥没性病変が疑われる。CTでリンパ節や肝臓・肺などへの遠隔転移，周辺臓器への浸潤などを検査できる。

胃がんのステージ分類は，TNM分類が用いられる。

6. 治療

胃がんは，壁深達度によって治療が異なる。早期胃がんでは，内視鏡的粘膜切除術（EMR）や内視鏡的粘膜下層剝離術（ESD）などの内視鏡的治療が行われる。内視鏡的治療適応外の早期胃がんや進行胃がんは胃切除術が適応となる。遠隔転移や他臓器浸潤などの切除困難な場合は，化学療法や放射線療法，緩和手術などの適応となる。

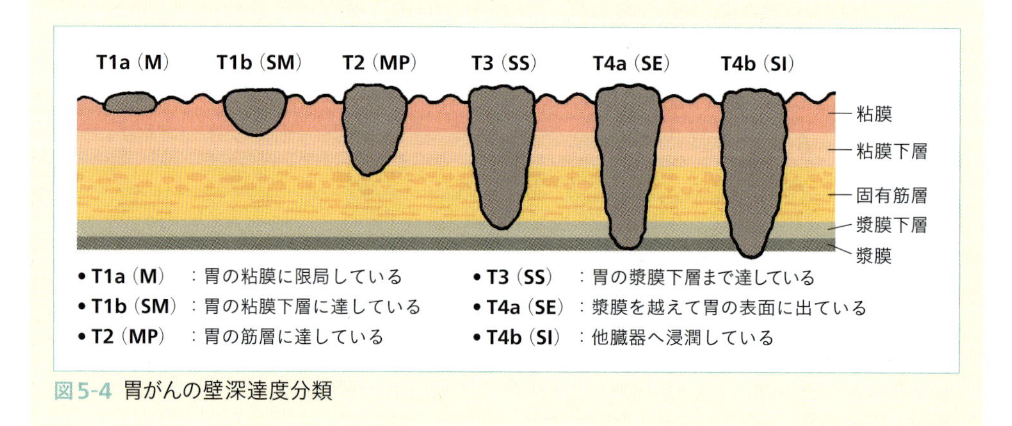

図5-4 胃がんの壁深達度分類

2. 術式・術後合併症の概要

1 術式

胃切除術には，噴門側胃切除術と幽門側胃切除術（この2つは胃亜全摘術ともいわれる），胃全摘術がある。これらの3つの術式は，切除部位と再建方法が異なる（図5-5）。各術式の特徴は次のとおりである。

❶噴門側胃切除術

噴門部を切除する術式である。幽門は温存されるが胃酸の分泌量は減少する。食物の貯蔵・攪拌・消化の機能は残存するが，噴門がなくなるため，逆流性食道炎や吻合部狭窄が起こりやすい。

再建方法は，残胃と食道を吻合する食道残胃吻合法や，ダブルトラクト法や空腸間置法などがある。

❷幽門側胃切除術

幽門部を切除する術式である。噴門は温存されるものの胃酸の分泌量は減少する。食物の貯蔵・攪拌・消化の機能が減弱するため，食物が急速に十二指腸へ流入しやすくなる。また，胆汁・膵液が胃に逆流しやすいことや，小胃による胃もたれ感の出現などの特徴がある。

再建方法は，残胃と十二指腸を吻合するビルロート（Billroth）Ⅰ法と，残胃と空腸を吻合するビルロートⅡ法がある。ビルロートⅡ法では輸入脚症候群が起こりやすい。そのほかには，十二指腸断端を閉鎖して残胃と空腸を吻合するルーワイ（Roux-en-Y）法がある。

❸胃全摘術

噴門・幽門をふくめ胃全体を切除するため胃酸が分泌されず，胃の貯蔵・攪拌・消化・蠕動機能のすべてが減弱する。胃切除後症候群（小胃症状，ダンピング症候群など）が現れ，食事摂取量が減少し，術後の体重減少を招きやすい。再建方法は，十二指腸断端を閉鎖して食道と空腸を吻合するルーワイ法がある。食物が十二指腸を通過しないため，消化吸収障害が起こりやすい。

2 術後合併症

胃切除術後には，全身麻酔や上腹部への手術操作に伴う合併症と，切除に伴う胃の機能低下（胃切除後症候群）が生じる危険性がある。

❶縫合不全

縫合不全の症状は，術後2～7日に出現しやすい。胃切除の再建時に縫合した部位から消化液が腹腔内に漏れる状態で，腹膜炎や腹膜内膿瘍などを合併することもある。

❷膵液瘻

膵臓近くのリンパ節を郭清する場合に，膵被膜を損傷することがある。膵臓の表面から

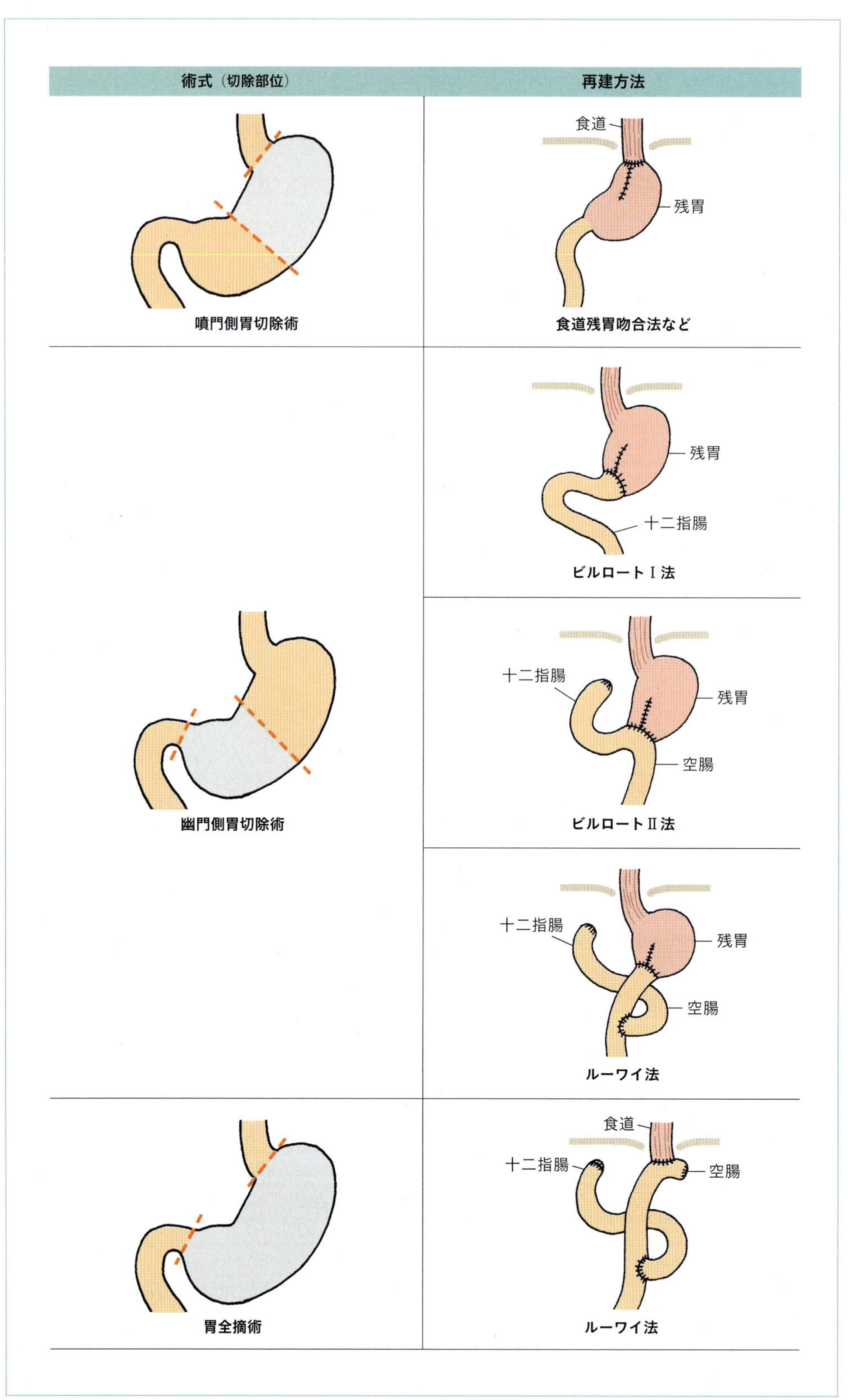

図5-5 胃切除の術式（切除部位）と再建方法

膵液が漏れる（膵液瘻）と，膵液のたんぱく質消化作用によって周囲の組織を溶かすおそれがあり，周囲の血管組織の破裂につながり，非常に危険である。

❸胃切除後症候群

(1) ダンピング症候群

食物が胃に貯蔵されずに小腸に流入することによって起こる（図5-6）。幽門を切除した患者で発生しやすい。

症状の出現は，ある程度の量の食事を摂り始める術後1～2週間頃である。胃切除後の食事に慣れるに従い，徐々に軽快していくことが多い。早期ダンピング症候群と晩期ダンピング症候群がある。

▶ **早期ダンピング症候群**　食後30分以内に起こる腹鳴（ふくめい）・腹痛・発汗・悪心（おしん）・頻脈・顔面紅潮などを指す。幽門側胃切除術や胃全摘術などの胃切除患者では，食物の貯蔵機能が低下するため，食物は急速に小腸に流入する。高張の（濃度の高い）食物が小腸に流入すると，体内の水分である血液・組織間液（細胞外液）も急激に腸管内腔へ移動し，循環血液量の減少を引き起こす。また，細胞外液の急激な腸管内腔への移動は，セロトニンやヒスタミンなどの消化管ホルモンの急激な分泌を引き起こし，小腸運動の亢進（腸蠕動亢進）を招く（図5-7）。

▶ **晩期ダンピング症候群**　食後2～3時間に起こるめまい・冷汗・脱力感・動悸・空腹感・振戦などを指す。幽門を切除する幽門側胃切除術や胃全摘術などでは，食物が直接小腸に流入するため，小腸で吸収された糖分により急速に血糖値が上昇し（高血糖状態），インスリンが大量に放出され，低血糖症状が出現する（図5-7）。

(2) 吻合部狭窄

吻合部が細く狭くなり食物が通過できない状態である。患者は食物の詰まり感・腹部膨満感・悪心などを訴える。吻合部の浮腫が原因であることが多く（図5-8），浮腫が軽減す

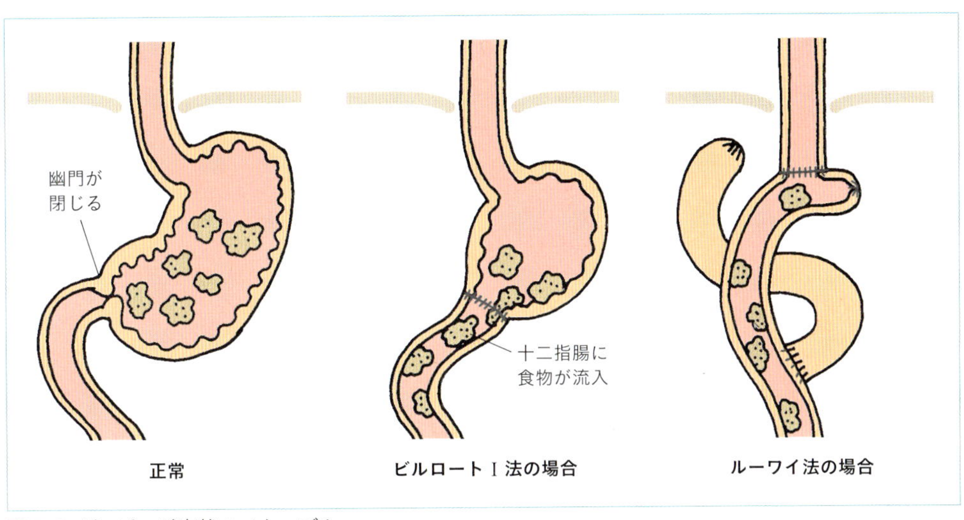

図5-6 ダンピング症状のメカニズム

ると改善する。浮腫による狭窄の好発時期は術後 7 〜 10 日である。その後は吻合部の瘢痕化が原因となることもある。その場合は，ブジーやバルーンなどにより拡張術を実施することもある。

(3) 逆流性食道炎

食後に食物が食道に逆流することによって起こる。胃液や胆汁，膵液などの逆流による酸味，苦味などの知覚や胸焼けなどの症状がみられる。特に就寝時に起こりやすい。

噴門を切除した場合は，食物を胃の中に閉じ込める力が弱く，食物が食道側に逆流しやすい（図 5-9）。残胃が小さくなるビルロートⅠ法でも発生しやすい。

(4) 消化不良

消化の不十分な食物が小腸に流入することによって起こり，下痢・腹鳴・腹痛などが現れる。手術操作に伴う迷走神経離断による消化管運動の低下や消化管ホルモンの分泌の変化，胃の貯蔵機能の低下などが原因である。消化不良により，栄養が吸収されにくくなる。

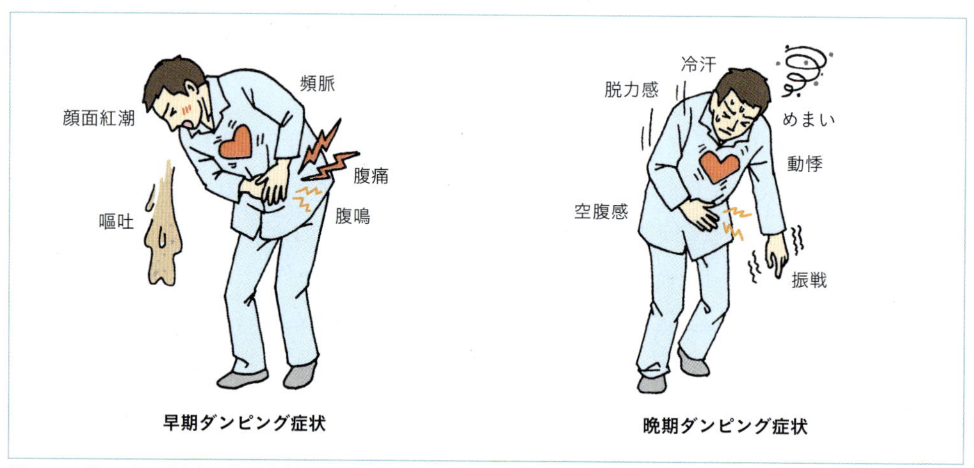

図 5-7 ダンピング症候群の症状

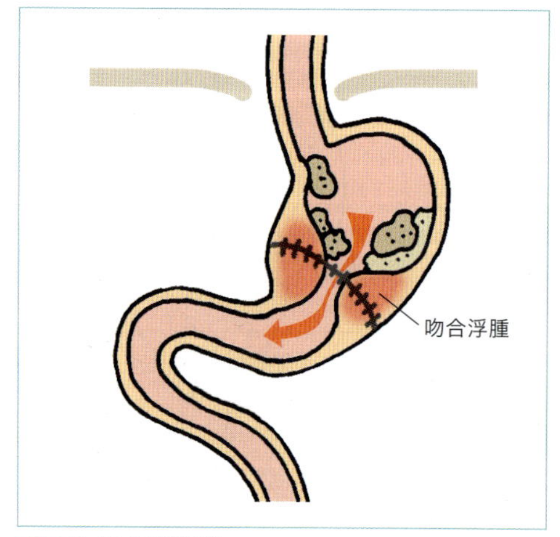

図 5-8 吻合部狭窄

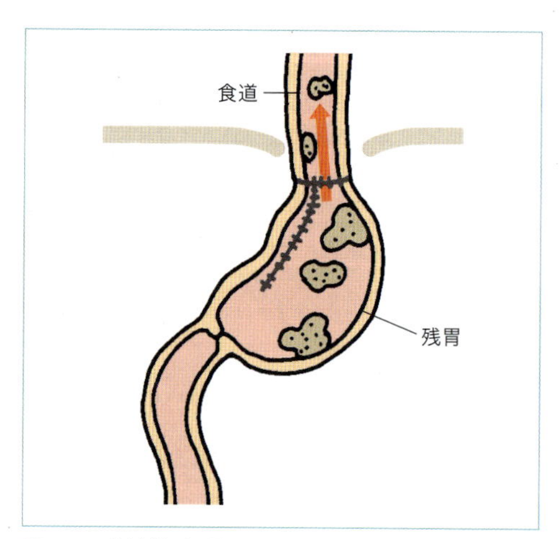

図 5-9 逆流性食道炎

(5) 低栄養

食物の消化・吸収障害によって起こる。原因は，食物の貯蔵機能低下に伴う小胃症状である場合が多い。小胃症状では，少量で満腹感が得られるため食事量が低下して徐々に栄養状態の悪化を招く。また，ダンピング症候群や消化不良による下痢なども原因となる。

(6) 骨脆弱化

カルシウムとビタミンDの十二指腸での吸収低下や，胃のイオン活性低下による骨塩量の低下によって骨密度が低下して起こる。好発時期は術後数か月〜数年で，胃切除後患者の約40%にみられる[2)]。

(7) 貧血

血液中の赤血球数やヘモグロビン濃度が低下することによって起こる。胃切除後患者の貧血は，鉄欠乏性貧血と巨赤芽球性貧血が多い（図5-10）。

▶ **鉄欠乏性貧血**　鉄分の吸収には胃酸が必要であるが，胃切除によって鉄分の吸収が阻害されるために起こる。術後数か月〜数年を経てから発症することが多い。術後3年間の発症率は約31%とされ，胃全摘術では約91%，幽門側胃切除術では約65%で，男性よりも女性に多い[3)]。ビタミンB_{12}や鉄分の貯蓄量が多い患者は，発症が遅くなる傾向にある。症状は，めまい，立ちくらみ，動悸，息切れ，顔面蒼白，頭痛，易疲労などである。

▶ **巨赤芽球性貧血**　赤血球の生成にはビタミンB_{12}と鉄分が必要である。胃切除によって胃の壁細胞で分泌される内因子（たんぱく質）が減少すると，ビタミンB_{12}の吸収が障害され，赤芽球の成長が阻害されることにより術後数年を経て発症することが多い。

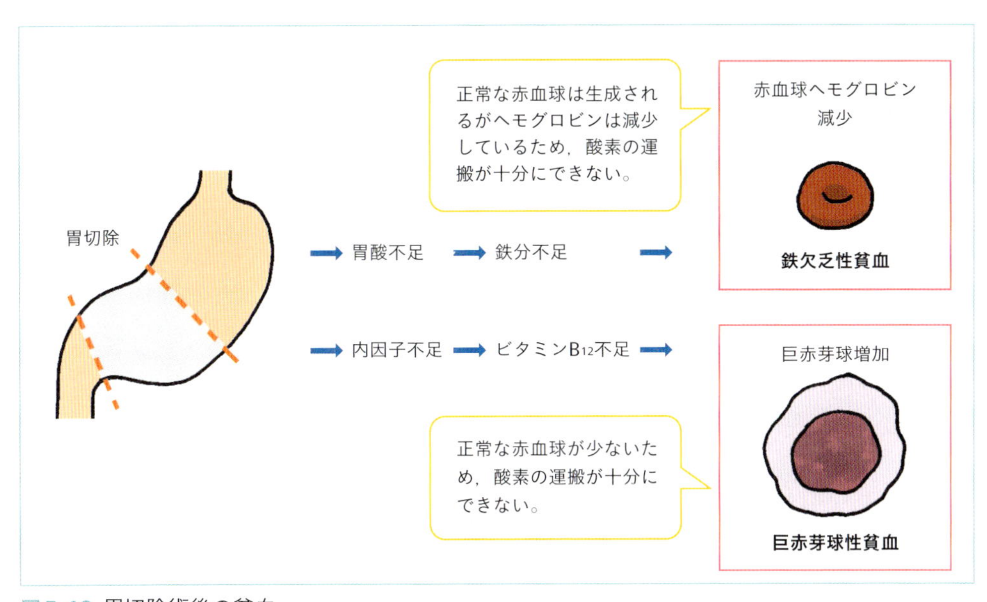

図5-10 胃切除術後の貧血

3 その他

❶無気肺・肺炎

創部痛により深呼吸がしづらく浅呼吸が起こりやすい。また，臥床中は横隔膜が挙上し，肺の呼吸面積が減少する。これらは，気管挿管や麻酔薬の刺激によって増加している気道内分泌物の喀出を困難にし，無気肺や肺炎を併発することもある。

❷術後出血

術直後から術後 2 日頃に起こりやすい。出血量が多い場合は，血圧低下・頻脈・蒼白・冷感・意識障害・尿量減少などの出血性ショックの症状が出現する。胃チューブや腹腔ドレーンからの出血量が 100mL/時間以上の場合，再手術の可能性がある。

❸低アルブミン血症

術後は，たんぱく質の異化が起こるため，血清アルブミン値が低下しやすい。食事開始後も，食事摂取量が低下すると低栄養状態に陥りやすい。

❹術後イレウス

麻痺性イレウスと癒着による腸閉塞を起こすリスクがある。

3. 看護目標

- 術後の無気肺やイレウスの危険性を理解し，早期離床を実施できる。
- 消化機能の変化を理解し，胃切除後症候群を予防できるような適切な食生活を実践できる。

4. 術前の看護

1 手術に対する意思決定支援

入院後に詳しい手術方法や麻酔，術後合併症や食事スタイルの変化などの説明を受けることによって不安が増強し，手術決断への迷いなどが生じやすい。医師による説明の理解度や疑問点，手術への不安，思いなどを傾聴し，意思決定を支援していく。

2 手術オリエンテーション

無気肺や肺炎のリスクを予防するために，術前から喀痰（かくたん）方法，深呼吸，呼吸訓練器具による呼吸訓練法や禁煙などを指導し，練習してもらう。また，創部痛の対処方法，術後の経過や食事の概要を説明し，予期的な準備を高めていく。

3 手術に向けた準備

幽門部に進行がんのある患者で，食物の通過障害によって栄養状態が低下している場合は，少量でも消化の良い高エネルギー食の摂取により改善を図る。

5. 術後の看護

1 術後の観察と合併症の早期発見

胃チューブ，ドレーン（図5-11）の挿入部痛や創部痛による急性疼痛は，患者の離床を妨げ，術後合併症のリスクを高めるため，効果的な鎮痛薬の使用や安楽の提供などの看護を行う。

▶ **縫合不全・膵液瘻**　ドレーンの排液を観察し，縫合不全の早期発見に努め，異常を察知したら速やかに医師に報告する（表5-4）。縫合不全はのちに腹膜炎を合併することがあるため，全身状態や腹膜刺激症状を観察する。

2 食事指導

胃亜全摘術では術後約3～4日，胃全摘術では術後約7日までには食事が開始される。術後の食事は，腹部症状がないことを確認してから，少量の水分（白湯（さゆ）・お茶）から始め，流動食→三分粥（さんぶがゆ）→五分粥→七分粥→全粥→普通食の順に変えていく。

患者には食事開始前に表5-5の内容を説明・指導する。

3 疾患・術式特有の術後管理

基本的な食事の方法を守っていても，胃切除後症候群は起こり得るため，その予防と症状発現時の対処方法を指導する。

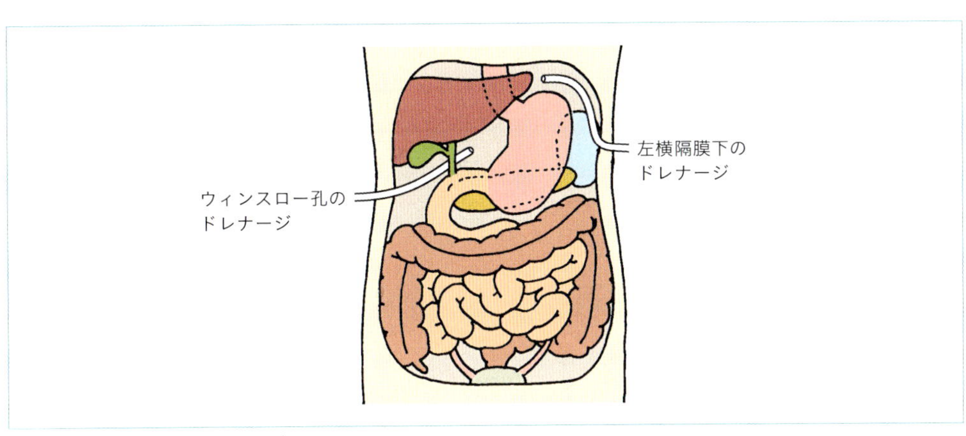

図5-11　主なドレーン挿入部位

表5-4　ドレーン排液の色と合併症

排液の色	発症のおそれのある合併症
クリーム色・黄白色	腹膜内感染・腹膜内膿瘍など
暗緑色	胆汁漏
暗赤色	膵液瘻

表5-5 胃切除患者への術後の食事指導

• よく噛んで，ゆっくり時間をかけて（30分以上）食べる。 • 食後30分～1時間は半座位がよい。 • 食後に消化器系症状（強い満腹感，悪心・嘔吐，噯気，胃もたれ）がある場合，しばらくの間，食事量を減らして様子をみる。

❶ダンピング症候群

(1) 早期ダンピング症候群

▶ **予防方法**　食後約20～30分は仰臥位かセミファーラー位をとり，食物が小腸に流れにくくして，安静にする。

▶ **症状発生時の看護**　症状を観察し，食事内容・量・摂取方法・時間などとの関連をアセスメントする。症状が改善するまで安静を促す。

(2) 晩期ダンピング症候群

▶ **予防方法**　糖質を減らす（高たんぱく・低糖質食）ことにより，急激な血糖上昇を防ぐ。

晩期ダンピング症候群が，頻回・パターン化するようであれば，食後約2時間でラムネなどの糖分を摂(と)るようにする。すぐに糖分を摂取できるように，ふだんからラムネやチョコレートなどを持ち歩くようにする。

▶ **症状発生時の看護**　症状を観察し，食事内容・量・摂取方法・時間などとの関連をアセスメントする。低血糖症状を改善するために糖分を摂取する。

❷吻合部狭窄

▶ **予防方法**　吻合部狭窄による詰まりを予防するために，ゆっくりよくかんで食べるよう指導する。

▶ **症状発生時の看護**　食事の詰まり感は自然になくなることがあるため，症状が改善するまで安静を促す。嘔吐などがある場合は禁飲食とし，胃チューブを挿入して減圧を図る。胃チューブは浮腫軽減までのものであり，患者にはそのことを説明して安心感を与える。詰まり感が続いて摂取量が低下する場合，液体の食事（スープやジュース）を摂取するよう促す。

❸逆流性食道炎

▶ **予防方法**　食後1～2時間は臥床しない。寝る前の食事を控える。

▶ **症状発生時の看護**　自然に軽快することが多いため，症状が改善するまで座位かセミファーラー位などの体位をとり，安静を促す。

❹消化不良

▶ **予防方法**　消化に時間を要する食事を控える。消化されにくい脂質も避けるほうがよいが，まったく摂らないとかえって栄養不良を招くため，「脂肪分を摂り過ぎないように」と説明する。

▶ **症状発生時の看護**　下痢が続くと脱水や電解質異常を起こすことがあるため，電解質バランスに注意する。

6. 回復過程における支援

表5-6に示す基本的な食事指導に則り，食事をするように指導する。

1 退院後に注意すべき合併症・後遺症

❶低栄養

栄養価の高い食品の摂取を心がける。

❷骨脆弱化

カルシウムの多い食事（チーズ・ヨーグルトなど）を多く摂る。ただし，牛乳は小腸粘膜の乳糖分解酵素の欠乏によって腹鳴（ふくめい）・腹痛・下痢などを引き起こす（乳糖不耐）ので，摂取を控えたほうがよい。

❸貧血

鉄分の多い食品の摂取を心がける。鉄，たんぱく質，ビタミンCなどを豊富に含む食材や造血効果のあるビタミンB_{12}, B_6, 葉酸を多く含む食材も摂るとよい。たとえば，レバーや赤身肉，マグロ，カツオなどが吸収の良い鉄分（ヘム鉄）を多く含む。また，食事療法のみで貧血を防げない場合，巨赤芽球性貧血にはビタミンB_{12}の筋肉注射，鉄欠乏性貧血には鉄剤の内服などが必要となる。

表5-6 胃切除患者に対する基本的な食事指導

❶原則食べてはいけない食物はない。食事内容を過剰に気にしないようにする。	
❷食品・食材	• 柔らかく煮たものや消化に良いものを食べる。肉は良質なたんぱく質やビタミンB_{12}・B_6を多く含む。野菜はビタミンCや葉酸を多く含む。大豆製品は良質なたんぱく質や葉酸を多く含む。果物はビタミンCやビタミンB_6を多く含む。そのため，摂取を促す。 • タケノコ・ゴボウ・キノコ類などの食物繊維の多いものや脂の多い肉・ケーキ・揚げ物などは避ける。イワシ・サバなどの脂ののった魚やイカ・タコ・貝類なども避ける。刺激が強い唐辛子・わさびや，アイスクリーム・かき氷などの冷たすぎるものも少量にする（図5-12）。 • コーヒーなどのカフェインが多く含まれる食品は薄めて飲む。アルコール類は少量であれば問題ないが，吸収が早くなるので酔いやすくなる。また，ビールや酎ハイなどの炭酸系は，発泡によって胃や腸内のガスが増加し，腹部膨満感が出現する可能性がある（炭酸飲料全般にいえる）。 • 食事開始後しばらくは低糖質・低脂肪の食事が好ましい。術後数か月は，摂取後の様子をみながら患者・家族自身で量や食品・食材を調整する。
❸食べ方・調理方法	• 胃酸分泌量の低下によって殺菌作用が低下しているため，生ものは避けできるだけ加熱処理する。 • 食事開始から約1～2か月間は1回の食事量を少なくし（手術前の1/2～1/3），1日の食事回数を増やす（5～6回/日）。ただし，3回の食事は規則正しく摂るようにする。3か月目頃からは，食事量やカロリーを増やしていき，食事回数を約3～4回/日に戻していく。少量で栄養を摂るため，主食よりも副食を多く食べる。 • よくかんで，30分以上かけてゆっくりと摂取する。口に入れたら，嚥下するまで次の食物を入れない。 • 食事中に水分を多く摂るとすぐに満腹になる。また，水分とともに食物が小腸に流れやすくなる。そのため，食事中の水分摂取をなるべく控え，水分は食間に摂る。

図5-12 胃切除後の消化の悪い食材・食品，栄養価の高い食材・食品

2 退院後の自己管理

- **入浴**：制限はない。
- **運動**：制限はない。退院後早期は激しい運動を避け，徐々にからだを慣らしていく。
- **仕事**：開始時期は医師と相談する。
- **禁煙**：喫煙は粘膜を刺激して消化液を出にくくするため，禁煙をする。
- **栄養管理**：定期的（週に1回，できれば朝食前）に体重測定をする。体重減少が続くようであれば主治医に相談する。
- **症状管理**：下痢や便秘が続くようであれば主治医に相談する。創部に離開・滲出液（しんしゅつえき）の増加・疼痛・発赤（ほっせき）・発熱などがみられた場合，感染が疑われるため受診する。

III 大腸がん（結腸がん・直腸がん）

1. 疾患の概要

1. 概念・定義

大腸がんには，**結腸がん**（colonic cancer）と**直腸がん**（rectal cancer）が含まれる。結腸は盲腸，上行結腸，横行結腸，下行結腸，S状結腸に区分され，直腸は直腸S状部，上部直腸，下部直腸に区分される。全国がん登録[4]によると，2018年の大腸がんの罹患数は約15万2000人で，そのうち66.5％が結腸がん，33.5％が直腸がんと報告されている。

2. 誘因・原因

大腸がんは，遺伝子の異常により発症するリンチ症候群（Lynch syndrome）や家族性大腸腺腫症（FAP，大腸ポリポーシスの一つ）など，遺伝的素因により発症することがある。潰瘍性大腸炎（かいようせい）に数年間にわたり罹患（りかん）している場合，大腸がんの発症リスクは高くなる。動物性脂肪の摂取や食物性繊維の摂取不足など，食生活の欧米化と大腸がんの発生との関連が指摘されているが，エビデンスは不明確である。明確であるリスク要因は喫煙であり，ほぼ確実にリスク要因であるとされたのは肥満，可能性があるリスク要因は加工肉である[5]。

3. 病態生理

大腸粘膜細胞から発生したポリープの腺腫の一部ががん化して発生するものと，正常な大腸粘膜から直接発生するものがある。粘膜の表面から発生したがんは腸壁に深く侵入し，リンパ行性や血管性に遠隔臓器に転移する。

4. 症状・臨床所見

早期の大腸がんでは自覚症状はないことも多い。進行すると大腸の通過障害を起こし，腹痛，便秘や下痢などの排便習慣が変化することがある。

腹部に腫瘤が触れる場合や，食欲低下や体重減少がみられることもある。

下血や血便が出現することもあるが，痔核などの良性疾患の症状と区別がつかず，発見が遅れる場合もある。

5. 検査・診断・分類

検診では検便による便潜血反応検査が行われ，直腸がんが疑われる場合は直腸鏡（肛門鏡）を用いた視診や直腸診，注腸造影検査が行われる。

確定診断には大腸内視鏡検査が行われる。

進行がんの注腸造影検査では，アップルコアサイン（全周性の壁不整を伴う内腔狭窄）がみられる。

大腸がんは肉眼形態により0～Ⅳ型に分類されている。

大腸がんの進行度は，深達度とリンパ節転移，遠隔転移の3つの要素から決められている。

- ステージ0：がんが粘膜内にとどまっている
- ステージⅠ：がんが固有筋層にとどまっている
- ステージⅡ：がんが固有筋層の外まで浸潤している
- ステージⅢ：リンパ節転移がある
- ステージⅣ：肝臓や肺，腹膜など遠隔転移がある

腫瘍マーカーとして，CEA，CA19-9があり，術後の再発・転移の指標として有用である。

6. 治療

がんが粘膜内にとどまっている場合や，粘膜下層への浸潤が軽度で，リンパ節転移の可能性がほとんどない場合は内視鏡ポリペクトミーや内視鏡的粘膜切除術（EMR），内視鏡的粘膜下層剝離術（ESD）を行う。

内視鏡治療の適応以外は，手術による切除が基本的治療となる。大腸がんに対しても侵襲の少ない腹腔鏡下での手術が増加している。

進行がんでは根治術（腸切除術＋所属リンパ節郭清）を行う。

再発予防やがんの縮小，肛門温存を目的として，術前や術中，術後に直腸がんに補助放射線治療を行う場合もある。

手術によりがんを切除でき，かつ再発リスクの高いケースには，再発予防として術後に補助化学療法が行われる。また，手術による治癒が難しい進行がんや再発がんに対しては，化学療

法が行われる。

7. 予後

5年相対生存率から予後をみると，ステージⅠは95%，ステージⅡは88%，ステージⅢは77%と比較的予後が良いが，遠隔転移のあるステージⅣは19%である[6]。

2. 術式・術後合併症の概要

1 結腸がんの術式と術後合併症

❶術式

結腸がんの手術は切除部位により，回盲部切除術，結腸右半切除術，横行結腸切除術，結腸左半切除術，S状結腸切除術があり，開腹による切除術と腹腔鏡を用いた切除術がある。腹腔鏡補助下大腸切除術は創傷が小さく開腹手術よりも手術侵襲が少ないため，術後の疼痛も比較的少なく入院期間も短縮できる。しかし，直視下で手術操作ができないことから，開腹手術より時間は比較的長くかかる。

❷術後合併症

腹腔鏡を用いた手術と開腹手術は腫瘍へのアプローチの違いであるため，術式に伴い発症する可能性のある術後合併症はどちらも同様である。

(1) 縫合不全

腫瘍切除後に吻合した腸管どうしがうまくつながらず，その吻合部から腸管内容が腹腔内に漏れ出るのが縫合不全である。結腸がんの手術では約1.5%に起こる。

縫合不全は，栄養状態不良や手術手技が不適切な場合はもちろん，腸管内の便残存や吻合腸管への血流低下，吻合腸管に圧力が加わった場合など，様々な原因で生じる。

程度が軽い場合は，絶食により経口摂取を避け腸管を安静に保つことで回復する。しかし，重症の場合は腹膜炎を起こすため，再手術によって一時的に人工肛門を造設し，腹膜炎が回復してから人工肛門を閉鎖する手術を行う。

(2) イレウス・腸閉塞

全身麻酔により腸管運動は麻痺し，腸管へ操作が加わることや外気に触れることで麻痺は長引く。通常は術後3日以降，遅くても5日までに排ガスが認められる。腸管運動の回復が遅ければ腹部膨満感や悪心・嘔吐などの症状が出現し，イレウスの状態となる。

術後入院中に発症するイレウスは時間経過とともに改善することが多く，食事量を減らして内服治療で回復することが多い。回復しない場合は，閉塞部まで鼻からイレウス管を挿入し，腸内容物を除去して腸管内を減圧する治療が行われる。それでも症状が改善され場合はない場合には，手術治療が選択される。

術後長期間経過して発症するのは腸閉塞であり，**疲労**や**暴飲暴食**が誘因となる場合がある。1～2回食事を抜くことで症状が改善することがある。

(3) 創感染

大腸の手術は腸切除と腸吻合を行うため，無菌状態で行うことが難しい手術である。そのため創感染を起こしやすく，創傷部が離開することがある。

(4) 排便異常

手術による血流の変化など手術操作による**腸管運動**の変化，食事量の減少や食物繊維の摂取量不足など食事内容の変化により，下痢や便秘が生じやすい。術後半年から1年と長期的な経過のなかで，徐々に改善する場合が多い。

2 直腸がんの術式と術後合併症

直腸がんの手術は，自然肛門が温存される**直腸切除術**と，肛門と直腸を一緒に切除し人工肛門を造設する**直腸切断術**（マイルズ［Miles］手術）の大きく分けて2種類あり（図5-13），がんの部位と進行度により選択される。腫瘍が限局している場合，直腸局所切除術が行われ，腫瘍までのアプローチの方法により，経肛門的切除，経括約筋的切除，傍仙骨的切除の3つに分類される。

直腸周囲には排便機能，排尿機能，性機能を司(つかさど)る神経が多く存在する。便意を感じても排便環境が整うまで我慢し，トイレで排便しすっきりする，という排便機能を支える神経学・生理学的機能は複雑であるため，術後に生じる排便障害は，結腸がん術後の排便障害とは大きく異なる。

ここでは，直腸切除術のうち標準術式として広く行われている前方切除術と括約筋間直腸切除術（intersphincteric resection；ISR），人工肛門を造設する腹会陰(えいん)式直腸切断術について述べる。

❶前方切除術と術後合併症

腫瘍切除後の吻合部の位置が，腹膜反転部より上で口側の場合は高位前方切除術，肛門側の場合は低位前方切除術という（図5-14）。超低位前方切除術は吻合部の位置が，肛門から約4cm程度で肛門管直上付近となる術式であるが，明確な定義はない。ある程度まで悪性腫瘍が広がっている場合に，リンパ節をともに切除する。直腸は骨盤内の深い部分

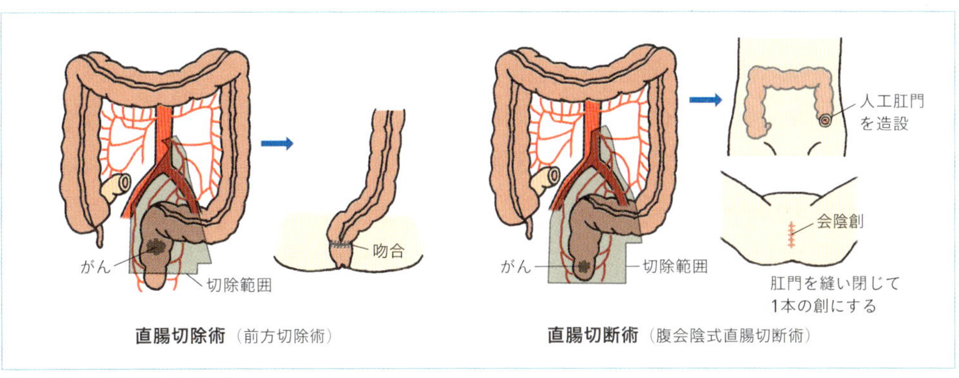

図5-13 直腸がんの術式

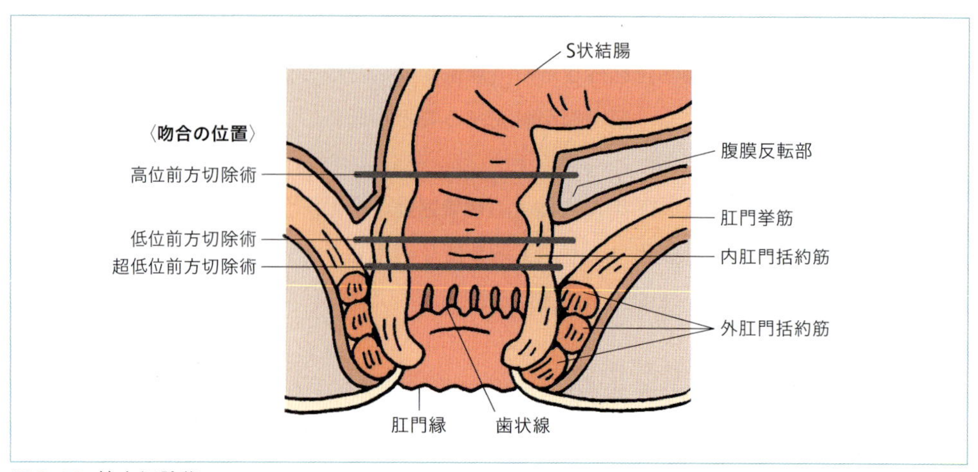

図5-14 前方切除術

にあり，吻合器の開発により発展を遂げた術式である。吻合部が肛門に近いほど縫合不全を起こしやすいため，低位前方切除術の場合，一時的人工肛門を造設して吻合部を一定期間安静にしたのち，人工肛門を閉鎖する手術も行われる。通常3〜6か月後に人工肛門閉鎖術が行われる。

前方切除術後の合併症には，結腸切除術後と同様に，イレウス，創感染，縫合不全（発症率は結腸切除術よりも高く5%程度）があるが，特徴的なものは排便障害，排尿障害，性機能障害である。ここでは特徴的な合併症に焦点を当てて説明する。

(1) 排便障害

残存直腸が短いほど排便障害は強く，少量ずつの頻回な排便や残便感，便意逼迫（ひっぱく），ガスと便との識別困難，下着の便汚染（soiling）などの**低位前方切除術後症候群**（low anterior resection syndrome：LARS）が生じる。便回数は頻回で便意があっても出ないこともあり，出始めは形のある普通便で，終わりの便は泥状便になることが多い。

回数が多くても水分量が多い下痢ではなく，便意があっても出ないことや，量がまとまって出ないことから「便秘」と表現する患者もいる。いつ便意を感じるか予測しづらく，少量の排便がひきがねとなり，その後は短時間で頻回に便意をもよおしトイレに行くこともある。また，排便後は爽快感を得にくく，残便感を感じることが多い[7]。

病態生理的には，直腸切除により便がたまる場所が消失すること，結腸の運動が変化すること，手術操作により肛門括約筋が脆弱化（ぜいじゃくか）すること，便とガスを識別する肛門管の知覚が変化すること，骨盤底の位置変化により直腸肛門角が鈍角化することが原因として考えられる[8]。

(2) 排尿障害

手術によるリンパ節郭清（かくせい）などにより排尿を司る骨盤神経や下腹神経，陰部神経が障害されると，尿の排出障害を招くことがある。尿意はあり排尿することはできるが，膀胱内の尿を十分に排出することができず，残尿となり膀胱内にとどまる。その場合は，自己導尿により膀胱内の尿を排出させることになる。術後に自己導尿が必要となったとしても，退院後徐々に排尿障害は改善され，自己導尿が不要になるケースがほとんどである。

(3) 性機能障害

排尿障害と同様に，リンパ節郭清により自律神経が障害され，性機能障害を招くことがある。性機能障害には男性の場合，勃起障害と射精障害がある。女性の場合には膣の湿潤度が低下するといわれるが，そのメカニズムは不明である。手術侵襲が加えられたからだが性機能を取り戻すには，多少時間がかかるものである。術後経過に沿って回復する場合もあるが，戻らない場合もある。

❷ISRと術後合併症

ISR（図5-15）の術後合併症は，排便障害のほかに，吻合部狭窄・閉鎖，粘膜脱がある。前方切除術と同様に排尿障害や性機能障害も発症するが，内肛門括約筋を切除することから，術後は**便失禁**を中心とする排便障害が最も生活に影響する合併症である。便失禁の程度は術後間もない時期が最も悪く，その後は緩やかに改善する傾向にあるが，長期にわたり高度な失禁状態にある患者もいる。

前述した前方切除術も同様であるが，手術侵襲を最小にし，人工肛門造設を避けるため，腫瘍の縮小効果をねらって，術前に放射線療法や化学放射線療法を行う場合がある。放射線治療による晩期障害として，肛門機能が低下して排便障害が増強することもある。

❸腹会陰式直腸切断術と術後合併症

腫瘍が肛門に近い下部直腸にあり肛門括約筋まで浸潤している場合や，肛門括約筋の筋力が低下している場合など，肛門を温存する手術が難しい場合に，腹会陰（えいん）式直腸切断術が選択される。腹部と会陰部からアプローチする手術で，永久的人工肛門（ストーマ）を造設する手術である。術後合併症は，人工肛門の近傍にある腹部創や会陰創，滲出液（しんしゅつえき）が貯留しやすいダグラス窩（か）（直腸膀胱窩）の感染，排尿障害や性機能障害と，ストーマ関連合併症であるストーマの出血や壊死（えし），ストーマ周囲皮膚炎がある。

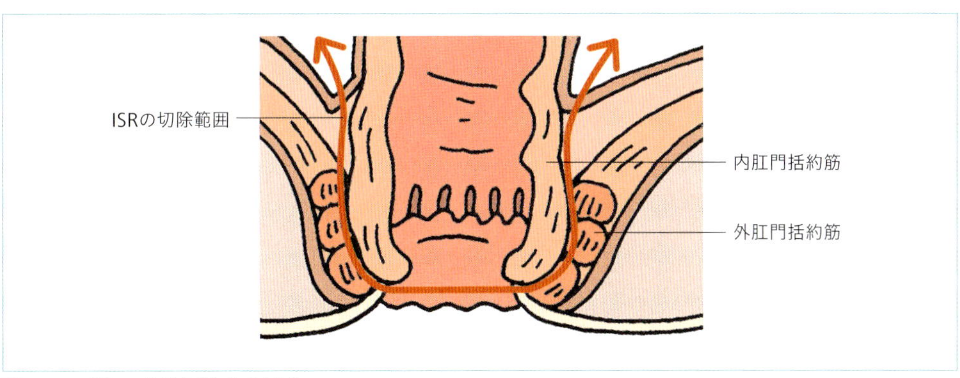

図5-15 ISRにより切除する部分

3. 看護目標

- 手術後に排便習慣，術式によっては排便経路が変更することを受け止め，セルフケア方法を習得することができる。
- 変化した排便習慣に合わせて，食事内容や食べ方を工夫できる。
- イレウス・腸閉塞の症状に気づいて早期に対処できる。

4. 術前の看護

1 患者のアセスメント

❶術前訓練と説明

全身麻酔による開腹手術か腹腔鏡補助下手術であるため，術後呼吸器合併症を予防するために，禁煙指導や深呼吸の練習，排痰の練習を行う。術後疼痛の評価方法と鎮痛への対処（patient controlled analgesia；PCA，自己調節鎮痛法）についても確認する。ドレーン留置が予測される場合は，予測されるドレーン挿入部位やドレーンの扱い方，注意点について，あらかじめ術後の状況や回復過程に沿って伝える。

❷腸管の前処置

感染や縫合不全を予防する観点から，手術部位である腸管を清浄化する処置が行われる。高度な狭窄がある場合は，イレウスに注意する。術後の回復を促進する周術期管理プログラム（enhanced recovery after surgery；ERAS）（第 1 編 - 第 1 章 -Ⅲ-C-4「術後回復能力強化」参照）の視点から，術前の絶飲食時間は短縮され，腸管清浄は機械的洗浄ではない方法に変わりつつある。腸管の切除部位や対象によって異なる方法で腸管の清浄化が行われるが，排泄された便性状を観察し，準備状態を確認する。

2 人工肛門を造設する／造設する可能性のある場合のケア

人工肛門には，永久的人工肛門と一時的人工肛門がある。一時的人工肛門は，低位前方切除術やISRなど縫合不全のリスクが高い術式の場合に，予防的に造設するものであり，のちに閉鎖術により腸管を元に戻すため，排泄口が双孔式の二連銃式となっている。永久的人工肛門は単孔式である（図 5-16）。

永久的および一時的，いずれの場合も人工肛門とその付き合い方について知ることができるよう支援する。人工肛門を造設しても，工夫により術前と変わることのない生活ができることを伝える。その人自身が生活で大切にしていること，大切にしたいことがどう影響を受けるのかについても伝える。

あらかじめ，人工肛門の位置を患者本人と医師，看護師など治療者と本人で決めることで，生活行動や趣味，好みの洋服などから，管理しやすく納得のいく場所に人工肛門を造設する心身の準備ができる。これを**ストーマサイトマーキング**という。標準体形で，左右

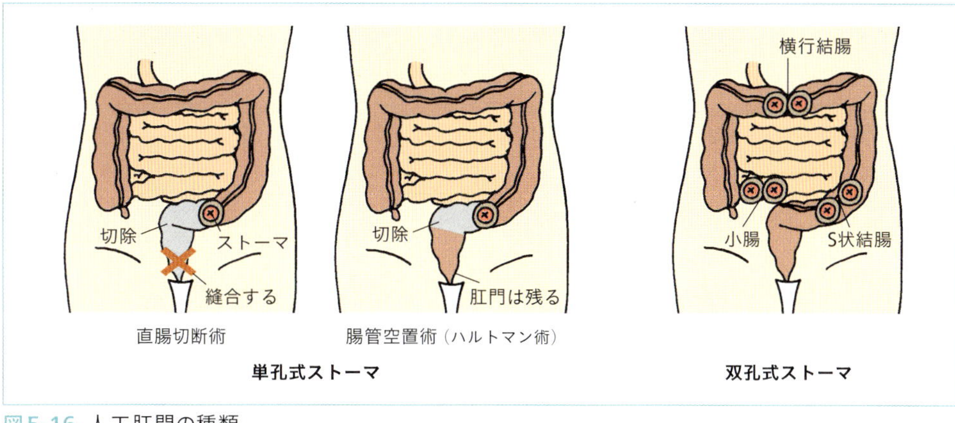

図5-16 人工肛門の種類

の下腹部に造設する際は，次のクリーブランドクリニックの５原則*が参考にされる。

❶臍より低い位置
❷腹直筋を貫く位置
❸腹部脂肪層の頂点
❹皮膚のくぼみ，しわ，瘢痕（はんこん），上前腸骨棘（きょく）の近くを避けた位置
❺本人が見ることができ，セルフケアしやすい位置

また，大村ら[9]が提案したストーマサイトマーキングの原則は次の４つで，どのような体形にもあてはまる基準となっている。

❶腹直筋を貫通させる
❷あらゆる体位（仰臥位・座位・立位・全屈曲位）をとって，しわ，瘢痕，骨突起，臍を避ける
❸座位で患者自身が見ることができる位置
❹ストーマ周囲で平面の確保できる位置

ストーマサイトマーキングを行うことによって患者は，自身が人工肛門を造設することを直視し，心身の準備をすることになる。そこには，複雑な心境ではあろうが，決心や決意がある。看護師は，ただ人工肛門の位置を決めるというからだの準備だけととらえずに，その決意を応援する姿勢で援助する必要がある。

3 手術に向けた準備

❶栄養状態の改善

腫瘍による大腸の通過障害や，悪心（おしん）・嘔吐，下血，下痢などの消化器症状によって，栄養状態が低下している場合がある。術前の栄養状態を改善することは，感染を予防し創傷

***クリーブランドクリニックの５原則**：クリーブランドクリニック（Cleveland Clinic）は，オハイオ州クリーブランド市に本拠地を置き，卓越した医療と経営において評価の高い医療機関である。人工肛門造設患者のQOLを考慮したストーマの位置を検討し，術前にストーマの位置決めをする際の原則として示されたのが，クリーブランドクリニックの原則である。しかし，標準体重の場合に適用される原則であり，すべての患者に適用できるものではない。「臍よりも下」とあるが，ストーマの位置（使用する腸管）やしわの位置でも変わるため，注意が必要である。

部の治癒を促進させ，回復を促すために重要である。下血が続いている場合は，貧血状態を把握する。

5. 術後の看護

1 術後の観察と合併症の早期発見

注意が必要な合併症は，縫合（ほうごう）不全と麻痺性イレウス，吻合部（ふんごうぶ）狭窄，創部感染である。縫合不全が起こると，脈拍は上昇し，腹痛や腹部膨満感・腹部緊満感，発熱，白血球増加がみられ，ドレーンからの排液が膿性，消化液，胆汁様，便汁様などに変化する。症状とともにドレーンからの排液について，その変化を適切にとらえる。

手術侵襲によって腸管運動が抑制されるが，術後72時間以上経過しても腸管運動麻痺が持続していると，**麻痺性イレウス**と判断される。ベッド上でも頻繁に体位を変え積極的にからだを動かし，早期に離床を図ることで，腸管運動の回復を促進させる。腸蠕動音の聴診，排ガス・排便の確認，腹部単純X線検査の画像の確認を行う。

吻合部狭窄とは，消化管の吻合部が消化管の浮腫や癒着，捻転などが原因となり，吻合部やその周囲の消化管が狭窄することである。食事開始後に腹部膨満感や腹痛などの症状に注意を払う。

創部感染は，創部の発赤（ほっせき）や腫脹，疼痛，熱感などの感染徴候や熱型（ねつけい）に注意する。感染が起こった場合は創部を洗浄し，物理的に圧迫しないよう寝衣を整え，肉芽（にくげ）の形成を促進させる。

2 疾患・術式特有の術後管理

❶前方切除術後とISR術後

排便障害と排尿障害が特徴的な症状である。

排便障害に対しては便失禁で下着を汚染しないよう，パッドを使用することを勧める。頻回な排便によって肛門への刺激が強く痛みが出るため，温水洗浄便座などを活用し，刺激の少ない方法で肛門を清潔に保つようにする。患者は，術前に術後の状況は聞いてはいるものの，便失禁する自身の状況は受け入れがたく，自尊心は大きく低下する。ISRは完全に回復することは難しい場合もあるが，術後の時間経過に沿って便性も変化するため，改善することを伝える。腫瘍の減量を期待して術前放射線療法を受けた場合，直腸粘膜の変化から術後排便障害は強くなる。

排尿障害で残尿が100mL以上の場合は，自然排尿ごとに導尿を行う。導尿は50～100mLでは1日2～4回，30～50mLでは1日1～2回もしくは不要になる。50mL以上の残尿がある場合は自己導尿を習得して退院となる。自身で実施することが困難な場合は家族への指導が必要となる。自己導尿は，患者や家族にとって抵抗感があり，社会生活に大きな影響を与える。負担が少なく継続してできる方法を見いだせるよう援助する。ある程度時間や場所を決めて行えること，工夫により慣れること，また退院後に回復するケースも多いことを伝える。

❷腹会陰式直腸切断術後

人工肛門の合併症を予防するために，術後48時間は特に人工肛門の色や腸粘膜の浮腫や出血，壊死の有無の観察をする。人工肛門の浮腫は術後3～4日に最大になるため，それを考慮して面板（めんいた）の穴を開ける。腹部手術創に張力をかけないよう，パウチ内がガスや便で満杯にならないよう注意し，装具交換時も愛護的に行う。

3 身体的・精神的苦痛の緩和

排泄経路の変更の有無を問わず，術後に排泄される便は泥状～軟便もしくは水様便となり，我慢することが難しく便漏れを生じることがある。便性は経口摂取の開始に伴い時間経過とともに落ち着いてくるものの，便漏れにより下着や寝具を汚してしまうのは自尊心を低下させ，精神的につらいことである。漏れてもすぐに交換し清潔にできるよう，パッドや紙パンツなどの使用を勧める。においに対する患者の気持ちも配慮する。

看護師が行うストーマケアは患者にとってモデルとなり，人工肛門のある自分自身を受け入れる重要な役割を担う。ケアを行うタイミングは食事時間や面接時間を避け，においにも配慮し，良いイメージを与えるような表現をしながらケアを行う。

セルフケア指導は，歩行や座位の保持ができるようになり状態が安定してから，段階を経て進める。まず第1段階は，看護師が装具交換について説明しながら行う。第2段階は，患者が主として行い，看護師は部分的に介助して装具交換を行う。第3段階は，患者がすべてを行い，看護師は必要に応じてアドバイスを行う。

入院期間が短縮化しているため，入院中にセルフケアをすべて習得するのではなく退院後も継続して身に付けていけるように支援し，決して焦らせることはしないよう注意する。家族も人工肛門とストーマケアに関する理解が深まることで，患者も家族も安心して生活ができる。セルフケア指導で家族にどのように参加してもらうか，患者と相談しながら進める。一時的人工肛門造設の場合は，患者自身がセルフケアを習得することに抵抗を感じ，家族の支援を必要とするケースも多い。

4 日常生活の支援

便漏れを気にするあまり，食事摂取に消極的になる場合があるため注意が必要である。経口で食事を摂れるようになることで，便性も整うことにつながるため，必要な栄養を経口で摂れるよう支援する必要がある。

便意をもよおしてからトイレに間に合わないことがある場合は，病室のベッド配置を考慮してトイレからなるべく近い場所にするとよい。

6. 回復過程における支援

1 家族を含めた支援

大腸がん患者の術後に共通する課題は，排便コントロールと食事に関することである。看護師は，患者がだれと生活を共にして食事はだれが準備するのかを理解し，家族を含めた支援を行う。特に排泄に関しては，家族内で話しやすく取り組みやすい課題であることが望まれるので，家族関係も考慮して支援する。

2 退院後の自己管理

❶便性や排便リズムの変化へのケア

日常生活に戻り食事や活動がふだんの生活に近づくことで，腸内環境や身体活動が変化し，便性や排便リズムが変化する。手術による切除範囲や術式により異なるが，食事内容と食事時間，便性調整の緩下剤や整腸薬，止痢薬なども併せて便性の変化に注意を払い，自身で調整できるよう支援する。便性が落ち着くまで半年程度かかる場合もある。基本的に食生活は，癒着性イレウスを予防する観点から，暴飲暴食を避け，よくかみ，ゆっくりとバランスの良い食事を摂るように指導する。

低位前方切除術やISRを受けた患者は，退院後もしばらく少量ずつの頻回な排便，便とガスの識別困難，便失禁（軽い場合は，下着の便汚染：soiling），便意逼迫（urgency），残便感が生じる。残便感からトイレにこもることはせず，排便がない場合には短時間で切り上げ，自宅内に閉じこもらず，散歩など可能なことから外出する時間をつくり活動性を高めることを勧める。排便を多少我慢できるようになったら，便の貯留がなくても生じる便意から注意をそらせるよう，趣味や楽しみを意図的に生活に取り入れるように説明する。便失禁がある場合は，社会生活を送りながら，効果的なパッドの使用法や肛門周囲の清潔方法を指導し，失禁に伴う自尊心の低下に対して精神的な支援も行う。

❷人工肛門造設患者への指導

人工肛門を造設した患者に対しては，ケア方法や装具の選択など，継続したセルフケア指導が必要である。回腸ストーマの場合には，水分の多い便が排泄されるため，特に夏場など脱水や電解質異常への対処を指導する。また，一時的人工肛門を造設した場合は，肛門括約筋機能を維持するため，肛門括約筋を収縮させる骨盤底筋運動（本編 - 第7章 - Ⅲ - 4「術前の看護」参照）を行うことを勧める。

Ⅳ 膵臓がん

膵臓は胃の後面，後腹膜に横たわるように存在する長さ20cm程度，60～100gの後腹膜臓器で，十二指腸に囲まれる頭部(とうぶ)，脾臓(ひぞう)に接する尾部(びぶ)，その間の体部(たいぶ)からなる。膵臓は2つの役割をもち，様々な消化酵素を含む膵液を分泌する外分泌組織と，糖代謝をコントロールするホルモンを分泌する内分泌組織により構成される。

▶ **外分泌組織**（約9割以上） 膵液の分泌（腺房細胞により1000～1500mL/日）。

▶ **内分泌組織**（約1割以下） ホルモンの分泌（インスリン，グルカゴン，ソマトスタチンなど）。

1. 疾患の概要

1. 概念・定義

一般的に**膵臓がん**とは，原発性膵臓がんのうち9割以上を占める外分泌系における上皮性悪性腫瘍を指し，膵臓がんの大部分は膵管上皮から生じる。膵管は細長い膵臓を貫いて網目状に走る細い管である。膵臓がんは早期に症状が出現しにくく，初発症状は非特異的で，早期に有用といえるスクリーニングも現段階では確立されておらず，発見が非常に難しい。消化器がんのなかでも最も悪性度の高いがんの一つであり，難治性である。膵臓は周囲に重要な血管が走行しており，浸潤した場合，治癒切除が非常に困難なことがある。

2. 誘因・原因

60歳以上の高齢者に多い。そのほかの危険因子としては，慢性膵炎，喫煙，糖尿病（先行発症が半数以上にみられる）との関連性が指摘されている。また，家族歴は4～8%とされている。

3. 病態生理

膵臓がんの大部分は膵管上皮から生じる浸潤性膵がんであり，膵頭部・膵体尾部への発生に分類される。組織学的には腺がんが多い。浸潤傾向が強く，隣接臓器や脈管，神経叢(そう)に直接浸潤し，肝臓や肺，リンパ節へ転移する。膵臓がんの部位別における発生率は，膵頭部が70%程度，体尾部が15%程度，2区域または全体が25%程度を占める。

4. 症状・臨床所見

膵臓は，ほかの臓器（胃，十二指腸，小腸，大腸，肝臓，胆嚢，脾臓など）に囲まれた臓器であり，初期では症状の発症もないうえ，膵臓がんになりやすい傾向も明確となっていないことから，膵臓がんと診断されたときにはすでに進行していることが多い。

❶初期

無症状であることが多く，胆管狭窄による膵炎のような腹痛・腹部膨満感，糖尿病発症や増悪(ぞうあく)などの症状が出現する。

❷進行期

- 膵頭部がん：主な初発症状のうち，疼痛（心窩部痛(しんかぶつう)最多）が70～80%を占め頻度も高い。下部胆管閉塞による黄疸や悪心・嘔吐，食欲低下，体重減少，白色便，皮膚瘙痒感(そうようかん)などがあり，無痛性胆嚢腫大をきたす。
- 膵体尾部がん：黄疸などの症状がみられないため，進行して発見されることが多く，予後は極めて不良である。症状は，持続性の心窩部痛から背部痛，下痢，口渇，多飲，多尿などがある。上腹部痛は，比較的腫瘍が小さいうちに現れることが多く，腰・背部痛は進展した場合に多くみられ，夜間に疼痛が強い。疼痛は胸膝位で軽減する。尾部に存在するランゲルハンス（Langerhans）島が破壊されるため，インスリンを分泌するβ細胞が傷害され，二次性糖尿病が生じ，疼痛と多飲・多尿が主症状となる。

❸末期

膵周囲の神経叢に腫瘍が浸潤し，管理困難な強い疼痛を訴えることが多い。

5. 検査・診断・分類

❶検査・診断

- 腹部超音波（エコー検査）：消化器症状の判別に実施する。膵臓の状態の観察を目的とし，不整な低エコー腫瘤の有無を確認する。しかし，体形や発生部位によっては確認できないこともある。そのほか，胃・食道の内視鏡検査により，ほかの疾患と鑑別する。
- CT 検査：超音波検査で異常が疑われる場合や，血液データに膵・胆管系の異常所見がある場合に実施する。病変の状態や周囲臓器への浸潤や転移を確認する。CT の単独使用は適さず，造影剤を用いた検査が推奨されているため，ヨードアレルギーに注意が必要となる。
- MRI 検査：超音波検査や CT 検査で診断に至らない場合に実施する。
- 超音波内視鏡検査（EUS）：内視鏡をとおして，胃や十二指腸から膵臓に超音波を当てて病変の状態を観察する。体外からのエコー検査よりも詳細なデータを得られる。

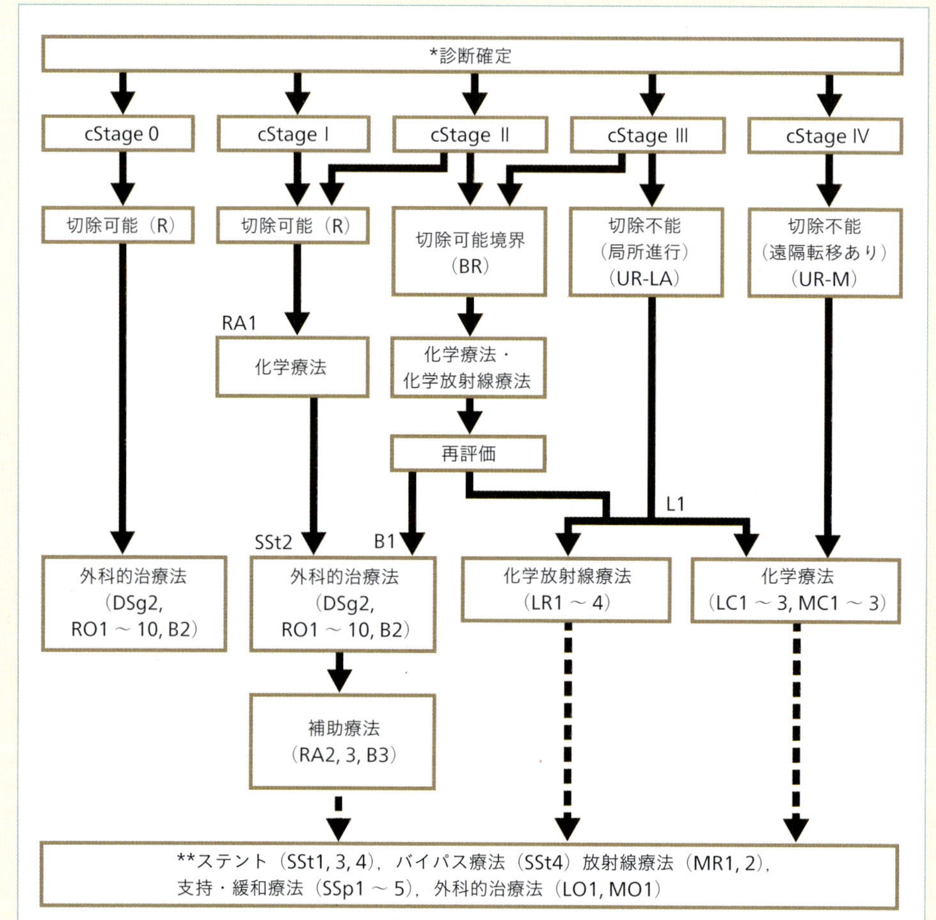

cStage 分類，切除可能性分類は日本膵臓学会『膵癌取扱い規約』（第 7 版）による。
*膵癌患者においては診断初期から痛み・消化吸収障害・糖尿病・不安などに対する支持・緩和療法が必要となる。詳細については各病態の診療ガイドラインおよび日本緩和医療学会の HP（https://www.jspm.ne.jp/guidelines/）を参照されたい。
**ステント療法，バイパス療法，放射線療法，支持・緩和療法，外科的治療法は患者の病状により適応とする（適応は本文に詳述）。

出典／日本膵臓学会膵臓診療ガイドライン改訂委員会編．膵癌診療ガイドライン 2019 年版．金原出版，2019．Suizou.org/pdf/guide2019_p93.pdf. より引用

図 5-17 膵癌治療のアルゴリズム

- 内視鏡的逆行性胆管膵管造影（ERCP）：膵管や胆管の形状（不正な狭窄，中断，閉塞）を検査する。
- 磁気共鳴胆管膵管撮影（MRCP）：MRIを使用し，胆管・膵管の状態を検査する。侵襲が少ない。
- PET検査：陽電子放射断層撮影検査であり，全身のがん細胞を検出する。
- 経皮的胆道造影：黄疸があるとき（主に膵頭部がん）はERCPに代わって実施する。
- 腫瘍マーカー：CA19-9，CEA，Span-1，DUPAN-2，CA50などの腫瘍マーカー値の上昇がみられれば参考となるが，特異性は低く，早期診断には役立たない。膵酵素の上昇は，膵管狭窄に伴う随伴症状により生じる。

6. 治療

治療方法は手術（外科治療），化学療法，放射線療法の3種類である。膵臓がんは早期発見が難しく診断時に進行していることが多いことから，病期にかかわらず術後に化学療法を行うことが推奨されている（図5-17）。

閉塞性黄疸がある場合は，術前に内視鏡的胆道ドレナージ（EBD）や，経皮経肝胆道ドレナージ（PTBD）で減黄処置を行う。切除不能例も多く，化学療法や放射線療法などの集学的治療が行われる。

7. 予後

発見時にはすでに進行していることが多く，一般的に予後は不良である（表5-7）。

表5-7 膵臓がんの病期別生存率

病期[注)]	症例数（件）	5年相対生存率（%）
I	206	41.3
II	626	17.8
III	654	6.4
IV	1,626	1.4
全症例	3,250	9

注）この表の臨床病期は国際対がん連合（Union Internationale Contrele Cancer：UICC）のTNM分類を用いている。
資料／全国がん（成人病）センター協議会の生存率共同調査　KapWeb（2016年2月集計）

2. 術式・術後合併症の概要

1 術式

手術は，膵臓がんの位置や浸潤などにより選択される。

❶膵頭部がん

(1) 切除範囲

胃切除範囲が異なる3種類の切除方法*より選択する（図5-18）。

- **膵頭十二指腸切除術（PD）**：総胆管切除＋胆嚢摘出＋膵頭部切除＋十二指腸全摘＋胃部分切除（1/3～1/2）。門脈などへの浸潤がある場合は，門脈も合併切除となる。
- **亜全胃温存膵頭十二指腸切除術（SSPPD）**：胃幽門輪の口側で切除し，胃のほぼ全域を温存。
- **全胃幽門輪温存膵頭十二指腸切除術（PPPD）**：幽門輪の肛門側で切除し，胃全域と幽門輪を温存。

*膵頭部切除時は，胃切除術に準じて胃を切除することが標準術式とされてきた。しかし現在では，消化性潰瘍に対する強力な治療薬の出現により，幽門輪を含めた胃温存術式（SSPPD，PPPD）が多くなっている。

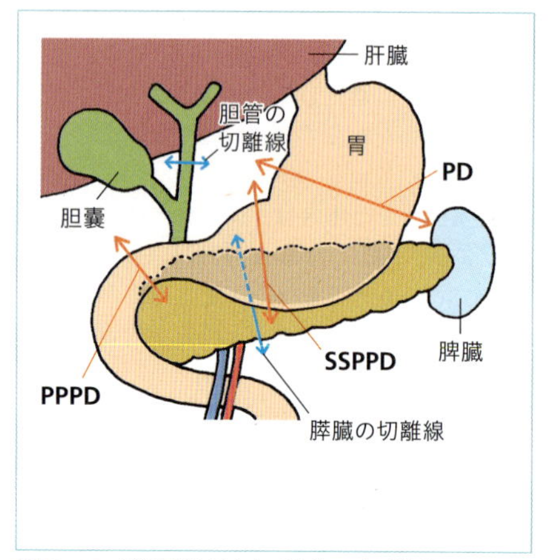

図 5-18 膵頭部がん切除術の切離線

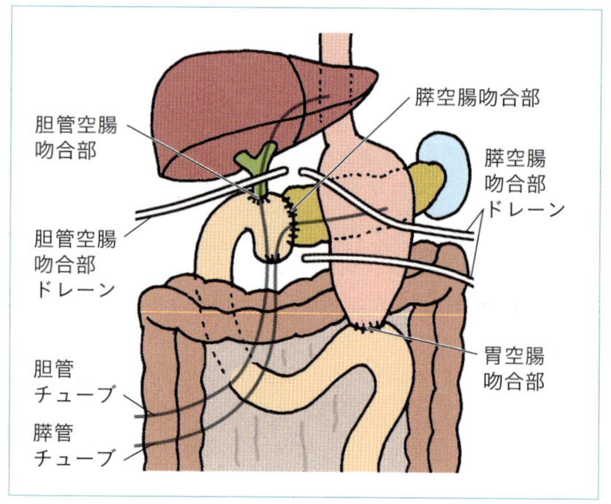

図 5-19 膵頭部がん切除術の再建方法（Child 法）

(2) 再建方法

ウィップル（Whipple）法（胆管→膵→胃），チャイルド（Child）法（膵→胆管→胃，図 5-19），今永(いまなが)法（胃→膵→胆管）などがある。

(3) 切除理由

- **十二指腸**：膵頭部切除により，胃・十二指腸動脈とこれにつながる膵頭部・十二指腸の辺縁動静脈がなくなり十二指腸の血流が遮断されるため。
- **胆管**：胆管下部は膵頭部の背側を貫通しており，また十二指腸口部では膵管と合流することから，膵頭部切除に際して必要となる。さらに肝・十二指腸間膜リンパ節郭清を行うと，胆管と胆嚢の血流が障害されるため。
- **胆嚢**：膵頭十二指腸切除術後は，胆嚢と腸管吻合や迷走神経切離の影響で胆嚢炎が非常に起こりやすいため。
- **胃**：膵頭部切除後は胃酸の分泌を促進するガストリンが過剰になり（胃十二指腸粘膜に存在する胃酸分泌抑制ホルモンが消失するため），消化性潰瘍を生じやすいため。
- **門脈**：門脈は膵頭部の背面に存在し，膵がんに浸潤されやすく，合併切除の対象となる。これに対し，上腸間膜動脈も浸潤されるが，切除侵襲との比較と根治性の問題から，基本的に合併切除の対象とならない。

❷膵体尾部がん

(1) 切除範囲

膵体尾部切除＋脾臓摘出（図 5-20）。再建なし。

(2) 影響

尾部に存在するランゲルハンス島（内分泌組織）へ大きな影響を与えるため，二次性糖尿病が生じ，多飲，疼痛が主症状となる。また，切離面からの膵液瘻となるリスクが高い。

❸膵全体がん（膵管内乳頭腺がんの一部）

(1) 切除範囲と方法

膵臓・脾臓摘出＋十二指腸切除＋胆嚢摘出＋リンパ節郭清（図 5-21）。

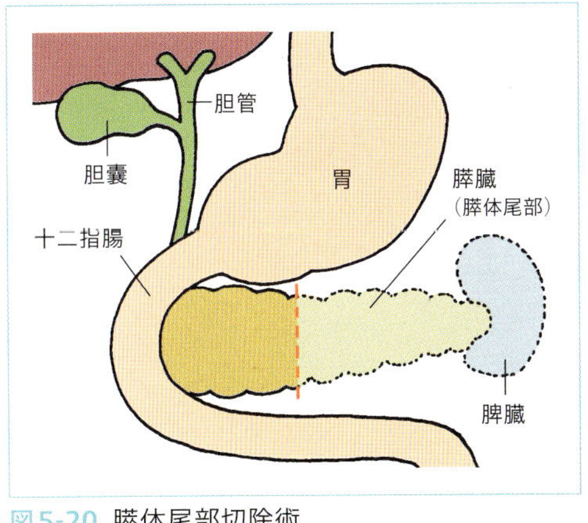

図5-20 膵体尾部切除術

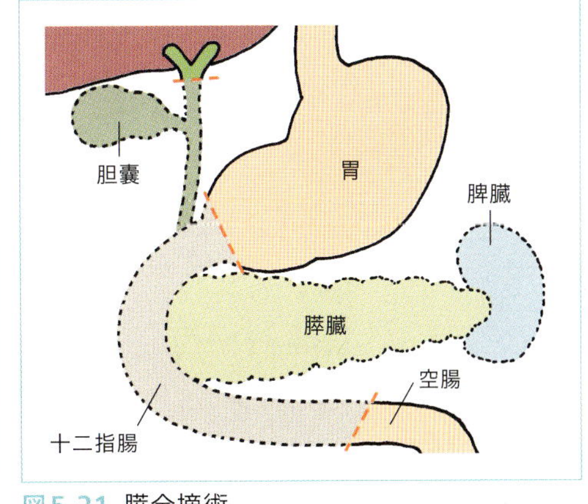

図5-21 膵全摘術

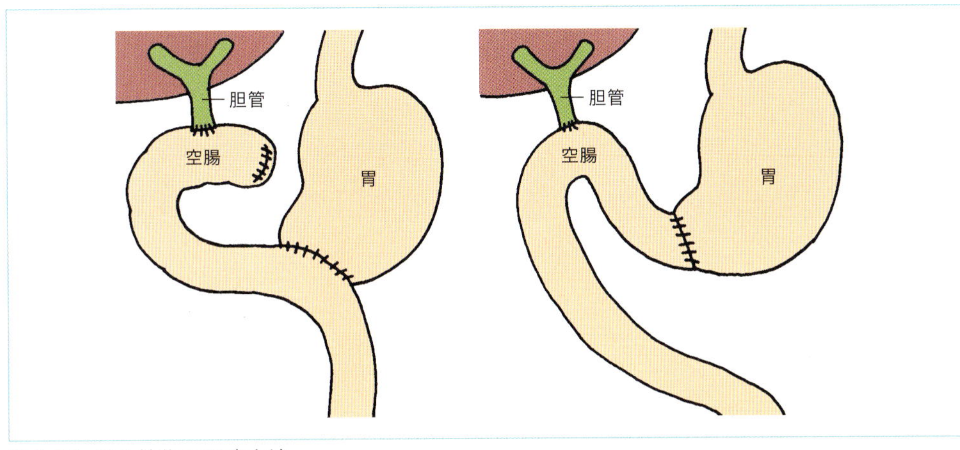

図5-22 膵全摘術の再建方法

(2) 再建方法

胆管と空腸，胃または十二指腸と空腸を吻合（ふんごう）する（図5-22）。

(3) 影響

膵臓すべてがなくなるため，膵液瘻の可能性はなくなる。耐糖能異常，外分泌機能不全による消化吸収不良，高度の膵内外分泌機能障害となるため，完全静脈栄養（TPN），経腸栄養，インスリン療法と膵外分泌酵素の使用が必要となる。

2 膵切除後の合併症

❶腹腔内出血

膵頭十二指腸切除術では多臓器切除，複数の再建箇所，多くの動静脈の切離などを行うため出血の危険性は高い。術直後～3日目に起こりやすく，術後24時間以内の出血は手術操作によるものがほとんどである。

❷膵液瘻

主に，膵空腸吻合部（ふんごうぶ）の縫合不全や切離面からの膵液の漏出により起こる。

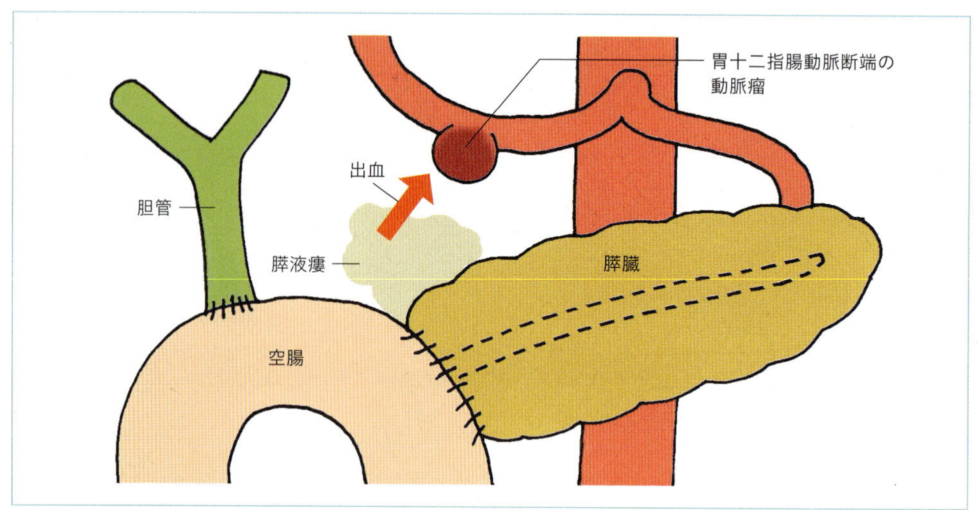

図5-23 膵液瘻からの術後出血

膵液は，たんぱく質・脂質・糖類を分解する消化酵素をもっており，漏出した膵液が胆汁漏･細菌感染により活性化されることで，周囲の臓器や血管を溶解する。膵臓切除部は，総肝動脈や脾動脈などの主要動脈と隣接しており，仮性動脈瘤の形成・破綻により致死的な大出血に至る原因となる（図5-23）。術後1～2週目でも，周囲の血管が消化され大出血を起こすことがある。

❸胆汁漏

胆汁漏は腹腔内感染を起こすばかりでなく，膵液を活性化するため膵液瘻を助長させるおそれがある。胆汁漏の原因となる縫合不全は，胆管の血流障害や感染，吻合部狭窄や腸蠕動の低下により腸内容が停滞すると，腸管内圧が上昇し胆汁の流出が停滞することにより発症しやすくなる。

縫合不全が起これば胆汁が吻合部から腹腔内に漏出するため，腹腔内感染や腹腔内膿瘍を起こし，重篤化することもある。

❹耐糖能異常

手術による外科的糖尿病および膵臓切除によるインスリンやグルカゴンの生産量低下によって，血糖値の変動が大きくなる。通常の術後のインスリン投与でも予想以上の低血糖を引き起こす場合がある。術前より耐糖能低下の患者が多く，術後に糖尿病の悪化・易感染・創傷治癒遅延のリスクが高まる。

❺膵外分泌障害

上腸間膜動脈周囲の神経叢郭清と併せて，脂肪・たんぱく質の吸収障害が起こるため，**難治性の下痢**を引き起こす。

❻胃排泄遅延

胃の動きの回復が遅れ，十二指腸切除に伴うモチリンの欠如・吻合部の浮腫・狭窄，膵液瘻・腹腔内膿瘍などの合併症に起因する二次的な胃運動障害が影響すると考えられている。

❼胆管炎

胆管空腸吻合部を介して，腸液が胆管に逆流することにより起こる。

❽縫合不全

耐糖能異常や膵外分泌障害は創部治癒遅延を引き起こす原因となり，膵液以外の消化液の漏出（胆汁漏など）や吻合部からの出血，創部の離解などが起こる。

❾そのほか

一般的な麻酔の影響による術後合併症やイレウスなどがある。

3. 看護目標

- 手術後，状況に応じたセルフケア（食事，排便コントロール，内服管理など）ができる。
- 留置物管理を安全に管理しながら回復過程を過ごすことができる。
- 全身状態を安定させ，離床を拡大できる。

4. 術前の看護

一般的な術前看護に加え，膵臓がん手術患者に必要となる看護を図5-24に示す。

1 栄養状態のアセスメント

入院時にスクリーニングシートを用いて，栄養，摂食嚥下，褥瘡のアセスメントを実施する。栄養状態の評価は，医師・栄養士と連携して行う。術前からの栄養状態の評価は，術後合併症（膵液瘻や縫合不全など）予防に重要となる。

2 手術オリエンテーション

❶術後の留置物管理

持続点滴・酸素チューブ，尿道留置カテーテル，多くのドレナージチューブが留置されるため，術後の様子をイメージできるよう説明する。

❷術後の疼痛コントロール

膵臓の手術は非常に侵襲の大きな手術であり，開腹手術がほとんどであるため，術後の疼痛は強く，コントロールが重要である。痛みを我慢しないこと，痛いときには医師や看護師に伝えることが大切であることを説明する。

❸離床の必要性

手術翌日から離床が必要であることを説明すると，多くの患者は驚くが，ほかの手術同様に合併症予防のために，留置物管理・全身状態の管理のもと，離床をしていくことの必要性について術前から説明し，理解を得る。

3 手術に向けた準備（血糖コントロール）

膵臓疾患患者は，術前から糖代謝異常をきたしていることがあり，膵臓切除により糖代

患者名　　　　　　　主治医　　　　　　　　　　　　　　　　担当看護師

		手術3日前（入院日）	手術2日前	手術前日	手術当日		術後1日目		術後2日目
					手術直前	術後	午前	午後	
		月 日( )	月 日( )	月 日( )	月 日( )		月 日( )		月 日( )
DPC									
患者目標		手術や疾患について不安や質問を表出することができ，予定どおり手術を受けることができる。			苦痛があれば看護師に伝えることができる。術後の安静・食事指示を守ることができる。離床することができる。				
治療	処置				弾性ストッキング着用	採血，ポータブルX線撮影	採血，ドレーン検体検査，X線撮影	その後適宜施行	
	投薬			15時下剤（クエン酸マグネシウム1包）内服 21時下剤（センノシド2錠）内服	6時グリセリン浣腸120mL施行	持続硬膜外麻酔			
	ドレーン					経鼻胃カテーテル 膵管チューブ 胆管チューブ 膵管空腸吻合部近傍 胆管空腸吻合部近傍			
	その他					酸素投与（麻酔科指示に従う）			
食事	食事内容	エネルギー・コントロール食			絶飲食			経鼻胃カテーテル抜去後，水分開始	
	嚥下評価	摂食嚥下評価実施							ROAG評価（術 摂食嚥下評価実
	褥瘡評価	褥瘡評価実施				褥瘡評価実施			
排泄						膀胱留置カテーテル			
保清（清拭，洗髪，足浴，シャワーなど）		シャワー浴					清拭・陰部洗浄		
活動	活動内容	フリー				ベッド上安静	フリー 午前・午後で離床実施	術後1日目の離床カンファレンス	午前・午後で病棟1周ずつを目標
オリエンテーション・指導	術前オリエンテーション・訓練	術前オリエンテーション患者参加型看護 説明し，患者と共に計画立案		術前カンファレンス実施					
退院	退院支援	スクリーニング評価							

TP：膵臓全摘術

図5-24 膵頭十二指腸切除術（PD）看護ケアパス（例）

謝異常のリスクが高くなるため，術前から血糖コントロールを行うことが重要となる。医師の指示に基づき，血糖コントロールのため内服，注射，血糖測定などを確実に実施して，間食をしないなどの食事指導を行う。

5. 術後の看護

1 術後の観察と合併症の早期発見

❶観察項目

(1) ドレーン

膵臓がん手術後は，図5-25のようにドレーン，チューブが留置される。ドレーン，チューブに共通する観察項目を表5-8にあげた。

	術後3日目	術後4日目	術後5日目	術後6日目	術後7日目	術後1週目〜	術後2週目〜	術後3週目〜	術後4週目〜
	月　日( )	月　日( )	月　日( )	月　日( )	月　日( )	月　日( )	月　日( )	月　日( )	月　日( )
→	→	→	→	→	退院後の生活をイメージすることができる。必要な医療処置の手技を獲得，あるいは介護者が手技を獲得する。→				
→	→	疼痛が強ければロピバカイン塩酸塩水和物追加 →	→	→					
→	→	→	→	→	→	→	→	→	クランプ後異常なければ抜去
→	→	→	→	→	→	→	→	クランプ後異常なければ抜去	
→	→	→	食事開始後も排液のアミラーゼ値が異常値でなければ，排液量をみながら抜去 →	→	→	→	→		
			流動食開始 →	→	胃切後三分粥		胃切後五分粥	胃切後軟飯	胃切後食
	後2日目）/ 施								
	膀胱留置カテーテル抜去 抜去後も指示があるまで尿側継続								
→	→	洗髪	清拭 足浴 →	→	→	ドレーン抜去後からシャワー浴			
	午前・午後で病棟1周ずつを目標	午前・午後で病棟2周ずつを目標	病棟内歩行	病院内歩行					
	退院支援が必要かアセスメントし，必要であれば退院支援を開始する		食事指導（流動食開始時）				栄養士食事指導依頼（五分粥開始時）		
						ADL低下や退院後も必要な医療処置（ガーゼ交換やドレーン管理，TPの場合，自己血糖測定やインスリン注射など）があり必要であれば依頼		

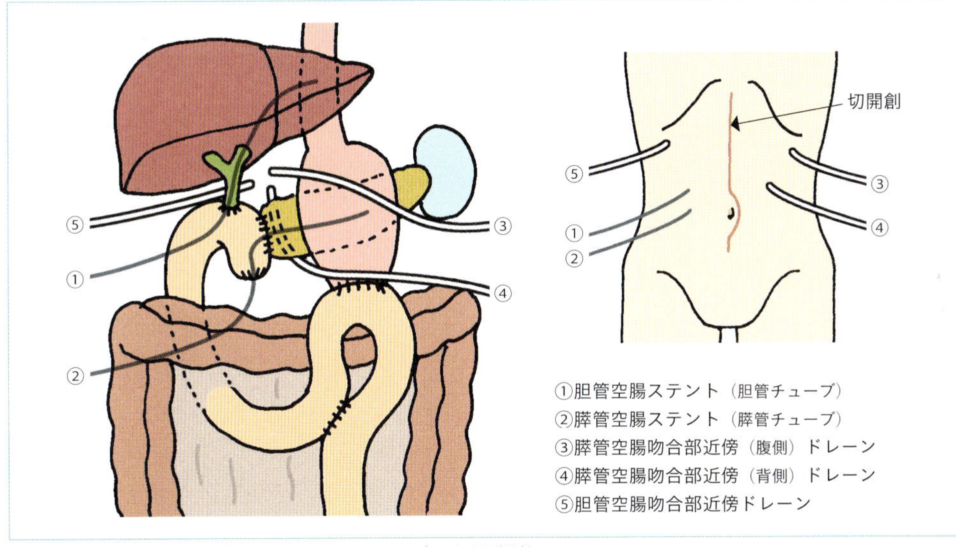

図5-25 膵臓がんの術後のドレーン，チューブの留置部位

表 5-8 膵臓がん術後に共通したドレーン，チューブの観察項目

観察項目	排液の量・色・性状・におい，ドレーン，チューブの屈曲やねじれの有無，挿入部付近の皮膚状態，挿入の長さ		
名称	**留置の目的**	**留置期間**	**経過および看護ケア**
経鼻胃管カテーテル	胃内容物の排出，胃空腸吻合部の減圧，術後吻合部出血の早期発見	約 1～2 日	胃内容物が停滞しないよう，自然排液に加え，定期的に吸引する。カテーテルによる咽頭不快時は含嗽（がんそう）を促す。
② 膵管空腸ステント（膵管チューブ）	膵管空腸吻合部の減圧，縫合不全の予防	約 4 週間	術後 2～3 日目の排液量は少なく（20mL/日程度），色は淡々血性であるが，術後 4 日目以降は 100～300mL/日（術前の膵炎の状態に応じて個人差あり）で，無色透明となる。流出が少ないときは医師に報告をする。排液が黄色調を帯びている場合，膵管の径が太いために腸液が膵管内に流入しているか，膵管チューブが膵管内から空腸内に逸脱していることが考えられる。 ドレナージ不良は縫合不全や急性膵炎の可能性を高めるため，チューブの屈曲やねじれがないよう管理する。吻合部に圧がかかると膵液瘻を起こす可能性があり，ミルキングは禁止である。クランプ後，発熱や腹痛がなければ抜去する*。
① 胆管空腸ステント（胆管チューブ）	胆管空腸吻合部の減圧，縫合不全の予防	約 3 週間	術後数日は留置したドレーンより少量～中等量の胆汁排出があるが（通常時黄金色，200～800mL/日），腸蠕動の改善により胆汁排出量は減少する。排液に黄緑色の胆汁が排出されていないか，胆管チューブからの排液量は減少していないかを観察する。排液が急に減少した場合はチューブの閉塞を疑い，ミルキングし，流出がなければ医師に報告する。ドレーンからの胆汁排液の有無，胆汁が空腸へ流れているかを確認する。空腸へ流れていない場合は便が白色になるため患者にも伝え，便性状の観察をする。排液が混濁している場合は感染が考えられ，自覚症状として腹痛や発熱があるため注意が必要である。 胆管チューブクランプ後，発熱や腹痛がなければ抜去する。
③④ 膵管空腸吻合部近傍（腹側・背側）ドレーン	術後出血の早期発見，膵液瘻や膵管空腸吻合部縫合不全の診断，治療	約 7～10 日	食事開始後も排液のアミラーゼ値に異常がなければ，排液量をみながら抜去する。場合によっては 2 本留置されることがある。
⑤ 胆管空腸吻合部近傍ドレーン	術後出血の早期発見，胆管空腸吻合部付近の縫合不全の発見，胆汁漏の発見，治療	約 7～10 日	食事開始後も排液のアミラーゼ値に異常がなければ，排液量をみながら抜去する。

注）異常な性状などについては「**2 疾患，術式に特有の術後管理**」参照。
*膵管・胆管チューブはほとんどが不完全外瘻であるが，完全外瘻の場合もあり，それによって排液量の程度や観察の重要度が異なるため，医師に確認する。膵管径が小さい場合は完全外瘻，大きい場合は不完全外瘻にすることが多い。完全外瘻はほぼすべての膵液がチューブから排出される。一方，不完全外瘻はチューブと腸管内へ膵液が排出される。

(2) 創部

術後創はハイドロコロイドドレッシング材，フィルムドレッシング材により保護されているが，創部の発赤（ほっせき）や腫脹，滲出液（しんしゅつえき），疼痛の有無を観察する。ドレーン刺入部はＹ字ガーゼ，フィルムドレッシング材により保護する。ドレーンのドレナージ不足やドレナージ不良による滲出液汚染を観察する。

(3) 検査データの確認

- **採血**：術後の炎症反応やアミラーゼ値，栄養状態など，全身状態を確認する。
- **X線撮影**：腹部ガス貯留状態，肺炎の有無などを確認する。
- **ドレーン検体検査**：各ドレーンの排液中のアミラーゼ値，ビリルビン値を適宜測定し，膵液瘻・胆汁漏の早期発見を行う。
- **胃透視検査**：食思不振や通過障害出現など，必要に応じて消化管の状態を確認する。

2 疾患，術式に特有の術後管理

❶腹腔内出血

早期異常の発見のため，各種ドレーン，チューブからの排液，ガーゼ汚染の性状が血性でないか，排液量が100mL/時間以上ではないか，バイタルサインの変動（血圧低下，頻脈など），顔面蒼白の有無，血液データの異常（貧血の進行，凝固能異常など），ドレーン排液アミラーゼ値の異常がないか観察する。

❷膵液瘻

膵管空腸吻合部近傍ドレーンを観察し，排液の色，濁り，粘性，臭気，量に細心の注意を払い観察する。まず，無色透明のサラサラした排液が観察されたら膵液の漏れを疑う。次に，粘性が強く，ベージュから膿性色の排液が観察されたら膵組織の融解を示し，独特な酸臭がしたら感染を疑う。その後，血液の混入した排液（赤ワイン色）がみられたら（予兆出血）今後大量出血を起こす可能性があるため，すぐに医師へ報告する。ドレーン排液のアミラーゼ値が1000単位以上を要注意とし，1万単位以上では膵液瘻を疑う。自覚症状としては膵液による腹腔内臓器の自己消化に伴う腹部痛，発熱，倦怠感，感染徴候，腹部膨満感，悪心・嘔吐の有無に注意する。

膵液瘻発症後，大量出血した場合は血管造影による塞栓術や手術による止血処置を行う。排液内のアミラーゼ値1000単位以上が続く場合は腹腔内に漏出した膵液を薄める処置を行う。洗浄用のドレーンに交換し，腹腔内に洗浄液（生理食塩水）を流し，膵液を薄めると同時に低圧持続吸引器を用いて腹腔内にとどまった膵液，生理食塩水を持続的に吸引するという持続洗浄ドレナージを行う。

❸耐糖能異常

膵尾部側に内分泌細胞が豊富なため，膵頭部切除では耐糖能異常をきたすことは少ない。膵頭十二指腸切除の場合は，食事が始まり全身状態が安定するまでは血糖の変動があるため，必要時インスリンの投与を行うが，最終的にはインスリン投与は必要なくなる。

膵全摘を行った場合は膵内外分泌機能が完全に欠落し，インスリンもグルカゴンも分泌されない二次性糖尿病の状態となるため，生涯にわたりインスリン投与が必要である。そのため，全身状態が安定してきた頃から自己血糖測定，自己インスリン注射の指導を行う。二次性糖尿病は通常の糖尿病と異なり，少量のインスリンで長時間著しい血糖低下とわずかな糖摂取で血糖上昇を起こすことが特徴である。

❹膵外分泌障害

排便状況（回数・性状）の確認を行い，整腸薬や止痢薬，膵消化酵素補充薬の使用を検討する。

❺胃排泄遅延

悪心・嘔吐や腹部膨満感，食欲不振などの症状を観察する。自然治癒を待つのが原則であるが，胃の動きが回復するまで，絶食・中心静脈栄養投与となる。

3　離床時のケア

離床は術後１日目より開始する。留置物が多いため，留置物による転倒や自己抜去が起こらないよう，患者の状態に合わせながら離床時間や離床頻度を考慮して援助する。疼痛に関しては，離床前に鎮痛薬を使用し，疼痛コントロールを図ってから行う。また，侵襲が大きい手術であるため，離床時の患者の表情やバイタルサインの変化に注意する。

4　身体的・精神的苦痛の緩和

硬膜外麻酔チューブによる持続的な鎮痛薬の投与に加えて，頓用の鎮痛薬を使用する。疼痛の評価にはNRSやフェイススケールなどを用いてアセスメントを行い，早期離床による合併症の予防や，夜間の睡眠確保による心身の休息を支援する。

5　日常生活の支援

❶食事摂取へのケア

（1）食事内容

手術翌日から水分摂取開始となる。術後２日目から流動食，その後，三分粥食，五分粥食，分割食へと段階的に変更していく。水分摂取や食事開始後，発熱や腹部症状，ドレーン性状の変化などが出現した場合は，食種変更の保留，または絶飲絶食とし，経過観察となる。

（2）食事指導の必要性

食事指導の際には，胃や十二指腸の切離ラインが重要となる。通常の膵頭十二指腸切除術では胃体部で切除しているため幽門輪がなく，ダンピング症状が起こるリスクがあるため，ダンピング症状予防のため食事開始時に食事指導を行う。術後は消化酵素分泌低下*に加え，上腸間膜動脈周囲の神経叢を切除するため，たんぱく質や脂肪の吸収障害が生じやすく，下痢を引き起こしやすくなる。また，術後の刺激や低栄養による腸管浮腫の影響や再建により，消化管の流れが複雑になったことから胃内容物が吻合部で停滞しやすくなるため，これらを念頭に置いた食事指導を行う*。

***消化酵素分泌低下**：膵液にはたんぱく質や脂質，糖類の消化酵素が含まれるため，術後は消化・吸収機能の低下にも注意が必要となる。

*SSPPDは，胃の切除は下部にとどめられるが，幽門輪は切除されるため膵頭十二指腸切除術と同様の指導が必要となる。PPPDは，幽門輪が残っているためダンピング症状が起きるリスクが低減する。

❷排泄のケア

水分出納（すいとう）を把握するため，尿量を測定する。排便に関しては，胆汁が空腸へ流れていない場合は便が白色になることを患者にも伝え，排便時の観察をしていく。また，難治性の下痢出現時には止痢薬が使用される。

6. 回復過程における支援

1 退院後の自己管理

術前から血糖コントロールをしていた場合，術前と術後では使用する薬剤や量が変わることがある。医師からの指導内容を理解できているか，退院前に確認する。また，術後から血糖コントロールが開始となった場合は，自己血糖測定や内服自己管理，インスリン自己注射などの指導を行い，手技が自立するよう支援する。

2 社会資源の活用

合併症がなく経過しても，胆管・膵管チューブは術後3～4週間の留置が必要であるため，チューブ留置またはクランプした状態で退院となることがある。医療処置が必要な状態で退院となる場合，患者だけで医療処置を行うことは難しいことがあるため，家族の協力が必要となる。キーパーソンを確認し，患者・家族にも指導をする。患者が独居者であるときや介護力が弱いときには，医療保険や介護保険を用いて訪問看護師などの社会資源を利用することも検討する。すでに介護保険を利用している場合は，担当介護支援専門員など，院内・院外の多職種で連携し，退院後も医療処置が継続できるよう支援する。

3 定期受診の指導

退院後1か月以内に術後初回受診がある。術後の経過や病理結果，今後の治療方針などが説明されるため，必ず受診するよう指導する。38℃以上の発熱が続く，創部が赤い，液や膿が出る，疼痛が強く鎮痛薬を使用しても軽減しないなどの異常時は，定期受診日でなくても早めに病院に連絡するよう説明する。

文献

1） 国立がん研究センター：がん情報サービス　がん種別統計情報　胃，https://ganjoho.jp/reg_stat/statistics/data/dl/index.html#7a（最終アクセス日：2022/10/3）
2） Zittel, T. T., et al.：High prevalence of bone disorders after gastrectomy, Am J Surg，174（4）：431-438，1997.
3） Lee, J. H., et al.：Method of reconstruction governs iron metabolism after gastrectomy for patients with gastric cancer, Ann Surg，258（6）：964-969，2013.
4） 国立がん研究センター：がん情報サービス「がん統計」（全国がん登録），https://ganjoho.jp/reg_stat/statistics/stat/summary.html（最終アクセス日：2021/11/22）
5） 津金昌一郎：がん予防の現状と課題，J Nat Inst Pub Health，57（4）：342-346，2008.
6） 国立がん研究センターがん対策情報センター：がん診療連携拠点病院等院内がん登録　2013-2014年5年生存率集計報告書（2021年12月）．https://ganjoho.jp/data/reg_stat/statistics/brochure/hosp_c_reg_surv_2013-2014.pdf（最終アクセス日：2022/10/3）．
7） 佐藤正美，他：低位前方切除術後の排便障害の特徴；3事例の排便記録と面接から，日ストーマ・排泄会誌，23（3）：89-96，2007.

8）廣瀬清貴，他：直腸がんに対する低位前方切除術後の骨盤底形態・動態の簡易defecographyによる検討，日臨外医会誌，57（8）：1859-1866，1996.
9）大村裕子，他：クリーブランドクリニックのストーマサイトマーキングの原則の妥当性，日ストーマリハ会誌，14（2）：33-41，1998.

参考文献

・日本食道学会編：食道癌診断・治療ガイドライン，2012年4月版，金原出版，2012.
・日本臨床腫瘍学会編：新臨床腫瘍学，改訂第4版，南江堂，2015.
・日本がん治療認定医機構教育委員会編：がん治療認定医教育セミナー テキスト，第2版，日本がん治療認定医機構教育委員会.
・King D.E., et al.,：Effect of a high-fiber diet vs a fiber-supplemented diet on C-reactive protein level, Arch Intern Med, 167（5）：502-506，2007.
・野村実編：周術期管理ナビゲーション，医学書院，2014.
・伊藤雅昭，他：直腸・肛門部疾患に対する各種肛門内手術後の排便機能障害；ISR術後の排便機能，日本大腸肛門病会誌，69（10）：489-498，2016.
・松原康美編著：ストーマケアの実践〈ナーシング・プロフェッション・シリーズ〉，医歯薬出版，2007.
・日本膵臓学会編：膵癌取扱い規約，第7版，金原出版，2016.
・日本膵臓学会膵癌診療ガイドライン改訂委員会編著：膵癌診療ガイドライン2019年版，金原出版，2019.
・国立がん研究センターホームページ：がん情報サービス，http://ganjoho.jp/public/index.html（最終アクセス日：2021/10/4）
・足立香代子，小川広人編：NSTで使える栄養アセスメント＆ケア，学研プラス，2007.
・福本陽平，他監：病気がみえるvol.1 消化器，第5版，メディックメディア，2016.
・消化器外科看護頻出キーワード／手術，消外Nurs，11（5），2006.
・消化器外科疾患の病態生理15／膵臓がん，消外Nurs，12（5），2007.
・消化器外科主要手術・治療のケア21／膵頭十二指腸切除術，消外Nurs，12（1），2007.
・消化器外科の基礎知識・必須ガイド／膵臓がんの基礎知識・必須ガイド，消外Nurs，10（4），2005.
・消化器外科のケアポイント，消外Nurs，春季増刊，2003.
・山上裕機編：消化器の手術＆臓器のはたらき，消外Nurs，秋季増刊，2016.
・臓器別術後の必須アセスメント／膵臓手術後の必須アセスメント，消外Nurs，17（1），2012.
・治療別・消化器外科の退院指導／膵切除術，消外Nurs，11（6），2006.
・下間正隆：カラー版 まんがで見る術前・術後ケアのポイント，照林社，2000.

第6章 腎・泌尿器系の手術を受ける患者・家族の看護

この章では

- 生体腎移植の手術を受ける患者の周術期看護を理解する。

I 慢性腎不全(生体腎移植)

1. 疾患の概要

1. 概念・定義

慢性腎不全(chronic renal failure;CRF)は**慢性腎臓病**(chronic kidney disease;**CKD**)ともいわれ，GFR(glomerular filtration rate;糸球体濾過量)で表される腎機能の低下があるか，もしくは腎臓の障害を示唆する所見が慢性的(3か月以上)に持続するものすべてを包含している。

CKDの定義は次のとおりである[1]。

①尿異常，画像診断，血液検査，病理検査で腎障害の存在が明らか。特にたんぱく尿の存在が重要。

② GFR < 60mL/分/1.73m²

①，②のいずれか，または両方が3か月以上持続する。

2. 誘因・原因

CKD発症の危険因子として，高齢，CKDの家族歴，過去の健診における尿異常や腎機能異常，および腎形態異常，脂質異常症，高尿酸血症，非ステロイド性抗炎症薬(NSAIDs)などの常用薬，急性腎不全の既往，高血圧，耐糖能障害や糖尿病，肥満およびメタボリックシンドローム，膠原病，感染症，尿路結石などがある[2]。

3. 病態生理

CKDの原因疾患は1次性(原発性)腎疾患と2次性腎疾患があるが，透析導入の原因となる疾患として最も多いのは，糖尿病腎症，慢性糸球体腎炎，腎硬化症である。

❶糖尿病腎症

糖尿病による高血糖が続くと糸球体に硬化性病変が生じ，濾過されないたんぱく質が尿中に排泄され，たんぱく尿がみられる。また高血圧や脂質異常症を合併して，全身の動脈硬化をきたす。放置しておくと末期腎不全に至る。

❷慢性糸球体腎炎

慢性糸球体腎炎の原因はいくつかあるが，IgA(免疫グロブリンA)腎症や膜性増殖性糸球体腎炎など，急性糸球体腎炎の原因となる病態から発生すると考えられている。IgAが腎臓の糸球体に沈着して炎症を起こすことにより，血尿やたんぱく尿がみられる。

❸腎硬化症

高血圧が長期間持続すると，腎臓の細小動脈に硬化性変化が生じ，腎血流の低下から腎間質の線維化，糸球体の硬化が進行し，腎実質の硬化に至る。

4. 症状・臨床所見[3]

❶窒素代謝産物の蓄積

尿素窒素(BUN)，血清クレアチニン(Cr)，尿酸(UA)の値が上昇する。進行すると，これらの生体毒性から精神神経症状，消化器症状，出血傾向，皮膚症状などの全身症状がみられる。

❷水・電解質異常

水・電解質の排泄低下により，高血圧，浮腫，胸・腹水，肺水腫などがみられる。高カリウム・高リン・高マグネシウム血症をきたす。血清カリウム値6.5mEq/L以上で，不整脈，心室細動，心停止の危険がある。

❸酸・塩基平衡異常

酸の排泄障害，重炭酸イオン(HCO_3^-)の再吸収障害などにより，代謝性アシドーシスがみられる。

❹腎性貧血

エリスロポエチンの産生障害から，正球性正色素性貧血をきたす。

❺循環器症状

高血圧，貧血，循環血流量の増加，動脈硬化，心不全，不整脈，虚血性心疾患などの症状がみられる。

❻骨・ミネラル代謝異常(CKD-MBD)

腎機能低下に伴うリン(P)の蓄積は，骨からの線維が増殖因子23産生を促進し，副甲状腺ホルモン分泌が亢進する(2次性副甲状腺機能亢進症)。その結果，線維性骨炎，骨軟化症などの骨病変(腎性骨異栄養症)や異所性(血管)石灰化(動脈硬化)が進行し，生命予後の悪化因子となる。

❼皮膚症状

皮膚瘙痒症，皮膚色素沈着，皮下出血などを生じる。

❸内分泌症状

各種性ホルモン，甲状腺ホルモンなどの恒常性が破綻し，月経異常，不妊症，インポテンツ，女性化乳房などの多彩な症状を呈す。

代表的な症状は，たんぱく尿，血尿，浮腫，高血圧，尿量の変化などであるが，初期段階ではほとんど自覚症状がない。腎障害が進行すると，重度の腎機能低下により水・電解質異常，代謝性アシドーシス，尿中排泄物（Cr，BUN など）の体内貯留が起こり，尿毒症となる。尿毒症では，全身臓器に様々な症状が出現し，意識障害，痙攣，視力障害，眼底出血，全身浮腫，心肥大，心不全，肺水腫，胸水，食欲不振，悪心・嘔吐，下痢，潰瘍，皮下出血，色素沈着，感覚異常，いらいら感，低カルシウム血症，高リン血症，骨病変などがみられるようになる。

5. 検査・診断・分類[1]

日常臨床では，CKD は 0.15g/gCr 以上のたんぱく尿と GFR < 60mL/ 分 /1.73m^2 で診断する。

日常診療では，GFR は Cr と年齢，性別より，成人では日本人の GFR 推算式を用いて推算 GFR（eGFR）として評価する。

CKD の重症度は，原因（Cause：C）となる原疾患，腎機能（GFR：G），たんぱく尿（アルブミン尿：A）による CGA 分類で評価する（表 6-1）。

検査は尿検査，血液検査以外に，腹部超音波検査や腹部 CT などの画像診断，腎生検を行う。CKD では腎障害が進行すると腎臓の萎縮がみられる。また，腎生検では腎臓の組織を採取することで，腎疾患の確定診断を行うことができ，適切な治療法を決定することができる。

6. 治療[4]

CKD は，CGA 分類による重症度に応じ適切な治療を行う。

❶CKD の治療の目的

- CKD 治療の第 1 の目的は，患者の QOL を著しく損なう末期腎不全（end-stage kidney disease：ESKD）へ至ることを阻止する，あるいはESKDへ至る時間を遅らせることである。
- CKD 治療の第 2 の目的は，心血管疾患（cardiovascular disease：CVD）の新規発症を抑制する，あるいは既存の CVD の進展を阻止することである。
- ESKD は血液透析，腹膜透析あるいは腎移植といった腎代替療法を必要とする。

❷ESKD と CVD の発症を抑制するための集学的治療

- 生活習慣の改善
- 食事指導
- 高血圧治療

表 6-1 CKD の重症度分類

原疾患		蛋白尿区分		A1	A2	A3
糖尿病		尿アルブミン定量（mg/ 日） 尿アルブミン /Cr 比（mg/gCr）		正常	微量アルブミン尿	顕性アルブミン尿
				30 未満	30～299	300 以上
高血圧 腎炎 多発性嚢胞腎 移植腎 不明，その他		尿蛋白定量（g/ 日） 尿蛋白 /Cr 比（g/gCr）		正常	軽度蛋白尿	高度蛋白尿
				0.15 未満	0.15～0.49	0.50 以上
GFR 区分（mL/ 分 /1.73m^2）	G1	正常または高値	≧90			
	G2	正常または軽度低下	60～89			
	G3a	軽度～中等度低下	45～59			
	G3b	中等度～高度低下	30～44			
	G4	高度低下	15～29			
	G5	末期腎不全（ESKD）	<15			

重症度は，原疾患・GFR 区分・蛋白尿区分を合わせたステージにより評価する。
CKD の重症度は死亡，末期腎不全，心血管死亡発症のリスクを緑■のステージを基準に，黄■，オレンジ■，赤■の順にステージが上昇するほどリスクは上昇する。（KDIGO CKD guideline 2012 を日本人用に改変）
出典／日本腎臓学会編：CKD 診療ガイド 2012，東京医学社，2012，p.3.

- 尿たんぱく，尿中アルブミンの減少
- 糖尿病の治療
- 脂質異常症の治療
- 貧血に対する治療
- CKD-MBD に対する治療
- 高尿酸血症に対する治療
- 尿毒症毒素に対する治療
- CKD の原因に対する治療

7. 予後

たんぱく尿と血尿がともに陽性の場合は，ESKD に至るリスクが高い。たんぱく尿のみ陽性の場合，たんぱく尿の程度が大きくなるほど ESKD のリスクが高まる。血尿の単独陽性例でも，ESKD のリスクはわずかに高くなる。CKD では，心筋梗塞，心不全および脳卒中の発症および死亡率が高くなる。

2. 術式・術後合併症の概要

1 生体腎移植の概要

腎移植は，ESKD における腎代替療法の一つである。透析を続けなければ生命維持が困難であるか，または近い将来に透析に導入する必要に迫られている保存期慢性腎不全の患者に適応される。腎移植には，生体腎移植と死体腎移植（献腎移植（けんじん））があるが，死後腎提供が少ない日本では，**生体腎移植**が多く行われている。2020（令和 2）年の腎移植実施症例数は 1711 例，そのうち生体腎移植は 1570 例（91.8％），献腎移植（心停止・脳死）は 141 例（8.2％）である[5]。ここでは生体腎移植について述べる。

生体腎移植希望者（レシピエント）と腎臓提供者（ドナー）の適応基準は表 6-2 のとおりである。レシピエントの原疾患は，慢性糸球体腎炎が最も多く，次いで糖尿病腎症である。59.4％が透析を受けているが，透析療法を経ない先行的腎移植も増加傾向である。レシピエントの平均年齢は 49.8 ± 14.8 歳で，60 歳代が最も多く，30 ～ 60 歳代が 91.0％を占めている。性別では男性が 66.5％，女性が 33.5％と男性が多い。一方，ドナーの平均年齢は 59.1 ± 10.9 歳で，60 歳代が最も多く，40 ～ 70 歳代が 93.0％を占めている。性別は男

表 6-2 生体腎移植の適応基準

Ⅰ．腎移植希望者（レシピエント）適応基準
1. 末期腎不全患者であること
   透析を続けなければ生命維持が困難であるか，または近い将来に透析に導入する必要に迫られている保存期慢性腎不全である
2. 全身感染症がないこと
3. 活動性肝炎がないこと
4. 悪性腫瘍がないこと

Ⅱ．腎臓提供者（ドナー）適応基準
1. 以下の疾患または状態を伴わないこと
   a. 全身性の活動性感染症
   b. HIV 抗体陽性
   c. クロイツフェルト - ヤコブ病
   d. 悪性腫瘍（原発性脳腫瘍及び治癒したと考えられるものを除く）
2. 以下の疾患または状態が存在する場合は，慎重に適応を決定する
   a. 器質的腎疾患の存在（疾患の治療上の必要から摘出されたものは移植の対象から除く）
   b. 70 歳以上
3. 腎機能が良好であること

出典／日本移植学会：生体腎移植ガイドライン．http://www.asas.or.jp/jst/pdf/guideline_002jinishoku.pdf（最終アクセス日：2021/10/20）

性が32.9%，女性が67.1%と女性が多い[5]。ドナーは原則として親族（6親等以内の血族と配偶者および3親等以内の姻族）に限定されている[6]。2020（令和2）年の調査によると，ドナーは「非血縁者（配偶者）」が最も多く（42.8%），次いで「親」（30.5%）であった[5]。

2 レシピエント手術

生体腎移植では，ドナーの片側の腎臓が採取されてレシピエントに移植される。ドナーから採取された腎臓（移植腎）は，通常，右腸骨窩に移植される（図6-1）。レシピエント自身の腎臓は摘出しない。右腸骨窩を逆J字型に切開し，移植腎動脈はレシピエントの外腸骨動脈または内腸骨動脈へ，移植腎静脈はレシピエントの外腸骨静脈に吻合する。吻合後に血流を再開し，移植腎に血液が流れていることを確認する。生体腎移植の場合，通常血流再開後数分で，移植尿管から尿流出（初尿）が確認される。その後，移植尿管と膀胱の吻合を行う。リンパ漏，出血や吻合不全の観察のため，ドレーンを留置する。尿管膀胱新吻合の合併症を予防するために，尿管ステントを挿入する場合もある。

3 ドナー手術

ドナーの手術は，レシピエントの手術より先に開始される。開腹，または身体侵襲の少ない腹腔鏡や後腹膜鏡補助下で行われ，静脈が長く吻合しやすい左腎臓採取が行われることが多い。

4 術後合併症（レシピエントの場合）

❶術後出血

手術操作による組織の損傷，剥離部位や血管吻合部からの出血の可能性がある。腎移植

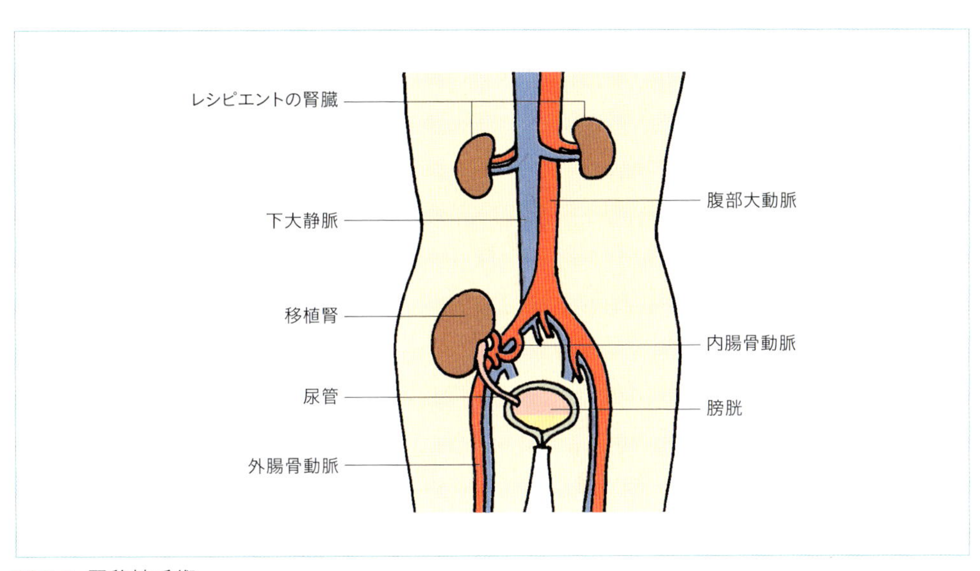

図6-1 腎移植手術

を受ける患者は，術前から慢性腎不全や血液透析に伴う合併症や使用薬剤によって出血傾向があるため，術後出血のリスクが高い。出血が続く場合は止血術が必要となる。

❷尿管・膀胱吻合部の吻合不全・尿漏（ユリノーマ）

尿管・膀胱吻合部の吻合不全が起こると，腹腔内に尿が漏出する。尿管の血流不全や膀胱容量が少ない場合に起こりやすい。経皮的ドレナージ，膀胱留置カテーテル，尿管ステントを挿入する場合もあるが，改善しなければ再手術が必要となる。

❸尿管・膀胱吻合部の狭窄，尿管の狭窄

尿管・膀胱吻合部や尿管が狭窄すると，**水腎症**となり移植腎が機能不全となる。移植腎への腎瘻造設，経皮的または経尿道的尿管拡張術，再手術が必要となる。

❹リンパ嚢腫

移植腎周囲のリンパ管の結紮が不十分な場合，リンパ液が滲出してリンパ嚢腫を形成する。リンパ嚢腫が大きくなると，移植腎や腸骨静脈を圧迫して水腎症や下肢の浮腫，深部静脈血栓症のリスクとなる。移植腎や腸骨静脈を圧迫する場合は，貯留したリンパ嚢腫を穿刺吸引する。腹腔鏡下腹膜開窓術が必要となることがある。

❺移植腎血流不全

糖尿病や長期透析のために血管の石灰化や動脈硬化が強い場合，移植腎の血管が狭窄したり血栓ができたりする。直ちに血栓除去術，血管拡張術，血管の再吻合を行う。

❻移植腎破裂

ごくまれな合併症であるが，発症すると生命に危険が及ぶ。急性拒絶や急性尿細管壊死，腎静脈血栓などが原因である。移植腎を摘出せざるを得ない場合がある。

❼拒絶反応

腎移植後の拒絶反応には，発症時期によって超急性拒絶反応，促進急性拒絶反応，急性拒絶反応，慢性拒絶反応がある。拒絶反応の診断のためには，超音波検査，腎シンチグラフィー，腎生検などを行う。

▶ **拒絶反応の症状・徴候**　発熱，下腹部痛・腹部違和感，尿量減少，体重増加，血圧上昇，下肢のむくみ（浮腫），倦怠感，排尿時痛，血尿，食欲減退，関節痛・筋肉痛など

(1) 超急性拒絶反応

腎移植後24時間以内に発症する。移植腎に対する抗体が原因で，血管吻合による血流再開後から数時間以内に，移植腎の動脈が血栓で詰まって壊死に至る。ABO血液型不適合間の腎移植で，事前に必要な措置をしなかった場合に起こる。移植腎の摘出が必要となる。

(2) 促進急性拒絶反応

腎移植後24時間～1週間以内に発症する。超急性拒絶反応と同様，既存抗体が関与している。血漿交換，そのほかの免疫抑制薬の投与が行われる。

(3) 急性拒絶反応

腎移植後1週間～3か月以内に発症する。これはレシピエントの抗原認識細胞（マクロファージなど）が移植腎を異物として認識し，細胞傷害性Tリンパ球が増殖し，移植腎の

細胞を攻撃して破壊するものである。急性拒絶反応が起こると，移植腎の中の血管や細胞の間にリンパ球が集まって腎臓が腫脹し，Cr・BUNの上昇，たんぱく尿，尿量減少，体重増加，発熱，血圧上昇，腎臓の腫大などがみられる。腎移植後の免疫抑制療法は，主としてこの急性拒絶反応を予防するために行われるが，免疫抑制療法が進歩した現在は，このような症状は出にくくなってきた。確定診断は移植腎生検により行う。副腎皮質ステロイド薬の大量投与（パルス療法），そのほかの免疫抑制薬の投与が行われる。

(4) 慢性拒絶反応

腎移植後3か月以降に，数か月〜数年にわたって徐々に移植腎の機能が低下する。慢性拒絶反応の発症は，Bリンパ球によって産生される抗体による機序が考えられているが，原因が明確ではなく，有効な治療法はない。慢性拒絶反応が進行すると腎代替療法の再選択が必要となる。

❽感染症

腎移植後の急性拒絶反応を予防するために，免疫抑制薬が投与される。免疫抑制薬は，移植腎に対する免疫システムの反応を抑制するだけでなく，免疫全体を抑制するため，全身の免疫力が低下し，肺炎やそのほかの感染症が起こりやすい。

▶ **かかりやすい感染症**　肺炎，膀胱炎，腎盂（じんう）腎炎，前立腺炎（男性），肝炎，胃腸炎，口内炎，髄膜炎，中耳炎，皮膚真菌症，帯状疱疹，麻疹，水痘など

3. 看護目標

- 全身状態を観察し，腎移植に伴う術後合併症（出血，尿管・膀胱吻合部の吻合不全・尿漏，リンパ嚢腫，移植腎血流不全，拒絶反応，感染症など）の早期発見，予防ができる。
- 免疫抑制薬の内服を継続し，感染予防，日常生活の自己管理が行える。

4. 術前の看護

1 手術に対する意思決定支援

生体腎移植を希望するレシピエントとドナーは，外来で個別に医師や移植コーディネーターから腎移植について説明を受ける（インフォームドコンセント）。特にドナーは，周囲の人々の様々な思いのなかで意思決定をする必要がある。ドナーの同意には「無条件の同意」「圧力による同意」「秘められた動機による同意」があるとされる[7]。ドナーは臓器を提供することについて，その人なりに意味を見いだして臓器提供の意思を表明しているが，罪悪感，犠牲感，周囲からの沈黙の圧力，夫婦間あるいは同胞間の取り引きなどが，臓器提供の動機であってはならない[8]。医師はドナー候補者に対し十分な説明を行い（表6-3），看護師は必ずインフォームドコンセントの場に同席し，レシピエントとドナー，家族が腎移植について十分に理解したうえで意思決定できるよう援助する。

表6-3 臓器提供者（ドナー）候補者への主治医の説明義務について

❶臓器提供者（ドナー）は，日本移植学会規定に従い原則として親族（6親等以内の血族と配偶者および3親等以内の姻族）に限定する。
❷生体腎ドナーは自己意思による腎提供であることの確認を書面で受ける必要がある。
❸生体腎移植ドナーとして腎提供前に，十分な身体的，心理的評価と社会的背景に関する評価を精神科医などの第三者も関与する形で受けさせなければならない。
❹ドナー評価に必要な項目と評価結果について説明を受ける際に，腎提供手術関連の危険に加え，腎提供後の健康状態，腎機能低下の影響，社会生活に与える影響について十分な説明をする必要がある。また，レシピエントの原疾患が再発の可能性が高い時や，家族性因子を考慮する疾患の際には，ドナー候補者にその内容を説明することが望まれる。
❺腎提供後も心身の健康を維持し，残存腎機能を良好に維持していることを確認する腎機能評価に加え，禁煙，体重管理などの日常生活上の留意事項，血圧，耐糖能，脂質などを含めた総合的評価を定期的に継続して行う必要がある。

出典／日本移植学会：生体腎移植のドナーガイドライン．http://www.asas.or.jp/jst/pdf/manual/008.pdf（最終アクセス日：2021/10/6）

2 手術オリエンテーション

オリエンテーションは，クリニカルパスやパンフレットなどを用いて，十分に時間をかけて行う。特に**免疫抑制薬**は，レシピエントが術後も一生飲み続けなければならない薬剤であるため，内服の必要性や作用・副作用などについては，薬剤師と共に説明し，レシピエントが理解できているか確認する。看護師は，レシピエントが不安や苦痛なく検査・処置・治療が受けられるよう援助するとともに，レシピエントが腎移植について正しい知識をもち，術後の自己管理に向けて準備ができるよう支援する。

3 手術に向けた準備

レシピエントとドナーに対しては腎移植に向けて，術前の身体的評価をするために多くの検査が行われる。レシピエントはCRFや透析に伴う合併症などにより，術前から身体機能が低下している。また，腎移植後の拒絶反応を予防するため，術前から免疫抑制薬が投与される。免疫抑制薬は，レシピエントとドナーのABO血液型適合の場合は約3～1週間前から投与される。血液型不適合の場合は4～2週間前から投与され，さらに脱感作療法，抗血液型抗体除去療法が行われる。看護師はレシピエントの全身状態を観察し，異常の早期発見に努めるとともに，手術や麻酔に伴う身体侵襲と術後合併症のリスクについてアセスメントし，全身状態の改善に努める。

5. 術後の看護（レシピエントの場合）

生体腎移植を受けるレシピエントの一般的経過を図6-2に示す。術後の看護のポイントは，①術後合併症の予防と早期発見，②尿量・水分の管理，③感染予防，④身体的・精神的苦痛の緩和である。

1 術後の観察と合併症の早期発見

腎移植術後に起こりやすい合併症は，出血，尿管・膀胱吻合部の吻合不全・尿漏，リンパ嚢腫，移植腎血流不全，拒絶反応，感染症などである。これらの術後合併症の早期発見と予防のために，全身状態の観察，拒絶反応の観察，免疫抑制薬の投与を行う。

❶全身状態の観察

術後出血が生じると，血圧低下，脈拍数増加，意識レベルの低下，尿量減少などがみられる。ドレーンからの血性排液の増加，下腹部の膨隆，下腹部痛などの症状とともに観察する。また動脈血栓による移植腎の血流障害が生じると，急激な尿量減少，無尿，移植側の下肢の腫脹などがみられる。深部静脈血栓症の可能性もあるため，下肢の腫脹，発赤，熱感，疼痛，ホーマンズ（Homans）徴候なども観察する。急激な尿量減少は，出血や動脈血栓だけでなく，手術に伴う循環血液量の減少，過剰な輸液による心不全や肺水腫，脱水，尿管・膀胱吻合部の吻合不全・尿漏，急性拒絶反応など様々な原因で生じる。尿管・膀胱吻合部の吻合不全があると，吻合部から尿が漏出し，ドレーン排液に尿が混入する。また尿量減少は，ドレーンや膀胱留置カテーテルの管理が不適切な場合にも起こり得る。ドレーンや膀胱留置カテーテルは，血塊などで詰まりやすい。チューブの屈曲，圧迫，ねじれがないか，挿入部や接続部の固定の状態なども観察し，適切なドレーン管理を行う。バイタルサイン，身体状態，ドレーン排液，尿量，輸液量，検査データなどを併せて，全身状態を適切にアセスメントし対処する。

❷拒絶反応の観察

拒絶反応は，術直後からどの時期にも起こり得る。血圧上昇，発熱，尿量減少，体重増加，たんぱく尿などに注意し，Cr，BUNの上昇などの検査データも把握して全身状態の観察を行う。拒絶反応の疑いがあれば，超音波検査，腎シンチグラフィー，腎生検などが行われるため，準備をする。

❸免疫抑制薬の投与

▶ **免疫抑制薬の副作用**　感染症，高血圧，高血糖，消化器症状（胃の不快感，悪心・嘔吐，食欲不振，下痢），胃十二指腸潰瘍，神経症状（頭痛，手の震え，しびれ），肝機能障害，皮膚症状，骨障害，白内障，肥満，多毛，脱毛など

腎移植後に投与される主な免疫抑制薬を，表6-4に示す。免疫抑制薬は，術後1日目より水分摂取が開始されたら内服する。胃腸からの吸収を良くするため食前に内服するが，必ず看護師が内服確認をする。免疫抑制薬は，血中濃度に応じて量や種類が変更されるため，看護師は医師の指示を確実に確認して正しく投与する。免疫抑制薬の副作用について観察し，患者にも説明する。特に感染徴候には注意する。

	術前	手術当日	術後1日目	
検査	□手術に必要な諸検査 □血液検査（免疫抑制薬内服前）	ICU入室～帰室	（クリーンルーム） □血液検査（免疫抑制薬内服前） □尿検査 □胸腹部X線撮影（P） □腹部超音波検査（適宜） □腎シンチグラフィー（適宜） ＊必要時腎生検	
治療・処置	□手術前日除毛・臍処置 □透析 □血漿交換（ABO血液型不適合の場合） □脱感作療法（ABO血液型不適合の場合）	□術前浣腸 □O_2吸入（マスク，カニューラ） □心電図モニター □血管吻合部ドレーン □膀胱・尿管吻合部ドレーン □硬膜外カテーテル	□注入 □体重測定 □ガーゼ交換	
薬剤	□免疫抑制薬	□免疫抑制薬 □持続点滴 □中心静脈カテーテル ＊尿量分輸液 ＊必要時降圧薬，昇圧薬		
活動	□フリー	□ベッド上	□立位・トイレ歩行可	
栄養	□手術前日夕方まで食事可	□絶飲食	□水分可（水分制限あり）　以降の水	
清潔	□シャワー浴	□洗面（眠前）	□洗面（朝） □全身清拭・陰部洗浄	
排泄	□尿量測定	□持続導尿 □尿量測定		
教育・指導	□手術の説明（主治医） □術前オリエンテーション □免疫抑制薬の説明 □術後の自己管理の説明 □感染予防の説明	□術後の説明（主治医）		

図6-2　生体腎移植（レシピエント）の一般的経過

表6-4　腎移植で主に使用される免疫抑制薬

種類	商品名	一般名	作用・使用法
カルシニューリン阻害薬	プログラフ®，グラセプター®	タクロリムス水和物	Tリンパ球の増殖を抑制する。免疫抑制療法の中心となる。腎移植前から代謝拮抗薬，副腎皮質ステロイド薬と一緒に服用する。
	ネオーラル®，サンディミュン®	シクロスポリン	
代謝拮抗薬	セルセプト®	ミコフェノール酸　モフェチル	Tリンパ球，Bリンパ球の増殖を抑制する。カルシニューリン阻害薬とともに免疫抑制療法の中心となる。
	イムラン®，アザニン®	アザチオプリン	
	ブレディニン®	ミゾリビン	
副腎皮質ステロイド薬	プレドニン®	プレドニゾロン	Tリンパ球の増殖を抑制する。強力な免疫抑制作用がある。拒絶反応が起こったときは大量投与する（ステロイドパルス療法）。
	メドロール®	メチルプレドニゾロン	
分子標的薬	リツキサン®	リツキシマブ	ABO血液型不適合生体腎移植における抗体関連型拒絶反応の抑制に使用する。

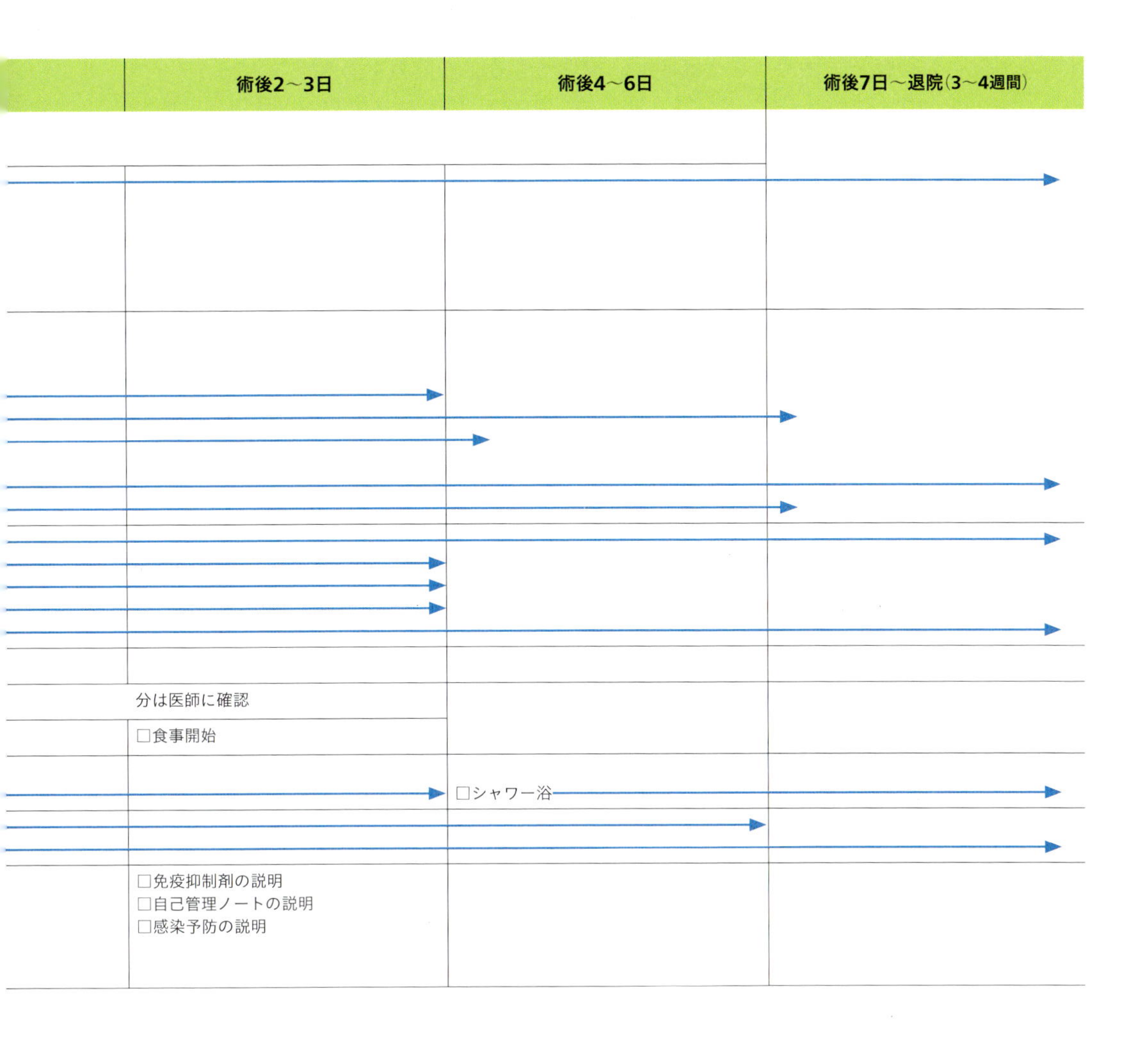

2 疾患・術式に特有の術後管理

❶尿量・水分の管理

一般的に，生体腎移植後は術中から尿流出がみられ，術後は尿量に応じて輸液量が指示される。看護師は1時間ごとに尿量測定を行い，指示された輸液量を正しく投与する。また，尿量だけでなくドレーン排液やほかの全身状態も併せて観察し，合併症が起こっていないかアセスメントする。患者には，水分摂取開始後は摂取量を自己管理ノートなどに記載することや，膀胱留置カテーテル抜去後は尿量を測定し記載することなどについて説明する。また，体重測定を行い，水分出納のチェックが自己管理できるよう指導する。

❷感染予防

創部，ドレーン，膀胱留置カテーテルなどの感染徴候を観察し，清潔操作を徹底する。からだの清潔保持に努め，口腔ケア，全身清拭，陰部洗浄，洗髪などを実施する。患者には手洗い・含嗽（がんそう）・マスクの着用について説明し，実施できているか確認する。また家族にも感染予防の必要性と方法について説明し，実施できるよう協力を得る。

❸身体的・精神的苦痛の緩和

創部痛に対しては，硬膜外麻酔や種々の鎮痛薬が処方される。術後数日は，移植腎保護のためベッド上安静，移植腎側の下肢の屈曲制限が必要となる。また，持続点滴，中心静脈カテーテル，ドレーン，膀胱留置カテーテルなどが挿入されているため，体動が制限され，同一体位による腰背部痛などの苦痛も大きい。適切なドレーン管理と環境整備，体位の工夫，安楽物品の使用，腰背部のマッサージなどを行い，苦痛の緩和（かんわ）に努める。

術後は，ICUやクリーンルームといった隔離された個室に入室し，特殊な環境に置かれることから，せん妄（もう）が起こりやすい。また患者は時期に応じて拒絶反応，合併症，免疫抑制薬の副作用に対する不安，社会復帰，再透析に対する不安などが生じる。拒絶反応が起こった場合は抑うつ状態になりやすく，ドナーへの罪責・負債感などに悩む患者も多い[12]。看護師はできるだけ訪室して患者が話をしやすいよう環境を整え，リラクセーションなども行い，心身の安定が図れるよう援助する。

6. 回復過程における支援（レシピエントの場合）

1 退院後に注意すべき合併症・後遺症

❶拒絶反応

拒絶反応の症状や徴候について説明する。もし拒絶反応の症状や徴候があれば，すぐに外来に連絡する。

❷免疫抑制薬

拒絶反応を起こさないようにするため，免疫抑制薬は一生服用しなければならない。必ず医師の指示どおりに内服するよう説明する。数種類の薬剤を併用することが多く副作用も多いため，薬剤に関する詳しい説明は薬剤師から受ける。また，免疫抑制薬によっては，グレープフルーツ（ジュースも同様）などを摂取すると血中濃度が上昇するため，摂取しないよう説明する。免疫抑制薬の副作用が出現すれば，外来に連絡する。

❸感染予防

免疫抑制薬の使用により，細菌，ウイルス，真菌などの感染症にかかりやすくなる。特にサイトメガロウイルスによる感染が多い。感染予防について説明する。基本は手洗い，含嗽（がんそう）の励行である。感染症の症状があれば，外来に連絡する。

2 退院後の自己管理

拒絶反応やそのほかの合併症がなく，腎機能や免疫抑制薬の量が安定すれば，退院後の生活に向けて準備を行う。患者が退院後も拒絶反応やほかの合併症を起こさないよう，次のことについて自己管理の指導を行い，自己管理ノートに測定値などを記載し，外来受診時に持参するよう説明する。

- **体重測定**：毎朝排尿後に体重測定を行う。
- **血圧・体温測定**：毎朝起床時に安静臥位で測定する。
- **水分，排尿**：水分は十分に摂取する（1500～2000mL/日）。飲水量，排尿量を測定する。アルコールは摂取してよいが，適正な量にする。尿を膀胱にためないよう，早めにトイレに行く。
- **食事**：高血圧を予防するために塩分を控える。感染症にかかりやすいため，数か月は生ものを食べないようにする。
- **運動**：徐々に開始してよい。腹部に衝撃を受けるような接触の激しいスポーツは避ける。感染予防のため，プールや銭湯，ペットやガーデニングなど十分に注意をして生活する。
- **仕事**：仕事内容に応じて，医師に相談する。
- **外来受診**：定期的に受診をする。外来受診日は採血を行うため，朝の免疫抑制薬は内服しない。免疫抑制薬を持参し，採血後に内服する。自己管理ノートを持参する。

3 社会資源の活用

腎移植を受けたレシピエントは，長い透析治療から解放された喜びをもつ一方，これからの生活や拒絶反応，感染，自己管理に対して大きな不安を抱えている。レシピエントが退院後の生活で困ったことやわからないことがあればいつでも相談できるよう，医療チーム全体で継続してサポートしていくことが重要である。

文献

1) 日本腎臓学会編：CKD診療ガイド2012，東京医学社，2012，p.1-11.
2) 前掲書1)，p.8.
3) 三木隆己，白井みどり編：ナースのための透析ハンドブック，改訂4版，医薬ジャーナル社，2015，p.15-18.
4) 前掲書1)，p.50-90.
5) 日本臨床腎移植学会・日本移植学会：腎移植臨床登録集計報告（2021）；2020年実施症例の集計報告と追跡調査結果，移植，56（3）：195-216，2021.
6) 日本移植学会：生体腎移植ガイドライン，http://www.asas.or.jp/jst/pdf/guideline_002jinishoku.pdf（最終アクセス日：2021/10/20）
7) 櫻庭繁，林優子編著：いのちを伝える臓器移植看護，メディカ出版，2006，p.122-127.
8) 前掲書7)，p.175.
9) 春木繁一：臓器移植に関連する精神医学的問題；日本における生体腎移植の経験を中心に　第1部：レシピエントの精神医学的問題，移植，39（3）：255-264，2004.

参考文献

・荒井陽一監：泌尿器科術前・術後の観察ポイントとその根拠，泌ケア，2014冬季増刊，2014.

第7章

性・生殖器系の手術を受ける患者・家族の看護

この章では

- 子宮がんの手術を受ける患者の周術期看護を理解する。
- 乳がんの手術を受ける患者の周術期看護を理解する。
- 前立腺がんの手術を受ける患者の周術期看護を理解する。

I 子宮がん

1. 疾患の概要

1. 概念・定義

子宮に発生する悪性腫瘍は，子宮がん，子宮肉腫，絨毛（じゅうもう）がんが主であるが，その大部分は子宮がんである。子宮がんには子宮頸がん（cervical cancer）と子宮体がんがある。

子宮頸がんは子宮頸部に発生するがんである。40〜50歳代の女性に最も多く発症し，近年では30歳前後での罹患率が増加している。子宮体がんは，子宮内膜から発生するため，子宮内膜がん（endometrial carcinoma）ともいわれている。閉経前後の50歳代で最も発生頻度が高く，近年は食生活の欧米化などに伴い増加しているといわれる。

子宮頸がん，子宮体がんそれぞれに臨床進行期分類があり，がんの大きさや筋層浸潤の深さ，リンパ節転移，遠隔臓器転移分類で病期（ステージ）が表されている。

2. 誘因・原因

子宮頸がんの原因ウイルスは，ヒトパピローマウイルス（human papillomavirus：HPV）であり，HPVは性行為によって感染する。一過性感染ではHPVは排除されるが，高リスク型（16型，18型など）に持続的に感染した場合，子宮頸がんが発生すると考えられている。また，喫煙は子宮頸がんの危険因子と考えられている。

子宮体がんは，エストロゲン依存症に発生するもの（I型）と別の原因により発生するもの（II型）に分けられる。子宮体がんの多くはI型であり，II型より予後は良好である。また肥満や糖尿病，高血圧，未経産婦，エストロゲン補充療法などが危険因子と考えられている。

3. 病態生理

子宮頸がんは，子宮頸部の主に扁平円柱上皮境界（SCJ）に発生し，組織学的には扁平上皮がんと腺がん（adenocarcinoma）に大別される。大部分が扁平上皮がんであるが，年々，腺がんが増加してきている。また子宮頸がんの大部分を占める扁平上皮がんは，子宮頸部上皮内腫瘍（CIN）を経て発生する。

子宮体がんは，大多数が円柱上皮がんで腺がん（大多数は類内膜腺がん）の形をとる。

4. 症状・臨床所見

子宮頸がんの初期は，ほとんどが無症状である。進行してくると，性交時の不正出血（接触出血）を認め，出血は持続し増加する。また，悪臭を伴う赤色帯下（たいげ）を認めるようになる。がんが骨盤内に浸潤すると骨盤神経や坐骨神経が刺激され，下腹部や腰などに激しい疼痛が出現する。

子宮体がんは不正出血が主な症状である。進行してくると，子宮頸がん同様に不正出血や帯下の増加，下腹部などの疼痛が出現する。

5. 検査・診断・分類

- 細胞診：子宮頸部や子宮内膜の細胞や分泌物を採取し，細胞を顕微鏡で検査する。
- 組織診：子宮頸部や子宮内膜の組織の一部を切り取って検査する。子宮頸部の場合，コルポスコピー下で生検する，ねらい組織診が行われる。
- 子宮鏡検査（ヒステロスコピー）：子宮内腔に内視鏡を挿入し，子宮内膜病変を観察するために行われる。
- 超音波検査，CT・MRI検査：治療前後の転移や病変の広がり，治療の評価，治療法の選択について情報を得るために行われる。
- 内診・直腸診：進行期診断のために行われる。
- 円錐切除：子宮頸がんにおける上皮内がんや微小浸潤がんの診断のために行われる（円錐切除は治療として行われる場合がある）。

6. 治療

- 手術療法：子宮頸がんの場合，日本においては，II期までが手術の一般的適応範囲である。手術は進行度や病変部位などに応じて，単純子宮全摘術，準広汎子宮全摘術，広汎子宮全摘術，あるいは骨盤リンパ節郭清（かくせい）術を選択する。子宮体がんの第一選択は手術療法である。単純子宮全摘術＋両側付属器摘出術を基本術式とし，浸潤の程度により，骨盤リンパ節郭清術や傍大動脈リンパ節郭清術を追加する。

- 放射線療法：子宮頸がんに対する放射線療法は高い治療効果がある。術後の補助療法や進行期だけでなく，患者が高齢である場合や，重度の肥満や合併症があり手術困難な症例でも，放射線療法を選択する場合がある。子宮頸がんの根治的放射線療法は，通常，外部照射と腔内照射を併用して行われる。また，抗がん剤治療を併用する同時化学放射線療法（concurrent chemoradiotherapy；CCRT）は放射線療法単独よりも効果が高いといわれており，Ⅲ期とⅣA期では第一に選択される治療法である。子宮体がんは放射線に対する感受性が低いといわれているが，合併症などにより手術不可能な場合には放射線療法を行うことがある。放射線療法には根治的照射と術後照射がある。術前Ⅰ期に対する根治的照射は全骨盤照射と腟内照射とを併用して行う。
- 化学療法：子宮頸がんに対する化学療法は，放射線療法の効果を高めるCCRTが行われる。また，浸潤がんⅣB期の進行例や再発症例に対して化学療法を行うことがある。子宮体がんの化学療法は，手術や放射線療法の補助療法として行われるが，手術が不可能な進行例や，放射線療法が行えないような再発症例では，化学療法が第一選択となる。手術症例で予後不良因子のある場合では，術後化学療法が行われる。

2. 術式･術後合併症の概要

1 子宮頸がんの手術

進行期や年齢，妊孕(にんよう)性の温存希望などで術式が判断される（図7-1）。術中に術式を決定する場合もある。

▶ **子宮頸部円錐切除術**　経腟的に子宮腟部を円錐状に切除する。

▶ **単純子宮全摘術／両側付属器摘出術／骨盤リンパ節郭清術**　子宮傍組織を切除せずに子宮を全摘する。

▶ **準広汎子宮全摘術／両側付属器摘出術／骨盤リンパ節郭清術**　膀胱子宮靱帯の前層を切断し，尿管を避け，子宮とともに基靱帯(きじんたい)の一部，膀胱子宮靱帯の一部，腟の1cm程度を切除する。

▶ **広汎子宮全摘術／両側付属器摘出術／骨盤リンパ節郭清術**　子宮頸部および腟壁から膀胱，尿管，直腸を広く剝離(はくり)し，膀胱子宮靱帯の前層と後層を切除し，子宮傍組織をできるかぎり子宮とともに切除する。

▶ **広汎子宮頸部摘出術／骨盤リンパ節郭清術**　病変子宮頸部を摘出し，子宮体部を温存する。妊孕性の温存を希望する場合に行われる。

2 子宮体がんの手術

進行期や年齢などで単純子宮全摘術／両側付属器摘出術／骨盤リンパ節郭清術もしくは，準広汎子宮全摘術／両側付属器摘出術／骨盤リンパ節郭清術いずれかの術式が判断される。

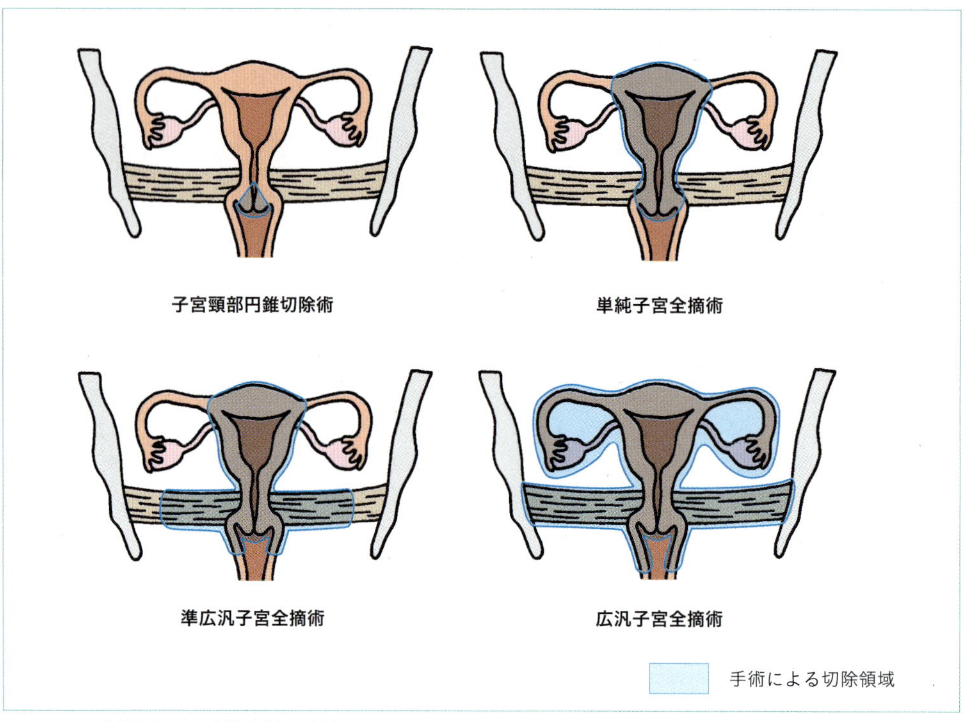

図7-1　子宮頸がんの手術療法の種類

3　手術創，ドレーン

手術創は臍(さい)下腹部正中切開，傍大動脈リンパ節郭清がある場合は季肋部(きろくぶ)から恥骨までに至る。腹腔鏡の場合は臍上・左右腹部・下腹部の5～6か所に5～12mmの創となる。

ドレーンは，後出血が懸念される場合はダグラス（Douglas）窩(か)にプリーツ型ドレーン（インフォメーションドレーン），肥満などで創部の治癒に問題がありそうな場合は皮下にドレーンが入る場合もある（図7-2）。

子宮悪性疾患における最近の動向

子宮悪性疾患においても，疾患の若年化などにより，早期退院や美容上の利点，QOLの向上のため，腹腔鏡下手術を希望する患者が増加している。

早期子宮頸がんに対する広汎子宮全摘術において腹腔鏡下手術は健康保険適用であるが，ロボット支援下手術は先進医療であり，行える施設は限られている。また，発症の若年化，社会の晩婚化など様々な要因により，妊孕性の温存を求められることも多い。広汎子宮頸部全摘術が選択される場合があるが，妊娠の際には切迫早産となる危険性がある。

比較的早期の子宮体がんには，腹腔鏡下ロボット支援下子宮体がん根治術が健康保険適用となっている。

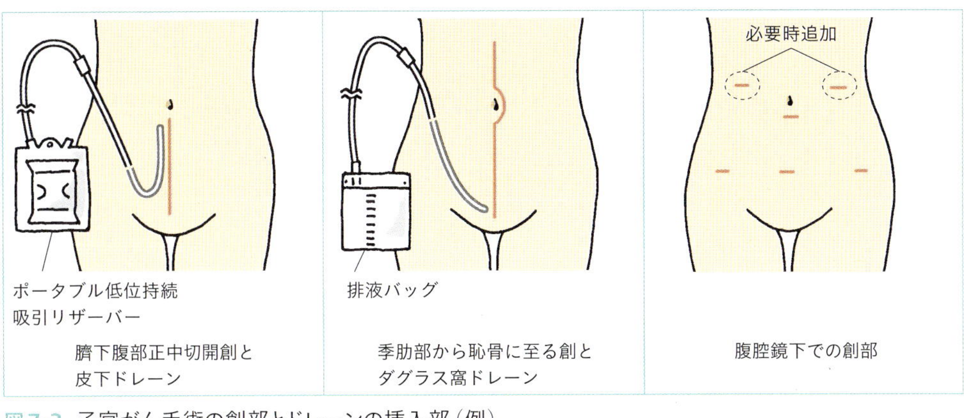

図7-2 子宮がん手術の創部とドレーンの挿入部（例）

4 術後合併症

子宮頸部円錐切除術後は，切除部分からの出血に注意する。術後に妊娠した場合，通常妊娠より流産・早産や低出生体重のリスクが高い。腹腔鏡下手術後は気腹に伴う皮下気腫や横隔膜の刺激による肩，背部，季肋部，側腹部など上半身の痛みが生じることがある。

開腹術後には次のような合併症が起こる可能性がある。

❶出血

子宮周囲の靱帯や組織の切除・剝離，血管周囲のリンパ節郭清などで血管が脆弱（ぜいじゃく）になり起こる。

❷膀胱・尿管損傷

膀胱と尿管は子宮に隣接しているため，剝離操作を行うときに損傷することがある。

❸腸管損傷

腸管は子宮に隣接し子宮の前にあるため，手術操作中に圧排（あっぱい）され，損傷することがある。場合によっては，人工肛門を造設する必要がある。

❹膀胱機能障害

手術操作で膀胱や尿管を剝離し，基靱帯（きじんたい）および直腸腟靱帯を処理することによって，骨盤神経叢（そう）の神経切断に伴う膀胱機能障害がみられる。

❺尿管狭窄

尿管の剝離操作により，組織が肥厚し，狭窄が起こる。

❻尿路感染

準広汎および広汎子宮全摘術による膀胱留置カテーテルの長期挿入や，膀胱機能障害による尿の貯留により，尿路感染を起こす。

❼リンパ嚢腫

リンパ節郭清を行った場合に起こる可能性があり，リンパ液が腹腔内に貯留し，嚢胞（のうほう）状になる。栄養豊富な液のため，感染を起こすこともある。リンパ郭清術を受けた患者は術後1週目以降にCT検査があり，リンパ囊胞（のうほう）の形成の有無を確認する。感染を起こさないかぎり無症状であり，経過観察となる。しかし，感染を起こした場合，発熱や圧痛などの症状を呈し，抗菌薬の投与で保存的療法を行い，改善しない場合は囊胞穿刺（せんし）やドレナージによって排液が行われる。

❽ リンパ浮腫

リンパ節郭清を行った場合に，リンパ液の滲出（しんしゅつ）やうっ滞により，下腹部，陰部，下肢に起こる。

❾ イレウス・腸閉塞

全身麻酔や，腹腔内操作による腸管の浮腫や癒着により起こる。

❿ 深部静脈血栓症（deep vein thrombosis：DVT）

腫瘍の圧迫や長時間の砕石位（さいせきい），手術侵襲（しんしゅう）による凝固能亢進，手術での静脈血のうっ滞，骨盤内操作のための下腹部内の静脈の圧迫，脱水などで血栓が生じる。術前からDVTが認められる患者は，血栓溶解のため術前に治療を必要とする場合もある。

⓫ コンパートメント症候群

肥満，長時間の砕石位・頭低位による手術での下肢の血流が不足することで起こる。

3. 看護目標

- 術後肺炎，腸閉塞，創部感染などの術後合併症を起こさず回復できる。
- 下肢リンパ浮腫，排便・排尿障害，卵巣欠落症状，性交障害など晩期もしくは長期的に起こり得る合併症・後遺症を理解し，不安なく退院後の生活を送るためのセルフケア能力を習得する。
- 女性生殖器の喪失など，自身のからだの変化を受け入れ，新たなライフスタイルを獲得し社会生活を送ることができる。

4. 術前の看護

1 患者のアセスメント

患者本人や家族から現病歴や既往歴，内服中の薬剤，日常生活自立度，痛みや出血の有無，腹水や腹部膨満感の有無，患者背景，家族状況・支援体制を把握する。特に女性としてのライフサイクルにおいて，家庭内での立場や生殖機能や女性性の喪失感などいろいろな問題を抱えていることが多い。入院前支援として，外来時の患者のカルテなどからも情報を得て本人からの情報と合わせ，アセスメントを行い，退院支援など早期介入の必要性があれば介入していく。

2 手術に対する意思決定支援

手術についての同意書取得のために行われるインフォームドコンセントに同席して，医師からの患者や家族への説明内容を把握するとともに，患者・家族の表情や反応，態度や言動を把握し，受け止め方についても確認する。子宮を摘出する場合は，女性の生殖能力の喪失というボディイメージの変化についての不安も大きいため，思いを表出できるようかかわっていく。医療者間で必要な情報を共有できるようにする。

3 手術オリエンテーション

術前・術後の処置や治療，安静度や絶飲食時間，食事開始時期，内服薬の有無，準備物品，帰室後の状態・経過について，パンフレットなどを使用し，オリエンテーションを行う。不安や不明なことについてはいつでも話ができることや，痛みに対してはできるだけ軽減できることなども説明する。肥満患者や手術体位（砕石位）に支障があると考えられる場合は，手術室と連携し，合併症の予防に努める。

4 手術に向けた準備

❶腸管の前処置

術式により違いがあるが，腸管・直腸を空虚にするため，下剤内服や浣腸が行われる。

手術前日に経口腸管洗浄薬を内服し，腸管内を空虚にする場合がある。内服中は悪心（おしん）や腹痛などに注意し，時間内に内服できているか，便性状などを確認する。腸管癒着・浸潤が考えられる症例では，人工肛門の可能性を考え，外科へのコンサルテーションや，皮膚・排泄ケア認定看護師へ連絡し，ストーマサイトマーキングが行われることがある。

❷除毛・臍処置・清潔

前日，または手術室で手術直前に，小型バリカンで除毛を行う。腹部，および広汎子宮全摘術の場合は会陰周囲の除毛を行う。臍処置はオリーブ油を使用し汚れを除去する。しばらく入浴・洗髪ができないため，可能なかぎり前日にシャワー浴や入浴を行う。

❸飲食・点滴

経口腸管洗浄薬を内服する場合は，手術数日前から絶食し，輸液が開始される。それ以外の場合は主に手術前日の夜から絶食となり，輸液は当日より開始されることが多い。

施設により違いはあるが，飲水は水，お茶，スポーツドリンクであれば手術の2時間前まで可能である。午後からの手術の場合は経口濃厚流動食を摂取する。

❹手術当日の看護

朝，バイタルサインの測定を行い，一般状態に変化がないか確認する。砕石位で行われる手術は仙骨部に荷重がかかるため，褥瘡（じょくそう）予防のために仙骨部を中心にフィルム素材のテープを貼り，医師の指示に基づき弾性ストッキングを着用する。

5. 術後の看護

苦痛や創部痛が軽減され，重篤な合併症（出血）がなく経過し，早期回復に向け，早期離床ができることを看護目標として，次のようなケアを行う。手術中に術式の変更がなかったか帰室時に確認を行う。

1 術後の観察と合併症の早期発見

❶術後出血の観察

創部出血，性器出血，ドレーンからの排液など，出血の量・性状とともに，バイタルサインの変動の有無，患者の腹部症状，腹壁の緊張の有無に注意して観察を行う。術後24時間以内は注意が特に必要である。出血量の増加，血性度の増悪，急激なドレーン排液の増加時や，患者の異常な腹部症状の訴えがある場合は医師に報告する。

❷イレウス・腸閉塞

悪心・嘔吐，排ガス・排便の有無，腹部膨満感，腸蠕動(ぜんどう)音などの観察を行う。早期離床を行い，食事開始後の腹部症状に注意する。術後排便がない場合は水分摂取を勧(すす)め，腹部温罨法，緩下(かんげ)薬の投与や，必要時は摘便や浣腸を行う。

❸深部静脈血栓症

弾性ストッキングの装着や，間欠的空気圧迫装置を用い，患者には足趾や下肢の屈曲伸展運動を促し，血栓予防に努める。開腹術では抗凝固薬の皮下注射が行われる。早期離床を促し，初回歩行時は必ず看護師が付き添い，突然の呼吸困難，胸部症状，低酸素症に注意する。

❹褥瘡予防

ベッド上安静となる術直後は創部痛や，ルートやドレーン類，硬膜外麻酔による知覚鈍麻やしびれなどによる苦痛により，自己での除圧や体位変換が困難なことが多い。さらに，発汗による皮膚の湿潤もあり，褥瘡のリスクが高くなる。仙骨部，殿部，踵部，そのほかの褥瘡(じょくそう)好発部位に注意し，定期的に観察する。患者に呼吸合併症の予防，排ガス促進，褥瘡などの予防のために体位変換の必要性を説明し，安静指示の範囲内で患者の体位変換を介助し，除圧を図る。

2 疾患・術式特有の術後管理

術後は呼吸音の確認，腹部症状や創部の確認，さらに腟断端からの性器出血の有無を確認する必要があるが，これには羞恥心が伴う。声掛けを行いながら、プライバシーに配慮する。広汎子宮全摘術では，残尿測定や自己導尿の指導が必要になる場合がある。

3 身体的・精神的苦痛の緩和

術直後は手術や麻酔による身体的苦痛が伴う。創部痛や，モニター類や点滴，ドレーンなどで体動が制限されることによる腰痛や，麻酔による悪心などが出現する可能性がある。鎮痛薬や制吐薬の使用によって，症状を緩和し，体位を工夫して安楽に努める。精神面では，手術が無事終了したことを伝え，身体的苦痛がある場合は遠慮せずに言ってもらうよう伝える。患者の不安が強い場合は，個室への移動など部屋の調整を行う。患者に苦痛がある場合には身体的症状の緩和に努めていることを家族にも説明し，患者への心配に配慮を行う。

4 日常生活の支援

❶ADLの拡大

子宮頸部円錐切除術では手術当日に離床が可能となり，ほかの手術では術後1日目より離床可能となる。輸液ルートやドレーンに注意し，離床を進める。

❷清潔

術後1日目から全身清拭·寝衣交換を行う。術後2日目に硬膜外麻酔終了後からシャワー浴が可能となる。患者の身体症状やADLの拡大状況に合わせて援助を行う。陰部は，腟分泌物，出血により汚染されるため，陰部洗浄や清拭により外陰部の清潔を保持し，感染予防と不快感の軽減を図る。

❸排泄

子宮頸部円錐切除術では手術当日に離床が可能となるため，排泄は自己にて可能となる。広汎子宮全摘術以外の腹腔鏡下手術・開腹手術では手術後1日目で離床に問題がなければ膀胱留置カテーテルの抜去が可能となり，排泄は自己にて可能となる。

- **残尿測定** 排尿直後に導尿を行い，自尿量と残尿量を測定し，排尿機能を評価する。残尿量50mL以下が続けば終了とする。残尿量が50mL以下にならない場合，医師の指示により薬物療法（抗コリン作動薬内服）が導入される。その際，患者の精神的不安や焦りなどを理解してかかわっていく必要がある。
- **自己導尿** 膀胱訓練や薬物療法の効果がみられず，残尿量が50mL以上あり，自己導尿が必要とされた場合，実施方法を患者に指導する。

❹飲水·食事

術式によって異なるが，術後2～4時間から飲水が許可され，腹腔鏡では術後1日目に，開腹術では術後3日目に食事が開始される。食事開始後は腹部症状に注意していく。患者の身体症状に合わせて飲水や配膳などの援助を行う。

膀胱機能麻痺による排尿障害

広汎子宮全摘術では，尿意鈍麻や排尿困難などの症状を呈するため，手術後3日目以降に膀胱留置カテーテルを抜去し，膀胱訓練を開始する。尿意や残尿感の有無を観察し，尿意がはっきりしない場合は3～4時間ごとに排尿を試みるよう説明し，息を大きく吸い下腹部の用手圧迫を試みる，前傾姿勢を試すなど腹圧を加えて時間をかけて排尿する，いきむのは5分以内にする，などの排尿方法を指導する。膀胱訓練を実施していくなかで尿意の感覚を取り戻し，尿意が戻らない場合も腹部の張り感など尿意に代わる感覚をつかみ，排尿機能を確立できるようサポートを行う。

6. 回復過程における支援

子宮がんは手術を終えたのちも合併症や後遺症などの身体的問題に加え，妊孕性の喪失，再発の不安など様々な心理的・社会的問題が出現してくる可能性がある。またそれらは長期にわたることも多く，患者はセルフマネジメント力・自己管理能力を獲得していくことが重要となる。そのため看護師は今後起こり得る問題を十分に理解し，患者が自身のからだの変化を受け入れ社会生活が送れるよう退院に向けて支援していく必要がある。

1　退院後に注意すべき合併症・後遺症

❶リンパ浮腫

リンパ浮腫とはリンパ節の切除や郭清が行われた場合に，リンパ液の流れが阻害されるために起こる合併症である。婦人科がんでは骨盤リンパ節郭清が行われることが多く下肢のリンパ浮腫が問題となる。リンパ管は一度障害を受けた部位でも再生されるため必ずリンパ浮腫が起こるわけではない。しかし，手術などにより起こる続発性（2次性）リンパ浮腫は一度起こると改善が困難であり日常生活にも障害をきたすこととなるため予防が重要である。

❷排尿障害

広汎子宮全摘術による骨盤神経の損傷によって，膀胱機能が麻痺性の機能障害状態となる神経因性膀胱を引き起こす。また尿充満感が消失し膀胱壁の神経麻痺により膀胱収縮が障害され，残尿量が多くなり膀胱炎など尿路感染症を引き起こす可能性もある。

排尿障害は術後数日で回復する場合もあれば，数か月，数年と長期に及ぶこともある。そのため患者のQOLを低下させる要因の一つともなり得るため退院後も排尿状況について把握し，支援していく必要がある。

❸排便障害

手術により直腸支配神経を損傷することがあり排便障害をきたすことがある。広汎子宮全摘術では特に起こりやすい。また傍大動脈リンパ節を郭清する場合には，腹腔内の視野を広くするため腸管を移動させるなどの操作を行うことにより，腸蠕動運動の回復が遅延し便秘となる。また開腹手術では骨盤内の操作により腸管が腹壁に癒着し腸閉塞を起こすことがある。そのため退院後も継続した排便コントロールが重要となる。

❹卵巣欠落症状

子宮がん手術では子宮全摘出とともに両側の卵巣摘出が行われることがある。閉経前の患者の場合は卵巣機能喪失により更年期障害に似た症状が出現することがあり，これを卵巣欠落症状という。症状としては，ホットフラッシュ，発汗異常，動悸，冷え性，めまい，うつ状態，不眠などがあげられる。症状出現の有無や程度は個人差が大きく一過性で徐々に自然消失していくことが多い。しかし症状が継続したり程度が重い場合はホルモン療法が行われる。

❺性器出血

子宮頸部円錐切除術では電気メスで止血を行いながら切除するが，術後数日で創部を覆っていた凝固した血液が剝がれ再出血することがあり，止血のための再手術が必要となる場合がある。

❻性交障害

病変の進行にもよるが，子宮全摘術後の腟の短縮や，両側付属器摘出後のホルモン欠落症状として腟の潤滑の低下，腟の萎縮(いしゅく)が起こる可能性があり性交障害をきたすことがある。セクシャリティに関する問題は個人の価値観にも左右されるものであるため，患者との信頼関係を築くなかで性生活への不安を確認しておく必要がある。

❼不妊

妊孕(にんよう)性温存を目的とした子宮頸部円錐切除術や広汎子宮頸部摘出術，卵巣温存を行った場合にも妊娠率が低下する。術後の挙児希望時には積極的に生殖医療専門医の介入を支援し，妊娠成立後も切迫流産，早産のリスクがあるため，厳重な管理を要する。

2 退院後の自己管理

❶リンパ浮腫の予防

次のような予防方法を説明する。

- 日常生活のなかでリンパ液の流れを妨げないように注意し，長時間の正座や立位などは避ける
- 睡眠時やむくみを感じるときには足を少し高く上げて休むようにする
- 家事や仕事は休息をはさみ過度に体に負担がかからないようにする
- 適度な運動を日常生活のなかでも取り入れるようにする
- 自己マッサージ法は医師の指示が出てから開始する

❷スキンケアの実施

リンパ節郭清が行われた患肢では，免疫機能や殺菌機能が障害されおり易感染状態になっている。外傷などにより細菌の侵入があると容易に蜂窩織炎(ほうかしきえん)などを引き起こす。そのため皮膚を清潔に保ち，皮膚のバリア機能を高めるための保湿クリームを塗布(とふ)し保湿を行う。また白癬(はくせん)などがある場合にはしっかりと治療を行う。日常生活でも庭の手入れや野外などでは肌の露出を避け，けがや虫刺されを予防する。スキンケアの際には浮腫の有無や皮膚の異常がないか観察するように心がける。

❸自己導尿の継続

膀胱訓練や薬物療法でも排尿障害が改善せずに，残尿量が 50mL 以上ある場合は自己導尿手技の獲得が必要となる。尿路感染を予防するために適切なタイミングと方法で自己導尿を行う。残尿量が 50mL 以下になるまで継続する。

❹排便のコントロール

便秘を予防するために緩下剤や下剤を自己で調節して使用する。食事もなるべく消化の良いものを選択し水分摂取（1500mL/ 日以上）を積極的に行っていく。

❺異常症状出現時の対応

性器出血の増加や継続がみられるとき，発熱や疼痛の出現時，尿路感染を疑う症状があるときには，病院に連絡し指示を受ける。

❻ストレスマネジメント

術後の後遺症，合併症からくる身体症状の出現や，がんの再発や術後補助療法への不安，セクシャリティに関する悩みなどからストレスを抱えることが多い。リラックスして療養できる環境を整え，不安や悩みは身近な人へ相談し，知識不足による混乱を招かないよう，医師から正確な情報を得て正しい知識を習得する。

3 社会資源の活用

子宮がんの治療を受ける患者は年齢層も幅広く就業中や子育て世代，親の介護をしながら治療を継続しているなど抱える問題は多い。そのなかで多額の治療費を負担することに経済的な不安をもつこともある。現在は患者が安心して治療を受けられるよう高額療養費制度，障害年金などの制度，患者会のようなソーシャルサポートが設けられている。

しかし，これらの制度は市町村により対応が異なったり，改定がみられるため，メディカルソーシャルワーカーなど他職種とも連携をとり，包括的アセスメントを行ったうえで患者に適切な制度を選択し，その活用につなげていく。

II 乳がん

1. 疾患の概要

1. 概念・定義

乳がんは，わが国の女性のがんとして罹患率1位（2018年），死亡率5位（2018年）である。40～50歳代の女性に多く，乳房内の外側上部1/4の部位に発生することが多い。組織学的には乳管や小葉内にとどまる非浸潤がんと，乳管から近傍の組織に浸潤している浸潤がんに分けられ，浸潤がんの約70%を占める浸潤性乳管がんは，乳頭腺管がん，充実腺管がん，硬がんに分類される。

2. 誘因・原因

乳がんの発生には，女性ホルモンの一種であるエストロゲン（卵胞ホルモン）がかかわる（約70%の乳がんがエストロゲンの受容体をもつ）。このため，肥満（脂肪細胞はエストロゲン産生に関係する），未産または高齢初産，早発月経・遅発閉経によるエストロゲンへの長期曝露（ばくろ），授乳未経験は乳がんの誘因とされている。また，アルコールや喫煙，糖尿病と乳がん発症との関連が指摘されている。そのほか，乳がんの発生には遺伝的要因があり，「*BRCA1* 遺伝子」と「*BRCA2* 遺伝子」のどちらかに変異があると，乳がん，卵巣がんになりやすく，「遺伝性乳がん・卵巣がん症候群」とよばれている。

3. 病態生理

多くは乳管（腺上皮）から発生し，管内から管外へ浸潤し，腫瘤（しこり）を形成する。管外浸潤により，リンパ管や血管を介して所属リンパ節，肺，肝，骨，脳などへ転移する。乳がんの組織学的・免疫学的な性質の違いにより，進行度や転移の頻度は異なる。

4. 症状・臨床所見

しこり，乳頭異常分泌，皮膚の異常（乳頭の陥没，乳頭のかゆみ・びらん，えくぼ徴候，皮膚の陥没・盛り上がり，発赤，浮腫，潰瘍），腋窩（えきか）リンパ節腫大などで発見されるが，急激な進展におけるまれな疼痛のほかは，自覚症状に乏しい。

5. 検査・診断・分類

40歳以上の女性は，2年に1回乳がん検診を受けることが推奨されている。乳がん検診では，視触診とマンモグラフィー検査，必要に応じて超音波エコー検査が行われる。乳がんが疑われた場合は，診断確定と治療方針検討のため，次の検査が行われる。

- MRI検査，CT検査：乳房内のがんの広がりや転移を検索する。
- 穿刺（せんし）吸引細胞診：腫瘍に注射針を刺して細胞を吸引採取する。
- 組織生検（針生検）：局所麻酔下で腫瘍組織を採取する。痛みや負担が大きい。

6. 治療

局所療法（手術，放射線療法）と全身療法（化学療法，分子標的治療，ホルモン療法［抗エストロゲン薬，LH-RHアゴニスト，アロマターゼ阻害薬，黄体ホルモン薬］など）を組み合わせる**集学的治療**が行われる。病期・組織学的分類・組織免疫学的分類，年齢などの組み合わせにより，現時点で最善の治療法が標準治療として推奨される。国際的には米NCCN（National Comprehensive Cancer Network）のガイドラインが重要な位置にあり，わが国においては，日本乳癌学会が日本人に合った治療法を提示している。腫瘤を物理的に取り除く手術療法は多くの場合，乳がんの最初の治療として選択されるが，今日では，手術に先行して全身へのがんの広がりの抑制や腫瘤の縮小による切除範囲の縮小を目的として化学療法が行われる場合もある。

7. 予後

乳がんは，早期発見が良好な予後につながる。早期がんである非浸潤がんの予後は良好であるが，浸潤がんの予後は非浸潤がんに劣る。病期だけではなく，組織型（乳頭腺管がんは良好，充実腺管がんは中間，硬がんは不良），ホルモン受容体が陽性か陰性か，HER2（human epidermal growth factor receptor-2，c-erbB-2）が陽性か陰性かといった，乳がんの性質が予後にかかわる。

2. 術式・術後合併症の概要

従来，乳がんの手術においては，乳房とそのまわりの組織やリンパ節を広範囲に切除することにより，全身への進展を食い止めようとする考え方がとられてきた。しかし，最近では手術範囲と長期生存率に関連がないことが明らかになり，乳がんは，比較的早期に全身に進展している**全身病**であることから，大きく切除しても生存期間を延ばすことにはつながらない，という考え方が確立した。これに基づき，術後の身体外見や機能，QOLに多大な影響を及ぼす拡大手術は減少して手術は縮小化し，現在では，半数以上の乳がん患者が乳房を温存するようになった[1]。今日においては，個々の事例に適した手術範囲，術式が本人の意思決定のもとに選択され，手術に加えて各種の治療を組み合わせて実施されている。

乳がんの手術は，①乳房，②リンパ節が手術の対象で，これらを組み合わせて行われる。乳房の手術には乳房再建術が加わる場合がある。

1 乳房の手術

❶乳房部分切除術

乳頭・乳輪を残したうえで，がん腫瘤を周囲の正常乳腺を含めて部分的に，乳房の変形ができるだけ軽度になるよう切除する（図7-3）。乳房部分切除術は，残存乳房組織への放射線照射を前提に行われるものであり，この組み合わせによる治療は**乳房温存療法**とよばれる。

❷乳房切除術

乳頭・乳輪，皮膚を含め，乳房すべてを切除する（図7-4）。近年は大胸筋と小胸筋をともに温存する術式が標準的であるが，大胸筋のみを温存し小胸筋を切除する術式もある。また，乳房再建を前提として，皮膚切除を最小限にする「皮膚温存乳房切除術」もある。術後は，前胸部皮下にドレーンが挿入される。

❸乳房再建術

乳がんの手術を行ったのち，形成外科医によって行われる。乳房再建の成功には，乳がんの術式をはじめとする治療が大きくかかわるため，患者に再建の希望がある場合は，治療開始前から再建を組み込んだ検討が必要である。

(1) 再建の時期による分類

- **1次再建**　乳がんの手術と同時に行う。
- **2次再建**　乳がんの手術後に一定の期間を置いて行う。

(2) 再建方法による分類

- **自家組織による乳房再建**　患者自身の腹部や背部の組織（自家組織）を使う方法。
- **インプラントによる乳房再建**　組織拡張器（ティッシュ・エキスパンダー）とシリコン製人工乳房（ブレスト・インプラント）を使う方法。

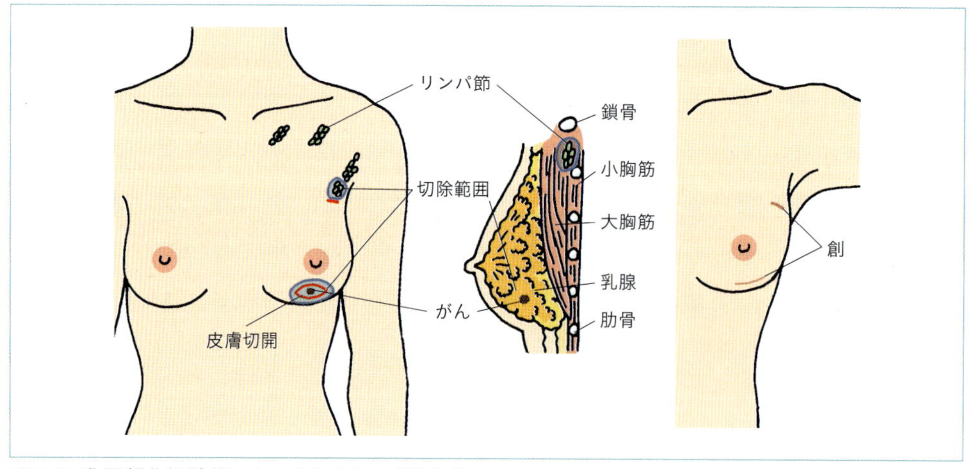

図7-3 乳房部分切除術＋センチネルリンパ節生検

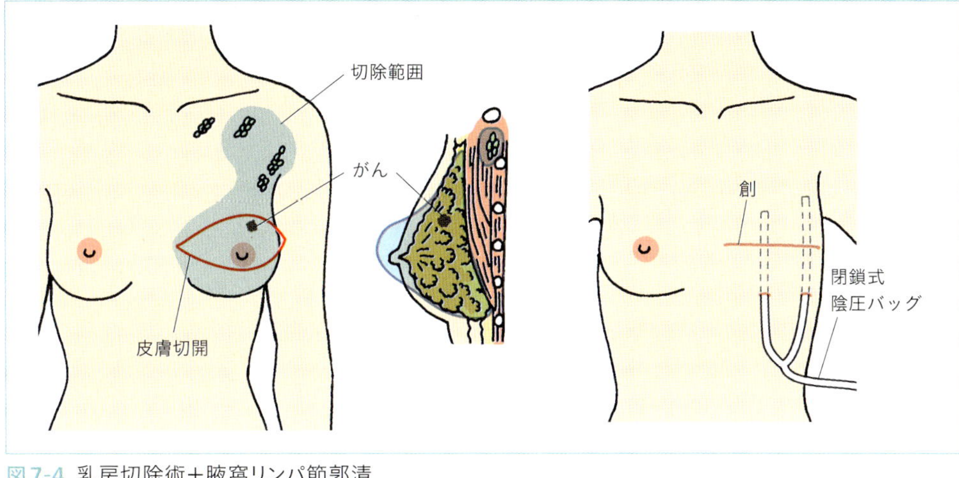

図7-4 乳房切除術＋腋窩リンパ節郭清

2 腋窩リンパ節の手術

乳がんでは腋窩リンパ節への転移が多く生じるため，従来は乳がん手術を受けるすべての人に**腋窩リンパ節郭清**が実施されてきた。しかし，広範囲の腋窩リンパ節郭清の合併症（リンパ浮腫）や，腋窩リンパ節を経由しない転移の存在が知られるようになり，今日では不必要な腋窩リンパ節郭清を省くため，多くの事例で**センチネルリンパ節生検**が行われている。

❶センチネルリンパ節生検

センチネルリンパ節とは，リンパ管に入ったがん細胞が最初にたどり着く腋窩リンパ節のことで，見張りリンパ節ともよばれる。センチネルリンパ節におけるがん細胞の有無は，そのほかの腋窩リンパ節への転移を高確率で予測できる。

センチネルリンパ節生検は，術前に腫瘤の近くにラジオアイソトープあるいは色素を局所注射し，これを手がかりにして術中にセンチネルリンパ節を探し出し，術中迅速診断を行うもので，センチネルリンパ節転移が陰性であれば，腋窩リンパ節郭清は省略される。

❷腋窩リンパ節郭清（図7-4）

触診や画像診断などの術前検査で，腋窩リンパ節に転移があると診断された場合，腋窩リンパ節を周囲の脂肪組織ごと切除する。リンパ節郭清の範囲は腋窩から鎖骨に向かって，レベルⅠ（小胸筋外線より外側），レベルⅡ（小胸筋背側），レベルⅢ（小胸筋内縁から内側）に分けられる。術後は1週間程度，ドレーンが挿入される。

3 手術に伴う合併症

❶術後出血

術直後に挿入されたドレーンには閉鎖式陰圧バッグが接続されるが，1時間当たり50mL以上の血性の排液が認められる場合や，術後3時間以上経過後に血性の排液が認められる場合には，術後出血を疑う。ドレナージが効果的に働いていない場合は，内出血により創周囲が腫脹する。創部の異常が認められない場合でも，創部の痛みの増強，血圧低下，脈拍数増加の場合は，出血を疑う。

❷感染

ドレーン挿入部の感染は，発赤，熱感，腫脹を引き起こす。閉鎖式陰圧バッグを用いているときは，正常な吸引圧を維持し，排液の量や性状，創部の観察を行う。

❸知覚障害

腋窩リンパ節の郭清後，創部を中心とした前胸部，上腕内側皮膚に知覚障害が生じる。知覚障害は徐々に改善するが完治するものではない。また，患者によっては術後1週間ぐらいから，ピリピリとした痛みや不快感などの異常知覚を生じる場合がある。これらは数週間で軽減することが多い。

❹患側上肢の挙上障害

乳がんの術後，特に腋窩リンパ節郭清を実施した場合には，多くの場合，術後に腕や肩の動きにくさが生じる。乳房，腋窩リンパ節ともに，切除範囲が小さいほど障害は少ない。

腋窩リンパ節の郭清においても運動神経は温存されているが，創部の痛み，拘縮があるため，かなりの動きづらさが生じ，適切なリハビリテーションが行われない場合，上肢の挙上障害が生じる。術直後に挙上障害が生じても，リハビリテーションの継続によって多くは回復する。

❺リンパ浮腫

リンパ浮腫は，腋窩リンパ節郭清により腋窩から全身へのリンパ液の環流が悪くなることにより生じる。多くは術後2～3年以内に発症するが，10年以上経過したのちに発症することもある。日常生活への影響が大きいため，早期に気づいて対応し悪化を防ぐことが重要であり，症状や予防法に関する指導を行う。

3. 看護目標

- 術前に乳がん罹患や手術についての不安の軽減，術式に関する自律的意思決定ができる。
- 術後に適切なリハビリテーションによる患側上肢の可動域障害予防，変化したボディイメージへの適応，リンパ浮腫予防のためのセルフケア獲得（リンパ節郭清実施の場合）ができる。
- 術後治療に関する意思決定と生活や役割についての見通しを獲得できる。

4. 術前の看護

1 患者のアセスメント

患者は，手術そのものや手術による痛みへの不安，身体の外見や機能が変化することへの不安を抱いている。乳がんの術前期間は短いため，看護師は外来部門と連携し，情報を入手するとともに，患者から的確に情報収集を行い，患者の身体・心理・社会状態をアセスメントする。

2 手術に対する意思決定支援

❶診断確定前

患者が**自己検診**でしこりに気づくか，乳がん検診で乳がんの疑いを指摘された場合，専門医による詳細な検査を受けることになる。この時期は，もしかしたら自分は乳がんではないかという思いにより，最も不安が大きく緊張状態にある。看護師は検査の目的や方法について説明を行い，患者の不安軽減に努める。

腫瘤の一部を採取する組織診検査においては，痛みを伴い感染のリスクがあるため，付き添って声掛けを行い不安を和らげるようにし，帰宅時には創部の保護方法を指導する。また，乳房は日常においては他人の目に触れることのない部位であるため，プライバシーや羞恥心に配慮して，安全かつ確実に検査を受けることができるように支える必要がある。

❷診断確定後，治療方針を決定する時期

乳がんの診断が確定したと告げられることはショックであるが，そのなかで患者は，病状や治療方法について説明を受けて理解し，乳房の部分切除か全切除かの選択をはじめとした治療に関する**意思決定**をしなくてはならない。また，治療に備えて家事や仕事の調整も必要となる。提供される情報は多量かつ専門的で，意思決定は自らの生命や生活にかかわる重大なものであるため，患者は困難に直面する。

看護師は，患者の心理的状態をアセスメントし，ショックに寄り添い，患者が状況を理解し，対処することを支える。診察時には医師による説明の場に同席して質問を促すとともに，診察後には患者の理解状況を確認し，追加の説明を行う。治療方法の選択にあたっては，術後の状態やその後の見通しが判断材料になるため，創部の写真などの具体的な資料を用いて正確な情報の提供に努める。多量の情報に混乱する場合には，いつでも対応することを伝える。患者によっては，セカンドオピニオンを希望する場合もある。患者が後悔しない選択をできるように，検査などの情報を提供することとともに，治療の時期を逸しないように決めることの重要性を伝えることが必要である。

乳がんは，女性としてのセクシュアリティにかかわる疾患であるため，だれにでも相談できるものではない。患者によっては配偶者や両親，子どもと自分の病気について話し合い，思いを伝えることが困難な場合もある。患者が一人で来院している場合は，患者の思いを傾聴し希望を確認しつつ，来院時に家族や信頼できる人に同行してもらうことを促す。

3 手術オリエンテーション

手術方法や術後合併症，変化についての医師による説明の場に同席し，患者が疑問点について質問できるように援助する。説明後は必要に応じて追加説明を行い，不安の表出を促し，傾聴するとともに，不安を軽減するための対応を行う。

一般的な全身麻酔の術前における呼吸訓練に加え，患側上肢や創部を保護するための体位や，体動について説明する。術後の痛みによって体位変換や患側上肢のリハビリテーションに消極的になる場合があるので，術前にその意味や必要性を十分に説明しておく。

4　手術に向けた準備

全切除の場合はもちろん，部分切除であっても乳房の形態は変化するため，術前の患者は悲しみと不安を抱いている。患者に寄り添い，悲しみを共有，共感して感情の表出を助け，希望があれば術後の状態について具体的な写真やイラスト，さらには補正具などを示して，患者が自分なりの対処をしていくことを支援する。術後の患側上肢のリハビリテーションは，術前の状態にまで回復することが目標とされるため，術前に肩関節の可動域を測定し，運動機能を把握する。

5. 術後の看護

1　術後の観察と合併症の早期発見

術後は，一般的な全身麻酔の影響と，乳房やリンパ節の切除による術後合併症のリスクが生じる。また，痛みによる安楽の変調が起こり，創部痛による患側上肢のリハビリテーションの滞りと，それによる上肢の挙上障害のリスクがある。

❶一般状態の観察と管理

- 全身状態の観察
- 呼吸・水分出納（すいとう）・薬物投与の管理
- 術後出血予防と早期発見
- 創部の保護，全身の清潔ケアによる感染予防
- 患側上肢の腫脹・しびれの観察
- 創部痛
- 患側上肢のリハビリテーション状況

❷ドレーン管理

創部のドレーンは3～4日，腋窩（えきか）のドレーンは1週間程度留置される。排液の性状と量の観察を行い，挿入部の痛みや違和感がある場合は固定を調整するなどして，体動やリハビリテーションの妨げにならないようにする。

2　疾患・術式特有の術後管理

創部痛や全身の不快感を軽減し，安楽を図るため，患側上肢は特に十分な観察を行い，循環動態の維持改善のため，枕やバスタオル，クッションなどを用いて，できるだけ心臓よりも高い位置に置くようにする。

3　早期離床の促進

術後は患側上肢や創部を中心とした痛み，ドレーン挿入部の違和感があるが，食事が開始され，トイレ歩行も可能になるため，安全に配慮しながら術後1日目から離床を促す。

表7-1 乳がん術後の患側上肢のリハビリテーション

留意点	• 術前から，リハビリテーションの意味と必要性についての説明を行う。 • 食事や着替え，歯磨きや髪のブラッシングなどのセルフケア動作を，患側上肢の動きの範囲に合わせて取り入れる。退院後においても，家事動作が適切なリハビリテーションとつなげられるように指導する。 • リハビリテーション中とその後の患側上肢の痛みやしびれ，腫れに注意する。
進行の目安	• 術後1日目から指，手首，肘の曲げ伸ばしを開始し，2～4日目から徐々に肩関節を動かして腕の挙上や壁のぼり運動を進める。 • ドレーンの抜去後あるいは術後1週間から積極的に肩関節を動かし，前方と側方からの腕の挙上を行う。 • 退院後には肩甲骨を開閉・上下させる，腕，肩を回す，後方から腕を持ち上げるなどの運動を行う。

早期離床は重要であるが，悪心やふらつきが生じることがあるため十分に注意して見守る。

4 患側上肢リハビリテーションの開始

患側上肢のリハビリテーションの進め方は，行われた手術が部分切除なのか全切除なのか，腋窩リンパ節郭清を行ったのかセンチネルリンパ節生検なのか，という術式によって異なる。術式ごとの回復過程に沿って，リハビリテーションを開始する（表7-1）。

5 日常生活の支援

痛みや気分不快，患側上肢の固定や可動制限のために食事や清潔の保持，着替えなどのセルフケアが十分に行えない場合には，必要な介助を行う。

6. 回復過程における支援

1 退院までの回復過程における支援

患者は，乳房喪失や創の形成など，乳房の外見･形態の変化による悲しみ･苦悩，ボディイメージの変化を体験する。退院までの回復過程においては，装具や着衣の調整によりからだの変化に対処して，患側上肢の機能回復を目指すことが患者の課題となる。

❶ボディイメージの変化へのケア

乳房の一部あるいはすべての喪失，創部の形成という手術によるからだの変化を患者が受容することは，寝衣の上から胸部を目にし，触れることから始まる。創部を直接目にする時期は患者によって異なり，退院まで目にしない場合もある。退院後は患者自身が創部をケアする必要があるため，入院期間中に患者が創部を直接目にし，ケアの方法を学ぶことが望ましいが，受け入れには個人差があるので，患者の心理状態をアセスメントしてかかわる。からだの変化に直面して生じる悲嘆に対しては，つらい気持ちに寄り添い，傾聴し，患者が創部を自分自身の一部として認め，受け入れていくことを支える。一度も創部を目にしないまま退院となった場合には，外来看護師と連携をとり，退院後に十分なサポートが行われるように配慮する。

❷補正下着の紹介

術前まで用いていたブラジャーなどの下着が創部や腋窩を圧迫するものである場合や，乳房の切除のために補正具が必要になる場合には，ふさわしい補正具や補正下着を紹介する。個々の患者が好む補正具の重みや形状は異なるが，市販の製品についても入院中あるいは外来受診時に見本を提示し，取り扱い業者や店舗を紹介する。

❸患側上肢のリハビリテーションの継続

リハビリテーションの継続を促す。腋窩リンパ節郭清（かくせい）を実施した患者は挙上障害のリスクが高いため，パンフレットなどを用いて，患側上肢の観察とリハビリテーションの実施が適切に行われるようにする。

❹家族へのケア

患者の入院中，家族は患者の家族内での役割を代行することへの疲労，孤独や不安を感じている。患者もまた家族への罪悪感や，関係の変化への不安を感じているため，情報の共有を促し，患者と家族が理解し合い，支え合う関係を作れるように支援する。患者と家族は異なる感情や考えをもつ人格であるため，家族を患者の背景として扱うことなく，それぞれに誠実にかかわるようにする。

2 退院後に注意すべき合併症・後遺症

乳がんの療養は長期にわたるため，受診の際には状態や変化について問いかけ，総合的にアセスメントを行い，経過を記録する。

患者は，適切なからだのケア，仕事復帰をはじめとした生活の再構築，パートナーやほかの家族・周囲との関係の変化への適応，術後治療の継続と再発や転移への備え，不安への対処，リンパ浮腫のリスクへの対処を行う必要があるため，次のような看護を行う。

- 患者がからだの変化に伴う生活方法の調整を行い，社会復帰することを支える。
- リンパ浮腫の症状と徴候（表7-2）について説明し，予防法（表7-3）を指導する。
- 患者が周囲との新たな関係を構築し，乳がんと共に生きることを支える。
- 患者が，術後に自分に適用される放射線療法，化学療法，分子標的治療，ホルモン療法について十分に理解し，見通しをもって取り組めるように支援する。
- 患者が再発・転移のリスク，反対側乳房への乳がん発症のリスクを理解し，適切な受診行動と自己検診が行えるように支援する。

表7-2 リンパ浮腫の初期症状

- 腕や肩が重く，だるい
- 腕や肩や胸，背中が腫れぼったい
- 腕にチクチクするような痛みや，違和感がある
- 腕が熱をもっている，赤く腫れている
- 今まで普通だった指輪や腕時計がきつい
- 服の肩や二の腕，袖口がきつい
- 徐々に浮腫が腕の付け根から手の先へ（中枢から末梢へ）広がっていく

表7-3 リンパ浮腫の予防法

患側上肢の虫刺されやけがを予防する	• 手袋や防水手袋を用いる • 日焼け，やけどをしないようにする • 虫よけスプレーなどで虫刺されを予防する • 深爪をしない • 除毛時には，剃刀傷を避けるため電気シェーバーを使う • 患側上肢での採血や注射，血圧測定は避ける
胸周囲や患側上肢の圧迫を避ける	• 肩ひもが細く，アンダーバストやワイヤーがきついブラジャー，締めつける衣服・アクセサリーは避ける • 肩ひもの幅が広いバッグを選ぶ
適度な腕の運動を行う	• 日常生活のなかで，適度に腕を使う • 無理のない程度の筋力を使うトレーニングを行う
患側上肢をいたわる	• 重い物を長時間持たない • 買い物や家事，仕事などで周囲の人の手を借りる • 患側上肢を常に高い位置に保つ
スキンケアをする	• 身体や皮膚，衣服の清潔を保つ

3 退院後の自己管理

❶患側上肢の保護に関する説明

重い物を持ち上げる，長時間重い物を持つなど，患側上肢に負担を与える行為と，しびれや痛みなど注意すべき症状について説明する。腋窩リンパ節郭清や放射線照射を実施した場合は，リンパ浮腫のリスクが大きいため，患側上肢の保護について特に注意する必要がある。術後の生活のQOLが維持されるよう，患者の生活や仕事内容について情報を得ながら，患者自身が調整を行えるよう支援する。

❷性生活に関する相談

術後の性生活は機能的には問題ないが，夫やパートナーなど親密な関係の人に創部を見せ，性生活を行うことに抵抗を感じる患者も存在する。プライベートな問題であり個別性が大きいため，看護師ら医療者の価値観ではなく，患者の希望に沿ってかかわる。ただし，患者本人や家族にとっても性生活の問題は相談しにくいため，性生活は可能であり，パートナーと話し合って自分たちなりに進めていけばいいこと，看護師は性生活についての相談をいつでも受けることをあらかじめ伝える。

4 社会資源の活用

❶専門職との連携

子どもやほかの家族に病気をどのように伝えるか，遺伝の心配はないかなど，家族に関連して不安を抱く患者に対しては，時間をかけて不安や疑問について傾聴して力づけ，正確な情報を提供するとともに，必要であれば専門職の支援が受けられるように調整する。また，就労に関しても必要に応じて専門的支援につなげていく。

❷術後の治療に関する説明

部分切除であれば術後の放射線療法が必須であるが，そのほかにもリンパ節転移の状態や，乳がんの性質に合わせて，抗がん剤化学療法，分子標的治療，ホルモン療法など多彩な追加治療が実施される。これらは再発を予防する目的で行われ，数か月～数年にわたる。実際にどのような治療がどのようなスケジュールで実施されるかについては，病理診断結果をもとに術後の外来受診時に説明されるため，家族に同行してもらうことを勧め，説明後には治療内容や副作用，必要な生活の調整についての理解を確認する。

❸地域における支援に関する情報提供

ほかの乳がん患者との交流が支えとなることも多いため，希望する患者に対しては地域の患者会の紹介などを行う。また，**乳がん看護認定看護師**，**がん看護専門看護師**などの専門職や，がん相談支援センターなど，病院の相談支援部門が乳がん患者の相談の受け手として機能していることも伝える。

病院，地域においてどのような支援が得られるかについて，看護師は情報を得ておき，患者に提供することが望ましい。

III 前立腺がん

1. 疾患の概要

1. 概念・定義

前立腺がんは50歳以上の男性に好発する男性ホルモン依存性がんである。

2018年の日本の前立腺がん罹患数は年間9万2021人であり，男性がんの1位であった。高齢化による発症頻度の増加や，前立腺特異抗原（prostate specific antigen；PSA）検査により，発生数は増加傾向にある。早期発見が可能になり，前立腺がんによる死亡数は減少傾向にある。

2. 誘因・原因

前立腺がんの先天的な要因には，加齢，人種，家族歴，遺伝子型がある。後天的な要因には，生活習慣（食事・運動・嗜好品など），肥満，糖尿病およびメタボリック症候群，前立腺の炎症や感染，前立腺肥大症や男性下部尿路症状（lower urinary tract symptoms；LUTS），環境因子や化学物質への曝露（ばくろ）などがあるが，結果が相反する報告も多く，罹患に関与する要因を特定することは難しい。

3. 病態生理

前立腺は膀胱に隣接し，膀胱から出る尿道を取り巻いている臓器で，男性のみに存在する。大きさはクルミ大程度が正常とされているが，加齢により肥大することが多い（前立腺肥大症）。

前立腺がんの大部分は腺がん（70％以上）であり，そのほかはまれである。およそ5～15％は中心域に発生し，残りは前立腺肥大症に発展する移行領域に発生する。

4. 症状・臨床所見

早期がんでは特有の臨床症状はない。多くは，合併する前立腺肥大症の症状である頻尿（特に夜間頻尿），尿線の細小，遷延性排尿，残尿感である。これらの症状は，必ずしも前立腺の病変がなくても加齢とともに出現するため，症状のみから前立腺がんの診断を行うことはできない。がんが尿道や膀胱に浸潤して初めて排尿障害，血尿，膀胱刺激症状といった臨床症状が出現する。

前立腺肥大症は前立腺の移行領域に発生するが，前立腺がんは主として前立腺の辺縁領域に発生するため，前立腺がんのほうが排尿障害の出現が遅れる。局所進展型の前立腺がんの場合，血尿，尿閉，それに伴う水腎症，腎不全をきたすことがある。遠隔転移による症状が初発症状であることもある。

前立腺がんは，進行により骨に転移することが多い。そのため，骨痛や，骨の近くの神経を圧迫することによる疼痛症状が生じる。腫瘍による神経の圧迫やしびれや麻痺が起こる。

また，骨盤リンパ節への転移により，下半身の浮腫が起こる。

5. 検査・診断・分類

前立腺がんの診断には直腸内指診，超音波検査，採血（PSA 測定），CT，MRI，膀胱鏡検査，RI（骨シンチグラフィー）があり，確定診断には前立腺生検による病理診断を行う。

直腸内指診で石様硬の腫瘍に触れる，血清中の PSA の高値（4ng/mL 以上），あるいは経直腸的超音波検査で低エコー像を認めるなどで，がんが疑われた場合，確定診断のため経直腸的あるいは会陰的に前立腺針生検を行う。前立腺針生検によって前立腺がんの有無，組織悪性度（グリソンスコア）を確認して，生検検体中にがんの占める割合を組織分析し，確定診断する。

診断後，治療方針決定のための病期を決定する。前立腺がんの病期分類には TNM 分類を用いる。浸潤度より，T2 以下の限局がん，T3 以上の局所進行がん，リンパ節および骨や他臓器に転移がある転移がんに分けられる。

がんの局所浸潤を発見するには MRI，リンパ節転移や他臓器転移には CT 検査，骨転移には骨シンチグラフィーを行う。

6. 治療

前立腺がんの治療には手術療法，放射線療法，内分泌療法があり，単独または組み合わせて行われる。治療法は，病期，年齢，合併症を考慮して選択される。

早期がんでは，前立腺全摘除術（radical prostatectomy；RP）（開腹，腹腔鏡，ロボット）および放射線療法（外照射療法，組織内照射療法）が主だが，転移がある場合や高齢者では，内分泌療法が適応となる。

また，前立腺がんのなかには，すぐに治療を開始しなくても生命予後に影響しないがんがある。定期的な検査を行い，治療の開始時期を逃さないようにすることが重要である（監視療法）。

①**手術療法**：本文の「2. 術式・術後合併症の概要」を参照。

②**放射線療法**：前立腺がんに対する放射線療法は，根治を目的に施行する場合と，転移巣などに対して局所制御や症状緩和のために施行する場合の２つがある。

照射法には，X 線などを用いた外照射（external beam radiation therapy：EBRT）と，熱源を組織内に入れて内から照射する組織内照射（小線源療法）がある。

③**内分泌療法**：前立腺がんのもつアンドロゲン（男性ホルモン）依存性を利用した治療法である。前立腺がんは男性ホルモンにより成長するため，男性ホルモンの分泌を抑えることでがんの進行を抑えることを目的とする。しかし，内分泌療法を続けることでしだいに薬が効かなくなり，がんが進行する。

内分泌療法には，去勢術，エストロゲン療法，LH-RH 療法，アンチアンドロゲン療法，CAB 療法がある。LH-RH アゴニストおよび抗アンドロゲン薬を併用することが多い。内分泌療法が効かなくなった場合には，ドセタキセル水和物などの化学療法を行うことがある。

2. 術式・術後合併症の概要

1 術式

前立腺全摘除術は，前立腺と精嚢を摘出して膀胱と尿道断端を吻合（ふんごう）する術式であり，閉鎖リンパ節を同時に摘出する。一般的には，病巣が前立腺内に限局している症例に対して施行される。

開腹手術には，恥骨後式前立腺全摘術（retropubic radical prostatectomy；RRP）と会陰式前立腺全摘術があり，そのほかに，腹腔鏡下前立腺全摘除術（laparoscopic radical prostatectomy；LRP），ロボット支援腹腔鏡下根治的前立腺摘除術（robot-assisted laparoscopic radical prostatectomy；RALRP）（Column 参照）がある。

2　術後合併症

❶術後出血

前立腺の周囲は，血管が多数走行し血流が豊富であるため，術中の大量出血や術後に切除面からの出血が起こる。大量出血による出血性ショックの危険性がある。

❷周囲臓器損傷

前立腺は膀胱・尿管・直腸に接しているため，手術で損傷する可能性があり，修復術が必要になる場合がある。直腸損傷が大きい場合や直腸壁が薄い場合には，一時的に人工肛門を造設することがある。

❸縫合不全による腹腔内尿漏

膀胱尿道吻合部（ふんごうぶ）の縫合不全によって，吻合部からの尿漏（にょうろう）が起こる可能性がある。ドレーンから漿液性の排液が増えているときはリンパ漏の可能性もあるが，同時に膀胱留置カテーテルからの尿量が減少した場合には尿漏を疑う。

❹尿失禁

前立腺全摘除術による尿道括約筋の損傷や尿道支持組織の障害が関与している。前立腺を摘除することにより，術後ほとんどの場合に尿失禁がある。多くは，時間の経過とともに軽減または消失する。

❺排尿障害

尿道と膀胱を吻合することにより，吻合部に尿道狭窄が起こり，排尿障害を起こすことがある。

❻勃起障害

神経温存の程度，年齢，術前の勃起能などで程度が異なる。

ロボット支援腹腔鏡下根治的前立腺摘除術（RALRP）

RALRPとは，ダ・ヴィンチサージカルシステムを用いたロボット支援根治的前立腺摘出術であり，術者は，患者の隣で内視鏡画面を見ながらマニュピレーターを操作し，コンピューターを介して患者に装着されたロボットアームを制御して行う手術である。日本では2009（平成21）年11月に薬事法で医療機器が承認され，2012（平成24）年4月に保険適用となった。ロボット鉗子は操作性に富み，膀胱と尿道の吻合などの細かい縫合操作が行えるため，尿失禁などの合併症がほかの術式に比べると少ないとされている。また，視野確保に優れているため，時として神経温存が可能なこともあり，開腹手術に比べると，勃起能が温存できる場合がある。

手術時間は開腹手術に比べるとある程度長いが，出血と入院期間は有意に減少し，術後の回復も早いのが特徴である。

3. 看護目標

- 術後出血に注意し，尿の色や性状を看護師に伝えることができる。
- 尿失禁に対し，尿漏の程度に合わせたパッド管理ができる。

4. 術前の看護

術前は，患者・家族が手術を正しく理解し，手術に対する不安を取り除き，安心して手術を迎えられるよう支援する。

前立腺全摘除術後は尿失禁，性機能障害などの合併症を生じることが多く，羞恥心や自尊感情の低下，社会活動への影響を及ぼす可能性がある。術前に患者が何か不安や疑問を抱えているようであれば，再度医師からの説明の場を設け，理解を促しながら患者の意思決定を確認し，精神面の支援も行う。

1 患者のアセスメント

医師からの説明時には同席し，患者・家族の反応を観察し，不安や理解が不十分なところはないか確認する。

既往症や内服薬の確認，生活様式，検査データ，骨盤底筋体操の実施状況の把握を行う。医師による手術の説明内容の理解度（手術の内容・経過や，退院後の生活がどのように変化するかといった，病気や手術の受け止め方）について，患者・家族の反応をみてサポートし，今後の生活に対する思いを確認する。

2 手術オリエンテーション

入院から退院までの流れの説明を行う（クリニカルパス，図7-5）。術前・術後のイメージをもつことで，患者の理解も得られやすい。

❶術後尿失禁

術後の尿失禁に対して，患者がどのように受け止めているかを確認する。膀胱留置カテーテル抜去直後は，ほとんどの患者が尿漏を起こすことを伝え，自尊心が低下しないように支援する。

❷骨盤底筋体操

術前から尿道括約筋（骨盤底筋のうちの一つ）を鍛えて，尿失禁に対する対策を行う必要があるため，骨盤底筋体操（図7-6）について説明し，術前から実施してもらう。

❸排尿記録の記載

術後の排尿状況の評価を行うために，術前から1回尿量および排尿の間隔の把握を行う。

		入院日	入院２日目	入院３日目	手術当日	
治療・検査	膀胱留置カテーテル				→	
	酸素吸入				→	
	創部				創傷被覆材	
	点滴				→	
	抗菌薬				→	
	膀胱前腔ドレーン				→	
	検査	身長・体重・ 腹囲測定	尿流量・残尿 測定検査		腹部Ｘ線撮影, 採血	
		NRS			NRS	
		排尿記録	→	→		
術後合併症の観察	出血				→	
	感染				→	
	疼痛				→	
日常生活援助	清潔	シャワー浴	→	→		
	食事	常食		流動食	絶食	
	排泄	トイレ			膀胱留置カテーテル	
	運動	歩行			ベッド上	
	退院支援	骨盤底筋体操	→	→		
		手術オリエン テーション				

図7-5 ロボット支援腹腔鏡下根治的前立腺摘除術（RALRP）を受けた患者の経過と看護計画（例）

骨盤底筋体操のながれ

①身体の力を抜いてリラックスした状態で行います。
②背筋を伸ばし，足を肩幅に開きます。
③骨盤底筋が締まることを確認します。
肛門を締めます（オナラを我慢するような感じで）。
おしっこを途中で止めるような感じにします。
④５つ数える間，骨盤底筋を締めたままにします。
⑤５つ数えたら，ゆっくり力を抜きます。

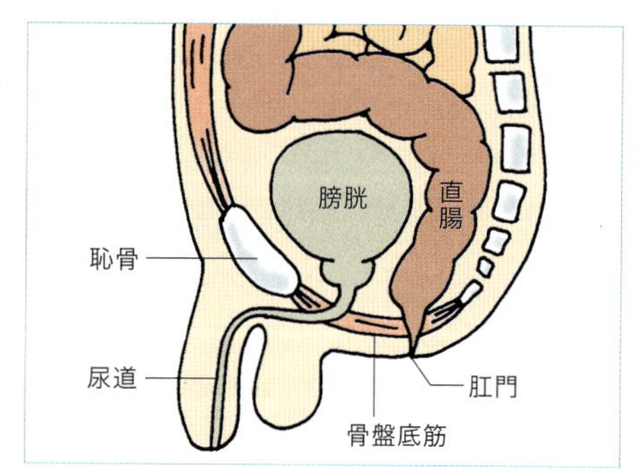

骨盤底筋体操のコツ

- 毎日，正しい姿勢で行いましょう。
- 自分が骨盤底筋を感じやすい姿勢を見つけ，その姿勢で行いましょう。
- 腹圧がかかるときは，意識して肛門を締めましょう。
- 筋肉の動きをイメージしながら行いましょう。

骨盤底筋体操の目安

早く締める（５回），締めたままで３～５秒保つ（５回） × ３セット

これを１日２～３回

図7-6 骨盤底筋体操についての説明（例）

	術後1日目	術後2日目	術後3日目	術後4～5日目	術後6日目	術後7日目	術後8日目～退院
→	→	→	→	→	→		
	→	→	→	→	→	→	→
→	→	→	→				
→	→	→					
→	→	→	→	→	→	抜去	
	腹部X線撮影，採血				膀胱造影		
	→	→	→				
					→	→	→
→	→						
→	→	→	→	→	→	→	→
→	→	→	→	→	→	→	
	清拭	下半身シャワー	→	→	→	シャワー浴	
	術後食		常食				
	→	→	→	→	→	トイレ	
	立位・歩行						
						骨盤底筋体操	→
							退院オリエンテーション

骨盤底筋体操を行うときの姿勢

次の①～④から自分が行いやすい姿勢を見つけてみてください。

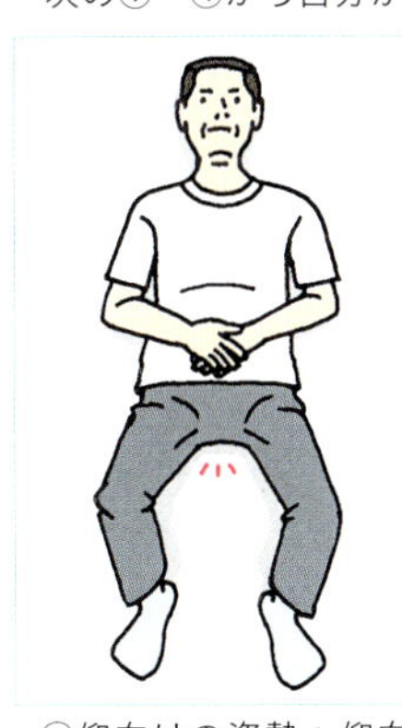

①仰向けの姿勢：仰向けに寝て，足を肩幅に開き膝を立てます。

②肘や膝をついた姿勢：床に膝をつき，クッションの上に肘を立てて手にあごを乗せます。

③机にもたれた姿勢：足と腕を肩幅に開き，手は机につきます。体重を両手にかけ，背中をまっすぐに伸ばします（最も骨盤底筋を感じやすい姿勢です）。

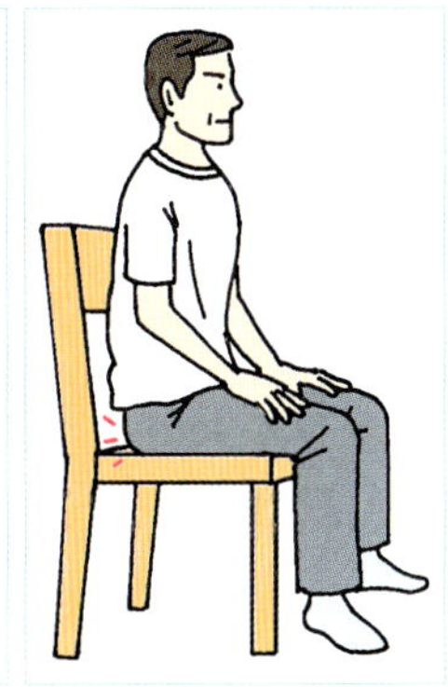

④座った姿勢：床につけた足を肩幅に開き，背中をまっすぐに伸ばし顔を上げます。

3 手術に向けた準備

❶臍処置

気腹による手術のため，必要に応じて臍を清潔にする。

❷腸管の前処置

前立腺と腸管は隣り合わせになっているため，手術により腸管を損傷する危険性がある。腸管の既往症を確認して，術前から下剤を内服し，手術当日は絶食，手術当日は浣腸を行う。便の性状，残便感を確認し，必要に応じて処置の追加の有無を医師に確認する。

❸深部静脈血栓の予防

術前に弾性ストッキングを着用する。

5. 術後の看護

前立腺周囲は血流が豊富であり，出血するリスクが高いため，術後はバイタルサインや，尿性状，ドレーン排液の性状の観察を行い，出血性ショックの早期発見に努める。

また，創部痛やカテーテルによる刺入部痛（**テネスムス症状***）が生じるため，疼痛緩和に努める。早期離床を促し，早期回復に向けて支援する。

1 術後当日

❶尿の性状の観察

前立腺周囲には太い血管が多く，出血を起こすことがある。術後早期は特に注意が必要である。尿の性状は血尿スケール（図7-7）を用いて観察する。出血性ショックの危険もあるため，頻回にバイタルサインを観察する。

スケール 血液含有量	1 0.1～0.2%	2 0.2～0.8%	3 0.8～1.6%	4 1.6～3.2%	5 3.2～6.4%
性状	うすピンク， 淡血性	鮮血色， オレンジ色	薄い赤色	濃い赤色	ほぼ血液

図7-7 血尿スケール

＊ **テネスムス症状**：膀胱，前立腺，尿道など下部尿路の急性炎症や出血，または挿入された膀胱留置カテーテルなどによって起こる刺激症状をいう。「尿テネスムス」は，非常に強い尿意があるにもかかわらず排尿できない，または少量の尿のみ排尿し，排尿後直ちに尿意をもよおすことである。

❷尿量の観察

尿道と膀胱を吻合（ふんごう）するため，術後の浮腫などで吻合部に尿道狭窄が起こり，排尿障害になることがある。また，術後早期は吻合部の縫合不全により，膀胱前腔内に尿が漏れる可能性がある。これらを予防するために，術後は尿量の観察を行う。

❸膀胱留置カテーテルの管理

RALRPは前立腺を除去し尿道と膀胱を吻合する。そのため，膀胱尿道吻合部の安静・治癒促進や，術後の一時的な吻合部浮腫に対処する目的で留置されている。吻合部に負荷がかからないよう，血尿・凝血塊や屈曲によるカテーテル閉塞の防止や尿流出の管理を行う。

❹ドレーンの管理

膀胱尿道吻合部の前腔にドレーンが留置される。出血，リンパ漏（ろう），尿，直腸損傷による便流出がないか観察する。確実に固定されているか観察し，挿入部からの漏れによる感染防止のため，挿入部を清潔に保つ。術後1時間以降で血色を呈し，排液量が増加する場合には術後出血を疑い，医師に報告する。

❺疼痛緩和

術後は，創部痛，ドレーン挿入部の疼痛，膀胱留置カテーテルの刺激によるテネスムス症状などがある。適宜，鎮痛薬を使用して軽減を図る。

2 術後1日目以降

❶腸蠕動，排ガス・排便の有無

術後一時的に腸管運動が低下する。手術翌日の午後より歩行を開始し，早期離床を進める。

❷疼痛緩和

創部痛，膀胱留置カテーテルの刺激によるテネスムス症状，ドレーン留置による疼痛は，精神的苦痛も伴い早期離床を妨げるため，適宜，鎮痛薬を使用して軽減を図る。

6. 回復過程における支援

吻合部の狭窄や尿失禁などの合併症の観察と，退院後の生活に向けた支援を行う。

1 排尿状態の観察

術後1週間程度で膀胱造影検査を行い，膀胱尿道吻合部に漏れがないことを確認し，膀胱留置カテーテルを抜去する。抜去後は，正常な尿流出があることを確認する。全身状態の異常がなければ3～4日で退院となる。

吻合部の狭窄により尿閉が生じると，吻合部に負担がかかり，吻合部が離断する可能性があるため，排尿状況の観察は重要である。膀胱造影検査で漏れが認められた場合には，膀胱留置カテーテルをさらに1週間程度続けて留置し，再検査を行う。

2　退院後に注意すべき合併症・後遺症

❶尿失禁

前立腺全摘除術により，ほとんどの患者に尿失禁が生じる。退院後の生活に合わせた尿失禁の対処方法（尿とりパッドの使用法）や骨盤底筋体操の継続の必要性，水分摂取の必要性とタイミングについて説明する。尿とりパッドの着用や交換は，患者のQOLに重大な影響を及ぼすため，思いを傾聴し，精神的な支援を行う。尿失禁の程度によっては，スキンケア指導も行う。

❷勃起障害

神経温存の程度，年齢，術前の勃起能などによって，勃起障害の程度が異なる。前立腺・精嚢を切除するため，射精の感覚は残るが，精液は出なくなる。性生活は，退院後に医師と相談のうえ再開するように指導する。

文献

1）日本乳癌学会編：患者さんのための乳がん診療ガイドライン 2019年版，第6版，金原出版，2019，p.87-92.

参考文献

・野村和弘，平出朝子監，笠松高弘編：子宮がん・卵巣がん〈がん看護実践シリーズ9〉，メヂカルフレンド社，2007.
・日本婦人科腫瘍学会編：子宮頸癌治療ガイドライン 2011年版，金原出版，2011.
・日本婦人科腫瘍学会編：子宮体がん治療ガイドライン 2013年版，金原出版，2013.
・日本産婦人科腫瘍学会編：患者さんとご家族のための　子宮頸がん・子宮体がん・卵巣がん治療ガイドライン，第2版，金原出版，2016.
・日本がん看護学会監，鈴木久美編：がん看護実践ガイド　女性性を支えるがん看護，医学書院，2016.
・医療情報科学研究所編：病気がみえる vol.9　婦人科・乳腺外科，第3版，メディックメディア，2013.
・大道正英編：婦人科看護の知識と実際〈臨床ナースのための Basic & Standard〉，メディカ出版，2009.
・国立がん研究センター：がん情報サービス，http://ganjoho.jp（最終アクセス日：2021/10/13）
・厚生労働省：子宮頸がん予防ワクチンQ&A，http://www.mhlw.go.jp/bunya/kenkou/kekkaku-kansenshou28/qa_shikyukeigan_vaccine.html（最終アクセス日：2021/8/8）
・日本泌尿器科学会編：2016年版前立腺癌診療ガイドライン，メディカルレビュー社，2016.
・筧善行編：泌尿器科看護の知識と実際〈臨床ナースのための Basic & Standard〉，第2版，メディカ出版，2010.
・特集／前立腺がん，泌尿器 Care & Cure　Uro-Lo，21（1），2016.
・野村和弘，平出朝子監，笠松高弘編：前立腺がん・膀胱がん〈がん看護実践シリーズ10〉，メヂカルフレンド社，2007.

第8章

運動器系の手術を受ける患者・家族の看護

この章では

- 脊椎・脊髄疾患の手術を受ける患者の周術期看護を理解する。
- 変形性股関節症の手術を受ける患者の周術期看護を理解する。

I 脊髄損傷

1. 疾患の概要

椎骨は，椎体・椎弓・突起で構成されている骨で，頸椎，胸椎，腰椎などがある（図8-1）。脊椎は，頸椎7個，胸椎12個，腰椎5個，仙椎5個，尾椎1個と，それを連結する軟骨（椎間板）や強靱な靱帯で1本の脊柱を形成している（図8-2）。脊柱の中には，空間として脊柱管が存在する。脊柱管の中にある脊髄が損傷されると**脊髄損傷**となる。

脊髄損傷には，外的要因と内的要因がある。外的要因としては転落，交通事故，スポーツなどの大きな外力がある。脊髄を守っていた脊椎が損傷され，脊髄が圧迫されることで脊髄損傷となる。近年では，高齢者が軽微な転倒により脊髄を損傷するケースが増えている。原因は，骨粗鬆症や脊柱管狭窄症により神経が圧迫されやすい環境にあるためである。内的要因としては，脊椎変性疾患，靱帯骨化症，腫瘍性疾患，血管性病変，炎症性疾患，先天性疾患などがある。

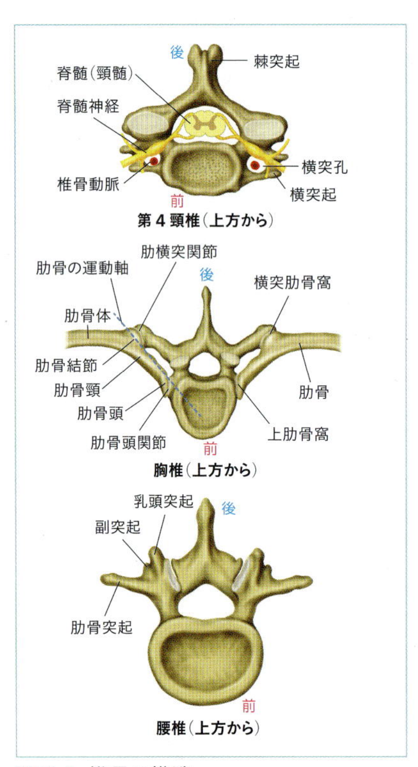

図8-1 椎骨の構造

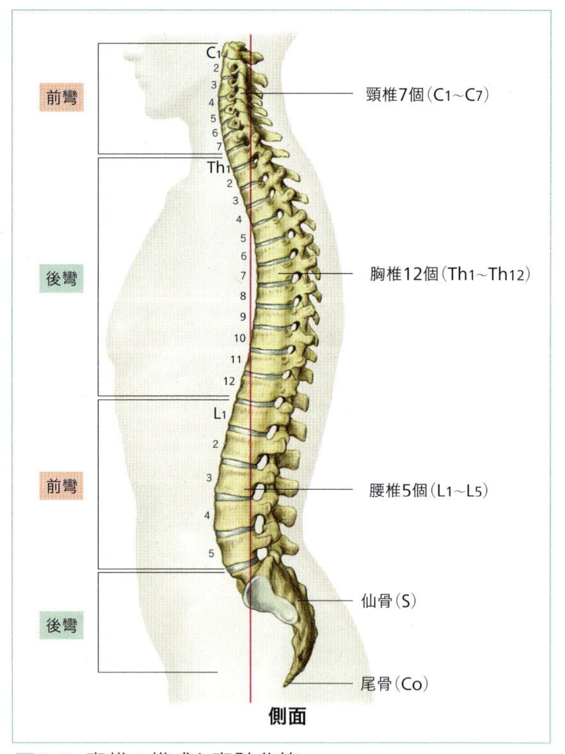

図8-2 脊椎の構成と脊髄分節

1 頸椎症性脊髄症／頸椎症性神経根症

1. 概念・定義

頸椎症を基盤として，脊髄症状を呈したものを**頸椎症性脊髄症**，神経根症状を呈したものを**頸椎症性神経根症**という。

2. 誘因・原因

頸椎椎間板が，加齢に伴い水分が減少することによって変性・膨隆する。それに伴い，骨棘が形成され，神経を刺激することが原因である。

3. 病態生理

頸椎症性脊髄症では，主に加齢による椎間板変性を中心とした脊椎の退行性変化を生じ，進行に伴い頸髄圧迫による四肢・体幹の神経症状を呈する。

頸椎症性神経根症では，神経根圧迫により一側上肢に疼痛，しびれなどの神経症状を呈する。

4. 症状・臨床所見

頸部周囲の疼痛，可動域制限，歩行障害，上肢の疼痛，しびれがみられる。

損傷された部位や程度により様々な神経症状を呈し，脊髄損傷では急性期には**脊髄ショック**がみられる。脊髄ショックでは，損傷レベル以下の全知覚が脱失し，腱反射・表在反射の消失，弛緩性麻痺，完全尿閉，血圧低下が生じる。

C_3 レベル以上の損傷では**腹式呼吸**を担う横隔膜（支配神経 C_3，C_4）が麻痺し，自発呼吸が著明に障害される。

C_4 レベル以下の損傷でも，**胸郭運動**を担う肋間筋（支配神経 Th_1～Th_{11}）が麻痺し，肺が膨らまない拘束性換気障害が生じる。また，喀痰障害による無気肺や肺炎を引き起こす。

腰・仙髄レベルの損傷では，狭い範囲に複数の髄節が圧縮された構造のため，感覚障害・排尿障害，排便障害，性機能不全など，様々な症状が出現する。

5. 検査・診断・分類

- 問診：症状，年齢
- 神経学的所見：手指の巧緻運動障害，四肢・体幹の感覚障害，歩行障害，膀胱直腸障害がみられる場合は，頸椎症性脊髄症を考える。一側上肢の筋力低下・筋萎縮，一側上肢・手指のしびれ，萎縮筋の線維束攣縮がみられ，スパーリング（Spurling）テストで陽性を呈する場合は，頸椎症性神経根症を考える。
- 検査：X 線撮影，MRI，CT，ミエログラフィー
  画像所見と臨床症状は必ずしも相関しないため，病歴や神経学的所見と併せて診断する。

6. 治療

まず保存療法を行い，奏効しない場合に手術療法を検討する。

- 保存療法：日常生活指導，薬物療法（プレガバリン，デュロキセチン塩酸塩，トラマドール塩酸塩など），理学療法，装具療法，神経ブロック
- 手術療法：頸椎前方法，あるいは後方法による除圧術，固定術

2 頸椎後縦靱帯骨化症

1. 概念・定義

頸椎後縦靱帯骨化症は，後縦靱帯の肥厚と骨化により脊髄が圧迫され，脊髄症状を呈するものである。

2. 誘因・原因

遺伝子レベルでの研究が行われているが，はっきりした結論は出ていない。日本人を含め，アジア人に多いとされる。

3. 病態生理

頸椎後縦靱帯骨化症は，後縦靱帯が肥厚・骨化することで脊髄を圧迫し，手指のしびれや巧緻運動障害，歩行障害などの脊髄症状をきたす疾患である。

4. 症状・臨床所見

頸部周囲の疼痛，頸髄症状（手指のしびれ，下肢の運動障害，歩行障害，四肢の腱反射異常，膀胱直腸障害）

5. 検査・診断・分類

- 問診：症状，年齢
- 神経学的所見：四肢のしびれや痛み，感覚障害，運動障害，腱反射異常
- 検査：X線撮影，MRI，CT，ミエログラフィー

画像所見と臨床症状は必ずしも相関しないため，病歴や神経学的所見と併せて診断する。

6. 治療

まず保存療法を行い，奏効しない場合に手術療法を検討する。

- 保存療法：日常生活指導，薬物療法（プレガバリン，デュロキセチン塩酸塩，トラマドール塩酸塩など），理学療法，装具療法，神経ブロック
- 手術療法：頸椎前方法，あるいは後方法による除圧術，固定術

2. 術式・術後合併症の概要

1 頸椎損傷の術式

頸椎（けいつい）前方除圧固定術は，頸椎破裂骨折において，前方支柱を再建し，脱出椎間板（ついかんばん）や椎体骨折に対して脊髄の直接の除圧を行う術式である。

頸椎後方除圧固定術の適応は，広範囲（3椎間以上）の脊髄圧迫病変や，頸椎脱臼（だっきゅう）骨折などに対して行う術式である。年齢，脊髄損傷の有無，疼痛やしびれの程度を加味し，手術適応についての検討がなされる。

❶頸椎前方除圧固定術

- 全身麻酔施行後，頸部を軽く伸展する。
- 手術の目的とする頸椎レベルを確認する（以下，罹患レベルにおいて，正中線から約5cmの皮膚切開を行う）（図8-3）。

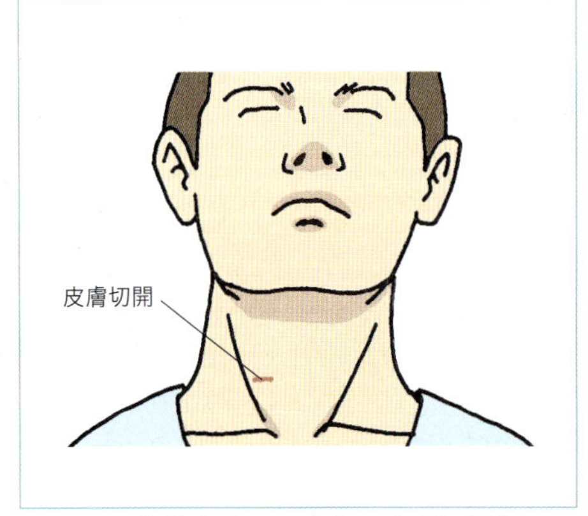

図8-3 頸椎前方除圧固定術の皮膚切開部

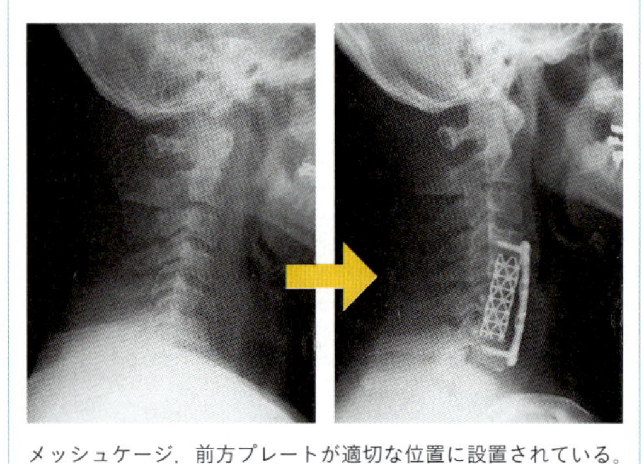

メッシュケージ，前方プレートが適切な位置に設置されている。

図8-4 頸椎破裂骨折に対する前方除圧固定術施行（手術前後のX線画像）

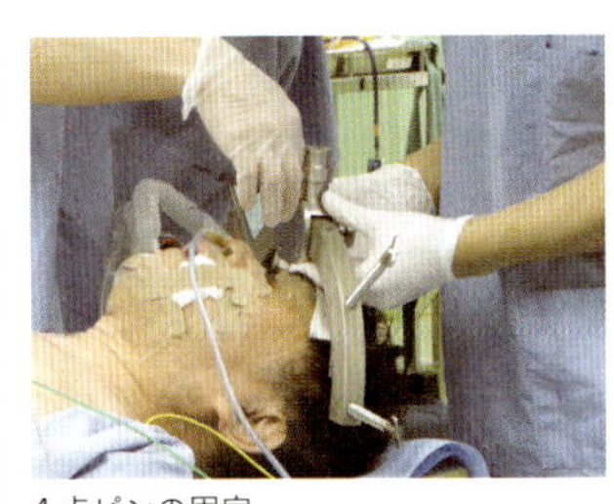
4点ピンの固定

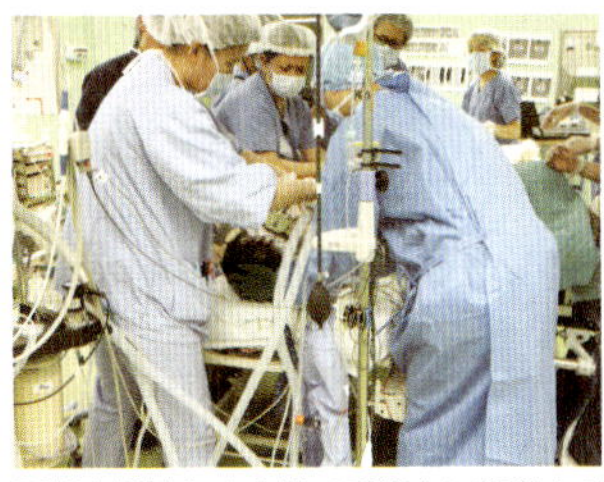
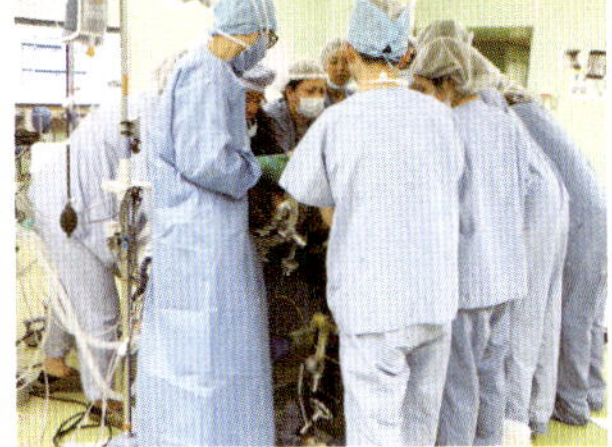
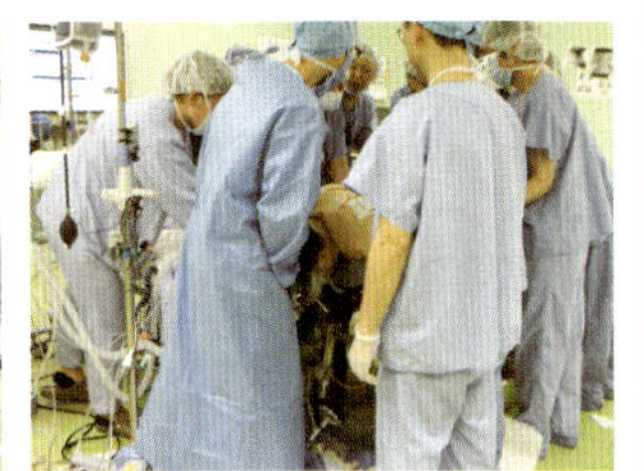
頸部を保持し大人数で手術台に移動する場面

図8-5 頸椎後方除圧固定術の様子（例）

- X線撮影で罹患レベルを確認したのち，破裂椎体を切除し，奥では脊髄を減圧する。局所自家骨を詰めたメッシュケージ（人工の支柱）を椎間に挿入し固定する（図8-4）。局所骨だけでは移植骨が足りない場合，腸骨，腓骨（ひこつ）などを採取して使用したり，人工骨を使用する。
- 頸椎前方プレートを上下椎体にスクリューで固定する。
- 手術野に出血がないことを確認し，抗菌薬の入った生理食塩水で洗浄する。
- 皮下，皮膚の縫合（ほうごう）をして終了する。
- 場合によっては，ドレナージチューブが挿入される。

❷頸椎後方除圧固定術（図8-5）

- 全身麻酔施行後，患者を腹臥位とし，頭部が動かないようピンで固定する。
- 椎弓（ついきゅう）を露出し，除圧を行う場合は，ドリルを使って正中，椎弓と関節の移行部に溝を掘る。
- 溝に沿って椎弓を開放し，スペーサー（ハイドロキシアパタイト）を入れて固定する。
- 固定を行う場合は外側塊や椎弓根にスクリューを打ち込み，ロッドで締結する（図8-6）。
- 筋肉と皮膚を縫い合わせて終了となる。創部にはドレナージチューブを1～2日間留置する。

2 胸腰椎損傷の術式

胸腰椎（きょうようつい）損傷のうち，脊椎の不安定性が強いもの，神経組織の圧迫が存在するものは手術適応となる。術式には，前方除圧固定術（前方法（ぜんぽう）），後方除圧固定術（後方法（こうほう）），および前後合併手術の3種類がある。

前方法は，前方支柱が破綻（はたん）し，脊柱管前方に存在する病変を除去する場合に適応となる。前方法の欠点としては，手術難易度が高く，合併症の発生率が後方法と比べて高いことが

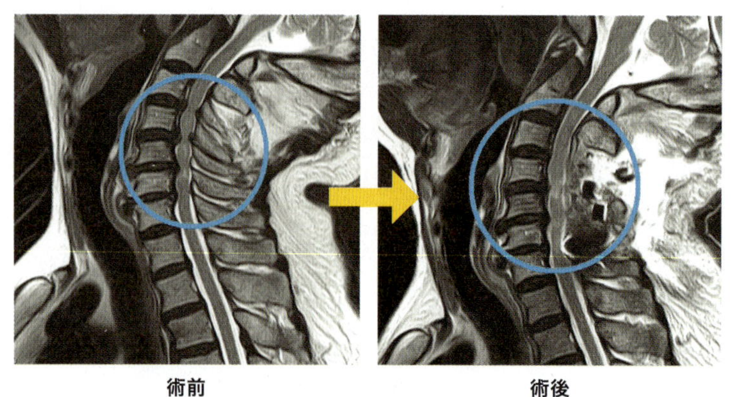

図8-6 頸椎後縦靱帯骨化症に対する後方除圧固定術施行（手術前後のMRI画像）

あげられる。

後方法は，展開が容易で手術侵襲（しんしゅう）が少ないが，前方支柱が破綻している場合，術後に脊柱の変形が進行して再手術となる場合がある。前後合併手術は，椎体破壊の高度な破裂骨折や転位の著しい脱臼（だっきゅう）骨折が適応となる。

❶胸腰椎前方除圧固定術（前方法）

- 通常，肝臓や下大静脈の損傷を避けるため，左側からアプローチをする。全身麻酔後に右下側臥位をとる。胸部・骨盤部を前後から固定し，術中に体位が変わらないようにする。
- 必要に応じて肋骨を切除し，後腹膜腔を展開すると，直下に大腰筋や腰方形筋が露出する。
- 大腰筋を背側に展開して椎体を露出する。大腰筋が発達している場合は，筋線維を分けて椎体に達する。分節動静脈を結紮（けっさつ）切断する。
- 椎間板，椎体を切除し，硬膜管を圧迫している骨片を取り除く。
- 椎体プレート，椎体スクリューを設置する（図8-7）。椎体スペーサーや移植骨を設置して金属の棒（ロッド）を締結する。
- 後腹膜腔にドレナージチューブを留置し，閉創を行う。胸膜損傷があった場合，胸腔ドレーンを留置する。

❷胸腰椎後方除圧固定術（後方法）

- 全身麻酔施行後，腹臥位とし両上肢を挙上する。
- 手術の目的とするレベルを皮膚切開する。電気メスを用いて筋膜まで切開し，目的とする脊椎骨（せきついこつ）を十分に露出する。
- 必要に応じて除圧操作を行う。
- 目的とする脊椎骨の椎弓根に穴を開け，スクリューを打ち込む。これらの操作はX線撮影を用いて行う。場合によっては，骨折椎体に人工骨を詰め込み，椎体形成術を行う。
- スクリューの頭に付いている固定具に，左右1本ずつロッドを差し込み，固定する。スクリューとロッドを用いて後彎（こうわん）を矯正する。
- 手術野に出血がないことを確認し，抗菌薬の入った生理食塩水で洗浄する。筋肉，皮膚の順に縫い合わせて手術終了となる。ドレナージチューブは1～2日間留置することもある。

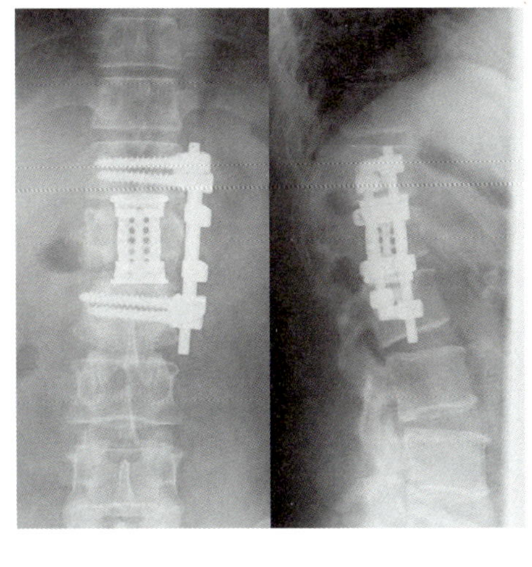

椎体プレート，椎体スクリュー，
椎体スペーサーがそれぞれ適切な
位置に設置されている。

図8-7 腰椎前方除圧固定術の術後X線画像

3 術後合併症

❶神経損傷

手術操作によって神経が損傷されると，麻痺や知覚障害が生じる可能性がある。頸椎（けいつい）の手術では呼吸障害，手足のしびれ，胸腰椎の手術では下肢の疼痛，膀胱直腸障害が出現する可能性がある。

頸椎前方除圧固定術では，上位頸椎部（C3/C4以上）とC6/C7頸椎部以下の手術で反回神経麻痺による嗄声（させい）が生じやすい。手術時間が長くなり頸部を後屈した体位をとり続けると，脊髄への負担が大きくなり，術後にしびれや疼痛，麻痺，膀胱直腸障害などが悪化する可能性があるため，アプローチには細心の注意を払う（図8-8）。

頸椎後方除圧固定術では，脊柱管が拡大され脊髄が後方に動くため，神経や脊髄を灌流する血管が牽引され，その支配領域の麻痺や疼痛，しびれなどが生じる場合がある。特に腕を挙上する筋肉の麻痺が報告されている（C5麻痺，出現率5%[1]）。

胸腰椎前方除圧固定術では，交感神経幹の損傷によって術後に下肢の温かさを感じることがある。大腰筋上を走行する陰部大腿神経や腸骨下腹神経，腸骨鼠径（そけい）神経を損傷すると，大腿前面，骨盤外側部，下腹部，陰嚢などに感覚障害を生じることがある。

これらが生じた場合，多くは投薬などで改善するが，改善が乏しい場合，再手術が必要になることもある。

❷血管損傷・術後出血

手術操作によって動脈が損傷されると，出血性ショックに陥る危険性がある。また，術後に硬膜外や皮下からの出血が続き，脊髄を圧迫してしびれや麻痺を悪化させることもある。頸椎の手術では出血によって気道が圧迫されることもある。

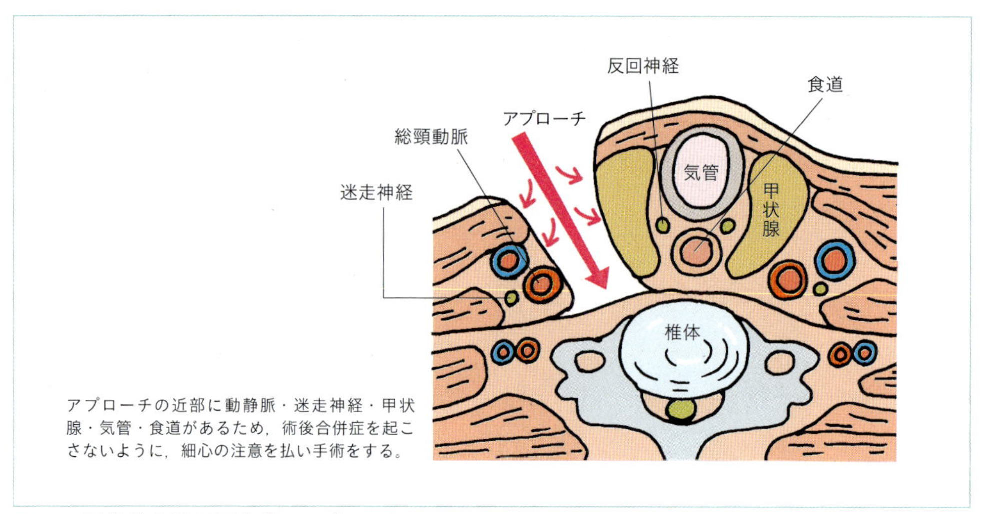

図8-8 頸椎前方除圧固定術のアプローチ

頸椎前方除圧固定術で内頸動脈や椎骨動脈などの脳への栄養血管が損傷されると，脳梗塞を生じる可能性がある。

胸腰椎前方除圧固定術における椎体の露出時や，胸腰椎後方除圧固定術におけるスクリュー挿入時に腹部大動脈や下大静脈を損傷する可能性がある。分節動脈の結紮により脊髄が虚血に陥り，脊髄麻痺を生じることもある。

これらが生じた場合，緊急止血術や血腫除去術が行われることがある。

❸臓器損傷

手術部位近傍の臓器が損傷されることがあり，損傷臓器によって症状は異なる。また，人工骨を用いた椎体形成を行う場合，人工骨の椎体外漏出のため，静脈塞栓や脊髄損傷の可能性がある。

頸椎前方除圧固定術で，皮下組織，椎体骨と食道が強固に癒着している場合は食道損傷が生じることがある。術中に損傷が確認されたら縫合処置を行い，創を閉じて手術を終了する。術後しばらく絶食となり，場合によっては食道再建術が必要となる。術中に気づかないほどの小さな損傷が生じた場合は，術後に食道瘻や縦隔炎をきたすこともある。

胸腰椎前方除圧固定術では，胸膜損傷や肺損傷，血気胸の可能性がある。大きな損傷の場合は，持続的胸腔ドレーンを留置する。腹膜損傷や腸管損傷，腹壁ヘルニアを起こした場合は，術中に腸切除などの処置が行われ，後日再手術が必要となることもある。

❹髄液漏

手術中に硬膜が破れて髄液が流出する可能性がある。破れた硬膜はできるかぎり縫合し，フィブリン糊を散布して髄液漏を生じさせないようにする。場合によっては，腰椎ドレナージを行い，約1週間の安静臥床が必要となる。頻度は少ないが，髄液漏れの部分を再度閉じる再手術が必要になることもある。

❺喉頭浮腫

頸椎前方除圧固定術では，術中の気道圧迫によって，術後数日後に喉頭浮腫が生じる場合がある。痰の喀出困難から始まることが多く，窒息の原因となり得るため直ちに対応する必要がある。

❻固定具などの脱転·破損

固定器具や移植骨の転位，脱転，骨折，破損の可能性がある。軽度の場合はそのまま経過観察とし，安静期間を長くする。神経圧迫や高度の脊柱変形をきたした場合は再手術となる。神経損傷の程度によっては，麻痺，疼痛・しびれなどの後遺症が残る。

❼創部感染

脊髄，硬膜，皮下組織などの露出による感染のリスクがある。局所的な感染であれば，再び創を開いて排膿，洗浄を行うことによって治癒を図る。感染がインプラント（人工物）に及んだ場合は，これをすべて除去することがある。感染が重篤（じゅうとく）である場合は全身に菌が波及して敗血症，多臓器障害に進展する可能性がある。

❽術後の経過中に生じる合併症

頸椎の術後に長く続く創部·後頭部痛，筋肉の凝りなどを**軸性疼痛**という。頸椎前方法，後方法のいずれでも起こり得る。

胸腰椎の手術後，手術部位に隣接した脊柱の狭窄や後彎変形，側彎（そくわん）変形などの障害が生じる可能性がある。

4 外固定

頸部や腰部の可動域を制限し安静を図ることによって，新たな神経損傷を起こさないようにするとともに，症状を緩和し治癒を促進するために外傷後や手術前後に外固定を行う。

❶頸椎固定装具·頸胸椎固定装具

頸椎術後の外固定装具は，術式によって装具が選択される（図8-9）。患者の不快感はハローベストが最も強い。頸椎カラーは，ハードカラーとソフトカラーがあり，両者とも制動効果を期待するものでなく，頸部の保温や適当な肢位（しい）の保持，精神的な安定，心理的な制動効果を目的としている。

フィラデルフィア型頸椎カラーは3種類のサイズしかないため，前方パーツが短い場合には調整可能なオルソカラー® やVista® が選択される（図8-10）。頸胸椎固定では，アドフィットブレイスを選択する。

❷腰部コルセット

腰椎術後の外固定装具としては，図8-11の左から強固な順に体幹ギプス，硬性コルセット，軟性コルセットがあり，術式によって装具が選択される。

患者の不快感は体幹ギプスが最も強い。ダーメンなどの軟性コルセットは，硬性装具と比較して着脱の容易さ，装着感に優れているが，制動効果は必ずしも強固なものとはいえない。

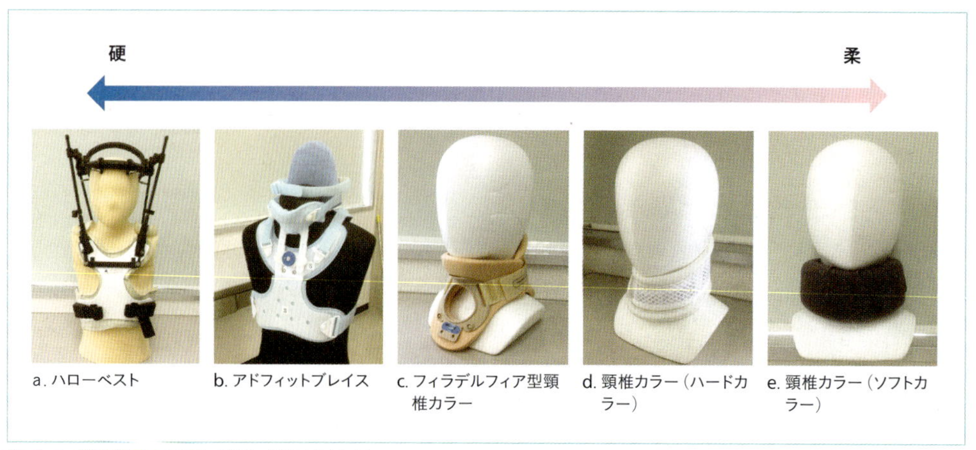

図8-9 頸椎固定装具・頸胸椎固定装具

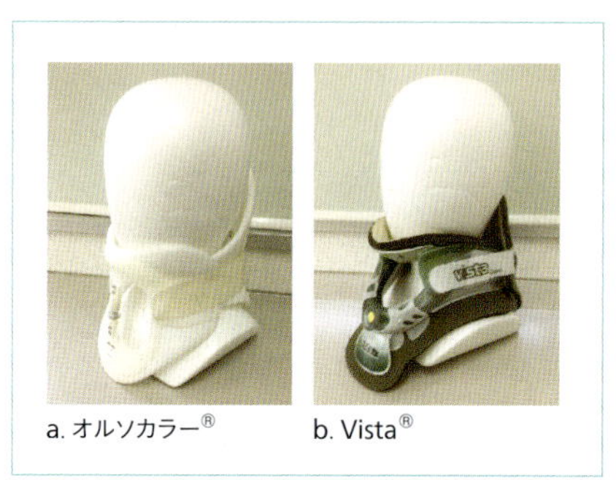

図8-10 調整可能な頸椎装具

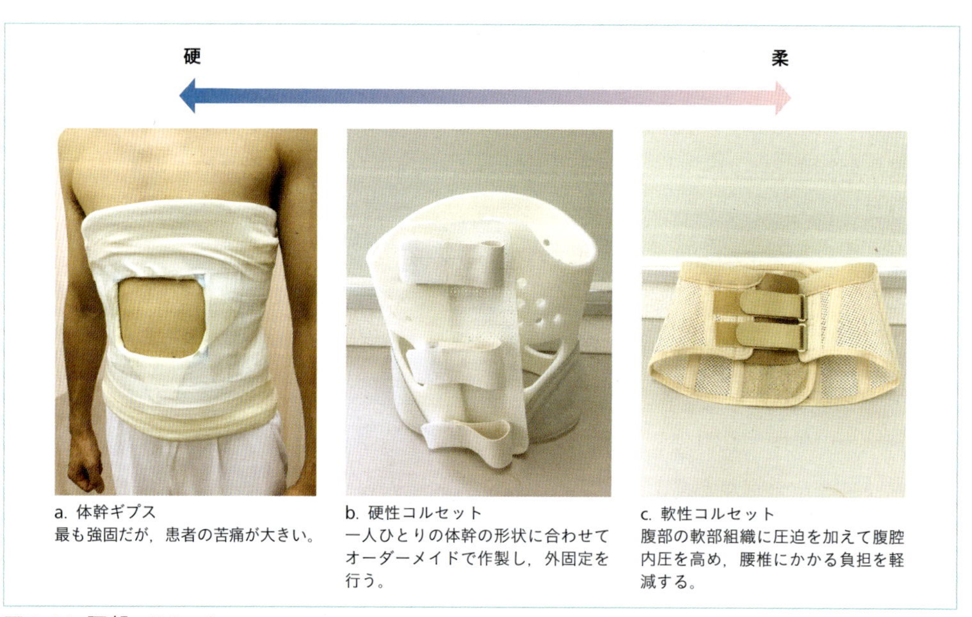

図8-11 腰部コルセット

3. 看護目標

- 術後の疼痛を把握し，適宜鎮痛薬を適切に服用し，苦痛緩和と離床促進に努める。
- 頸椎前方手術では，咽頭浮腫による呼吸器合併症や窒息のリスクについて理解する。
- 脊椎の固定術後，頸椎カラーや腰椎コルセットによる外固定を自己装着できる。

4. 術前の看護

術前で大切なことは，新たな神経合併症を起こさず手術に臨めるということである。

1 患者のアセスメント

一般的な術前の情報収集のほか，次の項目を観察する。

- 四肢の動き（運動麻痺）
- 徒手筋力テスト（manual muscle test；MMT の評価，表 8-1）
- 歩行状態，歩行距離（間欠性跛行）
- しびれの有無や範囲，程度
- 疼痛，苦痛の部位や程度
- 膀胱直腸障害の有無
- 体重，摂取カロリー，褥瘡好発部位の皮膚の状態，排便状況
- 治療の理解および参加状態，不安の有無，現状の理解，ストレスの有無，夜間の睡眠状況

2 手術オリエンテーション

患部（頸部・胸部・腰部）の安静の必要性や痛みは我慢しないこと，知覚・運動レベルの低下が出現したときには，速やかに報告することを説明する。また，術後の状態など今後の治療計画の説明と，現状の治療への協力を求める。

3 手術に向けた準備

退院後に自宅に戻る場合は，自宅で安全に生活できるように手術までに環境を整備しておく。また，手術による合併症を予防するために必要な前処置を行い，心身の状態を整えて手術に挑むことができるようにする。

表 8-1 MMTの評価

筋力	評価基準
5（normal）	強い抵抗を加えても運動可能
4（good）	重力および中等度の抵抗を加えても関節運動が可能
3（fair）	重力に逆らって関節運動が可能であるが，それ以上の抵抗を加えればその運動は不能
2（poor）	重力の影響を除去すれば，その筋の収縮によって関節運動が可能
1（trace）	筋収縮はみられるが，それによる関節運動はみられない
0（zero）	筋収縮が全くみられない

出典／医療情報科学研究所：病気がみえる vol.7 脳・神経，メディックメディア，2012，p.172.

5. 術後の看護

1 術後の観察と合併症の早期発見

脊椎の周術期の管理のポイントは，疼痛軽減対策と神経合併症の予防，さらに血栓症予防である。早期離床のために，全身状態と局所の状態の両者をアセスメントする。

❶バイタルサインのチェックと全身的なケア

血圧・脈拍・体温・呼吸数のほか，麻酔の覚醒状況（意識回復状態や不穏状態など）や，悪心（おしん）・嘔吐，腸蠕動（ぜんどう）の有無，呼吸音，尿量，水分出納（すいとう）に問題がないかどうかをチェックし，疑問や異常があれば医師に報告する。

また，疼痛，運動・知覚麻痺，しびれ感については，創部のみならず全身部位での観察を行う。悪心・嘔吐が強い場合は側臥位として吐物の誤嚥を予防し，また吸引の準備をしておく。

❷深部静脈血栓症の予防

足趾（そくし）や下肢の屈曲伸展運動を行い，血栓予防に努める。下肢の運動が困難な場合は，間欠的空気圧迫装置などを用いて血栓予防を行う。

❸褥瘡予防

同一体位を続けると褥瘡になりやすいため，自力での体位変換が困難な患者においては2時間ごとに介助しながら体位変換を行う。特に後頭部，肩甲部，仙骨部，踵部（しょうぶ）が褥瘡になりやすい。皮膚のマッサージ，局所加温，マルチグローブによる除圧，被覆材などが，褥瘡予防のための処置として勧（すす）められる。

頸部での手術では，カラーが接触する部分に皮膚トラブルを起こしやすいため，ガーゼタオルなどを接触部に当ててカラーを装着し，清拭時に毎日交換する。発赤（ほっせき）などを認めた場合には，速やかに被覆材などを貼り，褥瘡予防に努める。

2 疾患・術式特有の術後管理

❶術後出血，髄液漏の観察

創部からの出血，髄液漏と頸部周囲の腫脹に注意する。術中は出血量を抑えるため，血圧をやや低めに管理している。そのため，術後に通常の血圧に戻ったときに，創部からの出血が多くなる。ガーゼ汚染や被覆材汚染を放置すると，感染の誘因になる。また，ドレーンに髄液漏がみられる場合は，頭痛を起こしやすいため，吸引圧を下げるなどの対応が必要である。

❷創部の感染予防

帰室後はカラーを一時的にはずし，創部を観察する。出血や髄液漏による汚染を改善するため，創部の洗浄，被覆材交換を行う。また，からだの清拭，着衣，シーツなどの交換も計画的に行う。特に夏季や多汗患者においては，からだの清拭を適宜行う。医師の許可が出れば，術後2日目からシャワー浴を行い，感染予防に努める。

3 術後の回復過程

術直後の創部とドレーン挿入部位を図8-12に示した。

術直後は，麻酔の影響や創部痛があり，床上安静または30°ヘッドアップとする。手術部位の回旋（かいせん）に留意し，介助しながら体位変換を行う。全身麻酔で手術を行っているため，医師の指示どおりに酸素投与を行う。

問題がなければ帰室6時間後に酸素投与終了となり，飲水テストにより嚥下（えんげ）に問題がなければ飲水可能になる。食事は翌朝から全粥（ぜんがゆ）で開始となる。術後1日目にX線撮影・CT・採血などの検査で精査し，ドレーンを抜去する。膀胱留置カテーテルも抜去し，可能であれば外固定装具を装着して歩行器を用いた見守りでの立位歩行を行う。歩行が安定した場合は独歩が許可される。

4 身体的・精神的苦痛の緩和

頸椎術後では，頸部の位置により神経への刺激が出ることがある。伸展位は，頸椎にとっては背屈位（はいくつい）になるため頸部痛が出やすい。そのため，現在は，枕の高さは自然な位置が良いとされている。また膝立てや体位変換により腰痛の予防，腓骨神経麻痺の予防に努める。

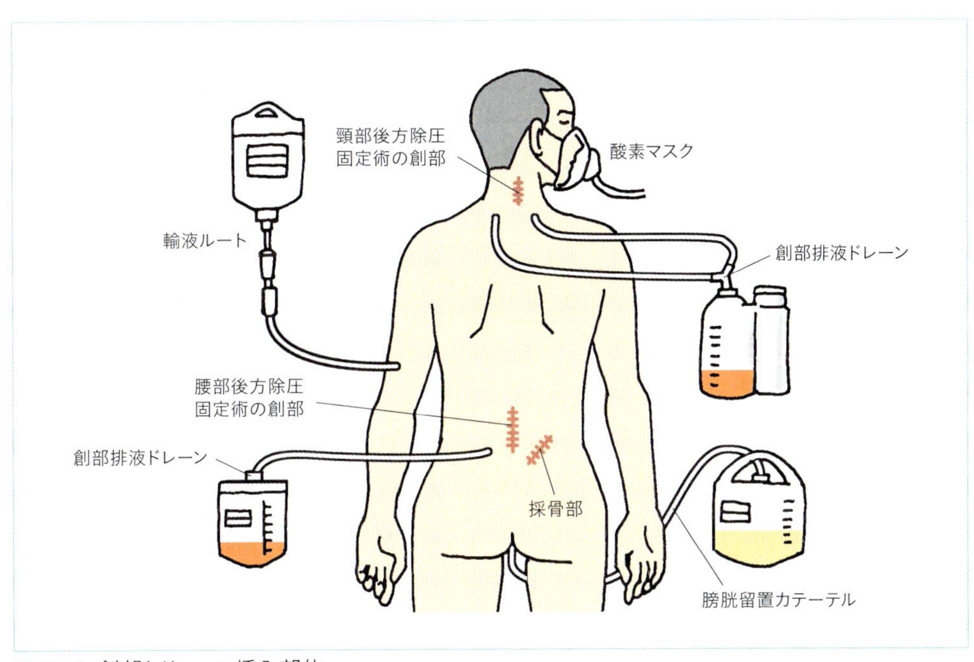

図8-12 創部とドレーン挿入部位

5　日常生活の支援

❶筋力低下・関節拘縮の予防

頸椎術後は，頸部の安静が必要であるが，上下肢には特に制限はない。動かせるところは動かすことが肝要で，特に手指の巧緻(こうち)運動練習を行う。脊髄症の患者では柔らかいボールを握る屈曲練習が有効である。

また，手指の屈曲拘縮予防のため伸展運動も行う。頸部の手術後，肩こりを訴える患者が多い。適度に肩を上下に動かしてもらい，ストレッチなどを取り入れて筋肉をほぐしてもらう。また，内服薬や湿布薬により症状の緩和を図る。

6. 回復過程における支援

1　退院後に注意すべき合併症・後遺症

脊髄損傷患者は，後遺症として麻痺や知覚障害，膀胱直腸障害が残る場合がある。麻痺などの運動機能障害に対しては，日常生活動作（activities of daily living；ADL）に合わせた継続的なリハビリテーションを行う。膀胱直腸障害に対しては自己導尿の指導や持続的膀胱留置カテーテルの管理の指導を行う。また，自己体動が困難になることによる褥瘡や関節拘縮，尿路感染などの廃用症候群の合併症にも注意が必要である。

2　退院後の自己管理

頸髄損傷患者の場合は，頸部に負担をかけないため過度に伸展しないように日常生活指導を行う。運動機能障害がある場合には，転倒予防のために自宅環境を把握したうえで日常生活指導を行う必要があり，入院中に自宅環境の情報収集を行い，家族を含めた退院指導を行う。必要に応じて試験外泊を行い，生活環境面の困難な点を確認する。

3　社会資源の活用

❶身体障害者手帳

症状がある程度固定し，中等度～重度の運動障害がある場合は身体障害者手帳を取得できる。それにより居宅介護やショートステイ，補装具の支給，住宅改修の助成などを受けることができる。

❷医療保険制度

介護保険の要支援・要介護認定を受けた場合でも，頸髄損傷は厚生労働大臣が定める疾患に指定されているため医療保険が適用になる。医療保険を利用し，訪問看護を受けることができる。

II 変形性股関節症

1. 疾患の概要

1. 概念・定義

変形性股関節症は，股関節痛を呈する代表的な疾患である。非炎症性で関節軟骨の変性，周囲の骨と滑膜組織に変化が生じて，関節の変性が起こる状態をいう。様々な原因によって股関節に機械的ストレスがかかることで関節軟骨の変性・破壊が起こり，関節裂隙が狭小化する疾患である。

発症形態として，原疾患の明らかでない一次性股関節症と，何らかの疾患に続発する二次性股関節症がある。

日本では先天性股関節脱臼や臼蓋形成不全に伴う二次性股関節症が多く，全股関節症の約80％を占めている。有病率は1.0～4.3％であり，女性に多い。発症平均年齢は40～50歳である。

2. 誘因・原因[2)]

- **二次性股関節症**：先天性疾患（発育性股関節形成不全，臼蓋形成不全），炎症性疾患（化膿性股関節炎，股関節結核），外傷（大腿骨頸部骨折，股関節脱臼骨折，骨盤［寛骨臼］骨折），ペルテス（Perthes）病，大腿骨頭すべり症，大腿骨頭壊死症，関節リウマチ，強直性脊椎炎，神経病性関節症（シャルコー［Charcot］関節），そのほかの疾患（内分泌疾患［先端巨大症，副甲状腺機能亢進症］，代謝性疾患［痛風，偽痛風，オクロノーシス，ヘモクロマトーシス］，骨系統疾患［多発性骨端異形成症，脊椎・骨端異形成症］）

3. 病態生理

長期にわたって受けた荷重による関節軟骨の摩耗・菲薄化による関節裂隙の狭小化，周囲の骨の増殖性変化が生じる骨棘の形成，軟骨下骨の露出が起こり，荷重部の軟骨下骨が硬化し，骨嚢胞とよばれる空洞が形成される。

4. 症状・臨床所見

- 疼痛：鼠径部痛，殿部痛，背腰痛など。
- 関節可動域制限：特に内旋，外転，屈曲，伸展制限が出現する。ADLでは足の爪切り，靴下の着脱，和式トイレの使用などに支障が出る。
- 跛行：跛行の存在により，腰椎・膝関節・足関節へと影響を及ぼし，二次性の関節性疾患を引き起こす可能性がある。
- 脚長差：軟骨下骨の侵食，股関節の亜脱臼，拘縮などによって生じる。

日本整形外科学会による股関節機能判定基準は，術前・術後の股関節評価および経過観察の評価に用いられる。判定基準は疼痛，可動域，歩行能力，日常生活動作の4項目からなっている。100点満点で，90点以上が優，80点以上90点未満が良，60点以上80点未満が可，60点未満が不可と判定する。

5. 検査・診断・分類

- 問診：先天性股関節脱臼の治療歴，家族歴，転倒・外傷の有無，副腎皮質ステロイド薬投与歴，自己免疫疾患や悪性腫瘍の治療歴など，ほかの股関節疾患の鑑別が重要となる。
- 身体所見：歩容の観察，疼痛・圧痛の有無，屈曲拘縮の検出（トーマス［Thomas］・テスト）
- 血液・生化学的検査：変形性股関節症に特異的な診断根拠となる検査はないが，関節リウマチや炎症性疾患の鑑別診断に有用である。
- 画像診断：単純X線（表8-2），関節裂隙の狭小化，骨棘形成，骨硬化，骨嚢胞などの画像診断，CT，MRI
- トレンデレンブルグ（Trendelenburg）テスト，パトリック（Patrick）テスト

6. 治療

- 患者教育：股関節の解剖・疾患の理解，日常生活動作の指導，杖や装具の指導，家庭での運動の指導
- 保存的療法：疼痛がそれほど強くない患者や，様々な理由から手術が行えない患者に選択される（体重コントロール，歩行時の杖の使用，長距離歩行の禁止，筋力［特に股関節外転筋］訓練，抗炎症薬の使用）。
- 手術療法：年齢や病期により，適応となる術式は異なる（図8-13）。

表 8-2 X線病期分類（変形性股関節症，日整会判定，X線像の評価　1971）

	前期股関節症	初期股関節症	進行期股関節症	末期股関節症
病期	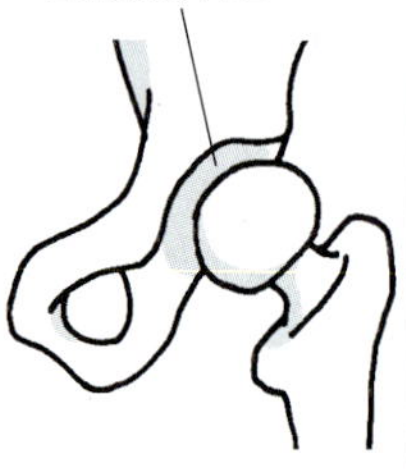 臼蓋形成不全	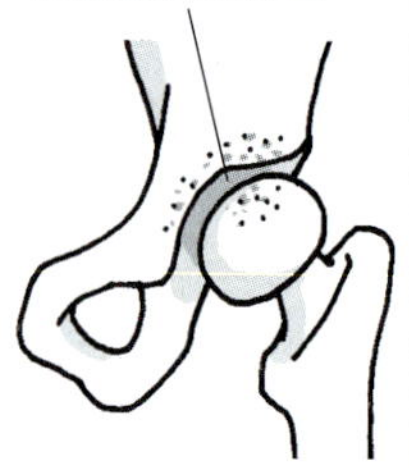 関節裂隙の狭小化	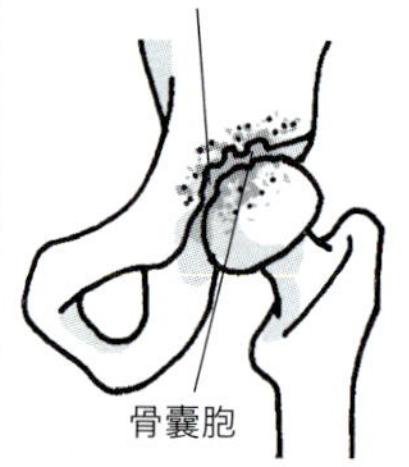 一部の関節裂隙の消失 骨囊胞	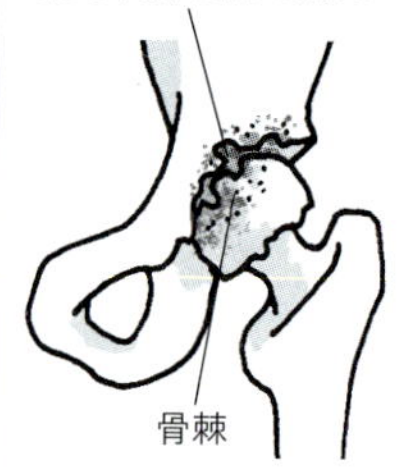 広範な関節裂隙の消失 骨棘
関節裂隙	ほとんど狭小化なし	軽度もしくは中等度の狭小化	高度な狭小化あるいは部分的な軟骨下骨の接触	荷重部関節裂隙の広範な消失
骨構造の変化	ほとんどなし	臼蓋の骨硬化	骨硬化あるいは骨囊胞	広範な骨硬化，巨大な骨囊胞
臼蓋・大腿骨頭の変形	先天性の変形	軽度の骨棘形成	骨棘形成，臼底の増殖性変化	著明な骨棘形成，臼底の二重像，臼蓋の破壊

注 1）関節軟骨の変性の程度により，前期→初期→進行期→末期と 4 つの病期に分類され，進行していくのが特徴である。
注 2）分類の基本となるのは関節裂隙の状態である。
出典／上野良三：変形性股関節症に対する各種治療法の比較検討（成績判定基準の作成と長期成績判定）3；X 線像からの評価，日整会誌，49：826-828，1971 をもとに作成.

	前期	初期	進行期	末期
若年者	関節温存手術 ------→		（関節温存手術） 人工股関節全置換術 ------	------→
高齢者	保存的療法 ------	------→	人工股関節全置換術 ------	------→

出典／特集／やさしく解説！ 整形外科ナースのための股関節疾患と手術，整外看，19（6）：577，2014. をもとに作成.

図 8-13 変形性股関節症の治療法

2. 術式・術後合併症の概要

1　術式

❶人工股関節全置換術（total hip arthroplasty：THA）

破壊された関節をポリエチレンなどのインプラント（人工物）に置き換え，股関節の機能を代用する手術である（図 8-14）。痛みの緩和，脚長差の補正，関節可動域の改善を目的として行う。人工関節は，骨盤臼蓋側のカップと，大腿骨側の骨頭およびステムから形成される。どの方向から皮膚を切開して股関節へ到達するかによって，複数の手術方法が

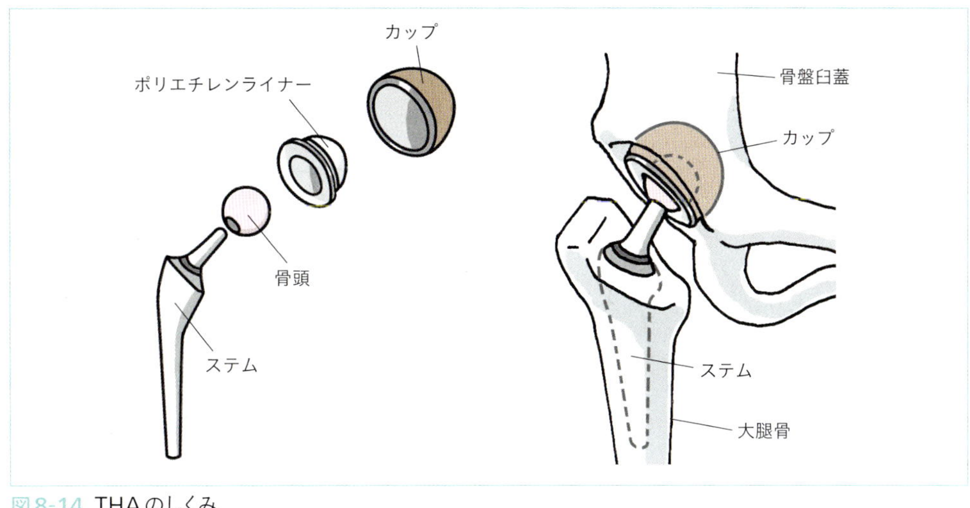

図8-14 THAのしくみ

ある。

前方アプローチでは前方に，後方アプローチでは後方に骨頭を脱臼させて，患者の関節を人工関節に置き換える。どの術式でも患肢の荷重制限はなく，術後すぐに歩行訓練が可能となる。人工物であるため耐用年数は15～20年程度であり，それ以上は再度，別の人工関節に入れ替える再置換術が必要となる。

(1) 前方アプローチ

大腿前面から切開し（図8-15），人工股関節を挿入する方法である。殿部周囲の筋や腱を切離しないため，術後の機能回復が早く安定性を保持できる。後方アプローチより股関節機能の回復が早いとされる低侵襲手術方法である。

- **術中体位**：主に仰臥位
- **術中合併症**：外側大腿皮神経障害（大腿外側のしびれ・知覚鈍麻）

(2) 後方アプローチ

股関節後方から殿部を切開し（図8-15），人工股関節を挿入する方法である。世界的に最も件数の多い術式である。股関節の後方軟部組織を切離するため，術後は後方の安定性が損なわれやすく，後方脱臼（だっきゅう）率が比較的高い。ADLでは股関節屈曲位をとることが多く，前方アプローチよりも脱臼肢位（しい）に注意が必要である。

- **術中体位**：側臥位
- **術中合併症**：長時間の側臥位による下側上肢の神経麻痺・うっ血

❷人工股関節再置換術

長期使用による人工関節のゆるみ，大腿骨骨幹部骨折，人工関節感染後などの再建として行われる。術後患肢の荷重制限が設けられる場合があるが，期間は患者により異なる。

脳・神経系の手術の看護
頸部の手術の看護
呼吸器系の手術の看護
循環器系の手術の看護
消化器系の手術の看護
腎・泌尿器系の手術の看護
性・生殖器系の手術の看護
8 運動器系の手術の看護
基礎疾患のある患者の周術期看護

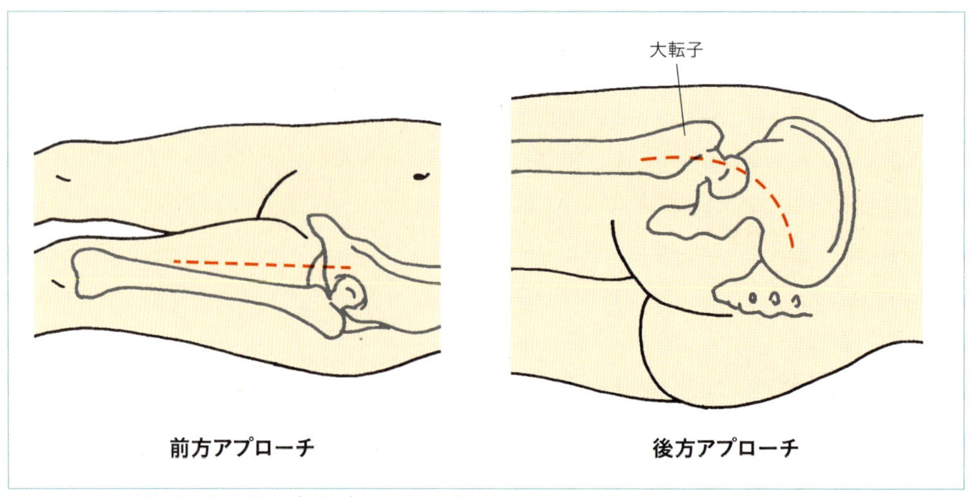

図8-15 人工股関節全置換術（THA）の皮切位置

❸転子下骨切り併用人工股関節全置換術

初回のTHAと再置換術も含めて，脱臼側と大腿側の大きな再建を必要とする症例に用いられる。術後患肢の荷重制限が設けられる場合があるが，期間は患者により異なる。

- **適応**：亜脱臼および高位脱臼性股関節症
- **術中体位**：側臥位
- **術式**：後方アプローチが主に用いられる。
- **術中合併症**：術中骨折

2 人工股関節全置換術（THA）特有の合併症

❶脱臼

THAでは，必ず関節包の一部を切開または切除するため，関節包に弱い部分が生じ，正常の股関節よりも**脱臼**（図8-16）しやすくなる。過度な負荷が加わると，インプラント（人工物）どうしが衝突し，テコの原理で骨頭を脱臼させようとする力が生じ，これが軟部組織の抵抗や緊張に打ち勝った場合に脱臼が起こる（図8-17）。

手術による侵襲から股関節を支える筋肉などの周囲組織が回復するまでの術後早期ではリスクが高く，数年経過したのちにもごくまれに起こり得る。脱臼頻度は初回手術で1～5%，再置換術で5～15%[2]であり，術式によってもばらつきがあるが，予防のためには術前後の患者教育が必須である。

❷深部静脈血栓症（deep vein thrombosis；DVT）

手術による出血量が多く，術後にベッド上安静となることにより，①血流の停滞，②静脈内皮障害，③凝固反応の亢進が起こり，これらが誘因となり静脈血栓が形成される（20～30%[2]）。特に下腿のヒラメ筋静脈に発生しやすい。THAはDVT発症の高リスク手術に含まれ，長期臥床・高齢・肥満などがあると，さらに危険が増す。

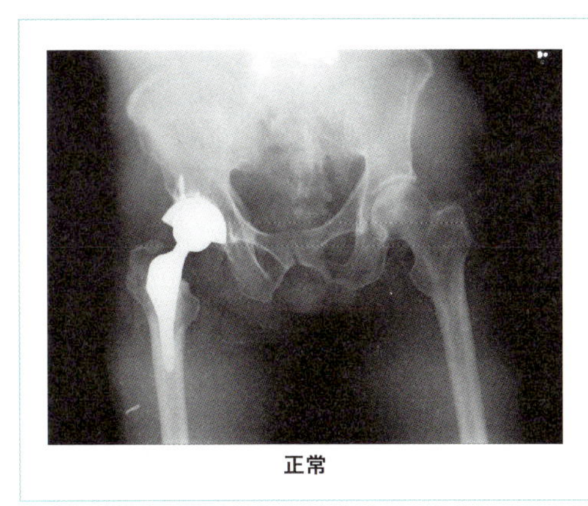

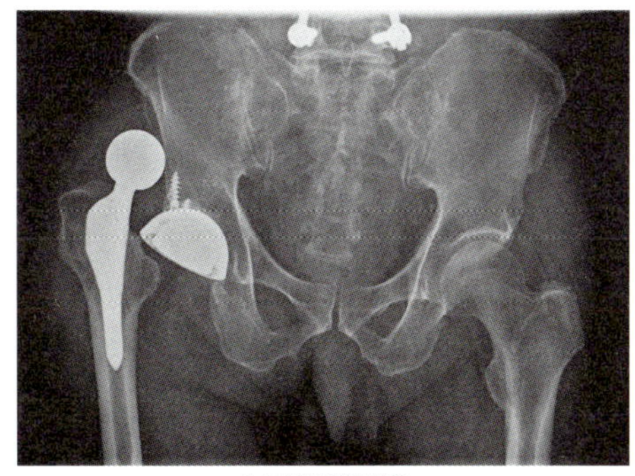

図8-16 人工股関節全置換術（THA）後の脱臼

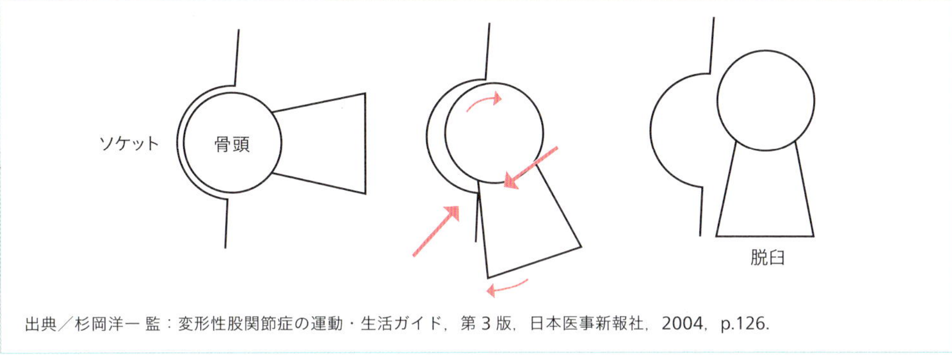

出典／杉岡洋一 監：変形性股関節症の運動・生活ガイド，第3版，日本医事新報社，2004，p.126.

図8-17 脱臼のしくみ

❸肺塞栓症（pulmonary embolism：PE）

下腿にできた深部静脈血栓が剝がれて，心臓を経由して肺動脈を塞（ふさ）ぐ病態である（0.5～1％）[2]。重篤（じゅうとく）な場合は死に至る。

❹手術部位感染（surgical site infection：SSI）

人工関節は生体にとって異物であるため，非常に感染に弱く，一度細菌感染が起こると抗菌薬の効果は得られにくく，難治・長期化しやすい。最悪の場合，人工関節の抜去が必要となる。そのため，手術は**バイオクリーンルーム**という最も清潔基準の高い手術室で行われ，術後は予防的な抗菌薬投与が行われる。術後早期だけでなく，5年以上経過してからの晩期に至っても，感染のリスクは続く。

▶THA後のSSIにつながる患者特性

- 易感染性宿主（糖尿病，喫煙，高齢，副腎皮質ステロイド薬使用，低栄養，関節リウマチ，血液透析など）
- 手術部位以外の感染源の存在（皮膚炎，乾癬などの皮膚疾患，呼吸器・尿路感染，歯周病やう歯など）

❺長期的な合併症

人工股関節の摩耗により，骨融解（ゆうかい）が生じ，人工股関節のゆるみにつながる。

3. 看護目標

- 人工関節脱臼を起こしやすい肢位について理解し，術後早期から脱臼予防を意識した日常生活動作を行うことができる。
- 退院後の生活を見据えて，人工関節脱臼を起こさない動作での生活をイメージできる。

4. 術前の看護

一般的な全身麻酔手術に加え，THAを受ける患者特有の支援として，人工関節への感染予防や人工関節の耐久性向上のための体質改善も，術前から行う。

外来と連携し，入院前よりベッド上安静時の様子や体位変換方法について，写真付きのパンフレットを使用して情報提供を行い，術前から体位変換の練習や危険肢位（しい）について指導し，術後のイメージをもてるように支援する。

〔人工股関節置換術〕（患者様用）（　　　　様）

		入院前	手術前日（入院日） 月　日	手術日 月　日 術前	手術日 術後	術後1日目 月　日	術後2日目 月　日
看護目標		術後の状態についてイメージができ，不安なく手術を受けることができる			全身状態が安定する →	援助によりADLが充足する 離床することができる →	早期退院を目指しリハビリ
治療	検査 処置	術前検査（血液検査，尿検査，X線撮影，肺機能検査，心電図）	手術部位マーキング	手術中	ポータブルX線撮影 血液検査 間欠的空気圧迫装置 → ドレーン留置 → （必要時）	血液検査 ドレーン抜去 その後適宜施行	離床後 弾性ストッキング → （約3週間）
	内服	術前中止薬の確認		麻酔科医の指示で必要な薬のみ当日朝も内服	内服中止	常用薬内服再開 → 抗凝固薬 → 鉄剤 → 鎮痛薬 →	
	点滴				持続点滴 → 抗菌薬点滴 →		
	リハビリテーション					理学療法開始 車椅子移乗訓練	立位・平行棒訓練 患者と共にリハビリカードを用いてADL目標・計画を立案
	その他				酸素投与 →		
食事			エネルギーコントロール食	絶飲食	医師の指示で飲水のみ許可	術後五分粥食開始	エネルギーコントロール食 →
排泄					膀胱留置カテーテル		トイレ動作が安定したら膀胱留置カテーテル抜去
活動			制限なし		ベッド上安静	車椅子 離床する	車椅子（病院内） →
保清			シャワー浴			清拭・陰部洗浄	清拭 →
教育・指導・退院指導		・入院センターにて入院・手術の説明，禁煙指導，入院必要物品の説明 ・麻酔科外来にて全身麻酔について説明	患者と共に入院中の目標立案 手術オリエンテーション 退院指導スクリーニング評価 （高リスク患者）術前カンファレンス実施				術後カンファレンス実施

図8-18 人工股関節置換術の経過と看護計画（例）

1 手術オリエンテーション

THAでは術後早期からリハビリテーションが開始されるため，術前から脱臼予防を意識した動作のイメージができるよう支援する。

❶術後に必要な自助具の用意

下肢を軽度外転・回旋中間位に保つため，またADLで脱臼肢位を回避するための自助具として，マジックハンド，靴べら，柄付きブラシなどを事前に用意する。

❷術後のスケジュール（図8-18）

安静度や留置物の種類と期間に加えて，術後翌日から早期に離床・リハビリテーションが開始されることを事前に説明しておくと，患者がイメージしやすい。術前から理学療法士（PT）が介入し，患者と共にトレーニングを開始することもある。

❸脱臼肢位（図8-19）

実際の写真を見せながら，患者が理解できるよう工夫して，危険肢位について説明する。

❹深部静脈血栓症の予防

下肢の血流促進には患者自身の自動運動が最も有効である。術直後から行うことが必要

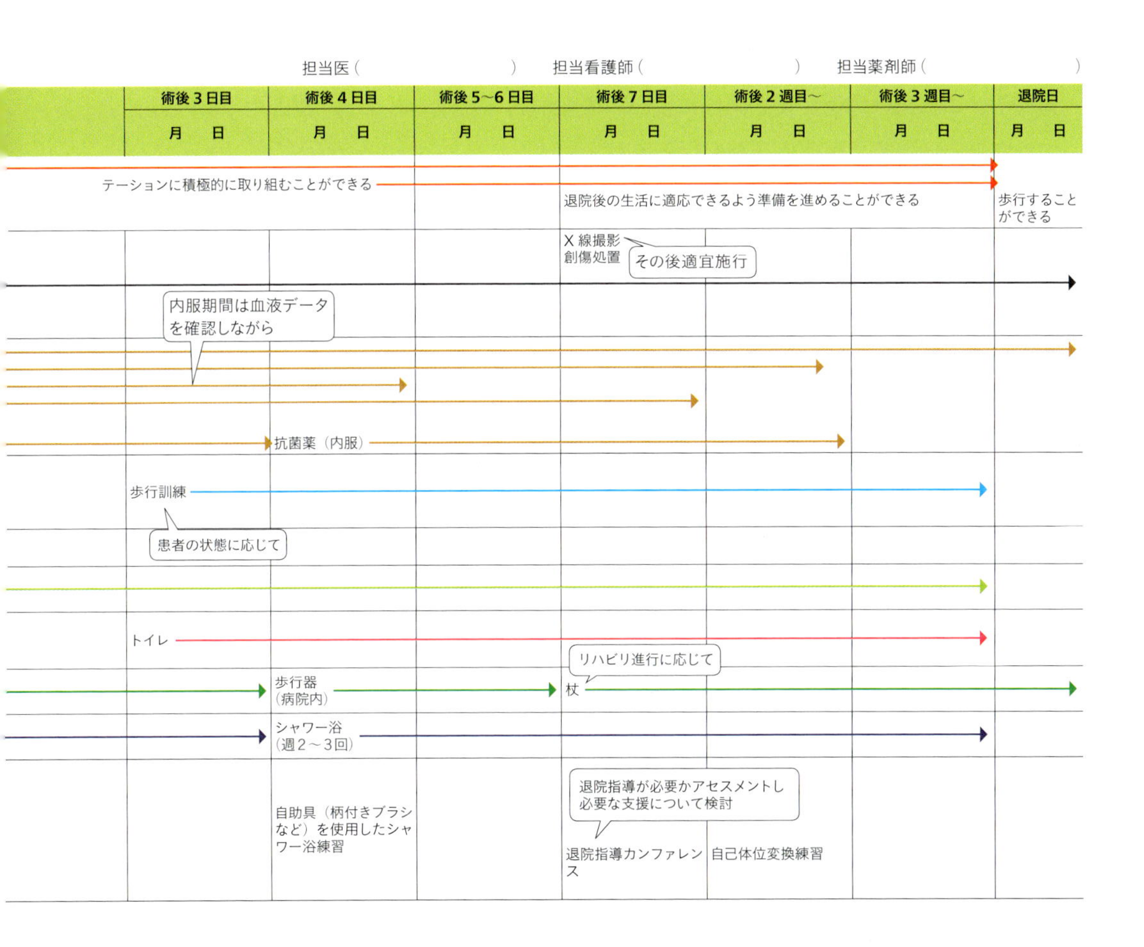

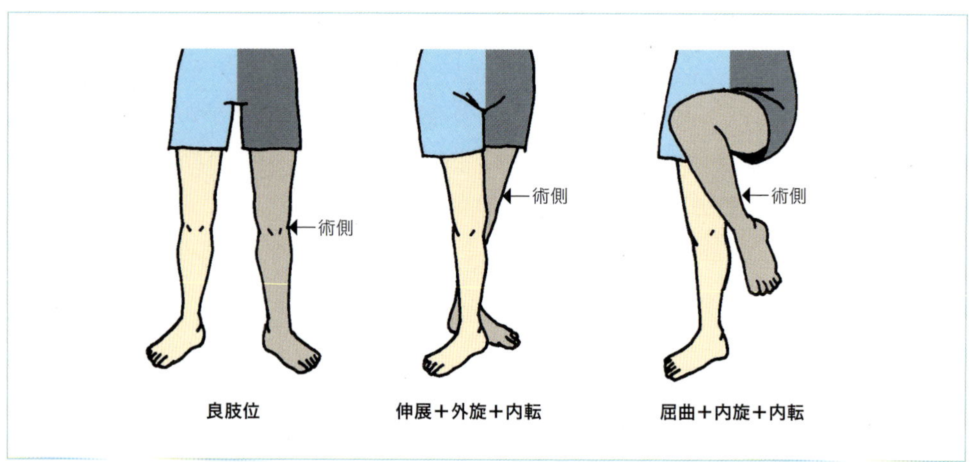

図8-19 脱臼肢位（例）

であり，足関節底背屈運動，健側の膝・股関節運動について説明する。

❺体位変換練習

仰臥位から側臥位になるときに脱臼リスクがあり，外転枕などで下肢の良肢位を保持しながら，実際に看護師の介助で横向きになる練習を行う。

❻車椅子移乗訓練

車椅子への移乗は体位変換と同様に脱臼の危険が高い動作であり[2]，術後すぐに行わなくてはならないため，事前に訓練を行っておく。

2 手術に向けた準備

❶体重コントロール

股関節は体重を支える荷重関節であり，重みが加わるほど負荷が高くなる。片足立ちをすると，体重の2～3倍の力が骨頭に荷重される。挿入した人工股関節の負担を軽くして耐用年数を延長するためには，体重コントロールが必要である。また，患者のなかには両側とも変形している場合も多く，反対側の症状悪化予防のためにも，標準体重を目安に減量を勧める。

❷感染予防

手術予定部位以外の創傷，う歯，足白癬などは人工関節の感染の原因菌となるリスクがあるため，事前に治療しておく。また，糖尿病は感染リスクの要因であるため，術前から食事療法と適切な服薬によってコントロールしておく。

THAの適応となる疾患として多い関節リウマチ患者は，術前から副腎皮質ステロイド薬や免疫抑制薬を内服しているため易感染状態であり，特に指導が重要となる。

❸低栄養の改善

栄養不足では，創治癒遅延のリスクがある。るいそうや骨突出による皮膚トラブルも生じやすくなるため，十分な栄養を摂取する。また，長期低栄養の場合，骨粗鬆症を併発しているこどもあり，挿入した人工関節を支えられない危険もあるため，栄養状態は改善させておく。

5. 術後の看護

1 術後の観察と合併症の早期発見

❶深部静脈血栓症

▶ **症状**　下肢の腫脹や緊満，疼痛，熱感，発赤（ほっせき），ホーマンズ（Homans）徴候（腓腹部を押さえると痛む，足関節背屈で腓腹部が痛む），表在静脈の怒張，Dダイマーの上昇（DダイマーはDVTの急性期に上昇するため，指標の一つとなる）。

▶ **ケア**　術後は，次の方法を組み合わせて予防する。

- **足関節の底背屈運動**：下腿後面の筋ポンプ機能が働き血流を促進するため，最も予防に効果的である。
- **弾性ストッキング**：下肢を圧迫することで表在静脈が圧迫され，深部静脈の血流速度が増加し，下肢のうっ滞を予防する。脛骨や足趾の皮膚障害に注意する。
- **間欠的空気圧迫法**：足部または下腿にフットカフを装着し，間欠的に圧迫することで深部静脈の還流を促進する。皮膚障害や腓骨神経麻痺，コンパートメント症候群を起こすリスクがあるため，装着中の観察に努める。
- **抗凝固療法**：抗凝固薬を投与することで血栓の形成を防ぐ。しかし，創部や注射部位などの出血傾向を助長するリスクもあるので注意する。

❷肺塞栓症

大部分がDVTに起因し，初回離床時に発症する確率が高い。

▶ **症状**　胸部不快感，動悸，突発的な胸痛，呼吸困難，血痰，意識消失

▶ **ケア**　術後初回離床時は症状の有無に注意する。動作前後のSpO_2値のモニタリングを行う。

❸感染・創出血

股関節内に血液がたまりやすいため，ドレーンが関節内に挿入される（図8-20）。THAは術後の出血が100～400mLと多いため，術後の創出血には注意する必要がある。

▶ **症状**　創部の発赤，腫脹，滲出液（しんしゅつえき），膿性の滲出液，創部の離開・治癒遅延

▶ **ケア**　症状を観察し，1週間以上続く場合は感染を疑い，医師に報告する。

2 疾患・術式特有の術後管理

❶腓骨神経麻痺

安静臥床時に患肢が外旋し腓骨頭への圧迫が続くと，腓骨神経麻痺を起こす。術後は疼痛や覚醒不良によって自己で肢位の調整が困難な場合もあり，麻痺が進行しても気づきにくい。腓骨神経麻痺によって生じる下垂足は，歩行障害の原因となる重篤な合併症であるため，頻回の観察と良肢位保持を行う。

▶ **症状**　母趾・足関節の背屈不能，足背部の知覚鈍麻・しびれ。

▶ケア　股関節を内外旋中間位（膝蓋骨を真上に向けた肢位）にクッションなどを用いて保持する。この際，腓骨頭を圧迫しないように，クッションを置く位置に注意する。

❷脱臼

術後合併症を予防するためのセルフケア行動がとれるように，術後早期から患者・家族に退院指導をしていく。特にTHAでは**脱臼予防**が重要である。

脱臼は，前方脱臼と後方脱臼の2種類に分けられる。前方脱臼では股関節の前方に骨頭が脱臼し，後方脱臼では股関節の後方に骨頭が脱臼する（図8-21）。脱臼を生じた場合は直ちに麻酔下で徒手的に整復を行う。

脱臼の要因は肢位だけではないため，前方アプローチでも後方脱臼を起こす可能性はあり，その逆もある。

- **前方脱臼を起こし得る肢位**：股関節の過伸展，伸展＋外旋，伸展＋外旋＋内転
- **後方脱臼を起こし得る肢位**：股関節の過屈曲（屈曲90°以上），屈曲＋内旋，屈曲＋内旋＋内転

▶症状　突然発症した股関節痛（鈍い音がして突然歩けなくなる）のほか，患者よっては脚長差（患肢の短縮）や，前方脱臼では患肢の変形（鼠径部に脱臼した人工骨頭の隆起を認める）がみられる。

▶ケア

- **良肢位の保持**：術後は患側の股関節の安静と脱臼予防のため，股関節が軽度外転＋内外旋中間位となるように，外転枕やクッションを股の間に入れて肢位を整える（図8-22）。外転枕の固定帯を使用する際は，腓骨神経麻痺に注意する。
- **体位変換**：看護師が患肢を支え，股関節の良肢位（外転＋内外旋中間位）を保持したまま側臥位にする。側臥位で股関節の外転位を保持する方法として，外転位保持台（図8-23）や外転枕，クッションがある。患肢のずり落ち予防や姿勢が安定するように，背側にもクッションを使用するとよい。

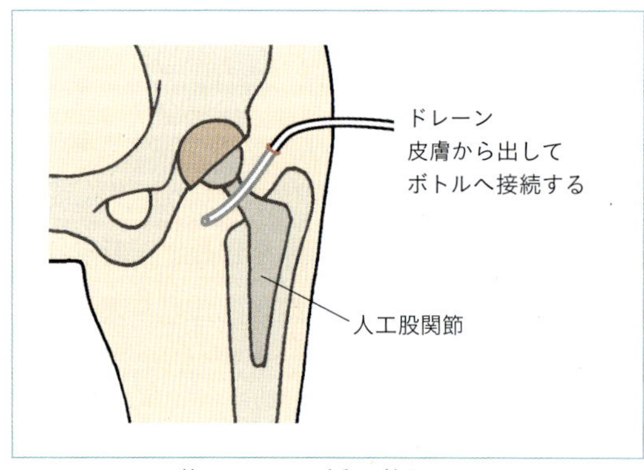

図8-20　THA後のドレーン挿入位置

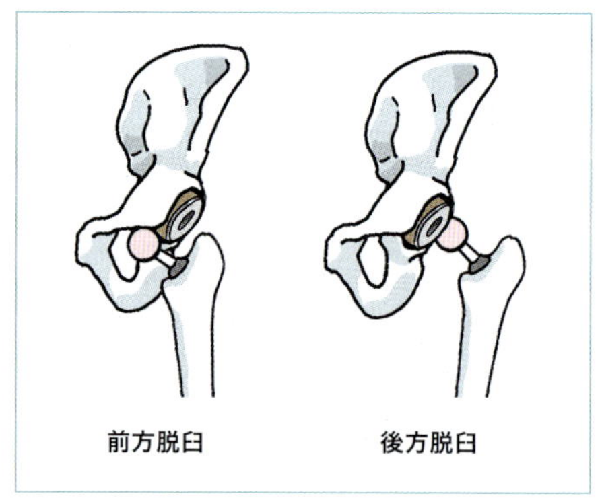

図8-21　脱臼の種類

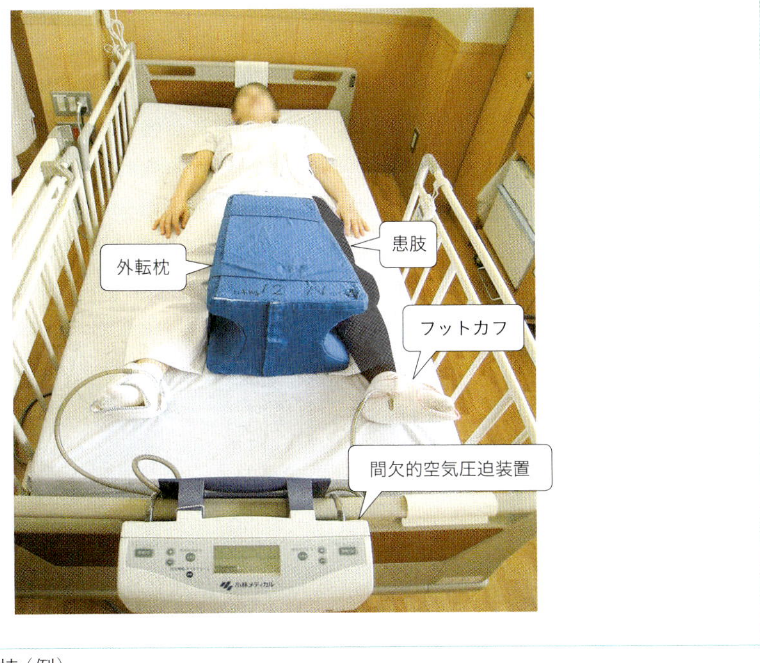

図8-22 良肢位の保持（例）

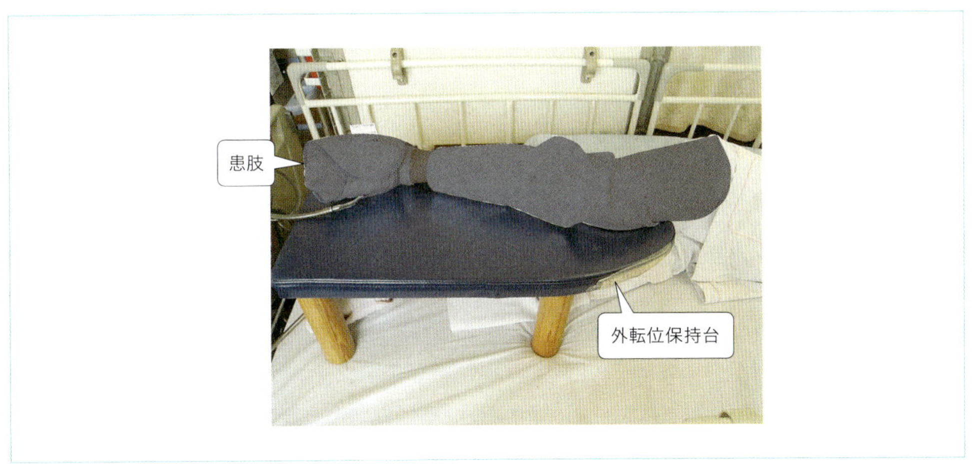

図8-23 外転位の保持（例）

3 身体的・精神的苦痛の緩和

❶ベッド上安静・良肢位保持による苦痛

特に術後数日は，ベッド上安静で長時間の同一体位による腰痛が出現したり，不慣れな体位（股関節外転位を保持しながらの側臥位など）をとることによる苦痛が生じやすい。また，体位変換や良肢位の保持は自分で行うことができないため，看護師に依頼して体位を整えてもらわなければならない。看護師への気兼ねや自分の好みの体位をとることができないことによる苦痛が生じることがある。安静により活動量が低下したり，体位が定まらなかったりすることにより，不眠が生じることがある。

❷ケア

体位変換，良肢位の保持は患者の疼痛，苦痛などを考慮してできるだけ患者が安楽な体位となるよう，訴えを聞きながら行う。また，患者が気兼ねなく体位変換や日常生活の援助などを依頼できるよう配慮する。不眠の場合は，睡眠がとれる環境をつくる。

4 日常生活の支援

❶移乗

車椅子に移乗する際は，健側の下肢を軸にして移乗する。術直後は下肢の肢位感覚（足の向いている方向の感覚）がわかりにくいため，移乗する際は焦らずに自分の足の位置を必ず確認しながら，脱臼肢位をとらないよう声掛けを行う。また，フットレストの上げ下げは必ず健肢で行ってもらう。手で操作しようと前屈すると，股関節が過屈曲になり後方脱臼の危険性がある。また，反動をつけて急に立ち上がると過屈曲になるため，足を引き寄せて，手で柵やアームレストを持ちながらゆっくりと立ち上がる。

❷排泄

ベッド上で差し込み便器を使用する際や，ズボン・下着の着脱を介助する際に，患者にヒップアップをしてもらう場合は膝を曲げ，股関節が過伸展しないように注意する。

❸シャワー浴

股関節が過屈曲にならない高さのシャワーチェアを使用する。基本的な脱臼肢位について再度指導し，足先や背中など手が届かない場所の洗浄は柄付きブラシを用意してもらい，できるかぎり自己にて洗浄できるようにする。

6. 回復過程における支援

入院時から自宅環境や家族の支援状況を確認し，必要であれば介護保険や社会資源などのサービスの利用も検討する。

1 退院後の自己管理

❶食事

体重増加は，人工関節に負担をかけ摩耗やゆるみにつながるため，栄養バランスのとれた食事を心がけ適正体重を維持できるようにする。

❷排泄

和式トイレの使用は股関節が過屈曲する（90°以上曲がる）姿勢になり脱臼の危険性があるため，洋式トイレを使用する。便座の高さは股関節が90°以上屈曲しないよう40～43cm以上が望ましい。自宅が和式トイレで工事不可能な場合は，便器の上にかぶせる型の洋式トイレを設置するか，ポータブルトイレの設置を検討する。

❸活動

人工関節の過度の使用は摩耗やゆるみにつながるため，入院中に行ったリハビリテーションを参考に無理のない範囲で生活する。階段昇降は健肢から上り患肢から下りる。傷みが強いときや筋力低下のあるときは，1段ずつ足をそろえて行うとよい。杖や手すりを利用して慎重に行う。

自転車・自動車の運転は医師の許可が出てから行う。床掃除をする際は雑巾で拭くことは避け，掃除機やモップを使用する。買い物の際はショッピングカートやシルバーカーなどを使用し，重い物を持たないようにする。

❹更衣

更衣の際，ズボンなどは腰かけた状態で健肢側から脱ぎ患肢側からはくようにする。後方アプローチでは股関節が屈曲＋内旋＋内転する姿勢が危険肢位であるため，靴をはく際は靴べらを使用したり姿勢を工夫したりする必要がある（例：靴下や靴をはく際はあぐらの姿勢をとる，患側の膝を真後ろに曲げる）（図8-24）。

❺入浴

洗身は，膝の高さより高いシャワーチェアを使用して行う。足元を洗うときは柄付きブラシを活用し，脱臼肢位をとらないような注意が必要である。浴槽に入る場合は浴槽の縁を持ち，体幹を前屈させて患側の膝を後ろに曲げながら浴槽をまたいで入る（図8-25）。浴槽の中では患肢を前に伸ばしながら座るか，正座をする（図8-26）。

浴槽への出入りが難しい場合は，シャワーチェアやバスボードを活用し，からだを横にスライドさせて入る。

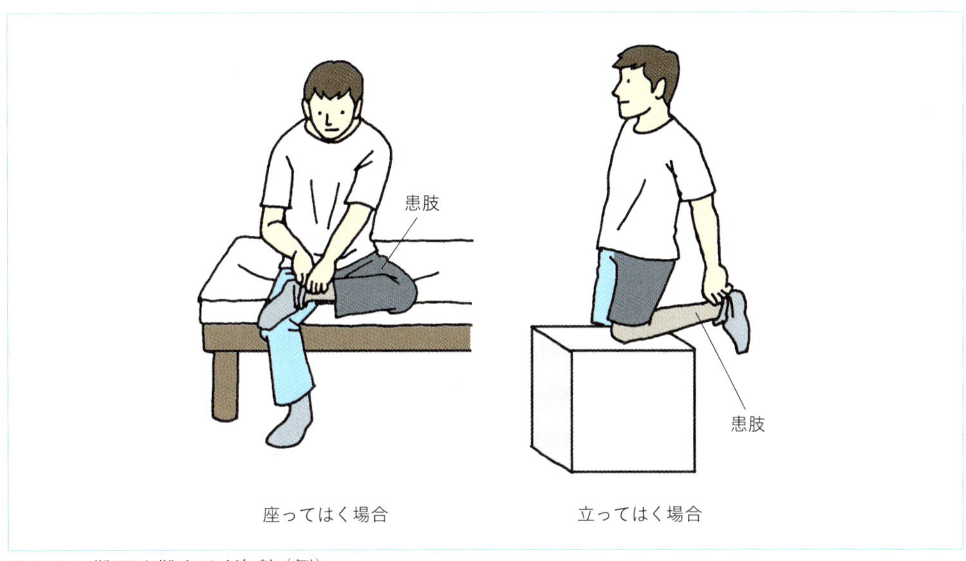

図8-24 靴下や靴をはく姿勢（例）

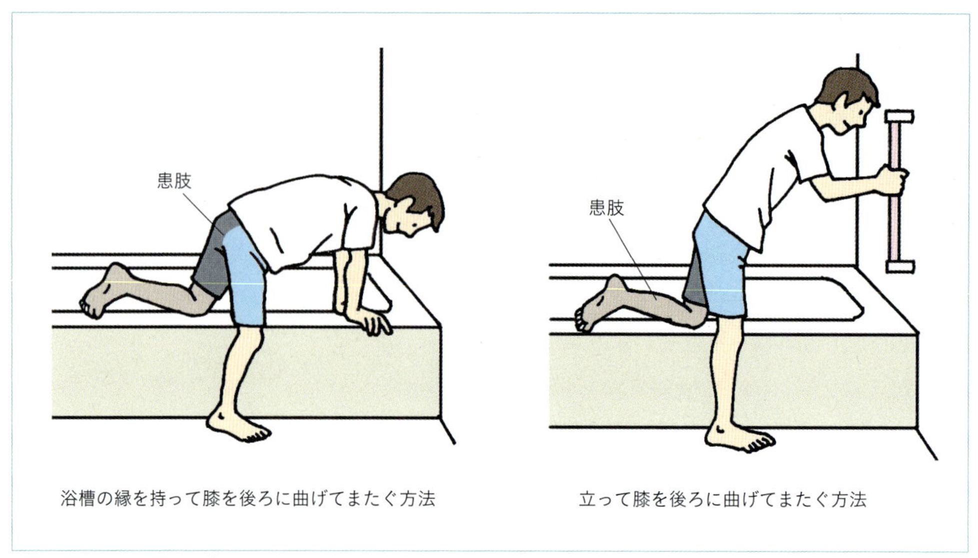

図8-25 浴槽のまたぎ動作

図8-26 浴槽内でのしゃがみ動作

❻起居動作

布団を使用している場合は，ベッドの設置を検討したり，布団からの立ち上がり方を入院中に練習したりする必要がある（図8-27）。側臥位になる際は，外転位が保持できるように足の間に外転枕をはさんで行う。

❼自宅環境

畳など床での生活や，沈み込むような柔らかいソファ，低い椅子の使用は脱臼の危険性を高めるため，膝より高い椅子を使用したり，生活物品を低い位置に収納しないようにしたりするなど，生活様式の変更を行う。住宅改修には期間を要するため，手術が決まったら前もって計画しておくとよい。

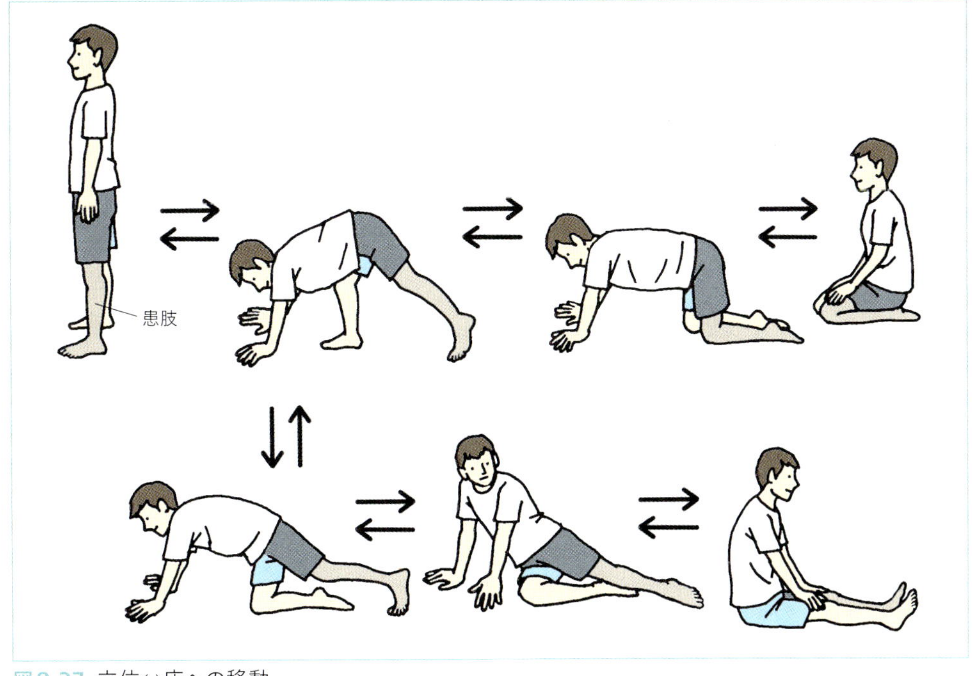

図8-27 立位↔床への移動

2 脱臼予防

股関節痛や患肢の短縮（脚長差）がみられる場合は脱臼が疑われるので，直ちに報告するよう説明する。一度脱臼すると脱臼を繰り返す確率が高くなるため，脱臼予防が重要である。

3 退院後に注意すべき合併症

❶感染症

人工関節の感染予防のため，歯周病やう歯などにならないように口腔内の清潔を保持し，けがやかぜを予防するなど体調管理にも注意する。また，糖尿病患者や副腎皮質ステロイド薬を内服している患者は易感染の状態であるため，特に注意する。

文献

1）冨士武史編：整形外科　治療と手術の合併症：起こさない対策・起きたときの対応，金原出版，2011，p.139-140.
2）日本整形外科学会診療ガイドライン委員会，変形性股関節症診療ガイドライン策定委員会編：変形性股関節症診療ガイドライン 2016，改訂第2版，南江堂，2016，p.153.

参考文献

・芝啓一郎編：脊椎脊髄損傷アドバンス；総合せき損センターの診断と治療の最前線，南江堂，2006.
・神奈川リハビリテーション病院看護部脊髄損傷看護編集委員会編：脊髄損傷の看護；セルフケアへの援助，医学書院，2003.
・竹内登美子編著：講義から実習へ 高齢者と成人の周術期看護 5〈運動器疾患で手術を受ける患者の看護〉，第2版，医歯薬出版，2014.
・米延策雄，菊池臣一編：脊椎装具に強くなる！ Basics & Tips，三輪書店，2012.
・落合慈之監，下出真法編：整形外科疾患ビジュアルブック，学研メディカル秀潤社，2014.

・伊藤晴夫，松田達男編：運動器疾患ベストナーシング，学習研究社，2009.
・松田達男，他編：変形性股関節症の運動・生活ガイド；運動療法と日常生活動作の手引き，第4版，日本医事新報社，2011.
・佐々木幹：股関節疾患ショートレクチャー，整外看，19（6），2014.
・日本整形外科学会肺血栓塞栓症／深部静脈血栓症（静脈血栓塞栓症）予防ガイドライン改訂委員会編：日本整形外科学会　静脈血栓塞栓症予防ガイドライン，南江堂，2008.
・日本整形外科学会，日本骨・関節感染症学会監，日本整形外科学会診療ガイドライン委員会骨・関節術後感染予防ガイドライン策定委員会編：骨・関節術後感染予防ガイドライン 2015，改訂第2版，南江堂，2015.
・勝又壮一監，土屋辰夫編：変形性股関節症のリハビリテーション；患者とセラピストのためのガイドブック，第2版，医歯薬出版，2012.
・吉川秀樹，他編：未来型人工関節を目指して；その歴史から将来展望まで，日本医学館，2013.
・菅野伸彦，久保俊一編：人工股関節全置換術，改訂第2版，金芳堂，2015.
・日本整形外科学会診療ガイドライン委員会，変形性股関節症診療ガイドライン策定委員会編：変形性股関節症診療ガイドライン 2016，改訂第2版，南江堂，2016.
・近藤泰児監，畑田みゆき編：見てできる臨床ケア図鑑　整形外科ビジュアルナーシング，学研メディカル秀潤社，2015.
・佐々木由美子，黒佐義郎編著：ビジュアル整形外科看護，照林社，2012.
・萩野浩編：見てまなぶ整形外科看護スタンダードテキスト下肢編，整外看，2010年春季増刊，2010.
・内田淳正監，中村利孝，他編：標準整形外科，第11版，医学書院，2011.
・特集／やさしく解説！整形外科ナースのための股関節疾患と手術，整外看，19（6），2014.
・特集／整形外科ナースのはじめの一歩・創傷処置と創部ドレーン管理，整外看，19（10），2014.
・特集／やるべきこと・やってはいけないこと　整形外科病棟・外来看護の Do & Do Not，整外看，20（3），2015.
・特集／その症状，見逃して大丈夫？　整形外科術後の危険サインから合併症をマスターしよう，整外看，20（12），2015.
・特集／まずはきほんをおさえよう！　整形外科の看護技術，整外看，21（1），2016.
・特集／疾患別フローチャートでらくらく理解大作戦：下肢編，整外看，21（5），2016.
・特集／正常・異常がわかる→ケアに自信がつく！整形外科のよくある検査　これだけは!，整外看，21（8），2016.
・特集／らくらくポジショニング & 体位変換 & 移動・移乗 大特集!，整外看，22（2），2017.

第9章

基礎疾患のある患者の周術期看護

この章では

- 糖尿病が手術に与える影響と看護について理解する。
- 循環器疾患（高血圧，慢性心不全）が手術に与える影響と看護について理解する。
- 呼吸器疾患（COPD，気管支喘息，特発性間質性肺炎）が手術に与える影響と看護について理解する。
- 精神疾患が手術に与える影響と看護について理解する。
- がん（悪性腫瘍）が手術に与える影響と看護について理解する。
- 肥満，やせが手術に与える影響と看護について理解する。

I 糖尿病

糖尿病はインスリンの分泌低下により起こる糖代謝異常疾患であり，多くは１型と２型に分類される。手術侵襲によって血糖値は上昇し，健常人でも**外科的糖尿病**といわれる状態となるが，糖尿病の既往がある人はさらに血糖値が不安定となる。血糖コントロールは術後の合併症発症率や生存率にも影響するため，看護においてその管理は重要である。

1. 基礎疾患が与える影響

1 手術に伴う糖代謝への影響

手術侵襲に伴って，糖代謝に影響を与える神経内分泌反応が起こる。インスリン拮抗（きっこう）ホルモンである副腎皮質刺激ホルモン（ACTH），アドレナリン，コルチゾール，グルカゴンなどの分泌が増加してインスリンの分泌が抑制される一方で，糖新生が亢進するため耐糖能障害を起こし，高血糖になりやすくなる。

2 高血糖による術後合併症のリスク

高血糖によって炎症反応である異化亢進が長期化するため，コラーゲン組織の形成が障害され，創傷治癒が遅延する。糖化ストレスによって毛細血管が傷害されることも創傷治癒の遅延の原因となる。

また，高血糖が持続するとマクロファージや好中球による免疫機能が低下し，手術部位感染（SSI）をはじめとする術後感染の発生頻度が高くなる。このほか，以下に示すように，糖尿病のある人は合併症発現のリスクが高いため，周術期をとおして血糖をコントロールする必要がある。

- 術後感染
- 創傷治癒遅延
- 心血管障害（心筋梗塞，高血圧症）
- 脳血管障害
- 酸塩基平衡障害（アシドーシス）
- 皮膚障害

2. 術前の看護

1 情報収集

糖尿病をもつ患者は，術前に糖尿病の治療歴，および現在の血糖コントロール状況と糖尿病合併症の有無を術前検査表（表 9-1）により確認する。

❶糖尿病の治療歴

診断された時期，治療歴，患者の病識や自己管理方法，自己管理能力などを確認する。

表9-1 糖尿病患者の術前検査

現在のコントロール状況	• 空腹時血糖値 • 血糖値日内変動 • 経口糖負荷試験（OGTT） • HbA1c（糖化ヘモグロビン），フルクトサミン（糖化たんぱく） • 尿（比重，尿糖，尿ケトン体，尿たんぱく）
糖尿病合併症の有無と程度	• 腎症：電解質，クレアチニン，BUN，クレアチニンクリアランスなどの腎機能検査 • 網膜症：眼底検査 • 神経障害：神経学的検査（知覚検査，自律神経検査など） • 心血管障害：血圧，心電図，ABI（足関節上腕血圧比）検査，心臓超音波

❷現在の治療方法およびコントロール状況

現在はどのように血糖コントロールを行っているのかを把握する。また血液検査によって，現在の血糖値，過去1～2か月の平均血糖値を示すHbA1c（糖化ヘモグロビン）と過去約2週間の平均血糖値を示すフルクトサミン（糖化たんぱく）からコントロールが良好になされてきたのかを確認する。

血糖値は動脈血，毛細血管，静脈血の順に高い。臨床で最も一般的に用いられている簡易血糖法では誤差が生じることもあるため，正確を期する際は動脈血もしくは静脈血による測定とする。

❸糖尿病合併症の有無

糖尿病腎症，糖尿病網膜症，糖尿病神経障害は糖尿病の三大合併症であり，これらは糖尿病の重症度を把握するうえでも重要であるため，関連する検査データを確認する。また，糖尿病患者は易感染性があるため，皮膚障害の有無や口腔内の衛生状態も確認しておく。

2 術前血糖コントロールの目標値

術前の血糖値が空腹時160mg/dL以上，食後2時間220mg/dL以上の場合は全身麻酔が困難とされる。また，HbA1cがNGSP値で8.4%，JDS値で8.0%以上の場合は長期間にわたって血糖コントロールが不良であると判断され，手術延期となる可能性がある。このため，外来において手術が決定した時点で患者に血糖コントロールの必要性を説明し，空腹時血糖値が160mg/dL未満で推移するよう自己管理を促す。空腹時血糖値が140mg/dL以上であればインスリンによるコントロールが望ましいとされる。

3 血糖コントロール方法

血糖コントロールは，食事療法と薬物療法が中心となる。

❶食事療法

入院後の食事は，1日の摂取カロリーを1200～1600kcalに制限した糖尿病食とする。これ以外に間食などを摂取していないか確認する。

❷薬物療法

手術決定前まで経口血糖降下薬による治療を受けていた人でも，術直前は血糖値をより適正にコントロールするために，インスリンのスライディングスケール*によるコントロールに切り替える（図9-1）。スライディングスケールの例を表9-2に示す。このコントロール方法は，術後に血糖値が安定するまで継続する。インスリンは図9-2に示すように，作用時間によって，超速効型，速効型，中間型，混合型，持効型があり，周術期は速効型が用いられる。注射後約30分で効果が発現するため，食事30分前に血糖測定を行い，インスリンを投与するようにする。低血糖,高血糖になるリスクが常にあるため観察を行う。

❸経口血糖降下薬の管理

経口血糖降下薬を手術直前まで継続する場合でも，低血糖を予防するため，術前の絶食とともに手術前日に服用を中止する。スルホニル尿素薬は作用時間が12～24時間と長いため，手術3日前に中止する。経口血糖降下薬の中止とともに，術前の血糖コントロールが必要な場合はインスリン投与を行う。

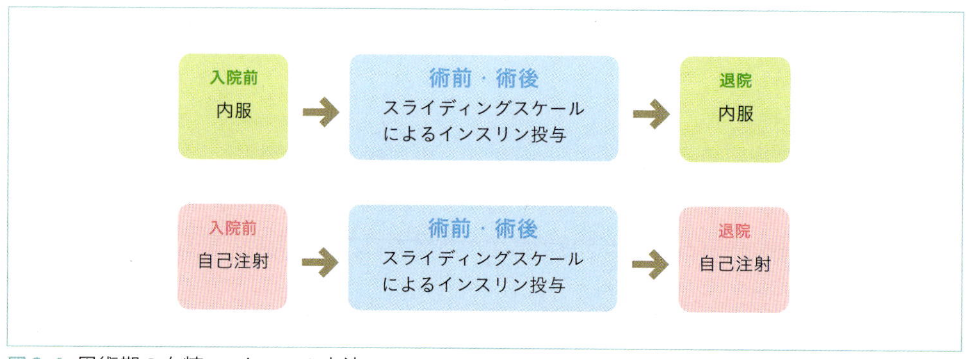

図9-1 周術期の血糖コントロール方法

表9-2 スライディングスケール（例）

食前血糖値	対処 （インスリン皮下注射投与量）
79mg/dL以下	①ブドウ糖10g内服または50%ブドウ糖40mL静脈注射 ②医師へ報告
80～159mg/dL	0単位（インスリン投与なし）
160～199mg/dL	2単位
200～249mg/dL	4単位
250～299mg/dL	6単位
300～349mg/dL	8単位
350mg/dL以上	医師へ報告

* **スライディングスケール**：測定時点での血糖値に応じて，インスリンの投与量を段階的に変える方法。血糖値と投与量の組み合わせは，患者に応じて医師が判断して設定する。

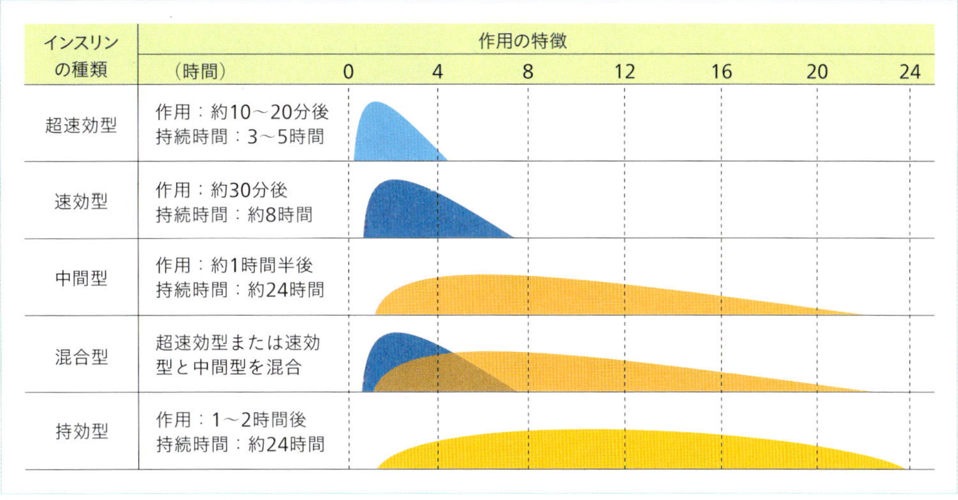

図9-2 インスリンの種類と作用時間

3. 術後の看護

1 目標血糖値

術後に200mg/dLを超える高血糖が持続すると，免疫機能の低下によるSSIや創傷治癒遅延のリスクが高まるため，血糖値は100～200mg/dLとなるようにコントロールする。目標血糖値は患者により異なるため，必ず医師に確認する。

2 血糖コントロール方法

血糖値は術後も1日3回（食事再開後は摂食30分前に）測定し，スライディングスケールによりインスリンを投与する。

術前に内服薬による血糖コントロールを行っていた患者では，食事が再開して摂取量が安定すれば，内服に戻すことができる。

3 血糖コントロールにおける看護

術後は血糖値の変動が大きく，食事摂取量や活動量による影響も受ける。このため，測定時に低血糖や高血糖に関する患者の自覚症状を必ず確認する。大幅な血糖降下は脳浮腫や低血糖発作を招くことがあるため，特に注意が必要である。

食事摂取前にスライディングスケールによってインスリンを投与したにもかかわらず食事摂取量が少ない場合は，低血糖症状を起こす可能性がある。症状の有無を観察し，必要であれば血糖値を測定して，ブドウ糖の投与などにより低血糖を是正（ぜせい）する。

動脈硬化がある患者は，術後に心筋梗塞や脳梗塞を起こすリスクが高いため，胸部症状や脳神経症状の発現の有無を観察する。

糖尿病患者は創傷治癒遅延や感染症を起こすリスクが高いため，術直後から創傷の治癒過程や検査データの推移を確認し，好発時期となる手術数日間は特に慎重に観察を行う。

Ⅱ 循環器疾患（高血圧，慢性心不全）

1. 基礎疾患が与える影響

1 手術に伴う循環機能への影響

循環機能が正常な場合でも，手術侵襲（しんしゅう）による影響を受け，術後出血，血圧変動，不整脈，深部静脈血栓症を起こすリスクがある。冠動脈疾患，重症不整脈，高度弁膜疾患，慢性心不全などをもつ人は，術前から心拍出量の低下がみられ，心機能が低下していることも多く，全身麻酔の手術を受けることによる循環器合併症のリスクが高い。

2 循環器疾患による術後合併症のリスク

基礎疾患として懸念される循環器疾患は，心不全，虚血性心疾患，不整脈，高血圧症，動脈硬化症である。ここでは，高血圧症と虚血性心疾患を中心に解説する。

❶高血圧症

術前から高血圧をもつ人は，脳，心臓，血管，腎臓，眼底などに高血圧性の臓器障害を合併することも多く，手術侵襲による悪化や複合的な合併症の発症が懸念される。高血圧患者は術中の血圧変動が激しく，麻酔によって低血圧になりやすいため，心筋虚血や脳虚血を引き起こすリスクが高い。一方で，刺激や疼痛によって血圧が上昇しやすいという特徴もある。

過度の血圧変動を避けるため，術前から血圧を適切にコントロールする必要がある。未治療やコントロール不良の高血圧症（収縮期血圧 180mmHg 以上，拡張期血圧 110mmHg 以上）は，手術までに投薬や生活習慣の管理によって改善させておく。血圧値の分類を表9-3に示す[1]。

表9-3 血圧値の分類（成人診療室血圧）

（mmHg）

分類		収縮期血圧		拡張期血圧
非高血圧	正常血圧	＜120	かつ	＜80
	正常高値血圧	120～129	かつ	＜80
	高値血圧	130～139	かつ／または	80～89
高血圧	Ⅰ度高血圧	140～159	かつ／または	90～99
	Ⅱ度高血圧	160～179	かつ／または	100～109
	Ⅲ度高血圧	≧180	かつ／または	≧110
	（孤立性）収縮期高血圧	≧140	かつ	＜90

出典／日本高血圧学会高血圧治療ガイドライン作成委員会編：高血圧治療ガイドライン 2019. ライフサイエンス出版, 2019, p.18. より一部改変.

❷虚血性心疾患

虚血性心疾患には，冠動脈が狭窄・閉塞する狭心症と心筋梗塞がある。心筋に十分な酸素が供給されないと心筋虚血から心拍出量が低下し，全身の組織が一気に低酸素状態に陥り，生命にも危険が及ぶ。手術侵襲によって全身の組織は酸素を必要とするが，虚血性心疾患では冠動脈の血流量が不足するため，心筋も酸素不足の状態に陥りやすい。冠動脈の血流量を維持するために，心臓から駆出（くしゅつ）される循環血液量を維持する必要がある。

2. 術前の看護

循環機能障害があることを念頭に置いて情報収集とアセスメントを行い，心機能を安定させた状態で手術が受けられるように準備を進める。

1 情報収集

循環器疾患を合併する患者の場合，手術に伴う循環器合併症のリスクが高いことから，手術適応となるのかどうかが術前に評価される。医学的には，日本循環器学会ほかによる「非心臓手術における合併心疾患の評価と管理に関するガイドライン」や，術前の状態から周術期の心イベント*の発生を予測するRCRI（Revised Cardiac Risk Index）（表9-4）などによりリスクが評価される。手術が決定したのち，看護師も表9-5，6にあげるようなデータを収集し，アセスメントする。

2 薬物療法の調整

❶抗高血圧薬

内服薬のうち，β遮断薬は中止によって心拍数増加や血圧上昇を招くことがあるが，手術前24～48時間は投与しないことが推奨されている。

アンジオテンシンII受容体拮抗薬（ARB）とアンジオテンシン変換酵素（ACE）阻害薬は，内服により麻酔導入時に重篤な血圧低下をきたすことがあるため，手術前日から中止する。

表9-4 Revised Cardiac Risk Index

• 高リスクの手術	• 脳血管障害の既往
• 虚血性心疾患	• インスリン療法が必要な糖尿病
• 心不全の既往	• 術前の血清クレアチニン ＞ 2.0mg/dL

出典／Lee, T.H., et al. : Derivation and prospective validation of a simple index for prediction of cardiac risk of major noncardiac surgery, Circulation, 100（10）: 1047, 1999. 一部改変 .

＊ **心イベント**：心イベントとは，急性冠症候群（ACS），不安定狭心症，急性心筋梗塞などの心臓疾患が急激に発症することをいう。なお，心血管イベントとは，心イベントに加え，クモ膜下出血，脳卒中，解離性大動脈瘤，急性下肢動脈閉塞症などの血管系の疾患が急激に発症した例をいう。両イベントとも患者の転帰（死亡もしくは生存）は問わない。

表 9-5 循環機能障害の術前検査

スクリーニング	• 12 誘導心電図 • 胸部 X 線検査：心肥大の有無は心胸郭比（図 9-3）により求められる • 呼吸機能検査
心不全，虚血性心疾患，不整脈がある場合	• 心臓カテーテル検査（冠動脈撮影） • 磁気共鳴画像（MRI） • 核医学検査（心筋シンチグラフィ，SPECT，PET） • コンピューター断層撮影（CT） • 動脈血液ガス分析 • 心臓超音波検査（心エコー）：心拍出量（EF），弁膜症の有無，壁運動の異常 • 頸動脈超音波検査（頸動脈エコー） • NYHA 分類，キリップ（killip）分類など • 血圧脈波検査：ABI（足関節上腕血圧比），PWV（脈波伝播速度） • 腎機能

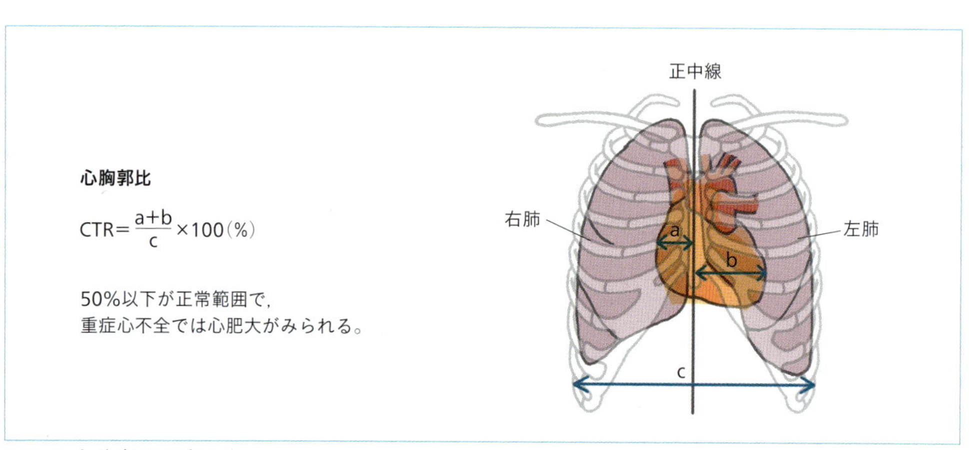

心胸郭比
CTR= a+b / c ×100（%）
50%以下が正常範囲で，
重症心不全では心肥大がみられる。
正中線
右肺
左肺
a
b
c

図 9-3 心胸郭比の求め方

表 9-6 循環器疾患特有の情報内容

疾患に関連する項目	現病歴と既往歴，関連症状の有無（胸痛，呼吸困難，息切れ，動悸，浮腫，前胸部絞扼感），心雑音の有無，家族歴，水分出納
生活に関する項目	活動状況：活動耐性低下の有無と程度：METs 生活習慣：食事（塩分・水分の摂取量，暴飲暴食），飲酒，喫煙，運動 内服薬：抗高血圧薬（降圧薬），利尿薬，抗不整脈薬，強心薬
心不全症状の項目（有無と程度）	体重：急激な増加， 排尿回数，1 回の尿量，血圧，血圧値の変動 脈拍：数・リズム 異常呼吸，咳・痰，息切れ，浮腫・腹部膨満感

❷抗血栓薬（抗凝固薬，抗血小板薬）

抗血栓薬の作用による出血傾向が術中も持続すると，出血や脊髄クモ膜下麻酔や硬膜外麻酔の際に血腫が生じ，神経障害を招くことがある。これを予防するために原則的に術前に服薬を中止し，凝固・止血作用を回復させる。術前まで抗血栓作用を持続させる必要が

表9-7 手術の際の循環器薬の中止時期

種類		薬剤名	中止時期
抗高血圧薬		β遮断薬	手術当日まで継続（24～48時間）
		アンジオテンシンⅡ受容体拮抗薬（ARB）	手術前日（24時間）
		アンジオテンシン変換酵素（ACE）阻害薬	手術前日（24時間）
抗血栓薬	抗凝固薬	ワルファリンカリウム	5日前
		DOAC（直接作用型経口抗凝固薬）	24～48時間前
	抗血小板薬	シロスタゾール	3日前
		アスピリン	7～10日前
		チクロピジン塩酸塩	10～14日前
		クロピドグレル硫酸塩	14日前
		プラスグレル塩酸塩	14日前

出典／浦部晶夫他編：今日の治療薬（2021年版），南江堂，2021，p.623-645をもとに作成

ある場合は，ヘパリンの持続投与に切り替えて管理する。ヘパリン投与にはシリンジポンプを用いるため，患者に説明して活動制限が生じないようにする。抗血栓薬を中止すると血栓が形成されやすくなり，心筋梗塞や脳梗塞を発症するリスクが高まるため，心血管や脳血管障害の症状が発現していないかを注意深く観察する。服薬を中止する期間は表9-7のように薬剤によって異なる。

緊急手術のため術前に抗血栓薬が中止できなかった場合は，周術期の出血リスクが高いことを意識して看護する。

3 食事療法の管理

塩分制限や水分制限がある場合には飲食物の管理も必要となる。入院中も患者が自己管理できるように工夫する。

4 身体活動の調整

二重負荷*を避けるように活動と休息のバランスをとり，活動耐性の低下がある場合には日常生活援助を行う。食事や入浴なども心負荷になることから，常にモニター心電図の波形や自覚症状を確認する。

5 心理面のケア

心疾患ではうつ症状を訴える人も多く，QOLや予後に影響することが知られている。患者の気持ちに寄り添うケアを行う。

* **二重負荷**：食事摂取，排泄，入浴，運動などの行動は一つ一つの動作でも心負荷となる。食後すぐに入浴するなど，行動を連続して行うことを二重負荷といい，二重に心負荷を与えることにより心不全の増悪や心筋虚血発作の原因となる。1つの行動を行ったあとは30分程度休息したのちに次の行動を行うようにする。

3. 術後の看護

1 血圧コントロール

術後早期は循環血液量減少のために心拍数や脈拍数が増加するが，心機能が低下している患者には負荷となり，血圧の変動に伴う症状が起こりやすい。利尿期に水分が血管内に戻り，循環血液量が増加することは心臓にとって大きな負荷となり，不整脈や血圧変動を招く原因となる。血圧は容易に変動するため，血圧変動の有無を観察し，輸液量・薬剤の調整や適切な体温調節や疼痛コントロールを行う。

2 心電図のモニタリング

循環は不安定なまま経過するため，術後はモニター心電図を装着して不整脈の発生や心拍数，呼吸パターンに異常が起きないかを継続的に観察する。異常が感知されたら直ちに訪床して，患者の自覚状態とバイタルサインを確認する。胸部症状や顔面蒼白などが認められた場合はバイタルサインを測定し，12 誘導心電図により不整脈の有無を確認するとともに，医師に報告する。

3 日常性回復のための看護ケア

循環が不安定な時期は，清拭や足浴のようなケアも血管の拡張から低血圧を招くことがあるため注意する。また，離床拡大による心負荷の増大を予防するために離床は段階的に行い，二重負荷を避けて日常生活でも活動と休息のバランスをとるようにする。回復に応じて服薬や水分制限，食事，安静度などは変更されるため，そのつど，患者の全身状態に変化が起きていないかを注意深く観察する。精神的なケアは血圧や心拍出量の安定のためにも重要である。循環機能を維持しながら回復できるように支えていく。

III 呼吸器疾患

1. 基礎疾患が与える影響

呼吸機能低下やガス交換障害がある呼吸器疾患の患者は，手術操作による肺の圧迫や術後疼痛，手術侵襲による横隔膜の機能不全，胸水貯留などの原因によって，無気肺，呼吸器感染症，術後呼吸不全，慢性肺疾患の急性増悪などの呼吸器合併症に至る危険性が高いため，周術期における看護介入が重要である。

1 COPD（慢性閉塞性肺疾患）

COPDは炎症を伴う全身性の疾患であり，手術を契機に悪化する危険性が高く，手術の必然性と患者の予後を総合的に評価しなければならない。

全身麻酔と人工呼吸により，気流閉塞と動的肺過膨張が悪化しやすいため，肺損傷を最小限とし，肺を保護的に管理することが重要である。吸気は完全に呼出されず気道抵抗が上昇し，高二酸化炭素血症になる危険性がある。喫煙患者や喀痰が多い患者では気道閉塞や無気肺が容易に発生し，早期に換気不全に陥りやすい。また，換気血流比不均等の悪化や無気肺の発生により酸素化能が低下する[2)]。

慢性呼吸不全患者では，呼吸中枢が$PaCO_2$の変化ではなく，酸素濃度により調節されているため，高濃度酸素を投与することは呼吸停止の危険を伴う。さらに，人工呼吸を開始すると，機械換気に依存してしまい離脱できない状況も生じるため，術前には十分な説明を行い，同意を得ることが必要である。

2 気管支喘息

気管支喘息は，様々な吸入刺激により気道平滑筋に攣縮が起こり，咳嗽，喘鳴，呼吸困難を引き起こす病態であり，自然経過，あるいは治療により回復する可逆的な病態である。治療の基本は，気管支攣縮に対して気管支拡張薬の吸入などにより，気道狭窄を改善させて呼吸困難を解除する急性期治療および炎症を引き起こさないための予防である。

一度喘息の発作が生じると，気道過敏の状態が数週間続くため，術前数週間以内に喘息発作が認められた患者や，過去に気管挿管時に喘息発作を起こした既往のある患者では，気道炎症の再発を予防することが優先される。

術中の発作を予防するためには，十分な麻酔薬の投与により，気管チューブの刺激や手術による刺激を最小限にし，気管支喘息を誘発する可能性がある麻酔薬の使用は避ける。

喘息発作時の呼吸は，気道抵抗の上昇により，呼気の流速が低下し，吸気として吸い込んだ1回換気量を十分に呼出できないまま次の吸気へ移り，呼気終末肺容量が増加する。人工呼吸に伴う合併症の発生を防ぐためには，最高気道内圧を30cmH_2O以下に抑えることが目安となる。

3 特発性間質性肺炎

間質性肺炎には，膠原病，塵肺，薬剤性，放射線性，サルコイドーシス，過敏性肺炎など原因が明らかなものと，原因がまったく認められないものとがある。後者を**特発性間質性肺炎**（idiopathic interstitial pneumonias：IIPs）とよんでいる[3)]。両者は有効な治療方法が確立されていないため，急性増悪を発症した場合，手術を契機に死亡する危険性が高く，手術や高濃度の酸素吸入は，急性増悪の危険因子となる。

肺では肺弾性収縮力の増大によって肺胞が広がらなくなり，肺活量が減少する拘束性換気障害と，ガス交換能の低下が生じる拡散障害を認めるため，術前からの生活指導と呼吸訓練が重要である。

人工呼吸器管理の際は，肺の線維化に伴う拘束性換気障害により高い気道内圧を必要とするため，肺胞内圧も異常に増加する。圧外傷を予防するために1回換気量を低く設定するなど，肺保護に努めることが必要である。

2. 術前の看護

1 呼吸機能評価

麻酔中は，患者の肺を介してガス交換を行うため，術前の呼吸機能を評価し，術後に問題となりそうな呼吸器の異常を把握しておく。問診において，喫煙の有無や禁煙期間，上気道感染や副腎皮質ステロイド薬投与の有無，気管支喘息の場合は発作の頻度と最終発作および発作治療薬使用の有無を確認する。

さらに，聴診や呼吸状態の観察，胸部X線写真，呼吸機能検査，動脈血ガス分析だけでなく，胸部CT，核医学検査（肺血流シンチグラフィ，肺換気シンチグラフィ，PET），気管支鏡などから総合的に評価する。

COPDや間質性肺炎が慢性化している場合は，日常的に呼吸症状が出現していることが多いため，修正MRC（mMRC）質問票（表9-8）を用いて呼吸困難の程度を評価する。

呼吸機能検査（スパイロメトリー）の1秒率（$FEV_{1.0}$%）と%肺活量（%VC）によって，換気障害を分類することができる（図9-4）。**閉塞性換気障害**とは，気道の閉塞によって息が吐きにくい状態であり，肺気腫や気管支喘息などが該当する。**拘束性換気障害**とは，肺や胸郭の障害によって広がりにくく息が吸いにくい状態であり，間質性肺炎などが該当する。両方の障害がみられる場合が**混合性換気障害**である。これらの換気障害に対して，術前から腹式呼吸・口すぼめ呼吸やインセンティブスパイロメトリーを用いた呼吸訓練を実施する（第1編-3章-II「手術に向けた準備」参照）。

2 禁煙

日本麻酔科学会は，2015（平成27）年3月に**周術期禁煙ガイドライン**[4]を制定した。2018年には新型たばこについても追記し，新型たばこも有害物質を含むことから，周術期には使用を控えることを推奨している[5]。

タールなどたばこ煙中の種々の刺激物質によって，気道が収縮して1秒率が減少する。また，気道内分泌物が増加するが，それを排出する気道上皮の線毛運動が低下して異物の排出能力が低下する。さらに，咳嗽（がいそう）反射の閾値（いきち）が高くなり咳嗽をしなくなることによって，術後に痰を喀出（かくしゅつ）できなくなり，気道閉塞につながる。

このような影響の結果，喫煙者では，周術期の肺炎，呼吸不全，喉頭痙攣（こうとうけいれん），気管支攣縮（れんしゅく）などの呼吸器合併症のリスクが高い。周術期合併症の発症頻度を低減するには，禁煙期間

表9-8 呼吸困難（息切れ）を評価するmMRC質問票

グレード分類	あてはまるものにチェックしてください（1つだけ）	
0	激しい運動をした時だけ息切れがある。	□
1	平坦な道を早足で歩く。あるいは緩やかな上り坂を歩く時に息切れがある。	□
2	息切れがあるので，同年代の人よりも平坦な道を歩くのが遅い，あるいは平坦な道を自分のペースで歩いている時，息切れのために立ち止まることがある。	□
3	平坦な道を約100m，あるいは数分歩くと息切れのために立ち止まる。	□
4	息切れがひどく家から出られない，あるいは衣服の着替えをする時にも息切れがある。	□

呼吸リハビリテーションの保険適用については，旧MRCのグレード2以上，即ち上記mMRCのグレード1以上となる。

出典／日本呼吸器学会COPDガイドライン第5版作成委員会編：COPD（慢性閉塞性肺疾患）診断と治療のためのガイドライン，第4版，メディカルレビュー社，2018，p.54.

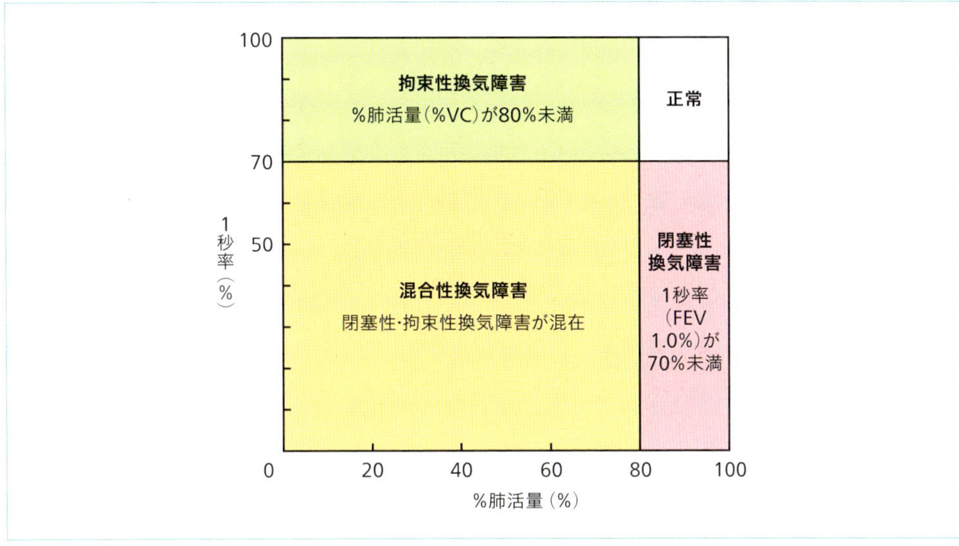

図9-4 換気障害の分類

は長いほど効果が高く，術前4週間以上が望ましい。

禁煙介入の方法として，**5A戦略**（Ask：初診時に必ず喫煙の有無を尋ねる，Advise：喫煙者には禁煙を強く指導する，Assess：禁煙の意思があるかを評価する，Assist：禁煙を援助する［カウンセリング，投薬など］，Arrange：フォローアップの予定を設定する）と**AAR戦略**（Ask，Advise，Refer：専門機関への紹介）が提唱されている[4]。

3 呼吸訓練・咳嗽法

呼吸器系疾患の患者は，もともと喀痰が多いうえに，気管チューブの挿入，人工呼吸器管理の影響によって気道内分泌物が増加する。しかし，呼吸筋力が弱いことにより喀痰（かくたん）排出能力が低下しているため，末梢気道閉塞をきたし肺炎や無気肺などの呼吸器合併症を発症するリスクが高くなる。したがって，術前からの呼吸訓練や咳嗽法を行う。

腹式呼吸は，呼気・吸気時に横隔膜の上下の可動範囲を拡大し，肺の伸縮度を高めることができ，1回の換気量を増加させることによって肺胞虚脱を防止することができる。

CO_2を再呼吸することにより$PaCO_2$を上昇させて呼吸中枢を刺激し，1回換気量を増加させるには，呼吸筋を強化する器具や，吸気容量を増大させる容量型・吸気流速を増大させる流量型を用いた呼吸訓練を行う（第Ⅰ編-3章-Ⅱ-B-1-2「器具を用いた呼吸訓練」参照）。さらに，腹式呼吸で鼻からゆっくり息を吸い込み，前かがみになって息を止めてから，速く強く吐き出すことを4～5回繰り返して咳嗽を促す方法（ハフィング）を練習する。

3. 術後の看護

1　抜管後の評価

抜管直前まで換気できていたにもかかわらず，気管チューブの抜去後に舌根沈下，喉頭浮腫，喉頭痙攣，気管支痙攣，反回神経麻痺，咽頭異物・腫瘍，頭頸部手術後の出血などによる呼吸困難が発生する場合もある。鎮痛に使用される麻薬や非麻薬性鎮痛薬における上気道中枢の抑制作用によって，鎮痛薬を投与すると容易に閉塞性無呼吸となり，危機的状況に陥ることもある。また，残存麻酔薬や筋弛緩薬の影響で上気道閉塞や低換気が生じやすく，特に肥満者では，口腔内が狭く舌根部が咽頭後壁に接触して気道が閉塞しやすいため，術後4～5時間程度は，喘鳴やいびき音など上気道閉塞の徴候がないか，口腔内分泌物の有無，呼吸パターン（陥没呼吸の有無，胸式・腹式呼吸）を注意深く観察し，聴診にて総合的に評価する。

さらに，喀痰が多く粘稠度の高い患者に対しては，吸引や吸入による気道浄化に努め，気管支喘息患者においては，アスピリンや非ステロイド性抗炎症薬（NSAIDs）によって気管支痙攣を誘発することがあるため注意する。

2　体位変換と早期離床

全身麻酔による気道内分泌物の増加，創部痛による胸郭運動障害や咳嗽反射の低下は，肺の拡張不全を生じ，肺炎や無気肺といった呼吸器合併症の原因になるため，術式や基礎疾患において禁忌でなければ，合併症の予防，早期回復のために可能な範囲で積極的に体位変換を行う。

長時間同じ姿勢を続けると，下側になる肺は重力により虚脱しやすくなる。肺胞の虚脱を防ぎ重力を利用した排痰効果を得るために1～2時間ごとに左右40～60°の側臥位や完全側臥位，半座位をとる。特に呼吸器疾患の患者は，肺組織の線維化による肺胞の縮小や虚脱，末梢気道閉塞による呼気時間の延長によって，血液中の酸素濃度が低下しやすい。横隔膜の可動性低下を防止，1回換気量を増加させるため，半座位など頭高位を確保する。

また，極度の血管内脱水があり，起立性低血圧が予想される患者においては，下肢の自動運動により，静脈還流の増加を促し，弾性包帯を使用し末梢血管抵抗を増加させ，段階的に活動性を上げていく。

日本離床学会による安全基準[6]には，離床の開始基準と，息切れが出現しSpO_2が90%

を下回る場合などの中止基準が示されている。呼吸器疾患のある患者は，特に気道内分泌物の多さが問題になるため，頻回に分泌物を排出することによる疲労，呼吸パターンや自覚症状の有無についても注意深く確認しながら離床を促す。

3 呼吸リハビリテーション

術後患者は疼痛や体位の制限などにより，横隔膜運動の制限や胸郭可動性の低下によって横隔膜周囲の背側肺領域が虚脱し，無気肺を形成しやすくなる。また，胸郭や肺のコンプライアンス（ふくらみやすさ）が低くなるとともに，気道内分泌物などによって気道抵抗が高くなり，肺胞の虚脱が生じるため，できるだけ早期から呼吸リハビリテーションを行う。予防的な管理にもかかわらず，肺胞の虚脱が生じた場合は，肺胞を再拡張させるための呼吸リハビリテーションを実施する。

胸部X線写真で肺野の透過性が低下しており，また呼吸音が減弱しているなどの肺胞虚脱を疑う所見を認めた場合は，虚脱した部位を上側にし，重力の影響を減らして空気が入りやすい体位を保持する。気道内分泌物があることが疑われた場合も，同様に分泌物が貯留した部位を上側にし，重力の作用で分泌物を中枢気道に誘導し排出させる。

IV 精神疾患

1. 基礎疾患が与える影響

精神疾患患者にとって，身体的な侵襲が大きい手術は不安や緊張の高まる治療である。精神疾患患者の場合，そのストレスは患者の精神状態に影響を及ぼす。

1 身体疾患や治療に対する患者の反応

精神疾患といっても，疾患，症状，治療は多岐にわたり，ひとくくりでとらえることは難しい。精神疾患に加えて，手術が必要な身体疾患を罹患しているとなると，すでに患者はストレスフルな状態であると予測できる。患者のストレス状況を理解するために，図9-5で示した認知・思考，感情，行動の反応として表れる。

❶認知・思考

患者は，自分自身の認知や思考に基づいて，身体疾患や手術の説明を理解する。看護師は，患者が治療や手術の方法など医師からの説明をどのように理解したか把握する必要がある。看護師は患者と共に説明を聞き，そのあとで患者に確認する。「理解できましたか？」という質問は，患者が「はい」「いいえ」で返答してしまい，どのように理解したのか把握することが難しいため，患者が自分の言葉で話せるような問いかけをする。たとえば，「どのような手術を受けるのか，話していただけますか？」などと質問して，患者の言葉で答

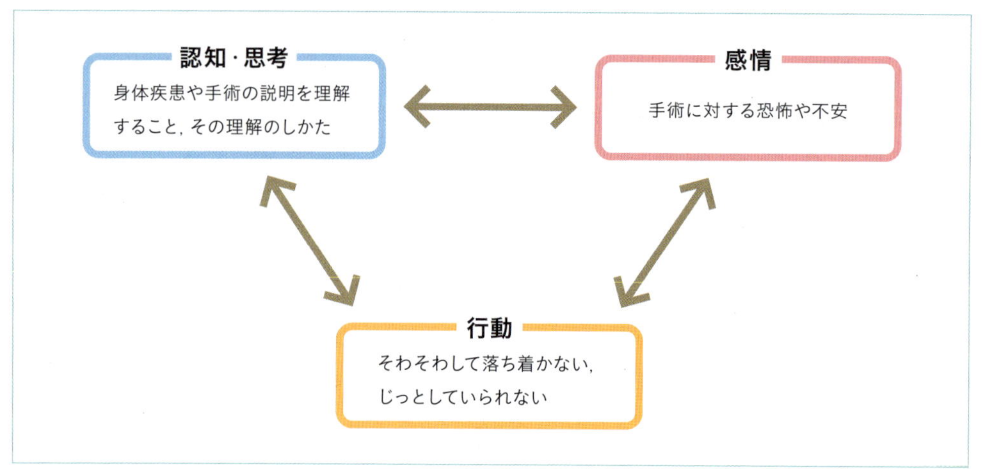

図9-5 手術を受ける患者の反応の観察

えてもらう。ただし，患者の言語表現力が十分でなく，答えられない場合もある。そのようなときは，看護師が「先生は○○（臓器名）をとると言ってましたね？」など，医師の説明内容を用いて問いかけ，患者に「はい」「いいえ」で答えてもらう。

❷感情

手術に対する恐怖や不安は，手術の説明を理解することに影響する。そのため，患者は自分の感情を言葉で表現できるかどうか確認する。

❸行動

不安を感じていても言葉で十分に表出できない場合は，行動に表れることがある。不安によって人は，そわそわして落ち着きがなくなる，じっとしていられないなど，行動が変化する。患者が不安になったときにどのような行動をとることが多いのか，確認しておくとよい。看護師は，患者が行動で表現しているものを理解する。

2 入院環境への適応

精神疾患患者のなかには，入院による環境の変化にすぐには適応できない患者もいる。一般病棟の入院生活に適応できずに，必要な治療が受けられない事態も起こり得る。患者が新しい環境に慣れていくように，看護師がかかわっていく必要がある。環境には，病棟や病室というハード面だけではなく，医療者や同室者という人的環境も含まれる。

❶入院による環境の変化

基本的には多床室であることが多く，自宅にいるようなプライバシーが十分に保てない部屋で過ごすことになる。また，起床や消灯は時間が決められており，日常とは異なる就寝時間を守らなければならなくなる。

❷対人関係

患者が通常，どのように人間関係を構築し，コミュニケーションをとっているのか，患者や家族に確認しておく。

(1) 医療者

入院すると，主治医をはじめ複数の医師や看護師と接することになる。術前・術後には麻酔科医や手術室看護師の訪問がある。

(2) 同室者

多床室では，同室者とコミュニケーションがとれるかが問題となる。入院初期に患者の様子を観察する。対人関係がうまくいかないと，同室者とコミュニケーションができず，それが患者のストレスになることがある。

患者が希望して個室を選択する場合はよいが，多床室で過ごす場合には，入院している間，対人ストレスが続くことも考えられる。最近は，同室者どうしがあまり関係をもたない傾向にあるが，そのような場合には対人ストレスは生じにくい。

3 薬物治療の中断

精神疾患の治療の中心は薬物療法である。手術前後で絶飲食になる間は，それまで内服していた薬を一時的に中断しなければならない。向精神薬の多くは，継続して内服し一定の血中濃度を保つことで治療効果を発揮する。

向精神薬を中断することで起こり得る症状は，患者の疾患や内服している薬の種類・量によって異なる。たとえば，統合失調症で幻覚や妄想がある患者の場合，内服の中断により幻覚・妄想が悪化し不眠や不穏状態になることが考えられる。看護師は患者が内服している向精神薬の種類や効能を理解しておく。

本田は，「抗精神病薬は全身麻酔の覚醒を遅延させるといわれているが，手術前後の精神症状悪化のデメリットを考えると減量・中止は最小限にする」[7] と述べている。主治医は，あらかじめ患者の精神科の主治医と相談しておく必要がある。

看護師は，患者が内服している向精神薬の術前・術後の中断について主治医に確認し，手術まで確実な内服の投与を実施する。また，術後の絶飲食期間中に必要な点滴について適時指示を受けておく。標準的な向精神薬の投与の基本を以下に示す。

❶**術前**：手術前後に精神症状が悪化するのを防ぐため，薬は手術前日の就寝前まで服用する。
❷**術後**：術後に飲水が開始されたら，医師の指示に基づいて速やかに内服を再開する。

患者は，事前に医師から向精神薬の中断と再開について説明を受ける。看護師は，投薬時などに患者の薬の中断に対する不安や心配に思っていることについて確認しながら，そのつど説明して，患者の理解が得られるように援助する。

2. 術前の看護

手術を前にした不安や緊張は，患者の精神状態や入院生活に影響を及ぼす。患者が，通常の状態をどの程度保っていられるか，また保てなくてバランスを崩しているか，家族，そして患者自身から，“いつもと違う”ところを確認しながら，手術への準備を進める。

“いつもと違う”ところを探す手がかりは，前出図 9-5 で示した「感情」や「行動」を観察することにある。すぐに涙ぐんだり，泣いたり，いらいらしたりするような感情の変化や，そわそわして落ち着きがないような行動がみられた場合は注意する。

1 インフォームドコンセント

手術に関する医師の説明の場にはできるかぎり同席し，医師の説明と患者の理解が一致しているかどうかを確認する。術前オリエンテーションは，患者が詳しく説明を聞くことで不安が強くなることが予測される場合は，簡潔に説明する。一方，詳しく説明を求める患者に対してはていねいに説明するなど，患者に合わせた方法を選択する。

2 不安と緊張への援助

精神疾患の有無に限らず，不安な状態（中等度の不安）では理解力や判断力が低下する。したがって，同じことを何度も質問するような状態になることがある。患者に何が不安なのか問いかけたとき，「大丈夫」「不安なことはない」と返事をされた場合でも，行動に注意する必要がある。同じ質問を繰り返すのは不安の表出と考えてよい場合がある。

看護師が質問することによって患者の不安を高める場合もあるため，患者の様子をみること，また患者に不安について聞くことが負担になるかどうか確認する。

❶手術に対する不安の表出に対するケア

「心配だ」「眠れない」など，手術に向けて不安を表出している場合には，患者の話を聞く。手術が終わるまで不安はなくなるものではない。また，多少は不安を抱えて過ごすことになると伝え，看護師はいつでも患者の話を聞く姿勢でかかわる。

❷手術に対する不安の表出がない場合

患者が不安を表出しないときは，「不安を感じているが，うまく言葉で表現できない」「不安はあるが，気づいていない」「不安がない」と，いくつものパターンが考えられる。看護師が質問しても，「不安はない」と表現する場合には，前述のどのパターンか考えながら，患者の様子を観察していく。患者が不安を表出しなくても，「自覚していない不安」があることを前提としてかかわる。

3. 術後の看護

1 危険の予測と回避

❶薬物治療中断の影響

術後，患者の状態でまず気になるのは，薬物治療を中断していることによる精神症状の悪化である。精神症状の原因が元疾患の悪化なのか，周術期に使用する薬物の影響や環境の変化からなのか鑑別は難しい。患者の原疾患とその症状を理解して，症状が出現したときには医師と協働して対応する。

❷ルート類の自己抜去

術後の身体状況（手術創の疼痛，点滴ルートや各種チューブ類の装着など），不快な状況，不快なものを取り除きたいという欲求から，患者がチューブ類を自己抜去してしまう事態はできるだけ避けたい。

患者に説明しても了解や納得が得られない場合は，医師と相談し，不要と思われるチューブ類はできるかぎり短期間のみの留置で抜去できるようにする。やむを得ず身体拘束（こうそく）を行うこともあり得るが，できるだけ短期間に最低限になるように，医師，看護師で話し合いのもとで実施する。

❸術後せん妄

術後せん妄は，手術を受けるすべての患者に共通する注意すべき状態である。「手術前後に投与される抗精神薬による効果のためか，原疾患の悪化はもとより術後せん妄も意外に少ない」[7)] とされるが，せん妄には幻覚や妄想など精神疾患と共通する症状があるので，注意深く観察し，症状が出現したときには医師と協働して対応する。

2　回復を促進するケア

❶疼痛緩和

術後の疼痛緩和は，早期離床を進めるために必要な対策である。それは手術を受けるすべての患者に共通するものである。痛みは主観的な体験であるが，術後は，創部痛，腸動痛，手術の体位などによる痛みなど，原因を特定しやすい。鎮痛薬を使用して，できるかぎり痛みをとり，離床できるように働きかける。

❷早期離床

患者は，創部痛だけではなく，時には悪心（おしん）や頭痛など，不快な症状を体験する。合併症予防のために早期に離床することは，患者が痛みや不快な症状を抱えながらも，からだを

看護師の精神疾患患者への理解

一般病棟の看護師は，“精神疾患患者”に対して，「暴れたらどうしよう」「ちょっと怖い」という先入観を抱いていたり，対応に不安を感じていたりすることがよくある。一般的に精神疾患に対するマイナスイメージがあり，そのような先入観をもってしまうことは避けられないのが現状である。

手術を受けるために一般病棟に入院する精神疾患患者は，身体疾患に対する治療を目的としているので，ある程度，精神病状はコントロールできていると考えられる。もちろん，手術に対する緊張や不安から，精神状態が不安定になる事態が起こることはあり得る。それは，術前はごくふつうの精神状態の患者が，術後せん妄を起こして，点滴やチューブ類を自己抜去してしまうのと同じで，予測可能である。まずは，“精神疾患患者”としてではなく，手術を受ける一人の患者として理解し，かかわっていただきたい。

動かしていくことになる。離床が進むか進まないかは，患者によって個人差がある。術前のかかわりによって得た患者との関係や，患者の特性を見きわめて離床を進めていく。

❸十分な睡眠

精神疾患患者は，睡眠導入薬を使用していることが多く，不眠が続くことは，精神状態が悪化するきっかけになりやすい。夜間の環境を整えて睡眠がとれるような配慮を行うと同時に，あらかじめ指示された睡眠導入薬を使用して，入眠できるように援助する。

V がん

1. 基礎疾患が与える影響

1 がんの特徴と影響

腫瘍は，構成する細胞や組織の形態により，良性と悪性に区別される。悪性腫瘍は，発育が早く，進展は局所にとどまらず，リンパ節や胸膜，腹膜や遠隔臓器に転移する[9]。悪性腫瘍の進行度を段階的に区分する方法として，病期分類が用いられ，予後の判定，治療方法の選択などに重要とされている[10]。原発腫瘍の大きさや深達度，リンパ節転移や遠隔転移の有無で，臨床的・病理組織学的に分類がなされる。

悪性腫瘍は，からだや臓器の表面などを構成する上皮細胞から発生する「癌（がん）」と，骨や筋肉などを構成する細胞から発生する「肉腫」に分類される[11]。悪性腫瘍全体を示すときには，ひらがなの「がん」が用いられている。

がんの特徴として，次のものがあげられる[12]。

❶自律性増殖：がん細胞は自律的に増殖を続け，止まることがない
❷浸潤と転移：周囲に浸潤するとともに，がん細胞が原発巣（そう）を離れてほかの部位に定着，腫瘍を形成し，からだ中に新しいがん組織をつくる
❸悪液質：がん組織は，ほかの正常組織が摂取しようとする栄養を奪い，からだが衰弱する

自律的増殖，浸潤と転移といった特徴から，組織学的に確認され，治療によって臨床的に消失したがんが再び出現することを再発といい，原発部位にみられる局所再発と他部位にみられる転移性再発がある[9]。

がんの進展の特徴から，基礎疾患にがんがある場合に，解剖学的部位や病理組織診断（組織型，分化度）から，どの病期にあるのかを考慮することが必要である。

また，がんでは，その進展により腫瘍自体が変化し，隣接臓器に影響を及ぼす。侵襲を受けた臓器では，機能障害や腫瘍組織の代謝異常などによる全身症状が発現し，全身状態への影響がある（表 9-9）。

がんの病期が進行している場合には，疼痛，倦怠感，食欲不振，悪液質，呼吸器症状，

表9-9 がんによる影響

	種類	内容	
腫瘍によるもの	腫瘍の2次性病変	出血	腫瘍表面の易出血性，自壊，壊死による出血
		腫瘍性分泌	腫瘍の壊死組織に感染が起こり，排泄物が特有の悪臭をもつ
		穿孔，瘻孔形成	腫瘍がほかの管腔臓器に浸潤して穿通し，腫瘍性瘻孔を形成する
	腫瘍の発育による隣接臓器障害	軟部，骨組織	腫瘍増大に伴う周辺組織の圧迫による萎縮，潰瘍，骨破壊，限局性の骨肥大
		管腔臓器	通過障害，血行障害，閉塞症状
		神経症状	疼痛，麻痺症状
全身症状	代謝異常・栄養障害	たんぱく代謝	低たんぱく血症，臓器組織の萎縮
		脂肪代謝	脂肪組織の萎縮
		糖代謝	低血糖の傾向，肝グリコーゲン量の減少
		悪液質	代謝異常による栄養障害，低たんぱく血症，脂肪の喪失，筋肉の萎縮，貧血，浮腫など
	内分泌異常	異所性ホルモン産生腫瘍は，正常では内分泌作用のない細胞から発生した腫瘍が，腫瘍化に伴い内分泌作用をもつものをいう。 同一の腫瘍から複数のホルモンが分泌される場合がある	
	腫瘍随伴症状	筋神経障害	胸腺腫の約30%に重症筋無力症が，小細胞肺がんに筋無力症が合併することがある
		皮膚，筋肉の異常	多発性筋炎や皮膚筋炎が胃がん，乳がん，子宮がん，肺がんと合併することがある
		骨関節障害	肺がんでは，バチ状指や肥大性骨関節症がみられることがある
		血液の異常	純赤血球性貧血，白血病様反応，血小板増多症，好酸球増多症，播種性血管内（血液）凝固症候群，低血糖症，高カルシウム血症
		発熱	感染の合併，免疫機能の低下による発熱

出典／北野正剛監，坂井義治他編：標準外科学，第15版，医学書院，2019，p.146-148. をもとに作成.

腹部症状などの病態をアセスメントすることが必要である。同時に，不安や抑うつ状態といった精神的な状態のアセスメントも行う。

2 がんの前治療が与える影響

がんの治療では，周術期の補助療法として，抗がん剤や分子標的薬による薬物治療や放射線療法が行われることがある。周術期の補助療法の目的は，腫瘍を縮小させ，微小転移をコントロールすることで手術の効果を向上させることであり，各診療ガイドラインにおいても病態による周術期の補助療法が推奨されている。腫瘍の縮小が得られれば，切除範囲や郭清（かくせい）範囲を縮小することができる。縮小手術によって形態機能の変化を最小限にすることは，患者のQOLにとって意義がある。しかし，補助療法は有害事象が生じることから，そのコントロールと影響を踏まえた周術期の管理と，それに伴う看護が必要である。

❶薬物療法

術前の抗がん剤や分子標的薬による薬物療法は，がん種によりその奏効率に違いがあるため，積極的に行われるがん種とそうでないものがある。術前に薬物療法を行った場合の術中・術後の合併症の発症率については，重症化はしないという報告がある[13]。しかし，術前化学療法による有害事象は，骨髄抑制や臓器毒性などであり，さらに腫瘍を縮小させることによる組織の変性や癒着が手術操作に与える影響も指摘されている 。これらのことから，免疫機能の低下，感染症，間質性肺炎の発症などを考慮した，より慎重な管理が必要とされる。

分子標的薬のうち，血管新生阻害薬を投与した場合には，術後の縫合（ほうごう）不全を予防するために，術前治療と手術の期間は4～5週間は空けることが望ましいとされている[14)]。

❷放射線療法

術前に放射線療法が行われた場合には，照射部位，線量を確認するとともに，放射線照射による有害事象が現在の状態へ及ぼす影響をアセスメントする。たとえば，食道がんの術前照射の場合には，早期の有害事象として，放射線食道炎や骨髄抑制，消化器毒性があるため，術後管理，ケアを考える際にこれらの影響を考慮する。放射線食道炎や消化器毒性による下痢などは，栄養状態とも密接に関係している。

2. 術前の看護

1　患者のケア

基礎疾患にがんをもちながら何らかの手術を受ける患者では，①がんの根治を目指す手術をする場合，②がんの進展による転移・再発，あるいは新たに発見されたがんに対する手術をする場合，③がん以外の疾患で手術をする場合，などが考えられる。患者の手術の目的を理解し，遂行（すいこう）できるように準備を整え，術後に起こり得ることを予測して，術前のケアを行う。

がんの進展による転移・再発や新たながんで手術をする場合は，身体面だけでなく，精神面，社会面，スピリチュアルな面においても様々な問題を抱えていると考えられるため，包括的なアセスメントを行う。アセスメントの結果を踏まえて，専門的なかかわりが必要な場合は，多職種医療チームで協働し，患者を支援する。

患者の手術に対する期待を知り，その意思決定を支援するかかわりをもつ。診断からこれまでの過程において，患者がどのようなことを大事にして現在の手術をするに至ったのかを知ることは，ケアの第一歩である。

術前に補助療法を行っている場合は，検査データなどの客観的データと併せて，ヘルスアセスメントの技術を用いて，からだをていねいに観察し，免疫機能の状態，栄養状態，術前の治療による有害事象の状態など，術後への影響をアセスメントする。有害事象による脱毛や皮膚障害は患者に外見の変化をもたらし，ボディイメージや自己概念にも影響があるため，患者が自身をどのようにとらえているのかについても情報を得る。情報を得るなかで患者のセルフケア能力を理解することもできる。また，患者との会話をとおして，患者の前治療のがんばりを認め，次の段階につなげていけるよう支援することを言語化して患者に伝えることは意味のあるケアとなる。

病期の進行によっては，術式が直前まで決定しない場合もある。外来で受けた手術の説明と，術直前の説明の内容が異なる場合もあり，形態機能の変化や喪失する臓器などから患者は混乱し，手術の受け入れに困難が伴うこともある。

看護師の役割として，医師からの説明には同席し，その後の患者の理解や反応に対して支持的にかかわるケアを行うことが重要である。必要に応じて患者の代弁者となり，患者の意向を医師に橋渡しする役割も担うことが求められる。

2 家族のケア

がんの進展による転移・再発や新たに発見されたがんで手術をする場合には，家族に対するケアも不可欠である。家族によっては，患者が傷つくことを恐れて，患者には真実を告げてほしくないと望む場合もある。看護師の価値観で判断せず，患者や家族の価値観をよく理解して，どうすればよいのかを話し合い，検討するプロセスが重要である。しかし，術前の短期間での話し合いはそのタイミングを得ることが難しい。その場合は，院内の緩和ケアチームにコンサルテーションを依頼するなど,院内の資源を活用することもできる。

3. 術後の看護

術後，フランシス・ムーア（Moore, F. D.）の分類による傷害期，転換期では，術前のがん自体による影響や補助化学療法による影響，術中の状態を踏まえて，術後合併症を予防するケアを行う。たとえば，免疫機能の低下は術後感染症を起こしやすく，感染のリスクを考慮したケアが重要である。腎機能の低下があれば，手術侵襲や麻酔による腎機能への影響を考慮し，術中・術後の高カリウム血症や体液の増加に注意して観察する。

回復期においては，手術による形態機能の変化を包括的にアセスメントし，患者のセルフケア能力を査定して，ケアを提供する。また，術前の補助療法に伴う有害事象の影響が残っている場合は，生活への支障を確認して，苦痛が少ない生活を送れるように支援する。

根治が望めず，緩和的な手術となった場合には，できるだけ早期に退院できるように回復を支援する。退院後の身体機能の低下が予想される場合には，退院調整部門と連携をとり，退院支援を行う。

術後に補助療法が予定されている場合，患者が補助療法に取り組める状態か否かをアセスメントし，必要な場合は，外来看護と連携して継続看護ができるような体制を整える。

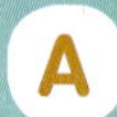

VI 肥満，やせ

A 肥満

1. 基礎疾患が与える影響

1 肥満の定義と評価

日本肥満学会によると，BMI（body mass index）25 以上は**肥満**と判定される。また，BMI 25 以上で肥満関連の疾患を 1 つ以上もっているか，CT で測定した内臓脂肪面積が $100cm^3$ 以上は，医学的に減量が必要な**肥満症**と定義される[15)]。この肥満の評価に用いられる BMI とは，体重（kg）を身長（m）の 2 乗で割った数値で，以下の式で計算される。

BMI ＝ 体重（kg）÷ 身長（m）^{2}

表 9-10 に BMI と肥満度の判定について示した。

肥満の患者は，肥満に関連する疾患として高血圧や冠動脈疾患，糖尿病，脂質異常症，高尿酸血症，痛風，脳梗塞（こうそく），脂肪肝，睡眠時無呼吸症候群，月経異常，整形外科的疾患などをもっていることが多いため，そうした併存疾患による影響を考慮する必要がある[16)]。

2 肥満による影響

肥満は手術の施行において様々な悪影響を及ぼす。まず，気管挿管や抜管の困難といった麻酔管理上の問題を生じやすい。また，皮下組織が多いことで手術手技自体も困難となりやすい。加えて，肥満に関連した併存疾患があることで，周術期にそれらの疾患の悪化を伴う合併症を発症しやすい状態となる。肥満に伴う主な悪影響を次に示す。

❶気道閉塞のリスク

肥満の患者は頸部の体脂肪も多いため，気管挿管や抜管時の気道確保が困難になりやす

表 9-10 肥満度分類

BMI（kg/m^2）	判定	WHO 基準
< 18.5	低体重	Underweight
18.5 ≦～< 25	普通体重	Normal range
25 ≦～< 30	肥満（1 度）	Pre-obese
30 ≦～< 35	肥満（2 度）	Obese class Ⅰ
35 ≦～< 40	肥満（3 度）	Obese class Ⅱ
40 ≦	肥満（4 度）	Obese class Ⅲ

注 1）ただし，肥満（BMI ≧ 25）は，医学的に減量を要する状態とは限らない。
なお，標準体重（理想体重）は最も疾病の少ない BMI22 を基準として，標準体重（kg）= 身長（m）^{2} × 22 で計算された値とする。
注 2）BMI ≧ 35 を高度肥満と定義する。
出典／日本肥満学会編：肥満症診療ガイドライン 2016，ライフサイエンス出版，2016，巻頭図版.

く，麻酔に伴う**気道閉塞**のリスクが高い。また，肥満があると胃内容物が貯留しやすく，挿管や抜管時に誤嚥性肺炎の危険性も高まる。さらに，体重に比例して麻酔薬の使用量も多くなることで，覚醒遅延が生じやすく，特に睡眠時無呼吸症候群をもっている患者では，気道閉塞を起こしやすい。気道確保が不十分となることで効果的な換気が行われにくく術中から術後に低酸素症を発症しやすい。

❷呼吸器合併症のリスク

肥満によって，胸郭の十分な拡張が難しく深呼吸がしづらい状況にあることで，肺胞はつぶれやすく膨らみにくくなる。一般に，全身麻酔の手術では気道分泌物が増加し無気肺を生じやすいが，肥満患者の場合は，効果的な呼吸が困難となることも加わり無気肺のリスクはさらに高まる。

❸深部静脈血栓症のリスク

肥満は深部静脈血栓症のハイリスクである。脂肪組織により骨盤内の静脈や下肢の静脈に圧迫を受けることが一因とされるが，複合的な要因により静脈還流が停滞しやすいことが理由と考えられている。

❹末梢神経障害・褥瘡のリスク

肥満の患者は，手術体位による神経障害が生じやすい。自身の体重により神経の圧迫が強まることが要因とされ，特に尺骨神経麻痺，腕神経叢損傷などが生じやすい。同じ理由で，体重による皮膚の圧迫により**褥瘡**も生じやすい。そのため，術中から神経保護と体圧のかかりやすい部位への予防的な措置が必須となる。

❺創の治癒遅延と感染のリスク

肥満の患者は，基礎疾患として糖尿病をもっていることが多い。そのため，術後感染症のリスクが高い。また，縫合時に創を強く引き寄せる必要が生じ組織損傷を起こしやすいことや，術後の体動時に創に圧力がかかりやすいことで，創の炎症が遷延し治癒遅延を起こしやすい。さらに，脂肪組織自体に血流の不良があり易感染性であることも，創の感染のリスクを高めているとされる[17]。

❻そのほか

肥満があると，手術時に必須の末梢点滴静脈注射の施行が困難であるほか，血圧測定も難しい。また，腹部の脂肪が厚いため，脊椎麻酔や硬膜外麻酔の際に行う，背中を丸めて背骨を突き出すような横向きの姿勢が困難で，施行に時間がかかる。さらに，腹部の手術の場合，腹壁が厚いため，術者にとって視野が確保しづらいうえに，腹腔内に脂肪が多く付着しているため，血管の走行の確認が難しい，脂肪組織が脆弱であることで止血操作が困難になりやすいといった，手術手技の難易度を上げる要因もある。そのほか，腹腔内に圧がかかりやすいことで，術後の腹壁瘢痕ヘルニアも生じやすい。

2. 術前の看護

1 肥満の評価

まず，肥満の有無を評価する。BMI を算出し，25 以上であれば肥満として必要な予防策をとる。手術まで期間があるようであれば，減量を試みるよう指導するが，術前であるため栄養状態に支障がないように配慮する。

2 気道の評価

睡眠時無呼吸症候群など，気道閉塞しやすい疾患の有無を把握する。また挿管困難に関する麻酔科医の診察結果を把握するなど，術直後の気道閉塞のリスクを評価し，気道確保や呼吸補助のための準備を検討する。

3 術後合併症のリスク評価と術前訓練の実施

呼吸機能検査や動脈血ガス分析の結果，心機能の評価，下肢静脈血栓の有無の確認を行うとともに，併存疾患による影響を把握し，術後合併症のリスクを評価する。術前から呼吸訓練として，深呼吸や排痰の必要性を伝え指導を行うほか，深部静脈血栓症のリスクを伝え，予防行動を自主的にとれるよう働きかける。肥満であることで生じ得るリスクや徴候について患者自身が理解していれば，術後に，主体的に合併症予防に臨むことが可能となり，万が一，合併症が発現した際にも，早期発見につながる徴候の報告など協力を得られやすい。患者の理解度を踏まえ説明を行う。

3. 術後の看護

1 気道閉塞の早期発見

麻酔薬の投与量が多くなるため覚醒遅延が起こりやすく，さらに麻薬性鎮痛薬や鎮静薬の投与によって，呼吸抑制を生じやすく意識レベルが低下しやすい。そうした気道閉塞をきたしやすい状況であることを踏まえ，術後は麻酔からの覚醒状態を把握する。呼吸抑制作用のある薬剤を投与する際は呼吸状態や SpO_2 の変化を注意深く観察し，異常な徴候が認められれば速やかに対処する。

2 無気肺の予防

換気が不十分となりやすいため，意識的に深呼吸をするよう促す。可能な範囲で早期から離床を行い，上体を起こした姿勢で十分に胸郭を広げた呼吸ができるようにする。そのほか，排痰の促しや体位ドレナージなど，患者の状況に合わせて呼吸器合併症の予防のために必要なケアを実施する。

3　深部静脈血栓症の予防

弾性ストッキングの着用や，間欠的空気圧迫法，抗凝固療法など，リスクに合わせた予防的措置を施行する。可能な範囲で早期離床を行うとともに，臥床中から下肢の足関節背屈運動などの実施を促し，下肢血流の停滞を予防する。患者の症状や検査値を把握し，Dダイマー値の上昇などが認められれば，血栓の発症を考慮し医師の指示を確認する。

4　創治癒促進と感染予防

創の治癒遅延と感染のリスクが高いため，高血糖を早期発見するとともに，創に緊張がかからないよう指導する。創に負荷がかかりにくい起き上がり動作を指導し，咳嗽の際には創保護をできるよう支援を行う。体幹の手術の場合，胸帯や腹帯を効果的に使用することで創の保護が可能となるため，装着時の注意点なども説明する。さらに，指示された抗菌薬を確実に投与し，清潔操作を徹底する。患者自身が創の清潔のための行動を自主的にとり，感染徴候に早期に気づけるよう指導を行う。

5　そのほか

末梢神経障害や褥瘡（じょくそう），腹壁瘢痕（はんこん）ヘルニアなどを発症するリスクがあるため，予防的な措置と観察を継続する。症状が認められれば，観察を強化し治療の有無を医師に確認する。

B　やせ

1. 基礎疾患が与える影響

1　やせの定義と評価

やせの指標としてもBMIが用いられる。BMIが18.5未満は低体重とされ，一般にこれがやせに該当する。やせは，体脂肪が少ないことによるリスク以外に，低アルブミン血症など低栄養状態による影響を考慮する必要がある[16]。

2　やせによる影響

❶体脂肪が少ないことによる問題

やせの場合，骨格筋や体脂肪の減少により，骨突出が著明となりやすい。その結果，局所圧迫による褥瘡形成のリスクが高い。術中および術後の同一体位により骨突出部の褥瘡を発症しやすいため注意を要する。また，やせがあると，麻酔薬をはじめとする薬物の薬理作用や副作用が増強しやすいため，注意を要する。

❷低栄養状態であることの問題

術直後に侵襲の影響で**低アルブミン血症**が増悪すると，膠質（こうしつ）浸透圧の低下により循環血液量が低下し，脱水が進行しやすい。また，血液凝固因子が不足している場合は，出血が止まりにくいという問題も重なる。循環血液量の低下と止血しづらい状態が重なると循環の維持が困難になりやすい[18]。

また，低アルブミン血症があると浮腫を生じやすく，組織の耐久性の低下が生じるため，皮膚が脆弱化する。先に述べた骨突出による影響と相まって，術中から術後に褥瘡による皮膚トラブルが生じるリスクが高い[18]。さらに，創傷治癒のため必要とされるたんぱく質やエネルギーが不足しているため，創傷治癒遅延が生じやすく，その影響で縫合不全や創の離開を起こしやすい。低栄養により感染防御機能に関係するたんぱく質量も低下し免疫力が低下していることも創傷治癒遅延の因子の一つであり，感染を発症しやすい。

やせの場合，低アルブミン血症に加え貧血のある者も多いが，出血により貧血が進行した場合，組織の酸素供給量が低下し，創傷治癒遅延や創感染のリスクがさらに高まる。

2. 術前の看護

1　術前評価

❶栄養状態や貧血の評価とケア

身長と体重からBMIを確認し，低体重でやせと判断した場合は，血液検査の結果から血清アルブミン値やヘモグロビン（Hb）値を把握し，栄養状態や貧血を評価する。予定されている術式による出血量や細胞外液喪失量を予測し，術後にアルブミン製剤や輸血療法が必要となる可能性について医師に確認する。低栄養状態と判断した場合，栄養障害の原因となる病態の有無や体力を消耗しやすい生活特性の有無などを把握する。併せて体重と食事量を経時的に記録し，食生活上の問題の有無や変化を早期にとらえられるようにする。術前に栄養状態を改善できるよう配慮するとともに十分な休息を確保し，低栄養状態の原因となる病態があれば，その治療がなされるようかかわる。栄養にかかわる医師，看護師，栄養士，薬剤師などの多職種の専門家によって組織される栄養サポートチーム（nutrition support team；NST）と協調して栄養管理を行うのが効果的である。

❷皮膚の状態の評価とケア

骨突出の有無や程度および皮膚の状態を観察し，術前の皮膚トラブルの有無を把握する。

術前から積極的に褥瘡（じょくそう）予防を実施する必要があり，特にずれに起因する摩擦で表皮剝離が生じないよう，予防や除圧目的でドレッシング材の貼付（ちょうふ）を行うことを検討する。術後に使用するベッドは，除圧効果の高いマットを用いる。定期的に体位変換を行い，同一部位への圧迫を意識的に予防できるよう，患者に対する指導も重要である。皮膚が弱いことが多いため，保湿を行うよう促し，皮膚の異常に速やかに気づけるよう，術前からかかわる。

3. 術後の看護

1 観察と異常の早期発見

低アルブミン血症により，サードスペースの拡大や腹水・胸水の増加などが認められる場合，循環維持が困難な状況となりやすい。血圧と脈拍の変化をとらえ水分出納の管理を行い，必要に応じてアルブミン製剤の補液により，循環血液量を確保する必要がある。血液検査の結果を把握し，血清総たんぱくやアルブミン値の変化に注意する。

2 感染予防と創傷治癒促進

創やチューブ類の管理の際は，無菌清潔操作を厳守する。予防的な抗菌薬の投与を確実に行うほか，創の治癒促進のため早期離床により組織循環の改善を図る。活動と休息のバランスがとれるよう日中の活動量を高め，夜間の睡眠が十分に確保できる援助を検討する。

3 皮膚の保護

血性アルブミン値の低下により浮腫を招き容易に褥瘡を形成しやすいことを踏まえ，突出部位やずれが生じやすい部位への予防的な措置を行う。早期に異常の発見ができるよう，保清の際には全身の皮膚の観察をていねいに行う。なお，テープ類による接触性皮膚炎も起こしやすいため，皮膚への刺激を軽減できるよう，皮膚保護材やリムーバーを用いて愛護的に扱う必要がある。

4 栄養状態を高める援助

手術侵襲により，筋たんぱく質や脂肪が分解され創修復のエネルギー源として用いられるため，もともとの低栄養状態や低体重が進行する可能性がある。術後に栄養状態を高められるよう，食事量や体重変化をとらえ，術前同様にNSTと協働しケアを行う。

文献

1) 日本高血圧学会高血圧治療ガイドライン作成委員会編：高血圧治療ガイドライン 2019．ライフサイエンス出版，2019，p.19.
2) 磯野史朗編：麻酔科医として必ず知っておきたい周術期の呼吸管理，羊土社，2017，p.278.
3) 日本呼吸器学会びまん性肺疾患診断・治療ガイドライン作成委員会：特発性間質性肺炎診断と治療の手引き，改訂第3版，南江堂，2016，p.2.
4) 日本麻酔科学会：周術期禁煙ガイドライン，2015．http://www.anesth.or.jp/guide/pdf/20150409-1guidelin.pdf（最終アクセス日：2021/04/14）
5) 日本麻酔科学会：周術期禁煙ガイドラインの追記について，2018．http://anesth.or.jp/guide/pdf/20180403-guideline.pdf（最終アクセス日：2021/04/14）
6) 曷川元編著，日本離床学会編：寝たきりゼロへ進化中 実践！離床完全マニュアル2（Early Mobilization Mook 4），慧文社，2018，p.153.
7) 野村総一郎監，本田明編：精神科身体合併症マニュアル，医学書院，2008，p.33.
8) 前掲書7)，p.34.
9) 北野正剛監，坂井義治他編：標準外科学，第15版，医学書院，2019，p.141.
10) 前掲書8)，p.154.
11) 国立がん研究センターがん情報サービス：知っておきたいがんの基礎知識　悪性腫瘍．http://ganjoho.jp/public/qa_links/dictionary/dic01/akuseishuyo.html（最終アクセス日：2021/10/8）
12) 国立がん研究センターがん情報サービス：知っておきたいがんの基礎知識　がん（悪性腫瘍）と良性腫瘍の違い．http://

ganjoho.jp/public/dia_tre/knowledge/basic.html（最終アクセス日：2021/10/8）
13) Kitamura, H., et al. : Randomised phase III study of neoadjuvant chemotherapy with methotrexate, doxorubicin, vinblastine and cisplatin followed by radical cystectomy compared with radical cystectomy alone for muscle-invasive bladder cancer : Japan Clinical Oncology Group Study JCOG0209, Ann Oncol, 25（6）: 1192-1198, 2014.
14) 佐々木治一郎，他：心肺機能予備力への癌薬物療法の影響，主役を助ける脇役なのに時に悪役になる癌治療薬，LiSA，19（2）：122-130，2012.
15) 日本肥満学会編：肥満症診療ガイドライン 2016，ライフサイエンス出版，2016.
16) 弓削孟文監，古家仁，他編：標準麻酔科学，第6版，医学書院，2011.
17) 特集／知っておきたい肥満者の手術，外科治療，96（3）：249-253，2007.
18) 特集／22パターンの基礎疾患・身体的特徴にピタッと合わせる　術前・術中・術後の外回り看護実践ポイント，オペナーシング，26（3）：349-350，2011.

参考文献

・稲垣喜三：術前の服薬と中止薬，オペナーシング，31（10），2016.
・岩井直躬，大辻英吾編：外科周術期マニュアル，金芳堂，2010.
・上北真理：術後は血糖測定が必要なの？，エビデンスに基づく術後管理 Q&A，術後観察，ナーシング，36（13），2016.
・甲田賢一郎，北村享之：術中糖投与の是非，臨麻，39（11），2015.
・田家諭：糖尿病，基礎疾患ココが危ない！ 10カ条，オペナーシング，31（10），2016.
・日本麻酔科学会周術期管理チーム委員会編：周術期管理チームテキスト，第3版，日本麻酔科学会，2016.
・岩崎昭憲：術前術後管理と術後合併症〈北野正剛，他編：標準外科学〉，第14版，医学書院，2016.
・田家諭，白神豪太郎：合併症を有する患者の麻酔；心血管疾患〈土肥修司，澄川耕二編：TEXT 麻酔・蘇生学〉，第4版，南山堂，2014.
・日本循環器学会，他合同研究班：非心臓手術における合併心疾患の評価と管理に関するガイドライン（2014年改訂版），2014，http://www.j-circ.or.jp/guideline/pdf/JCS2014_kyo_h.pdf（最終アクセス日：2021/10/8）
・花田論史：高血圧患者の周手術期管理，ナーシング，24（14），2004.
・Lee, T.H., et al. : Derivation and prospective validation of a simple index for prediction of cardiac risk of major noncardiac surgery, Circulation, 100（10），1999.
・青柳信嘉，他：精神障害者における胃癌および大腸癌手術例の検討，日消外会誌　40（4），2007.
・大槻穣治，本田明：身体合併症を持った精神疾患患者の周術期管理，成人病と生活習慣病，40（10），2010.
・川野雅資編：新看護観察のキーポイントシリーズ精神科Ⅰ，中央法規，2011.
・土井永史，岩淵正之：身体合併症病棟；手術後の精神症状の管理を中心に〈黒澤尚・山脇成人編：臨床精神医学講座17　リエゾン精神医学・精神科救急医療〉，中山書店，1998.
・野嶋佐由美，南裕子監：ナースによる心のケアハンドブック；現象の理解と介入方法，照林社，2000.
・野村総一郎，保坂隆編：総合病院精神医学マニュアル，医学書院，1999.
・橋本和樹，他：精神疾患を有する頭頸部癌症例の検討，頭頸部外　24（2），2014.
・日本肥満学会編：肥満症診療ガイドライン 2016，ライフサイエンス出版，2016.
・特集／知っておきたい肥満者の手術，外科治療，96（3），2007.
・特集／22パターンの基礎疾患・身体的特徴にピタッと合わせる　術前・術中・術後の外回り看護実践ポイント，オペナーシング，26（3），2011.
・特集／35ケースのハイリスクにばっちり対応できる！基礎疾患・身体的特徴をもつ手術患者へのリスク先読みポイント，オペナーシング，28（9），2013.
・弓削孟文監，古家仁，他編：標準麻酔科学，第6版，医学書院，2011.
・大口祐矢：看護の現場ですぐに役立つ術前・術後ケアの基本，秀和システム，2016.
・日本高血圧学会高血圧治療ガイドライン作成委員会編：高血圧治療ガイドライン 2019，ライフサイエンス出版，2019.

国家試験問題

1 成人男性に対する全身麻酔下の膵頭十二指腸切除術が9時に開始されてから40分間の経過を表に示す。 (107回PM42)

時　刻	体　温	心拍数	血　圧	尿　量 (量/合計)	出血量 (量/合計)
9時00分	37.0℃	76/分	126/76mmHg	30/30mL	0/ 0mL
9時20分	36.1℃	80/分	132/76mmHg	35/65mL	5/ 5mL
9時40分	35.4℃	96/分	108/68mmHg	15/80mL	25/30mL

9時40分の時点で，間接介助の看護師が医師に確認の上，実施することとして適切なのはどれか。

1. 輸血を準備する。
2. 下半身を心臓より高くする。
3. 加温マットの設定温度を上げる。
4. 次の尿量測定を40分後に実施する。

2 Mooreの提唱した手術後の回復過程の第1相（異化期）の生体反応はどれか。 (99回AM51)

1. 尿量の増加
2. 血糖値の上昇
3. 脂肪組織の修復
4. 腸蠕動運動の再開

3 手術後に発症する肺血栓塞栓症で正しいのはどれか。 (97回AM93)

1. 離床数日後の発症が多い。
2. 発症しても死亡はまれである。
3. 高熱を伴って発症する。
4. 予防のための弾性ストッキングは手術直後から着用する。

4 Aさん（48歳，男性）は，直腸癌のため全身麻酔下で手術中，出血量が多く輸血が行われていたところ，41℃に体温が上昇し，頻脈となり，血圧が低下した。麻酔科医は下顎から頸部の筋肉の硬直を確認した。既往歴に特記すべきことはない。
この状況の原因として考えられるのはどれか。 (105回AM46)

1. アナフィラキシー
2. 悪性高熱症
3. 菌血症
4. 貧　血

5 Aさん（57歳，女性）は，子宮体癌のため子宮全摘術を受けた。離床が十分に進まず，術後２日に初めて歩行を試みようとベッドから降りたところ，突然，呼吸困難を訴えてうずくまった。
まず疑うべき疾患はどれか。（101回AM31）

1. 自然気胸
2. 肺塞栓症
3. 肋間神経痛
4. 解離性大動脈瘤

6 開頭術を受けた患者の看護で適切なのはどれか。（108回AM51）

1. 頭部を水平に保つ。
2. 緩下薬は禁忌である。
3. 髄膜炎症状の観察を行う。
4. 手術後1週間は絶飲食とする。

国家試験問題 解答・解説

1 解答 3

×1：輸血が必要な状態は循環血液量不足によるショックである。出血量，心拍数・血圧・尿量からも輸血の必要はない。

×2：循環血液量不足によるショック時に下肢を挙上し重要臓器に体液を移動させるトレンデレンブルグ体位はあるが，この時点では，ショックスコア：血圧 100mmHg 以下，心拍 100 以上 / 分，尿量 50mL 以下 / 時のショックには該当しない。

○3：全身麻酔下では，筋弛緩剤や麻酔薬による筋肉の熱産生低下，術野からの水分蒸散など体温調節機能が作動せず低体温になりやすい。体温は一度下がると回復しにくいため，直腸温 36.5℃以下を目安に積極的な加温を開始する。

×4：尿量は末梢循環および腎機能の指標である。2 時間以上の手術では膀胱カテーテルを留置し，30 分ごとに尿量測定を行う。尿量は 0.5 ～ 1mL/kg/ 時を目安とする。

2 解答 2

×1，3，4 ○2

外科的侵襲の生体反応は，第Ⅰ相：傷害期，第 2 相：転換期，第 3 相：筋力回復期，第 4 相：脂肪蓄積期である。第Ⅰ相ではあらゆるホルモンが亢進し，生体はストレス状態となり，尿量減少，血糖値上昇，血圧上昇，体温上昇，異化の亢進，腸蠕動運動低下などがみられる。

傷害期 （術後 2 ～ 4 日）	創痛のため体動困難，内分泌系亢進，血圧・血糖値上昇，頻脈，異化亢進，体動緩慢，関心の欠如，尿量減少，窒素平衡は負
転換期 （術後 3 日目前後から 1 ～ 2 日間）	創痛消失で体動が容易になる，内分泌系正常化，バイタルサイン正常化，尿量増加，窒素平衡は正
筋力回復期 （術後 2 ～ 5 週間）	体動に苦痛を伴わず体力も回復，代謝正常化，たんぱく質合成，体重増加
脂肪蓄積期 （術後数か月）	体力は十分に回復，脂肪合成蓄積，性機能回復

3 解答 1

○1：肺血栓塞栓症は術後の安静度が拡大したときに起こることが多い。

×2：肺血栓塞栓症は発症すると死亡する確率が高い。

×3：深部静脈血栓症の症状や，突然の呼吸困難，息切れ，胸痛，背部痛，不安感，動悸などの前駆症状がみられる。また，前駆症状を伴わず突然ショック症状で発症することもある。

×4：血栓の形成は術中から始まっているため，手術中から弾性ストッキングを用いる。

4 解答 2

×1：アナフィラキシーは体内に侵入した抗原によって引き起こされる抗原抗体反応が極めて有害な反応を引き起こした状態。41℃まで体温が上昇することはなく，また筋肉の硬直もみられない。

○2：悪性高熱症は全身麻酔の重篤な合併症で，麻酔薬や筋弛緩薬の影響により起こる。筋硬直が特徴的な症状で，このほか，頻脈，不整脈，代謝性アシドーシス，血圧不安定，急激な体温上昇などがみられる。A さんは，全身麻酔下の手術中に急激な体温上昇，頻脈，血圧低下，下顎から頸部の筋硬直があり，悪性高熱症が考えられる。

×3：輸血製剤が細菌で汚染されていた場合，菌血症から敗血症が誘発され，敗血症性ショックが起こる危険性はあるが，輸血汚染の可能性は低く，A さんの状況には合致しない。

×4：A さんは出血量が多く，輸血を行っているが，貧血で体温は上昇しない。

5 解答 2

×1，3，4 ○2

A さんは，子宮全摘出術を受けていること，また離床が遅れていることから，血栓形成のリスクが高いと考えられる。安静が解除されて初めての歩行時に突然の呼吸困難を呈していることから，肺塞栓症をまず疑う。

肺塞栓症の発生機序は次のとおり。①手術後の長期臥床により深部静脈に血栓が形成される。
②安静が解除された後，血栓が静脈壁からはがれて血流に乗る。③血栓が肺にたどり着き，肺動脈に詰まる。このときに呼吸困難や胸痛が症状として現れる。

6 **解答 3**

開頭術は，様々な頭蓋内病変に対して，頭蓋骨の一部を外して行われる手術である。術後には，一般的な合併症のほか，脳浮腫，脳虚血，頭蓋内圧亢進といった合併症が生じることがある。
× 1：静脈灌流を促すため，頭部は20～30°程度に挙上する。
× 2：排便時の怒責により頭蓋内圧が亢進するため，緩下剤を使用し排便コントロールを行う。
○3：手術後の感染として髄膜炎が起こり得るため，頭痛，悪心・嘔吐，発熱などの症状の観察を行う必要がある。
× 4：意識状態や嚥下状態に問題がなければ早期から食事開始となる。

索引

欧文

和文

あ

い

く

け

こ

さ

し

わ

新体系看護学全書

経過別成人看護学❷

周術期看護

2017年12月11日　第1版第1刷発行
2021年12月20日　第2版第1刷発行
2024年 1 月31日　第2版第3刷発行

定価（本体3,800円＋税）

編　集　蔦田　理佳©

〈検印省略〉

発行者　亀井　淳

発行所　株式会社 メヂカルフレンド社

https://www.medical-friend.jp
〒102-0073 東京都千代田区九段北3丁目2番4号 麹町郵便局私書箱48号
電話　(03) 3264-6611　振替　00100-0-114708

Printed in Japan　落丁・乱丁本はお取り替えいたします
ブックデザイン　松田行正（株式会社マツダオフィス）
印刷　(株)加藤文明社　製本　(株)村上製本所
ISBN978-4-8392-3386-0　C3347

000671-046

新体系看護学全書

専門基礎分野

人体の構造と機能❶ 解剖生理学
人体の構造と機能❷ 栄養生化学
人体の構造と機能❸ 形態機能学
疾病の成り立ちと回復の促進❶ 病理学
疾病の成り立ちと回復の促進❷ 微生物学・感染制御学
疾病の成り立ちと回復の促進❸ 薬理学
疾病の成り立ちと回復の促進❹ 疾病と治療1 呼吸器
疾病の成り立ちと回復の促進❺ 疾病と治療2 循環器
疾病の成り立ちと回復の促進❻ 疾病と治療3 消化器
疾病の成り立ちと回復の促進❼ 疾病と治療4 脳・神経
疾病の成り立ちと回復の促進❽ 疾病と治療5 血液・造血器
疾病の成り立ちと回復の促進❾ 疾病と治療6 内分泌／栄養・代謝
疾病の成り立ちと回復の促進❿ 疾病と治療7 感染症／アレルギー・免疫／膠原病
疾病の成り立ちと回復の促進⓫ 疾病と治療8 運動器
疾病の成り立ちと回復の促進⓬ 疾病と治療9 腎・泌尿器／女性生殖器
疾病の成り立ちと回復の促進⓭ 疾病と治療10 皮膚／眼／耳鼻咽喉／歯・口腔
健康支援と社会保障制度❶ 医療学総論
健康支援と社会保障制度❷ 公衆衛生学
健康支援と社会保障制度❸ 社会福祉
健康支援と社会保障制度❹ 関係法規

専門分野

基礎看護学❶ 看護学概論
基礎看護学❷ 基礎看護技術Ⅰ
基礎看護学❸ 基礎看護技術Ⅱ
基礎看護学❹ 臨床看護総論
地域・在宅看護論 地域・在宅看護論
成人看護学❶ 成人看護学概論／成人保健
成人看護学❷ 呼吸器
成人看護学❸ 循環器
成人看護学❹ 血液・造血器
成人看護学❺ 消化器
成人看護学❻ 脳・神経
成人看護学❼ 腎・泌尿器
成人看護学❽ 内分泌／栄養・代謝
成人看護学❾ 感染症／アレルギー・免疫／膠原病
成人看護学❿ 女性生殖器
成人看護学⓫ 運動器
成人看護学⓬ 皮膚／眼
成人看護学⓭ 耳鼻咽喉／歯・口腔
経過別成人看護学❶ 急性期看護：クリティカルケア
経過別成人看護学❷ 周術期看護
経過別成人看護学❸ 慢性期看護
経過別成人看護学❹ 終末期看護：エンド・オブ・ライフ・ケア
老年看護学❶ 老年看護学概論／老年保健
老年看護学❷ 健康障害をもつ高齢者の看護
小児看護学❶ 小児看護学概論／小児保健
小児看護学❷ 健康障害をもつ小児の看護
母性看護学❶ 母性看護学概論／ウィメンズヘルスと看護
母性看護学❷ マタニティサイクルにおける母子の健康と看護
精神看護学❶ 精神看護学概論／精神保健
精神看護学❷ 精神障害をもつ人の看護
看護の統合と実践❶ 看護実践マネジメント／医療安全
看護の統合と実践❷ 災害看護学
看護の統合と実践❸ 国際看護学

別巻

臨床外科看護学Ⅰ
臨床外科看護学Ⅱ
放射線診療と看護
臨床検査
生と死の看護論
リハビリテーション看護
病態と診療の基礎
治療法概説
看護管理／看護研究／看護制度
看護技術の患者への適用
ヘルスプロモーション
現代医療論
機能障害からみた成人看護学❶ 呼吸機能障害／循環機能障害
機能障害からみた成人看護学❷ 消化・吸収機能障害／栄養代謝機能障害
機能障害からみた成人看護学❸ 内部環境調節機能障害／身体防御機能障害
機能障害からみた成人看護学❹ 脳・神経機能障害／感覚機能障害
機能障害からみた成人看護学❺ 運動機能障害／性・生殖機能障害

基礎分野

基礎科目 物理学
基礎科目 生物学
基礎科目 社会学
基礎科目 心理学
基礎科目 教育学